afgeschreven

DOODSINSTINCT

Van Jed Rubenfeld zijn verschenen:

Moordduiding*
Doodsinstinct

* Ook in Poema pocket verschenen

Jed Rubenfeld

DOODSINSTINCT

SIJTHOFF

© 2010 Jed Rubenfeld
All rights reserved
© 2011 Nederlandse vertaling
Uitgeverij Luitingh ~ Sijthoff B.V., Amsterdam
Alle rechten voorbehouden
Oorspronkelijke titel: *The Death Instinct*
Vertaling: Gertjan Cobelens
Omslagontwerp: Nico Richter
Omslagfotografie: © Amanda Dewey

ISBN 978 90 218 9798 1
NUR 305

www.boekenwereld.com
www.uitgeverijsijthoff.nl
www.watleesjij.nu

Voor mijn fantastische dochters Sophia en Louisa

Op een onbewolkte dag in september werd het financiële centrum van de Verenigde Staten op het zuidelijke puntje van Manhattan getroffen door de grootste terroristische aanval die ooit op Amerikaanse bodem had plaatsgevonden. Het jaar was 1920. Ondanks het tot dan toe grootschaligste politieonderzoek in de geschiedenis van de Verenigde Staten blijft de identiteit van de daders tot op heden een raadsel.

Deel een

1

De dood is slechts het begin, daarna wordt het pas moeilijk. Er zijn drie manieren om met de wetenschap van de dood te leven, om ons de blinde angst van het lijf te houden. De eerste is verdringing: vergeten dat hij onvermijdelijk is, doen alsof hij niet bestaat. Dat is wat de meesten van ons doorgaans doen. De tweede is het tegenovergestelde: *memento mori*. Gedenk te sterven. Houd de dood ononderbroken in gedachten, want het leven smaakt nooit zo zoet als wanneer iemand gelooft dat vandaag zijn laatste dag is. De derde is aanvaarding. Iemand die zijn dood aanvaardt – die er echt in berust – kent geen angst en bereikt in het licht van onverschillig welk verlies een allesoverstijgende gemoedsrust. Deze strategieën hebben alle drie iets gemeen; het zijn leugens. Blinde paniek zou tenminste eerlijk zijn.

Maar er is nog een andere manier, een vierde. Dit is de ontoelaatbare optie, het pad waarover geen mens mag spreken, zelfs niet tegen zichzelf, zelfs niet in de stilte van een innerlijke dialoog. Deze manier vereist geen vergeten, geen leugens, geen gekruip voor het altaar van het onvermijdelijke. Deze verlangt slechts doodsinstinct.

❧

Klokslag twaalf uur op 16 september 1920 begonnen de klokken van de Trinity Church luid te bulderen, en alsof ze door één enkele veer werden aangespannen sprongen overal op Wall Street tegelijkertijd de deuren open en ontzetten ze de klerken en boodschappenjongens, secretaressen en stenografen voor hun gekoesterde middagpauze. Ze stroomden de straten in, langs de auto's, vormden rijen voor hun favoriete lunchgelegenheden en vulden in een oogwenk de drukke kruising van Wall, Nassau en Broad, een kruispunt dat in de financiële wereld als de Hoek – simpelweg de Hoek – bekendstaat. Daar stond het New Yorkse gebouw van het ministerie van Financiën met zijn Griekse tempelfaçade, bewaakt door het vorstelijke bronzen standbeeld van George Washington. Daar had je de beurs van New York met zijn witte zuilen. Daar vond je J.P. Morgan and Company, eerder een burcht met een koepel dan een bank.

Voor deze bank kloste een oude vosmerrie over de kasseien, aangespannen voor een zwaarbeladen, met jutezakken bedekte wagen zonder koetsier die het verkeer hinderde. Erachter toeterden claxons geagiteerd. Een dikke taxichauffeur stapte uit zijn wagen, de armen in heilige verontwaardiging ten hemel geheven. In zijn opzet de voerman, die er niet was, de mantel uit te vegen werd de chauffeur verrast door een vreemd, gedempt geluid dat vanuit de wagen opprees. Hij legde zijn oor op het jute en hoorde een onmiskenbaar geluid: getik.

De kerkklokken sloegen twaalf uur. Terwijl de laatste doordringende noot nog wegstierf, trok de nieuwsgierige taxichauffeur een hoek van het door motten aangevreten jutedoek omhoog en zag wat eronder lag. Op dat moment waren er onder de elkaar verdringende duizendtallen vier mensen die wisten dat Wall Street zwanger was van de dood: de taxichauffeur, een roodharige vrouw vlak in zijn buurt, de ontbrekende koetsier van de paard-en-wagen en Stratham Younger, die vijftig meter verderop een rechercheur van politie en een jonge Française naar de grond trok.

De taxichauffeur fluisterde: 'God hebbe genade.'

Wall Street ontplofte.

❧

Twee vrouwen die ooit hartsvriendinnen zijn geweest en die elkaar na jaren weer tegenkomen, zullen kreten van ongeloof slaken, elkaar omhelzen, hun genegenheid betuigen, de draad onmiddellijk weer oppakken en de ontbrekende stukjes van hun levens met alle kleurschakeringen en intensiteit die ze tot hun beschikking hebben voor elkaar inkleuren. Twee mannen hebben elkaar onder diezelfde omstandigheden niets te zeggen.

Om elf uur die ochtend, één uur voor de explosie, drukten Younger en Jimmy Littlemore elkaar de hand in Madison Square Park, op drie kilometer van Wall Street. Het was een uitzonderlijk mooie dag voor de tijd van het jaar, met een helderblauwe lucht. Younger pakte een sigaret.

'Alweer een tijdje geleden, doc,' zei Littlemore.

Younger streek een lucifer af, stak zijn sigaret aan en knikte.

Beide mannen waren in de dertig, maar leken fysiek totaal niet op elkaar. Littlemore, rechercheur bij het New York Police Department, was het soort man dat makkelijk in zijn omgeving opging. Hij was van doorsneelengte, doorsneegewicht, met een doorsneehaarkleur; zelfs zijn gelaatstrekken waren doorsnee, een amalgaam van Amerikaanse openheid en goede gezondheid. Younger daarentegen was een opvallende verschijning. Hij was rijzig, bewoog zich soepel, zijn huid was licht verweerd. Zijn knappe gezicht had de onvolkomenheden waar vrouwen voor vallen. Kort gezegd was het uiterlijk van de dokter markanter dan dat van de rechercheur, maar minder innemend.

'Hoe gaat het op het werk?' vroeg Younger.

'Prima,' zei Littlemore, terwijl een tandenstoker tussen zijn lippen danste.

'Je gezin?'

'Goed.'

Ook op een ander vlak verschilden ze zichtbaar. Younger had in de oorlog gevochten, Littlemore niet. Toen in 1917 de oorlog verklaard werd, had Younger zijn huisartsenpraktijk in Boston en zijn wetenschappelijk onderzoek aan Harvard in de steek gelaten en was hij onmiddellijk het leger in gegaan. Littlemore zou hetzelfde hebben gedaan, ware het niet dat hij een vrouw en een hele sliert kinderen had om voor te zorgen.

'Mooi zo,' zei Younger.

'Ga je het me nu nog vertellen,' vroeg Littlemore, 'of moet ik het met een koevoet uit je wrikken?'

Younger nam een trek van zijn sigaret. 'Koevoet.'

'Je belt me na al die tijd op, zegt me dat je iets te vertellen hebt, en nu ga je stommetje spelen?'

'Daar hebben ze die grote triomftocht gehouden, niet?' vroeg Younger, terwijl hij in Madison Square Park om zich heen keek naar al het groen, de monumenten, de fraaie fontein. 'Wat is er met de boog gebeurd?'

'Die hebben ze gesloopt.'

'Waarom waren al die mannen zo graag bereid te sterven?'

'Welke mannen?'

'Het slaat nergens op. Vanuit evolutionair oogpunt.' Younger draaide zich naar Littlemore terug. 'Ik ben niet degene die je moet spreken. Dat is Colette.'

'Die jongedame die je uit Frankrijk hebt meegebracht?'

'Ze kan hier elk moment zijn. Als ze niet verdwaald is.'

'Hoe ziet ze eruit?'

Younger dacht even na. 'Mooi.' Meteen daarop voegde hij eraan toe: 'Daar heb je haar al.'

Een dubbeldekker was vlakbij op Fifth Avenue tot stilstand gekomen. Littlemore draaide zich om om te kijken; de tandenstoker viel haast uit zijn mond. Een jonge vrouw in een getailleerde regenjas daalde de buitentrap af aan de achterkant van de bus. De beide mannen liepen op haar toe terwijl ze van de laatste trede stapte.

Colette Rousseau zoende Younger een keer op beide wangen en stak een ranke hand naar Littlemore uit. Ze had groene ogen, lang donker haar en bewoog zich gracieus.

'Bijzonder aangenaam, mademoiselle,' herstelde de rechercheur zich kranig.

Ze nam hem op. 'Dus jij bent Jimmy,' antwoordde ze. 'De beste en dapperste man die Stratham ooit gekend heeft.'

Littlemore knipperde met zijn ogen. 'Heeft-ie dat gezegd?'

'Ik heb haar ook gezegd dat je grapjes niet leuk zijn,' voegde Younger eraan toe.

Colette wendde zich tot Younger. 'Je had naar de kliniek voor radiumtherapie moeten komen. Daar hebben ze een sarcoom genezen. En een *rinoscleroma*. Hoe is het mogelijk dat een onbeduidend ziekenhuis in Amerika over twee gram radium beschikt terwijl er in heel Frankrijk niet één gram te vinden is?'

'Ik wist niet dat rino's een aroma hadden,' merkte Littlemore op.

'Zullen we gaan lunchen?' vroeg Younger.

❦

Op de plek waar Colette uit de bus was gestapt, had een paar maanden eerder nog een enorme triomfboog de gehele breedte van Fifth Avenue overspannen. In maart 1919 had een omvangrijke mensenmassa de terugkerende soldaten toegejuicht terwijl zij onder de Romeinse triomfboog door paradeerden, die opgericht was om de overwinning van de natie in de Grote Oorlog te vieren. Lintjes fladderden, ballonnen zweefden, kanonnen brachten saluutschoten en – de drooglegging was nog niet afgekondigd – kurken knalden.

Maar de soldaten die als helden onthaald waren, ontwaakten daags daarop in een stad die geen werk voor ze had. De hoogconjunctuur van de oorlog was bezweken onder de naoorlogse recessie. De fabrieken, die op volle toeren hadden gedraaid, sloten hun deuren. Winkels gingen failliet. De handel kwam knarsend tot stilstand. Gezinnen werden op straat gezet en konden nergens terecht.

De triomfboog had van massief marmer moeten zijn. Nu men zich een dergelijke verkwisting niet langer kon veroorloven, was hij uit hout en gips opgetrokken. Toen het weer opspeelde, bladderde de verf af en dreigde de boog ineen te zakken. Voordat de winter voorbij was, was hij al afgebroken, ongeveer op hetzelfde moment dat het land werd drooggelegd.

De kolossale, verblindend witte en inmiddels verdwenen boog verleende Madison Square iets spookachtigs. Colette voelde het. Ze keek zelfs over haar schouder om te zien of ze door iemand werd aangestaard. Maar ze had de verkeerde kant op gekeken, niet naar Fifth Avenue, van waaruit ze wel degelijk door een paar starende ogen, aan het zicht onttrokken door voorbijsnellende auto's en ratelende omnibussen, in de gaten werd gehouden.

Die ogen behoorden toe aan een vrouwelijke gedaante, eenzaam en roerloos, met bleke, ingevallen wangen; een gestalte die op het eerste gezicht zo uitgeteerd was dat ze nog geen kind kwaad had kunnen doen. Een hoofddoek onttrok haar dorre rode haar goeddeels aan het zicht, en een versleten jurk uit de vorige eeuw hing tot op haar enkels. Het was onmogelijk haar leeftijd te schatten; ze had net zo goed een onschuldig veertienjarig meisje als een knokige vrouw van vijfenvijftig kunnen zijn. Maar met haar ogen was iets vreemds aan de hand. De irissen, van het bleekste blauw, waren doorspikkeld met bruin-gele onzuiverheden, net kadavers die op een rustige zee dobberen.

Een van de voertuigen die haar beletten Fifth Avenue over te steken was een naderende paard-en-wagen. Ze vestigde er al haar samengebalde aandacht op. Het dravende dier zag haar vanuit een ooghoek. Het deinsde achteruit en steigerde. De koetsier slaakte een kreet, wagens weken uit, banden piepten. Er volgden geen botsingen. Maar het verkeer spleet open en er vormde zich een afgebakend pad. Ongedeerd stak ze Fifth Avenue over.

⁓❧⁓

Littlemore troonde hen mee naar een straatkraam naast de ingang van de ondergrondse en stelde voor dat ze als lunch 'dogs' namen, met als gevolg dat de mannen aan een geschokte Française de ingrediënten van de nieuwste culinaire sensatie, de hotdog, moesten uitleggen. 'Dat vind je vast lekker, Miss, geloof me,' zei Littlemore.

'Denk je?' antwoordde ze weifelend.

Eenmaal aan de overkant van Fifth Avenue legde de vrouw met de hoofddoek een blauwgeaderde hand op haar maagstreek. Dit was duidelijk een teken of commando. Niet ver daarvandaan stopte de fontein met spuiten, en net toen de laatste waterstraal in de waterbak verdween, dook er een andere roodharige vrouw op die zo'n sterke gelijkenis met de eerste vertoonde dat ze een evenbeeld had kunnen zijn, zij het dat ze minder bleek, minder uitgemergeld was, met haar dat ongehinderd omlaag golfde. Ook zij legde haar hand op haar buik. In haar andere hand hield ze een schaar met sterke, gebogen bladen. Ze liep op Colette af.

'Ketchup, Miss?' vroeg Littlemore. 'De meeste mensen kiezen voor mosterd, maar ik hou het bij ketchup. Alsjeblieft.'

Colette nam de hotdog ongemakkelijk aan. 'Vooruit dan maar. Ik zal 'm proberen.'

Gebruikmakend van beide handen nam ze een hap. De twee mannen keken toe. Net als de beide roodharige vrouwen, die vanuit tegenovergestelde richting aan kwamen lopen. En net als een derde roodharige gestalte naast een vlaggenmast vlak bij Broadway, die behalve een hoofddoek ook een grijze wollen sjaal droeg die ze meerdere keren rond haar hals had gewikkeld.

'Dat smaakt heerlijk!' zei Colette. 'Wat heb jij op de jouwe?'

'Zuurkool, Miss,' antwoordde Littlemore. 'Eh, *choucroute*.'

'Ze weet wat zuurkool is,' zei Younger.

'Wil je daar wat van?' vroeg Littlemore.

'Alsjeblieft.'

De vrouw onder de vlaggenmast liet haar tong over haar lippen glijden. Jachtige New Yorkers snelden haar aan weerszijden voorbij, merkten haar – of haar sjaal, waartoe het weer geen aanleiding gaf en die een vreemde uitstulping uit haar hals leek te verbergen – niet op. Ze hief haar hand naar haar mond; uitgeteerde vingers kwamen in aanraking met opengesperde lippen. Ze begon in de richting van het Franse meisje te lopen.

'Wat dacht je van het centrum?' vroeg Littlemore. 'Zou je de Brooklyn Bridge willen zien, Miss?'

'Heel graag,' zei Colette.

'Kom maar achter me aan,' zei de rechercheur, terwijl hij de straatventer twee dubbeltjes fooi toewierp en naar de trap bij de ingang van de ondergrondse beende. Hij klopte op zijn zakken: 'Verdorie, we komen een stuiver tekort.'

De venter, die de rechercheur toevallig gehoord had, begon in zijn bakje met wisselgeld te graven, toen zijn oog op drie griezelig op elkaar gelijkende vrouwen viel, die op zijn kraam afkwamen. De eerste twee stoomden naast elkaar op. Hun vingers raakten elkaar terwijl ze liepen. De derde vorderde in haar eentje vanuit tegenovergestelde richting en hield haar dikke wollen sjaal tegen haar hals gedrukt. De lange vork gleed uit de hand van de hotdogverkoper en verdween in een pan kokend water. Hij zocht niet langer naar stuivers.

'Ik heb er eentje,' zei Younger.

'Laten we gaan,' antwoordde Littlemore. Op een sukkeldrafje ging hij de trap af. Colette en Younger volgden hem. Ze hadden geluk: een metro naar het centrum reed juist het station binnen en ze haalden hem net. Halverwege het perron kwam de trein slingerend tot stilstand. De deuren gleden krakend open, sloten zich toen met een klap en gingen vervolgens moeizaam weer open. Kennelijk hadden enkele laatkomers de conducteur weten over te halen om ze er nog in te laten.

❧

In de nauwe verkeersaders van Lower Manhattan op de zuidpunt van het eiland – ze waren bij het stadhuis uitgestapt – werden Younger, Colette en Littlemore meegezogen in de stuwing van de mensenmassa. Younger haalde diep adem. Hij was gek op het gekrioel van de stad, op haar doelgerichtheid, haar agressie. Hij was een zelfbewuste man, altijd al geweest. Voor Amerikaanse begrippen was Younger van zeer goede komaf: een Schermerhorn van moederskant, een directe verwante van het geslacht-Fish uit New York, en via zijn vader een nazaat van de Cabots uit Boston. Deze verheven afstamming, die hem inmiddels onverschillig liet, was in zijn jeugd een bron van weerzin geweest. Het superioriteitsgevoel dat zijn klasse tentoonspreidde kwam hem als zo overduidelijk op niets gebaseerd voor dat hij tot het besluit was gekomen het tegenovergestelde te doen van wat er van hem verwacht werd – tot de avond waarop zijn vader overleed, toen het onvermijdelijke zich deed gelden, de wereld echt werd en de hele kwestie van sociale rangen en standen niet langer voor hem speelde.

Maar dat was allemaal lang geleden, weggeschuurd door jaren van nietaflatende arbeid, prestaties en oorlog, en op deze ochtend in New York ondervond Younger een gevoel dat veel van onkwetsbaarheid weg had. Maar dit kwam, zo bedacht hij, wellicht slechts door de wetenschap dat zich hier geen sluipschutters ophielden die zijn hoofd in het vizier hielden, geen granaten die gillend door de lucht zoefden om je van je benen te beroven. Behalve dan dat het misschien het tegenovergestelde was: dat de drang tot geweld in New York zozeer in de lucht hing dat een man die in de oorlog gevochten had hier adem kon halen, zich hier thuis kon voelen, zijn spieren kon ontspannen die nog steeds gedreven werden door het nietsontziende na-effect van ongeremde moordzucht, zonder zichzelf een zonderling of monster te voelen.

'Zal ik het hem vertellen?' vroeg hij aan Colette. Rechts van hem rezen wolkenkrabbers onbegrijpelijk hoog op. Aan hun linkerhand verhief de Brooklyn Bridge zich statig over de Hudson.

'Nee, dat doe ik wel,' zei Colette. 'Het spijt me dat ik zo'n beslag op je tijd leg, Jimmy. Ik had het je meteen moeten vertellen.'

'Ik heb alle tijd van de wereld,' zei Littlemore.

'Tja, het heeft waarschijnlijk niets te betekenen, maar gisteravond kwam er een meisje naar ons hotel dat naar mij op zoek was. Wij waren er niet, dus liet ze een briefje achter. Hier is het.' Colette haalde een verfomfaaid velletje uit haar handtasje tevoorschijn. Op het papiertje stond een haastig neergekrabbelde boodschap.

Alstublieft, ik moet u spreken. Ze weten dat u gelijk heeft. Ik kom morgenochtend om halfacht terug. Zou u me alstublieft kunnen helpen.

Amelia

'Ze is niet teruggekomen,' voegde Colette eraan toe.

'Ken je die Amelia?' vroeg Littlemore, terwijl hij het velletje omdraaide maar op de achterkant niets aantrof.

'Nee.'

'"Ze weten dat u gelijk heeft?"' zei Littlemore. 'Gelijk waarover?'

'Ik heb geen idee,' zei Colette.

'Er is nog iets,' zei Younger.

'Ja, wat ze ín het briefje heeft gestopt, dat is waar we ons zorgen over maken,' zei Colette, terwijl ze iets uit haar handtas viste. Ze overhandigde de rechercheur een prop wit katoen.

Littlemore trok de vezels uit elkaar. In de katoenen prop lag een kies begraven, een kleine, glimmende mensenkies.

Hij werd door een spervuur van krachttermen onderbroken. De oorzaak lag in een parade die op Liberty Street plaatsvond en daar het verkeer tot stilstand bracht. De marcherende massa bestond geheel uit zwarten. De mannen op hun zondags – tot op de draad versleten zondags, de mouwen te kort – al was het een doordeweekse dag. Scharminkelige kinderen huppelden blootsvoets tussen hun ouders door. De meesten zongen; hun hymneachtig gezang overstemde de schimpscheuten van de omstanders en de woede-uitbarstingen van de automobilisten.

'Kalm aan!' riep een geüniformeerde agent, zelf nauwelijks ouder dan een jongen, tegen een tierende chauffeur.

Littlemore verontschuldigde zich en liep op de agent af. 'Wat ben je hier aan het doen, Boyle?'

'Hoofdinspecteur Hamilton heeft ons gestuurd,' zei Boyle, 'vanwege de negerparade.'

'Wie post er bij de beurs?' vroeg Littlemore.

'Niemand. We zijn allemaal hier. Zal ik de parade afgelasten? Zo te zien leidt die tot rottigheid.'

'Laat me even denken,' zei Littlemore terwijl hij op zijn hoofd krabde. 'Wat zou je op St. Paddy's Day doen als een paar zwarten de boel kwamen verstoren? De parade uiteendrijven?'

'Ik zou die zwarten uiteendrijven, chef. En niet zo'n beetje ook.'

'Dat klinkt al beter. Dus hier doe je hetzelfde.'

'Jawel, chef. Hé, jullie daar, stelletje ongeregeld,' schreeuwde Boyle naar de paradegangers voor hem terwijl hij zijn wapenstok tevoorschijn trok, 'maak ogenblikkelijk de weg vrij.'

'Boyle!' riep Littlemore.

'Jawel?'

'Niet de zwarten.'

'Maar u zei...'

'Je drijft de onruststokers uiteen, niet de parade zelf. Laat elke twee minuten wat wagens door. Deze mensen hebben net zoveel recht op hun parade als ieder ander.'

'Jawel.'

Littlemore keerde naar Younger en Colette terug. 'Tja, die kies is wel een beetje vreemd,' zei hij. 'Waarom zou iemand een kies achterlaten?'

'Ik heb geen idee.'

Ze liepen verder naar het centrum. Littlemore hield de kies in het zonlicht omhoog en bekeek hem van alle kanten. 'Schoon. Prima staat. Waarom?' Hij keek opnieuw naar het velletje. 'Op het briefje staat geen naam, Miss. Misschien was het niet voor jou.'

'De receptionist zei dat het meisje naar Miss Colette Rousseau had gevraagd,' antwoordde Younger.

'Misschien is er iemand met dezelfde achternaam,' opperde Littlemore. 'Het Commodore is een groot hotel. Zitten er geen tandartspraktijken?'

'Hoe wist je dat we in het Commodore verblijven?' vroeg Younger.

'Je lucifers zijn van het hotel. Daar stak je net je sigaret mee aan.'

'Die afschuwelijke lucifers,' antwoordde Colette. 'Daar zit Luc nu vast mee te spelen. Luc is mijn broertje. Hij is tien. Stratham heeft hem lucifers gegeven, alsof het speelgoed is.'

'Tijdens de oorlog heeft hij handgranaten uit elkaar gehaald,' zei Younger tegen Colette. 'Maak je over hem maar geen zorgen.'

'Mijn oudste is tien. We noemen hem Jimmy junior,' zei Littlemore. 'Zijn jullie ouders hier ook?'

'Nee, we zijn met z'n tweetjes,' antwoordde ze. 'De rest van het gezin is in de oorlog omgekomen.'

Ze liepen het financiële district in met zijn granieten gevels en duizelingwekkende torens. Straathandelaren in driedelige pakken stonden buiten in de septemberzon obligaties te veilen.

'Wat erg om te horen, Miss,' zei Littlemore. 'Van je familie.'

'Het is niets bijzonders,' zei ze. 'Heel veel gezinnen zijn omgekomen. Mijn broertje en ik hadden geluk dat we het overleefden.'

Littlemore wierp een vluchtige blik naar Younger, die zijn bevreemde gelaatsuitdrukking opmerkte maar er niet op reageerde. Younger wist wat Littlemore zich afvroeg: hoe je familie kwijtraken niets bijzonders kon zijn. Maar Littlemore had de oorlog niet meegemaakt.

Ze liepen zwijgend verder, ieder gevangen in zijn of haar gedachten, met als gevolg dat geen van hen het schepsel hoorde dat hen achteropkwam. Zelfs Colette had niets door totdat ze de hete adem in haar nek voelde. Ze deinsde achteruit en slaakte een kreet.

Het was een paard, een oude vosmerrie die hevig snoof vanwege het gewicht van een veel te zwaar beladen, krakkemikkige houten kar die ze achter zich aan zeulde. Colette stak opgelucht en schuldbewust een hand naar het dier uit en kneep liefkozend in een van haar oren. De merrie sperde haar neusgaten dankbaar open. De koetsier siste en liet de zweep op de flank van het paard neerdalen. Colette trok haar hand weg. De met een juten lap bedekte wagen klepperde over de kinderkopjes van Nassau Street langs hen heen.

'Mag ik je iets vragen?' vroeg Littlemore.

'Natuurlijk,' zei Colette.

'Wie in New York weten waar jullie verblijven?'

'Niemand.'

'En hoe zit het met die oude dame die jullie vanochtend bezocht hebben? Die met al die katten, die zo graag mensen omhelst?'

'Mevrouw Meloney?' vroeg Colette. 'Nee, ik heb haar niet verteld in welk hotel...'

'Hoe kun je dat in hemelsnaam weten?' onderbrak Younger haar, terwijl hij Colette toevoegde: 'Ik heb tegen hem met geen woord over mevrouw Meloney gerept.'

Ze naderden de kruising van Nassau, Broad en Wall Street, het financiële centrum van New York en – wellicht – de wereld.

'Dat lag eigenlijk nogal voor de hand,' zei Littlemore. 'Jullie hebben alle twee kattenharen op je schoenen en in jouw geval, doc, ook op je broekomslag. Verschillende soorten kattenharen. Dus wist ik gelijk dat jullie vanochtend ergens geweest zijn met een hoop katten. Maar de jongedame heeft ook twee lange grijze haren op haar schouder, mensenharen. Dus ging ik ervan uit dat die katten van een oud dametje geweest moeten zijn en dat jullie twee haar vanochtend een bezoek hebben gebracht, en dat die dame van het knuffelige soort moet zijn, want dat is hoe...'

'Ja ja, al goed,' zei Younger.

De paard-en-wagen kwam voor de Morgan Bank tot stilstand. De klokken van Trinity Church begonnen te bulderen en de straten vulden zich met duizenden kantoorslaven die voor hun teerbeminde lunchpauze kortstondig uit hun ketenen bevrijd werden.

'Hoe dan ook,' ging Littlemore verder, 'lijkt het mij het meest waarschijnlijk dat Amelia naar iemand anders op zoek was en dat de receptionist zich vergist heeft.'

Achter de paard-en-wagen, waarvan de voerman verdwenen was, begonnen claxons geagiteerd te toeteren. Op de trappen van het departement stond een roodharige vrouw, haar hoofd omwikkeld met een hoofddoek, in haar eentje de menigte met een gretige doch strakke blik op te nemen.

'Toch klinkt het alsof ze misschien in de problemen zit,' ging Littlemore verder. 'Vind je het goed als ik de kies bij me hou?'

'Ga je gang,' zei Colette.

Littlemore liet de katoenen prop in zijn borstzak glijden. Achter de paard-en-wagen stapte een dikke taxichauffeur uit zijn auto en hief zijn handen in heilige verontwaardiging ten hemel.

'Verbazingwekkend,' zei Younger, 'hoe alles hier hetzelfde is gebleven. Europa is terug in de middeleeuwen, maar in Amerika is de tijd met vakantie geweest.'

De klokken van Trinity Church beierden voort. Op zo'n vijftig meter voor Younger hoorde de taxichauffeur een vreemd geluid uit de met jutelappen bedekte kar komen en trok er een koude gloed langs de ogen van de roodharige vrouw op de trappen voor het ministerie. Ze had Colette in het oog gekregen en begon de trappen af te dalen. Mensen maakten onwillekeurig ruim baan voor haar.

'Volgens mij is het net andersom,' antwoordde Littlemore. 'Alles is anders. De hele stad staat onder hoogspanning.'

'Waarom?' vroeg Colette.

Younger hoorde hen niet langer. Plotseling was hij in Frankrijk, niet New York, druk doende in een tot kniehoogte met ijskoud water gevulde loopgraaf het leven van een eenarmige soldaat te redden, terwijl het snerpende, aanzwellende, dodelijke gegil van inkomende granaten de lucht vulde.

'Je weet wel,' zei Littlemore, 'geen werk, iedereen zit op zwart zaad, mensen worden uit hun huizen gezet, stakingen, rellen – en dan komen ze ook nog met de drooglegging op de proppen.'

Younger keek Colette en Littlemore aan; zij hoorden het gesnerp van het geschut niet. Niemand hoorde het.

'De drooglegging,' herhaalde Littlemore. 'Dat moet toch wel het ergste zijn wat iemand dit land ooit heeft aangedaan.'

Voor de Morgan Bank lichtte een nieuwsgierige taxichauffeur een hoek van het door motten aangevreten jutedoek op. De roodharige vrouw, die net met grote passen langs hem heen was gelopen, hield verbluft stil. De pupillen in haar bleekblauwe irissen verwijdden zich terwijl ze omkeek naar de chauffeur, die 'God hebbe genade' fluisterde.

'Liggen,' zei Younger, terwijl hij de beduusde Littlemore en Colette naar de grond trok.

Wall Street ontplofte.

2

Younger, die toch getuige was geweest van het bombardement op Château-Thierry, had nog nooit zo'n explosie gehoord. Hij was letterlijk oorverdovend: direct na de schok was er geen geluid meer in de wereld.

Een blauwzwarte wolk van ijzer en rook – onheilspellend, uitdijend – vulde het plein. Verder was er niets zichtbaar. Het was onmogelijk vast te stellen wat er met de mensen in de wolk gebeurd was.

Uit deze zware wolk schoot een auto tevoorschijn: een taxi. Alleen reed die niet over straat. Het voertuig vloog door de lucht.

Op zijn knieën gezeten zag Younger hoe de taxi als een granaat uit een houwitser uit de wolk omhoogscheerde – en op een onmogelijk punt tussen hemel en aarde roerloos in de lucht bleef hangen. Eén enkel moment van volmaakte stilte zweefde het rijtuig beweginglos zeven meter boven de grond. Totdat het zijn vlucht vervolgde, maar langzaam nu, onmogelijk langzaam, alsof de explosie niet alleen alle geluid uit de wereld had weggezogen, maar ook alle snelheid. Alles wat Younger zag, zag hij in een fractie van de ware snelheid bewegen. Boven hun hoofd buitelde de taxi om zijn lengteas, sereen en geluidloos. Hij kwam recht op Younger, Littlemore en Colette af, en zwol tot enorme proporties op.

Net op dat moment werden Littlemore en Colette door de schokgolf van de ontploffing ruggelings onderuitgeblazen. Alleen Younger, die ingeklemd tussen de beide anderen wist dat de schokgolf eraan kwam en zich schrap had gezet, bleef overeind en keek toe hoe de verwoesting om zich heen greep, hoe de buitelende taxi op hen dreigde neer te storten. Alsof hij van mijlenver kwam, hoorde hij Littlemore schreeuwen dat hij moest gaan liggen, maar Younger neeg slechts even zijn hoofd terwijl het voertuig op enkele centimeters over hem heen zeilde. Achter hem plofte de taxi – zonder vaart of geluid – zachtjes op de grond en schoof rollend voort, omhelsde een lantaarnpaal en vloog in brand.

Toen volgden de scherven. IJzeren brokstukken doorkliefden traag de lucht, met zichtbare stromen van lage luchtdruk in hun kielzog, alsof ze door het water scheerden. Younger zag de roodgloeiende metalen projectielen langzaam handkarren vernietigen en met oneindig geduld menselijke lichamen uiteenrijten. Hoewel hij wist dat dergelijke zaken niet door het menselijk oog konden worden waargenomen, zag hij ze stuk voor stuk.

Met de kleur van een donderwolk steeg de donkere rook boven het plein op. Hij steeg steeds verder, dertig meter hoog, en groeide in zijn klim uit tot een paddenstoel die alle zonlicht tegenhield. Zowel binnenin als aan de randen raasde vuur.

Onder de rook kwam de straat weer tevoorschijn. Opgeslokt door duisternis, ook al was het midden op de dag. En het sneeuwde. Hoezo sneeuw? Welke maand, vroeg Younger zich af, welke maand was het ook weer?

Geen sneeuw: glas. Elk raam in elk gebouw sloeg tot vijfentwintig verdiepingen hoog aan gruzelementen, waardoor er een hoosbui van kleine scherfjes scherpgerand glas neerdaalde. Die zachtjes op gekantelde wagens neerdwarrelden. En op kleine hoopjes vlees en vlammen die seconden eerder nog mannen en vrouwen waren geweest. Op mensen die nog overeind stonden, van wie de kleren of het haar vlam hadden gevat, en op anderen, honderden anderen, die worstelden om weg te komen, en bloedend op elkaar botsten. De monden geopend. Om te schreeuwen, zonder geluid. En die nauwelijks vooruitkwamen: in de droomachtige, vertraagde wereld die Younger waarnam, was elke menselijke beweging een kwelling, als schoenen die aan het gesmolten wegdek zaten vastgelijmd.

Plotseling week de ondoordringbare, brandende wolk boven hun hoofden als een gigantisch vuurwerk uiteen. Stof en puin sneden nog steeds de adem af, maar de glasstorm was gaan liggen. Geluid en beweging kwamen terug in de wereld.

❧

Terwijl ze overeind krabbelden, spuwde Littlemore een gebroken tandenstoker uit zijn mond en nam de chaos op. 'Kun je me helpen, doc?'

Younger knikte. Hij wendde zich naar Colette, een vraag in zijn ogen. Ook zij knikte. Younger zei tegen Littlemore: 'Kom, laten we gaan.'

Het drietal baande zich een weg door de stom geslagen menigte.

⁂

In het hart van de slachting lagen overal dode lichamen, zonder orde of logica lukraak verspreid. Overal stoven gruizig stof en stukjes smeulend papier rond. Mensen stroomden en struikelden hoestend en met zware brandwonden overdekt de gebouwen uit. Vanuit alle richtingen klonk geschreeuw, en kreten om hulp en een vreemd sissend geluid: oververhit metaal dat begon af te koelen.

'Jezus Maria,' zei Littlemore.

Younger zakte op zijn hurken naast een jonge vrouw die eruitzag alsof ze op haar knieën zat te bidden; naast haar lag een schaar. Younger wilde met haar praten, maar dat zou niet gaan. Colette slaakte een gil; de vrouw had geen hoofd.

Littlemore vocht zich een weg door de mensenmassa heen, op zoek naar iets. Younger en Colette volgden hem. Plotseling stuitten ze op een open ruimte, een lege cirkel in het wegdek, zo heet dat niemand hem betrad. Voor hun voeten was een kraterachtig gat geslagen met een doorsnede van vijf meter; verschroeid, glimmend, rokend, maar zonder barsten of scheuren. Een deel van een afgerukte, gespleten hoef van een paard was nog zichtbaar, het hoefijzer roodgloeiend en versmolten met twee stenen.

De arts en de rechercheur keken elkaar aan. Colette greep Younger bij de arm. Twee radeloze ogen staarden haar vanaf de stoep aan: het afgerukte hoofd van de vrouw, niet in een plas van bloed maar in een poel van rood haar.

⁂

Inmiddels waren er veel te veel mensen op het plein samengedromd. Duizenden trachtten te vluchten, maar nog veel meer duizenden stroomden Wall Street in om te zien wat er aan de hand was. Geruchten over nog een explosie hielden een deel van de menigte in Nassau Street kortstondig in hun greep en veroorzaakten een paniek waarbij de doden en de gewonden even meedogenloos onder de voet werden gelopen.

Littlemore klom op een gekantelde auto op de hoek van Wall Street en Broad Street. Daardoor stak hij een goede anderhalve meter boven de mensenmassa rond de wagen uit. Hij verhief zijn stem in een poging de aandacht te trekken. Keer op keer herhaalde hij de woorden 'politie' en 'inspecteur'. Younger was verbaasd over de kracht en helderheid van zijn stem, maar het mocht niet baten. Littlemore vuurde zijn pistool boven zijn hoofd af. Bij het vijfde schot slaagde hij erin de aandacht van de menigte vast te houden. Het kwam Younger voor dat de mensen bovenal bang waren. 'Luister goed,' riep Littlemore nadat hij opnieuw zijn rang genoemd had. Te midden van alle verwoesting klonk zijn stem geruststellend. 'Het is allemaal voorbij. Horen jullie me? Het is voorbij. Er is niets meer om bang voor te zijn. Als u zelf of iemand in uw omgeving een dokter nodig heeft, blijft u dan waar u bent. Ik heb een arts bij me. We zullen ervoor zorgen dat u behandeld wordt. Zo, laat alle aanwezige politieagenten nu naar voren komen.'

Er volgde geen reactie.

Binnensmonds vervloekte Littlemore hoofdinspecteur Hamilton voor het feit dat hij zijn agenten zo massaal op de parade had afgestuurd. 'Nu dan,' zei hij hardop, 'hoe zit het met soldaten? Zijn er hier ook veteranen?'

'Ik heb in het leger gediend, inspecteur,' schreeuwde een jonge vent.

'Goed zo, knul,' zei Littlemore. 'Nog meer? Als u in de oorlog heeft gevochten, meld u dan.'

Overal rond Littlemore brak de menigte open terwijl mannen naar voren stapten.

'Laat ze erlangs. Als u geen veteraan bent, doe dan een stap naar achteren,' riep Littlemore vanaf zijn auto. Toen voegde hij er zachtjes aan toe: 'Wel heb je ooit.'

Ruim vierhonderd veteranen verzamelden zich ter inspectie.

Littlemore riep naar Younger: 'Kun jij nog wat mannen gebruiken, doc?'

'Twintig,' riep Younger terug. 'Dertig, als je ze kunt missen.'

⁂

Aan het hoofd van zijn troepen wist Littlemore de orde snel te herstellen. Hij maakte het plein vrij en zette het af met een muur van manschappen, die de opdracht kregen mensen er wel af te laten maar geen ramptoeristen toe te laten. Enkele minuten later kwamen de eerste brandweerwagens en trucks van het waternet aangescheurd. Littlemore maakte de weg voor hen vrij. Veertien verdiepingen hoog schoten de vlammen uit de ramen.

Vervolgens arriveerden ambulances en politieagenten, vijftienhonderd man in totaal. Bij de ingang van elk gebouw liet Littlemore mannen posten. Uit een steeg naast het departement, te nauw voor de brandweerwagens, sijpelde donkere rook naar buiten, en tevens een geur van brandend hout en iets nog onwelriekenders. Door een weggeblazen smeedijzeren poort baande Littlemore zich een weg naar binnen. Hij negeerde het geschreeuw van de brandweerlieden en ging op zoek naar overlevenden. Hij vond er geen. In plaats daarvan stuitte hij in de dikke rook op een grote berg knetterend hout. Alles van metaal gloeide paars op: de ijzeren poort die uit zijn scharnieren was geslagen, een putdeksel en het koperen insigne dat op een lijk zat gepind dat tussen het brandende hout lag.

Het was een mannenlichaam. De rechterzijde van top tot teen ongeschonden. De linkerzijde verkoold, ontveld, oogloos en smeulend.

Littlemore keek naar het halve gezicht van de halve man. Zijn ene goede oog en halve mond waren vredig; ze deden hem om een onverklaarbare reden aan hemzelf denken. De gloeiende penning gaf aan dat hij voor Financiën had gewerkt. In zijn veraste hand lag iets glimmends te sissen: het was een met zwartgeblakerde en rokende vingers omklemde goudstaaf.

❧

Younger gebruikte zijn eskader om zich over de slachtoffers, de dode en de levende, te ontfermen. De muren van de Morgan Bank werden omgetoverd tot zijn mortuarium. Younger droeg de voormalige soldaten op de lijken niet in vormeloze hopen op te stapelen, maar ze in groepjes van tien in evenwijdige rijen naast elkaar te leggen.

Gewapend met voorraden van een apotheek uit de buurt had Colette een provisorische eerstehulppost annex operatieruimte ingericht. Younger gooide zich met opgerolde mouwen in de strijd, met assistentie van Colette en een vrijwilligster, een verpleegster van het Rode Kruis. Hij maakte wonden schoon en naaide ze dicht, zette hier en daar een gebroken been, verwijderde metalen scherven – bij één man uit zijn dij, bij een andere uit de buik.

'Moet je kijken,' zei Colette toen ze Younger bij een operatie hielp op een man wiens bloeding de zuster niet had kunnen stelpen. Ze wees naar iets vaags wat onder Youngers operatietafel bewoog. 'Een gewonde.' Younger wierp een korte blik omlaag. Een armetierige terriër met een kleine grijze baard doolde tussen hun voeten door.

'Zeg 'm maar dat-ie net als ieder ander op zijn beurt moet wachten,' zei Younger.

Toen hij Colettes aanhoudende zwijgen niet langer kon negeren, keek

Younger van zijn werk op: ze legde een verband om de voorpoot van de terriër.

'Waar ben jij nou mee bezig?' vroeg hij.

Honderden mensen zaten of lagen met geblakerde gezichten en bloedende ledematen op de kerkbanken van Trinity Church op een ambulance of eerste hulp te wachten. 'Ik ben met een minuutje klaar,' zei Colette.

Het werden er vijf.

'Zo,' zei Colette terwijl ze de terriër losliet. 'Het is al gepiept.'

⁂

Later die middag, de lucht nog dik van stof en rook, zat Littlemore aan een lange tafel die midden op het plein was neergezet om verklaringen van ooggetuigen op te nemen. Twee van zijn agenten in uniform, Stankiewicz en Roederheusen, onderbraken hem. 'Hé, chef,' zei de eerste, 'ze willen ons niet in het ministerie laten.'

Littlemore had zijn manschappen opdracht gegeven de omringende gebouwen op mensen te inspecteren die te gewond of te dood waren om naar buiten te komen. 'Wie zijn "ze"?' vroeg Littlemore.

'Het leger,' antwoordde Roederheusen, terwijl hij naar het subdepartement van Financiën wees, waar zo'n tweehonderd infanteristen van het leger op de trappen hun posities hadden ingenomen. Een andere compagnie stoomde vanuit het zuiden met getrokken bajonetten op. De laarzen marcheerden ritmisch over het wegdek van Wall Street.

De rechercheur floot. 'Waar komen die opeens vandaan?'

'Mogen die de baas over ons spelen, chef?' vroeg Stankiewicz, terwijl hij zijn ongenoegen kenbaar maakte door de glimmende klep van zijn pet omhoog te duwen en zijn kin uit te steken.

'Stanky heeft geknokt, chef,' zei Roederheusen.

'Het was niet mijn schuld,' pruttelde Stankiewicz. 'Ik zei tegen de kolonel dat we de gebouwen moesten inspecteren, en hij zegt: "Achteruit, burgermannetje," dus zeg ik: "Wie noemt u hier burgermannetje? Ik zit bij de NYPD," en hij weer van: "Achteruit zeg ik, anders zal ik andere maatregelen nemen," en toen begonnen zijn soldaten met hun bajonetten in mijn borst te porren, dus grijp ik naar mijn pistool...'

'Nee toch,' zei Littlemore. 'Ga me nu niet vertellen dat je je wapen hebt getrokken tegen een kolonel van het Amerikaanse leger.'

'Ik heb niks getrokken, chef. Ik heb 'm alleen maar effe m'n blaffer laten zien, m'n jas naar achteren getrokken zoals u ons geleerd heeft. Staan ze voor ik het weet met z'n vijven met hun bajonetten om me heen.'

'Wat gebeurde er toen?' vroeg Littlemore.

'Ze hebben Stanky gedwongen te knielen, met zijn armen achter zijn hoofd,' zei Roederheusen. 'En toen hebben ze hem zijn pistool afgenomen.'

'Allemachtig, Stanky,' zei Littlemore. 'Hoe zit het met jou, Lederhosen? Hebben ze jouw wapen ook afgenomen?'

'Ik heet Roederheusen, chef,' zei Roederheusen.

'Die van hem hebben ze ook,' zei Stankiewicz.

'En ik had geeneens wat gedaan,' zei Roederheusen.

Littlemore schudde zijn hoofd. Hij gaf ze een stapel blanco archiefkaartjes. 'Ik zorg later wel dat jullie je wapens terugkrijgen. Maar ondertussen kunnen jullie hiermee aan de slag. We hebben een lijst van doden en gewonden nodig. Ik wil voor iedere persoon een apart kaartje met naam, leeftijd, adres, beroep, wat jullie maar te...'

'Littlemore?' riep een autoritaire mannenstem vanaf de overkant van de straat. 'Kom hier, inspecteur. Ik moet je spreken.'

De stem behoorde toe aan Richard Enright, commissaris van de New York Police Department. Littlemore stak op een sukkeldrafje de straat over en voegde zich bij vier oudere heren op de stoep.

'Inspecteur Littlemore, je kent de burgemeester uiteraard,' zei commissaris Enright, terwijl hij Littlemore aan John F. Hylan, de burgemeester van New York, voorstelde. Hylan droeg zijn verwarde vettige haar met een scheiding in het midden; zijn kleine oogjes stonden nogal bedroefd, maar weinig intelligent. De commissaris stelde Littlemore tevens aan de beide andere mannen voor: 'Dit is Mr. McAdoo, die verslag uit zal brengen aan president Wilson in Washington, en dit hier is Mr. Lamont van J.P. Morgan and Company. Weet je zeker dat het wel goed met je gaat, Lamont?'

'Het raam brak recht voor onze neus in gruzelementen,' antwoordde de betreffende heer, een iel, goed gekleed mannetje met een gemene snee in zijn arm en een beduusde uitdrukking op zijn verder zo uitgestreken gezicht. 'We hadden wel dood kunnen zijn. Hoe heeft dit kunnen gebeuren?'

'Wat is er precies gebeurd?' vroeg burgemeester Hylan aan Littlemore.

'Weet ik nog niet, meneer,' zei Littlemore. 'Ik ben ermee bezig.'

'Hoe moet dat nu met Constitution Day?' fluisterde de burgemeester bangelijk.

'Morgen is het 17 september, Littlemore, de Dag van de Grondwet,' zei commissaris Enright. De commissaris was een man met een indrukwekkende, bekoorlijke buikomvang, uitbundig golvend grijs haar en onverwacht gevoelige ogen. 'De viering zou morgenochtend op deze locatie voor de beurs moeten plaatsvinden. Burgemeester Hylan wil weten of het plein dan klaar kan zijn.'

'Het plein zal vanavond om acht uur weer vrij zijn,' zei Littlemore

'U hoort het, Hylan,' antwoordde Enright. 'Ik zei toch dat Littlemore het voor elkaar krijgt. Dan kunt u zelf beslissen of de viering wel of niet doorgaat.'

'Zal het er veilig zijn, veilig genoeg voor een grote bijeenkomst?' vroeg de burgemeester.

'Dat kan ik niet garanderen,' zei Littlemore. 'Bij grote menigtes kun je de veiligheid nooit garanderen.'

'Ik weet het niet,' antwoordde burgemeester Hylan handenwringend. 'Slaan we een figuur als we de viering afblazen? Of een nog erger figuur als we haar door laten gaan?'

McAdoo antwoordde: 'Ik heb nog geen contact gehad met de president, maar ik heb wel uitvoerig met minister Palmer van Justitie gesproken, en hij dringt erop aan dat de viering doorgaat. Er moeten toespraken worden gehouden, de burgers moeten kunnen samenkomen – hoe meer burgers, hoe beter. Palmer zegt dat we geen angst moeten tonen.'

'Angst?' vroeg Hylan bezorgd. 'Angst voor wat?'

'Anarchisten uiteraard,' zei McAdoo. 'Maar welke anarchisten? Dat is de vraag.'

'Laten we geen overhaaste conclusies trekken,' zei Enright.

'Palmer zal zelf een toespraak houden,' zei McAdoo, een knappe, slanke, gereserveerde man met een mooie, scherp gesneden neus en ondanks zijn leeftijd nog zwarte haren. 'Als hij op tijd komt.'

'Minister Palmer komt naar New York?' vroeg Littlemore.

'Ik neem aan dat hij het onderzoek wil leiden,' zei McAdoo.

'Niet dat van mij,' zei commissaris Enright.

'Er kan slechts één onderzoek zijn,' zei McAdoo.

'Als we hier morgenochtend een grote bijeenkomst willen houden, commissaris,' zei Littlemore, 'dan hebben we extra manschappen nodig op straat. Drie- of vierhonderd.'

'Hoezo? Zit er nog een explosie aan te komen soms?' riep de burgemeester verontrust uit.

'Kalm aan, Hylan,' zei Enright. 'Straks hoort iemand u nog.'

'Louter een voorzorgsmaatregel, meneer de burgemeester,' zei Littlemore. 'We willen geen rellen.'

'Vierhonderd man extra?' vroeg burgemeester Hylan, op zijn hoede.

'Die we anderhalf maal het gewone uurloon moeten betalen wegens overwerk? Waar moet dat geld vandaan komen?'

'Maakt u zich over het geld geen zorgen,' zei Lamont, die zich ondanks zijn geringe gestalte zo groot mogelijk maakte. 'De J.P. Morgan Company zal het betalen. Alles moet gewoon doorgaan. Het mag niet zover komen dat de wereld denkt dat Wall Street onveilig is. Dat zou een ramp betekenen.'

'En hoe noem je dít dan?' vroeg Hylan, terwijl hij om zich heen gebaarde.

'Hoe is het jullie mensen vergaan, Lamont?' vroeg Enright. 'Hoeveel zijn er omgekomen?'

'Dat weet ik nog niet,' antwoordde Lamont grimmig. 'Junius, de zoon van J.P., heeft een voltreffer geïncasseerd.'

'Hij is toch niet omgekomen?' vroeg Enright.

'Nee, maar zijn gezicht was een bloederige boel. Ik weet maar één ding zeker: morgenochtend om klokslag acht gaat de Morgan Bank gewoon open en worden er zaken gedaan.'

Commissaris Enright knikte. 'Juist,' zei hij. 'Alles gaat gewoon door. Je kunt weer gaan, inspecteur Littlemore.'

❧

Toen Littlemore weer bij de tafel terugkwam waar zijn mannen bezig waren getuigen te horen, stond Stankiewicz hem met een hevig zwetende zakenman op te wachten. 'Hé, chef,' zei Stankiewicz, 'u kunt maar beter even met deze kerel hier praten. Hij zegt dat hij bewijsmateriaal heeft.'

'Ik zweer dat ik er geen idee van had,' zei de zakenman zenuwachtig. 'Ik dacht dat het om een grap ging.'

'Waar heeft-ie het over, Stanky?' vroeg Littlemore.

'Dit hier, chef,' zei Stankiewicz, terwijl hij Littlemore een ansichtkaart gaf met een poststempel van Toronto, gedateerd 11 september 1920 en geadresseerd aan George F. Ketledge, Broadway 2, New York, New York. Op het kaartje stond een korte boodschap.

Gegroet,
Zodra op woensdag de vijftiende om drie uur de slotbel klinkt, maak dan dat je uit Wall Street wegkomt. Het beste,

Ed

'En u bent Ketledge?' vroeg Littlemore aan de zakenman.

'Dat klopt.'

'Wanneer heeft u dit ontvangen?' vroeg Littlemore.

'Gisterochtend, de vijftiende. Het is nooit bij me opgekomen dat het serieus bedoeld was.'

'Wie is Ed?'

'Edwin Fischer,' zei Ketledge. 'Een oude vriend. Hij werkt voor de Franse Hoge Commissie.'

'Wat is dat?'

'Dat weet ik niet precies. Ze zitten op Broadway 65, één huizenblok bij mijn kantoor vandaan. Heb ik een misdrijf begaan?'

'Nee,' antwoordde Littlemore. 'Wel blijft u hier om aan deze agenten een volledige verklaring af te leggen. Jongens, ik ga even snel naar Broadway 65. Zeg, Ketledge, ze spreken toch wel Engels bij die Franse Commissie?'

'Ik zou het u niet kunnen zeggen,' zei Ketledge.

❧

Een paar uur later meldde Colette aan Younger dat ze bijna door hun verband heen waren. 'En de ontsmettingsmiddelen zijn ook bijna op. Ik ga even bij de apotheek langs.'

'Je kent hier de weg niet,' zei Younger

'We zitten niet meer in de loopgraven, Stratham. Ik kan de weg vragen. Ik moet trouwens toch een telefoon vinden om Luc te bellen. Hij zal zich wel zorgen maken.'

'Vooruit dan maar. Neem mijn portefeuille mee,' antwoordde Younger.

Ze kuste hem op de wang, hield toen even stil. 'Weet je nog wat je gezegd hebt?'

Dat wist hij. 'Dat er in Amerika geen oorlog is.'

Onder aan de trap liep ze Littlemore tegen het lijf. De rechercheur riep omhoog naar Younger: 'Is het goed als ik de jongedame een halfuurtje leen, doc?'

'Ga je gang. Maar kom even hier, wil je,' zei Younger, terwijl hij over een patiënt gebogen stond.

'Wat is er?' vroeg de rechercheur, terwijl hij de trap op liep.

'Ik geloof dat ik iets gezien heb, Littlemore,' zei Younger zonder zijn werkzaamheden te onderbreken. 'Zuster, mijn voorhoofd.'

De zuster veegde Youngers voorhoofd af; de doek was op slag doorweekt en rood.

'Is dat jouw bloed, doc?' vroeg Littlemore.

'Nee,' antwoordde Younger niet naar waarheid. Kennelijk had een scherf zijn gezicht geschampt toen de bom ontplofte. 'Het was net na de explosie. Iets ongerijmds.'

'Wat dan?'

'Dat weet ik niet. Maar ik denk dat het belangrijk is.'

Littlemore wachtte totdat Younger met een toelichting kwam, maar die bleef uit. 'Daar heb ik echt wat aan, doc,' zei de rechercheur. 'Ga vooral zo door.'

Littlemore haastte zich hoofdschuddend de trap weer af en nam Colette met zich mee. Ook Younger schudde zijn hoofd, maar om een andere reden. Hij kon zich niet aan het gevoel onttrekken dat er iets was wat hem niet te binnen wilde schieten. Het lag bijna voor het grijpen, ergens aan de rand van zijn geheugen: een mist of een storm, een schoolbord – een schoolbord? – en iemand die ervoor stond, die erop stond te schrijven, maar niet met een krijtje. Een geweer?

'Zou u niet even een pauze nemen, dokter?' vroeg de verpleegster. 'U heeft nog geen druppel water gedronken.'

'Als we water overhebben,' zei Younger, 'gebruik dat dan om er de vloer mee te dweilen.'

❧

De klokken van Trinity Church sloegen zeven uur toen Younger klaar was. De gewonden waren weg, zijn verpleegster was weg, de terriër met de kleine grijze baard was weg, de doden: weg.

De zomeravond was onbetamelijk aangenaam. Een paar politieagenten waren nog bezig brokstukken te verzamelen die ze in genummerde canvas-zakken stopten, maar Wall Street zelf was goeddeels verlaten. Younger zag Littlemore naderbij komen, onder het stof. Youngers eigen overhemd en broek waren doorweekt met verkleurd en vastgekoekt bloed. Hij klopte op zijn zakken op zoek naar een sigaret en betastte zijn hoofd net boven zijn rechteroor; de aanraking kleurde zijn vingertoppen rood.

'Je ziet er beroerd uit,' zei Littlemore, terwijl hij zijn hoofd om de deur stak.

'Met mij gaat het best,' antwoordde Younger. 'En het had nog beter kunnen zijn als je mij niet van mijn medisch assistente had beroofd. Je zei dat je haar maar een halfuurtje nodig had.'

'Colette?' vroeg Littlemore. 'Dat was ook zo.'

'Hoe bedoel je?'

'Ik heb haar na een halfuur hier teruggebracht. Ze ging naar een apotheek.'

Beide mannen zwegen.

'Is hier ergens een telefoon?' vroeg Younger. 'Dan probeer ik het hotel.'

In de beurs belde Younger met het Commodore. Miss Rousseau, zo liet men hem weten, was de hele dag niet teruggeweest. Younger verzocht met haar kamer te worden doorverbonden om haar broer te spreken.

'Het spijt me, dr. Younger,' zei de receptionist, 'maar ook hij is niet teruggeweest.'

'De jongen is naar buiten gegaan?' vroeg Younger. 'In zijn eentje?'

'In zijn eentje?' herhaalde de receptionist op bevreemde toon.

'Ja, is hij in zijn eentje naar buiten gegaan?' vroeg Younger met stijgende irritatie en ontzetting.

'Nee, meneer. U was bij hem.'

3

De aanslag in Wall Street op 16 september 1920 was niet alleen de dodelijkste bomaanslag uit de honderdvijftigjarige geschiedenis van het land. Het was ook de onbegrijpelijkste. Wie zou het in zijn hoofd halen op het drukste moment van de dag een bom van 275 kilo op een van de drukste pleinen van New York tot ontploffing te brengen?

Er was slechts één woord, aldus *The New York Times*, waarmee de plegers van een dergelijke daad omschreven konden worden: terroristen. *The Washington Post* was van mening dat de aanslag een 'oorlogsverklaring' vormde en eiste onmiddellijke vergelding door het Amerikaanse leger. Maar vergelding tegen welk land, tegen welke vreemde mogendheid, tegen welke vijand? Daar was geen antwoord op. In dit opzicht was de aanslag op Wall Street niet alleen ontstellend, maar kwam deze ook ontstellend bekend voor.

Tijdens de Grote Oorlog waren vijftien miljoen zielen gesneuveld, een aantal dat het menselijk voorstellingsvermogen bijna te boven gaat. Maar ondanks deze gruwelijk hoge prijs was de oorlog zelf wel te bevatten. Landen werden bezet, bezetters werden teruggedreven. Mannen gingen naar het front en kwamen, als het meezat, terug. Oorlogen hadden grenzen. Aan oorlogen kwam een einde.

Tegen 1920 echter was de wereld aan een nieuwe vorm van oorlog gewend geraakt. Die was een kwarteeuw eerder met een golf van moordaanslagen begonnen. In 1894 werd de Franse president vermoord, in 1898 de keizerin van Oostenrijk, in 1900 de koning van Italië, in 1901 president McKinley van de Verenigde Staten, in 1912 de premier van Spanje en in 1914 uiteraard een Habsburgse aartshertog, wat in de Grote Brand resulteerde. Moordaanslagen waren strikt genomen niets nieuws, maar met deze moorden was iets anders aan de hand. De meeste misten een duidelijk, concreet doel. Ze ontbeerden zelfs de gestoorde rationaliteit van een knagende rancune.

Maar op de een of andere manier waren ze ook allemaal hetzelfde. Ze werden stuk voor stuk door arme jongemannen gepleegd, meestal buitenlanders, die via schimmige internationale netwerken met elkaar in contact stonden en die een dodelijke ideologie deelden, waarbij ze hun eigen verscheiden bijna leken te verwelkomen. De moorden wekten de indruk een aanslag op alle westerse naties – op de beschaving zelf – te zijn. De daders stonden bekend onder vele namen: anarchisten, socialisten, nationalisten, fanatici, extremisten, communisten. In kranten en redevoeringen echter werden ze allen onder één noemer gebracht: terroristen.

In 1919 begonnen de aanslagen op Amerikaanse bodem. Op 28 april werd een klein bruin pakketje afgeleverd bij de burgemeester van Seattle, die kort daarvoor een algemene staking had gebroken. De afzender was 'Gimbel Brothers' en een handgeschreven etiket beloofde 'noviteiten – een monster'. Binnenin zat een houten buis die inderdaad een noviteit was. Hij bevatte een chemische ontsteker en een staaf dynamiet. De primitieve bom kwam niet tot ontploffing. Maar de volgde dag rukte een identieke noviteit, die bij een voormalige senator aan huis was bezorgd, de handen af van de onfortuinlijke dienstmeid die het pakje openmaakte.

Terwijl hij de avond daarop op weg naar huis in de ondergrondse de krant zat te lezen, realiseerde een werknemer van de posterijen zich dat hij die dag minstens een tiental soortgelijke pakketten had gezien. Hij spoedde zich terug naar het postkantoor en kwam erachter dat de pakketten nog niet bezorgd waren – ze waren onvoldoende gefrankeerd. Uiteindelijk werden er zesendertig van dergelijke noviteitenpakketjes ontdekt, gericht aan een eclectische groep van personen, onder wie John D. Rockefeller en J.P. Morgan.

Een maand later zette een reeks gelijktijdige explosies de nacht in acht verschillende Amerikaanse steden in lichterlaaie. De doelwitten waren woningen. Die van een burgemeester in Ohio, een wetgever uit Massachusetts, een rechter in New York. Veruit de stoutmoedigste aanslag was de ontploffing bij het huis van de Amerikaanse minister van Justitie, A. Mitchell Palmer, in Washington D.C. Hier beging de bommenlegger een blunder. Terwijl hij het trapje naar Palmers voordeur beklom, kwam het explosief in zijn handen tot ontploffing en liet hij voor het politieonderzoek slechts wijdverspreide lichaamsdelen achter.

Palmer reageerde met grootscheepse razzia's, waarbij zijn speciale agenten overal in Amerika overdag of onder dekking van de nacht woningen binnenvielen. Duizenden werden met of zonder aanklacht opgepakt en vastgezet of gedeporteerd. Telefoonlijnen werden afgeluisterd, post onderschept, verdachten 'krachtdadig' ondervraagd. Maar de daders werden nooit gevonden.

Hoe gruwelijk ook, al deze moordaanslagen waren op publieke figuren gericht. De gewone man voelde zich niet persoonlijk bedreigd. Die voelde zich niet genoopt zijn levensstijl aan te passen. Maar aan dat vernis van vermeende veiligheid kwam een hardhandig einde toen Wall Street op 16 september 1920 in rook opging.

⁂

Toen ze de politieomheining passeerden, werden Younger en Littlemore onmiddellijk van alle kanten belaagd. Een grote menigte – veel groter dan Younger had beseft – verdrong zich bij de wegversperringen rond de ontploffingskrater. Vrouwen met baby's op de arm trokken aan Youngers mouw en smeekten om nieuws over hun mannen. In de schemering klonken angstige stemmen op die wilden weten wat er gebeurd was.

Littlemore probeerde elke smeekbede zo goed mogelijk te beantwoorden. Hij stelde een vrouw gerust dat er geen kinderen waren omgekomen. Aan anderen legde hij uit waar ze heen moesten om een lijst met slachtoffers in te zien. Op besliste toon maar zonder zijn geduld te verliezen adviseerde hij de overigen naar huis te gaan en op het nieuws van de volgende dag te wachten.

Zelfs de dienstdoende agenten die de menigte op afstand hielden, waren niet ongevoelig voor de algehele paniek. In het voorbijgaan fluisterde een van hen tegen Littlemore: 'Hé, inspecteur, waren het de bolsjewieken? Ze zeggen dat het de bolsjewieken waren.'

'Nee, het was een gaslek, dat is alles,' kwam een andere agent tussenbeide, terwijl hij ten bewijze een krant omhooghield. 'Burgemeester Hylan heeft het zelf gezegd. Niet dan, inspecteur?'

'Hier die krant,' blafte Littlemore.

De rechercheur nam de krant af waar een dienstdoende agent niet mee rond had mogen lopen. Het was de extra editie van vier pagina's van *The*

Sun. 'Dit is toch niet te geloven,' zei Littlemore, terwijl hij de binnenpagina's las. 'Hylan hangt overal het verhaal op dat het om een gesprongen gasleiding gaat.'

Zoals Littlemore en Younger beiden wisten, school het belangrijkste aspect van de geblakerde krater die ze op het plein hadden aangetroffen in wat er niet was. Er zaten geen scheuren of barsten in het wegdek, wat het geval zou zijn als er een gasleiding gesprongen was en er een geiser van vlammen de straat in was gespoten.

'Het was een bomkrater,' zei Younger.

'Daar leek het in elk geval wel op,' beaamde Littlemore, die al lopend bleef doorlezen.

'Absoluut een bom,' zei Younger. 'Dus wil je die klerekrant nu wegdoen?'

'Nou nou,' zei de rechercheur, terwijl hij de krant op de achterbank gooide.

'Waar is de slinger?' vroeg Younger, die voor de wagen stond, happig om hem aan de praat te krijgen.

'Jij bent echt weggeweest. Er is geen slinger, ze hebben tegenwoordig een startpedaal,' zei Littlemore. Hij zag de ongerustheid in Youngers ogen. 'Kop op, doc, er is vast niets met haar aan de hand. Ze is naar het hotel teruggegaan, is met dat jong ergens gaan eten, heeft een boodschap voor je bij de balie achtergelaten, en daar hebben ze haar verhaal verhaspeld. Dat is alles.'

❦

Op de hoek van Forty-Fourth Street en Lexington Avenue, op één stratenblok van het Commodore Hotel, lag de Bat and Table, een publiek etablissement. Ernaast was een smalle, onverlichte steeg die voornamelijk voor de vuilnisophaal werd gebruikt en 's avonds gewoonlijk verlaten was. Op de avond van de zestiende september 1920 echter stond er een vierdeursauto met dak en een stationair draaiende motor.

De bestuurder van de wagen was geen verfijnd heerschap. Hij had een dik, rond, onbehaard gezicht dat glom van het zweet. Zijn schouders waren zo opgepompt in zijn aftandse jasje dat er geen nek zichtbaar was. Zijn hoed was minstens één maat te klein zodat zijn oren eronder uitstaken. Ook al stond de wagen in zijn vrij, toch hield hij zijn handen om het stuur geklemd, en de vrouw naast hem zag korte, dikke haartjes uit zijn knokkels steken. Die vrouw was Colette Rousseau, wier handen op de rug waren gebonden.

Op de achterbank zat een ander persoon, wiens onsympathieke voorkomen minder middels zijn weinig ontwikkelde musculatuur tot uitdrukking kwam dan via zijn pistool, dat hij op Colette gericht hield. Zijn kleine pezige bovenlijf stak in een veel te ruim vallend geruit pak dat naar verschraald bier rook. Zijn adem was al even bedorven: die rook naar rauwe ui.

Deze mannen spraken in een taal die Colette niet verstond en zelfs niet thuis kon brengen. De bestuurder heette kennelijk Zelko, de man op de achterbank Miljan. Colette zei niets. Boven haar linkeroog zat een kleine bloeduitstorting.

Een achterportier ging open. Een jongen werd haastig op de achterbank gesmeten, meteen gevolgd door een derde man, langer dan de beide anderen, die niet direct goed gekleed was, maar wel beter, in een streepjespak dat ooit een beschaafd herenkostuum was geweest. Zijn gezicht ging onder zo'n overvloedige zwarte haardos schuil dat zijn mond onzichtbaar was; zijn ogen staarden vanonder dikke borstelige wenkbrauwen de wereld in. Hij trok het portier met een knal achter zich dicht en blafte bevelen in dezelfde ondefinieerbare taal. De twee andere mannen noemden hem Drobac.

Klaarblijkelijk luidden Drobacs bevelen de jongen te knevelen en de wagen in beweging te zetten. Dat was tenminste wat de twee andere mannen begonnen te doen. Colette vroeg Luc in het Frans of hij ongedeerd was. Hij knikte. Ze sprak snel maar op rustige toon: 'Het is allemaal een vergissing. Daar komen ze zo wel achter en dan laten ze ons gaan.'

Miljan spuwde er een paar onbegrijpelijke zinnen uit die naar ui stonken. Drobac legde hem met een bruuske uitroep het zwijgen op.

'Ze verstaan geen Frans,' fluisterde Colette snel naar Luc. 'Hij heeft de kist toch niet gevonden, hè? Knik enkel ja of nee.'

Drobac bulderde iets onverstaanbaars; Zelko, de bestuurder, bracht de wagen met een schok tot stilstand. '*Quelle boîte?*' vroeg Drobac in het Frans. 'Wat voor kist?'

Colette had haar broer op de achterbank aangekeken, maar draaide zich nu snel terug, haar ogen strak op de straat voor zich gericht.

'Wat voor kist?' herhaalde Drobac.

'Het heeft niets te betekenen – alleen maar de speelgoedkist van mijn broer,' antwoordde Colette te snel. 'Zijn dierbare speelgoed, daar zit hij altijd over in.'

'Speelgoedkist. Jawel, speelgoedkist.' Drobac greep Luc bij de boord van zijn overhemd en plantte de loop van zijn pistool tegen het hoofd van de jongen. Colette gilde. Zelko's hand met harige knokkels vloog naar haar gezicht en sloeg. 'Als je nog eens liegt,' zei Drobac, die zijn pistool op de slaap van de tegenspartelende jongen gedrukt hield, 'vermoord ik hem.'

'Alstublieft, ik bid u, het is voor zieke mensen bedoeld,' smeekte Colette. 'Het is buitengewoon waardevol... ik bedoel, waardevol voor het genezen van mensen. Voor u heeft het geen waarde, want u zult het nooit kunnen verkopen. Iedereen zal weten dat het gestolen is.'

Drobac gaf een bevel aan Zelko, die de wagen in zijn achteruit zette. Ze keerden terug naar de onverlichte steeg naast de Bat and Table. Drobac glimlachte. Inwendig en onmerkbaar deed Colette hetzelfde.

⁓⁂⁓

Aan de balie van het Commodore hoorde Younger van de receptionist dat er niemand in de kamer van Miss Rousseau was. Noch de jongedame noch haar broer was teruggekeerd. 'Mijn sleutel graag,' zei Younger, die zich afvroeg of ze misschien naar zijn kamer waren gegaan.

'En u bent?' vroeg de klerk.

'Dr. Stratham Younger,' zei Younger.

'Zeker, meneer,' zei de receptionist. 'Mag ik u om uw papieren vragen?'

Younger greep al in zijn binnenzak voordat het hem te binnen schoot dat hij zijn portefeuille aan Colette had meegegeven. 'Die heb ik niet bij me.'

'Juist ja,' zei de klerk. 'Misschien wilt u liever even de manager spreken?'

'Haal hem maar,' zei Younger.

⁓⁂⁓

De informatie van de receptionist – dat er niemand in de kamer van Miss Rousseau was – was onjuist. Twaalf verdiepingen hoger stond een man met een weelderige, zwarte gezichtsbeharing en zwarte handschoenen aan voor Colettes geopende kast en keek geërgerd naar een met leer bedekte kist van het formaat van een kleine koffer. De kist, zo had Drobac gemerkt, was te zwaar om onopgemerkt door de lobby het hotel uit te dragen. Zwoegend lichtte hij de onhandelbare kist van de plank en tilde hem naar de grond.

⁓⁂⁓

In de rijkversierde hotellobby hing een vreemde stilte. Onder de palmbomen en tussen marmeren pilaren dromden mensen fluisterend en ongelovig in angstige kluitjes samen, ieder met zijn eigen verhaal over waar hij was toen hij de catastrofale explosie in Wall Street gehoord, of erover gehoord, had. Overal ging het er hetzelfde aan toe, zo had Younger opgemerkt toen hij en Littlemore noordwaarts waren gereden: mensen waren verlamd, alsof de trillingen van de ontploffing nog steeds door de hele stad trokken, de grond onder hun voeten deden schudden en de lucht in verwarring brachten.

Hij voelde een balorige aandrang om ze toe te schreeuwen. Dit was niet zoals de dood eruitzag, had hij ze toe willen voegen. Ze hadden er geen idee van hoe de dood er echt uitzag.

'U bent de man die beweert dr. Younger te zijn?' vroeg de hotelmanager, een lange, bebrilde man met witte handschoenen en in avondtenue.

'Nee,' antwoordde Younger toonloos. 'Ik bén dr. Younger.'

De manager nam Youngers bloedbesmeurde pak vol afkeer op, greep naar de taps toelopende hoorn op de balie en hield die gespannen vast alsof het een wapen betrof. 'Integendeel,' zei hij. 'Twee uur geleden heb ik dr. Younger persoonlijk zijn sleutels overhandigd, nadat hij een onweerlegbaar bewijs van zijn identiteit had overgelegd.' Op geaffecteerde toon zei hij tegen de hoteltelefonist: 'Bel de politie.'

'Die is er al,' antwoordde een stem achter Younger. Nadat hij zijn wagen had geparkeerd, voegde Littlemore zich nu bij Younger aan de balie. Hij liet zijn politiepenning zien. 'De portefeuille van dr. Younger is gestolen. U heeft zijn sleutel aan een bedrieger gegeven.'

De manager keek de verfomfaaide Littlemore, die onder het stof zat, met onverminderd wantrouwen aan. Door zijn bril onderwierp hij Littlemores penning aan een grondig onderzoek en sprak, met de hoorn nog steeds tegen zijn oor gedrukt, zijn voornemen uit eerst met de politie te spreken om 'bevestiging van de identiteit van de rechercheur' te krijgen.

❧

Met zijn sigaret gevaarlijk dicht bij zijn woeste baard doorzocht Drobac de inhoud van Colettes laboratoriumkist. Hij vond twee flacons, een zestal reageerbuisjes met rubberen dop die met heldergroene en -gele poeders waren gevuld en verscheidene scherpgerande stukken erts. Deze steenbrokken ter grootte van lendenbiefstukken waren gitzwart, maar ze glommen alsof ze uit gestolde olie bestonden en waren gemarmerd met rijke aderen van glinsterend goud en zilver. Drobac stouwde zijn zakken vol en liet niets achter.

❧

'Zitten er ook tandartspraktijken in dit hotel?' vroeg Littlemore aan de manager, die nog steeds wachtte totdat er bij de politie werd opgenomen.

'Absoluut niet,' zei de manager. 'Ik vrees dat de lijn bezet is. Misschien dat u even wilt gaan zitten.'

'Ik heb een beter idee,' zei Littlemore, terwijl hij een paar handboeien boven de balie liet bungelen. 'U geeft mij de sleutel of ik breng u op wegens belemmering van de rechtsgang. Dan kunt u mijn identiteit gelijk persoonlijk verifiëren.'

De manager gaf hem de sleutel.

Zwijgend gingen de rechercheur en de dokter in een chique liftkooi omhoog. Toen de deuren zich eindelijk openden, stormde Younger zo bruusk naar buiten dat hij een man die op de lift stond te wachten de hoed van het hoofd stootte. Younger merkte zijn overvloedige baard en weelderige snor op. Maar wat hem niet opviel, was de wonderlijke manier waarop zijn groezelige streepjesjasje zijn schouders omlaag trok, alsof zijn zakken met kanonskogels zaten volgeladen.

Younger verontschuldigde zich en bukte naar de hoed op het tapijt. Drobac was hem voor.

'Omlaag,' zei de liftbediende.

※

Wat Younger ook in Colettes hotelkamer gehoopt of gevreesd had te vinden, hij kwam het niet tegen. In plaats daarvan troffen hij en Littlemore aan het eind van een eindeloze gang een hotelkamer aan. Het bed was opgemaakt. Het kinderbed was opgemaakt. De koffers waren ongemoeid gelaten. Op een salontafel waaierde een zee van verbrande lucifers in keurige halve cirkels uit: het werk van de jongen.

Alleen Colettes met lood gevoerde laboratoriumkist, die geopend was en leeg voor haar kast stond, vormde een stille getuige van braak. Een verstikkende geur van sigaretten vulde de lucht.

'Daar waren ze naar op zoek,' zei Younger grimmig. 'Die kist.'

'Nee hoor,' zei de rechercheur, terwijl hij kasten opentrok en achter gordijnen keek. 'Ze hebben de kist laten staan.'

Younger keek Littlemore met ongelovige en geërgerde blik aan. Hij zette een stap in de richting van de open laboratoriumkist.

'Niet aanraken, doc,' voegde de rechercheur hem toe, terwijl hij snel in de badkamer rondkeek. 'We moeten hem nog op vingerafdrukken controleren. Wat zat erin?'

'Zeldzame elementen,' zei Younger. 'Voor een lezing die ze zou geven. Alleen al het radium was tienduizend dollar waard.'

De rechercheur floot. 'Wie wist ervan?'

'Naast een zekere professor in New Haven kan ik maar één persoon bedenken, en zij is geen kidnapper.'

Terwijl hij onder het bed keek, antwoordde Littlemore: 'Die oude dame die jij en Colette vanochtend bezocht hebben?'

'Klopt.'

Met zijn vergrootglas en een pincet begon de rechercheur op handen en knieën het tapijt rond Colettes laboratoriumkist te onderzoeken. 'Wacht even. Wacht eens even.'

'Wat is er?' vroeg Younger.

Littlemore had wat sigarettenas uit het hoogpolige tapijt gelicht en wreef die tussen duim en wijsvinger fijn. 'Die as is nog warm,' zei hij.

Littlemore schoot de hal in op weg naar de lift. Younger volgde hem niet. In plaats daarvan ging hij naar Colettes balkon en stapte de nacht in. Ver beneden zich, in het licht dat uit de voordeuren van het hotel stroomde, zag Younger de man van wie hij op de een of andere manier al wist dat hij hem in zijn streepjespak op de stoep zou zien staan.

Younger riep omlaag: 'Hé, jij daar!'

Niemand hoorde het. Younger was te hoog, de geluiden van de straat te luid. Naast het streepjespak kwam een wagen slingerend tot stilstand, het achterportier werd van binnenuit geopend. Door de plotselinge, zwenkende stop schoot een klein lichaam – dat van een jong jochie – half de wagen uit. Een ogenblik later werd de jongen door onzichtbare handen naar binnen getrokken.

'Nee,' zei Younger. Toen riep hij zo hard hij kon: 'Hou die auto tegen!'

Deze keer aarzelde Drobac. Hij keek omhoog, tevergeefs op zoek naar de bron van de schreeuw. Verder sloeg niemand er acht op. Toen de man op de achterbank sprong, riep Younger nogmaals dezelfde vergeefse woorden, en nog eens toen de wagen met plots gedoofde voor- en achterlichten via Park Avenue in de nacht verdween. Terwijl hij stond te roepen, zwierden twee druppels bloed uit Youngers haar en zweefden omlaag om niet ver van waar de man gestaan had op de stoep uiteen te spatten.

❧

Tegen de tijd dat de echo van Youngers stem was weggestorven, kwam Littlemore, die de kreten gehoord had, terug in de kamer.

'Het was de man bij de lift,' zei Younger.

'Die vent met al dat haar,' antwoordde Littlemore, 'en de uitpuilende zakken? Weet je het zeker?'

Younger keek de rechercheur aan. Toen tilde hij de salontafel – die met Lucs lucifers erop – langzaam op en smeet hem tegen de spiegeldeur van een kast. Er volgde geen explosie van glas die voldoening had kunnen geven. De spiegel barstte slechts, evenals de salontafel. Afgebrande lucifers buitelden door de lucht om als de gevleugelde peultjes van een esdoorn omlaag te kringelen.

'Jezus, doc,' zei Littlemore.

'Je zag iets uit zijn zakken puilen,' antwoordde Younger op rustige toon.

'Waarom heb je hem niet tegengehouden?'

'Omdat hij iets in zijn zakken had?'

'Als je ook maar één man voor het hotel had geposteerd,' zei Younger, 'dan hadden we hem kunnen pakken.'

'Dat betwijfel ik,' zei Littlemore. 'Wist je dat je hevig staat te bloeden?'

'Wat bedoel je met "dat betwijfel ik"?'

'Als ik een agent in uniform naast de voordeur had geposteerd,' legde de rechercheur uit, 'had die vent nooit de voordeur genomen. Dan was hij er via een zij- of achterdeur vandoor gegaan. We hadden minstens zes man moeten hebben.'

'Waarom heb je er dan geen zes meegebracht?' vroeg Younger, terwijl hij op Littlemore afkwam.

'Kalm aan, doc.'

'Waarom niet?'

'Wil je echt weten waarom? Naast het feit dat ik daar geen aanleiding toe had, had ik nooit zes man bij elkaar kunnen krijgen, zelfs al had ik het gewild. Ik had er nog niet één meegekregen. Het korps heeft vanavond zo'n beetje zijn handen vol, als je dat nog niet opgevallen was. Zelfs ik word niet geacht hier te zijn.'

In plaats van te antwoorden gaf Younger Littlemore een duw tegen zijn borst. 'Dan ga je toch terug.'

'Wat heb jij opeens?' vroeg Littlemore.

'Ik zal je vertellen waarom je hem niet hebt tegengehouden. Omdat je er godverdomme je kop niet bij had.'

'Wie, ik? Wie kwam er pas na uren achter dat zijn vriendinnetje verdwenen was terwijl ze maar een halfuurtje weg zou gaan?'

'Omdat ze bij jóú was,' schreeuwde Younger, terwijl hij met een linkse directe naar Littlemores hoofd uithaalde. De rechercheur ontweek de vuistslag, maar Younger wist van vechten, en dit was precies zijn bedoeling geweest. Younger liet de gemiste klap volgen door een zuiver gemikte rechtse die Littlemore op het tapijt ineen deed zakken, terwijl hij een lamp met zich meetrok.

'Klootzak,' beet Littlemore hem met bloedende lip vanaf de vloer toe. Hij sprong op Younger af, viel op diens middenrif aan en dreef hem achterwaarts de kamer door. Youngers hoofd knalde achterover tegen een muur. Toen ze stil tegenover elkaar stonden, hield Littlemore zijn rechtervuist geheven, klaar om toe te slaan, maar Younger keek slechts wezenloos over diens schouder.

'Hoeveel mensen zijn er vandaag omgekomen?' vroeg Younger. 'Dertig?'

'Zesendertig,' zei Littlemore, zijn vuist nog steeds geheven.

'Zesendertig,' herhaalde Younger minachtend. 'En de hele stad is verlamd. Ik haat de doden.'

Geen van beiden sprak. Younger liet zich op de vloer zakken. Littlemore ging vlak bij hem zitten.

'Ik breng je naar een ziekenhuis,' zei Littlemore.

'Moet je proberen.'

'Je weet dat ik hoger in rang ben dan jij,' zei de rechercheur.

Younger trok zijn wenkbrauwen op.

'Inspecteur is hoger dan luitenant,' voegde Littlemore eraan toe.

'Bij de politie misschien. Maar in het leger verliest een inspecteur het nog van een zandhaas in opleiding.'

'Inspecteur is hoger dan luitenant,' herhaalde Littlemore.

Stilte.

'Wat bedoelde je daarmee, dat je de doden haat?' vroeg Littlemore.

'Luc, Colettes broer, heeft me dat eens geschreven. Hij praat niet. Ik was... waar was ik ook weer mee bezig? Ik was een boek aan het lezen dat hij me gegeven had. Toen gaf hij me een briefje waarop "Ik haat de doden" stond.' Younger keek de rechercheur aan. 'Neem me niet kwalijk dat... dat...'

'Dat je me een oplawaai op mijn kin hebt gegeven?'

'Dat ik jou de schuld gaf,' zei Younger. 'Het was mijn schuld. Mijn schuld dat ze hier in Amerika zijn. Mijn schuld dat ze in haar eentje op stap ging.'

'We vinden ze wel weer,' zei Littlemore.

Younger beschreef wat hij op het balkon had gezien. Littlemore vroeg hem hoe de auto eruit had gezien. Dat wist Younger niet. De afstand was te groot geweest. Hij kon zelfs niet met zekerheid zeggen wat de kleur was geweest.

'We vinden ze wel weer,' herhaalde Littlemore.

'Hoe?' vroeg Younger.

'Dit is ons werk. Ik ga naar het hoofdbureau en stuur een dienstmededeling rond. Dan gaat morgen het complete korps naar die kerel op zoek. Jij wacht hier voor het geval ze een losgeldbrief sturen. Ondertussen ga ik met die oude dame praten die jullie ontmoet hebben. Hoe heet ze?'

'Mrs. William B. Meloney. West Twelfth Street 31.'

'Misschien dat ze anderen verteld heeft over de monsters die Colette bij zich had.'

'Dat is mogelijk,' zei Younger.

'Dus is het misschien het verkeerde slag mensen ter ore gekomen.' Bij de deurpost voegde Littlemore hem nog toe: 'Doe me een lol. Plak een pleister op je hoofd.'

4

VRIJHEID, GELIJKHEID, BROEDERSCHAP – TERRORIST: het woord is
afkomstig uit de Franse Revolutie.
Robespierres schrikbewind werd de Terreur genoemd. Honderdduizenden mannen en vrouwen werden tot 'vijanden van de staat' be-
stempeld, gevangengenomen, uitgehongerd, afgevoerd en gemarteld.
Veertigduizend werden er geëxecuteerd. 'Deugdzaamheid en terreur,' zo
verkondigde Robespierre, waren de twee noodzakelijke steunpilaren van
de revolutie, want terreur is 'niets anders dan gerechtigheid: onverwijlde,
strenge, compromisloze gerechtigheid.' Degenen die hem steunden werden *Terroristes* genoemd.

Een eeuw later nam een andere revolutionair een soortgelijk standpunt in. 'We kunnen terreur niet verwerpen,' schreef een man die zichzelf Lenin noemde. 'Het is wellicht de enige gevechtshandeling die bij
uitstek essentieel is.' Zijn volgelingen werden de 'terroristen' van de nieuwe eeuw.

Maar met één verschil. In Frankrijk was terreur een instrument van de
staat geweest. Nu werd de terreur tegen de staat gericht. Oorspronkelijk
was de terrorist een hooggeboren Franse despoot die zich hooghartig op
de autoriteit van de wet en de overheid beriep. Nu werd de terrorist een
sjofele, bebaarde sluipmoordenaar: een Slaaf, een Jood, een Italiaan die
zijn primitieve bom gooit of zijn pistool in zijn haveloze jas verbergt. Het
was in 1914 een dergelijke terrorist, een Serviër, geweest die aartshertog

Franz Ferdinand van Oostenrijk vermoord had, waarmee de Grote Oorlog in gang werd gezet.

De Duitsers wilden oorlog, daarover is geen twijfel mogelijk, maar dat verlangen was nooit in vervulling gegaan zonder de animo onder gewone jongemannen uit heel Europa om ten strijde te trekken. Het zou niet lang duren voordat hun bereidheid om voor hun land te sterven beloond zou worden met een hel die ze niet hadden voorzien, waar zwavelzuur het vlees wegvrat van levende mannen die tot hun enkels in ijskoud stilstaand water gehurkt zaten. Maar in de warme zomer van 1914 wilden Europese mannen van alle rangen en standen niets liever dan de dood trotseren, en de vijand die dood in jagen.

In de Verenigde Staten laaiden gelijksoortige sentimenten op, vooral toen Duitse onderzeeërs Amerikaanse koopvaardijschepen op volle zee onder vuur namen. Ook al hield president Wilson onverstoorbaar aan de neutraliteit vast, het krijgszuchtige tromgeroffel klonk steeds luider.

Uiteindelijk zou Amerika door een Duitse blunder overstag gaan. In januari 1917 stuurde Duitsland een gecodeerde boodschap aan de Mexicaanse president, waarin een gezamenlijke invasie van de Verenigde Staten werd voorgesteld. Mexico zou gebiedsdelen terugwinnen die eerder door Amerika bezet waren; Duitsland kreeg als beloning dat Amerikaanse strijdkrachten werden afgeleid. Groot-Brittannië onderschepte het telegram, decodeerde het en overhandigde het aan Wilson. De Verenigde Staten verklaarden eindelijk de oorlog. Niet lang daarna zou Amerika elke dag tienduizend manschappen naar de slagvelden van Europa sturen.

Dr. Stratham Younger behoorde tot de eerste lichting die er aankwam. Hij werd als chirurg uitgezonden en, met de rang van luitenant, als officier van gezondheid in een Brits veldhospitaal in noordwestelijk Frankrijk gestationeerd.

❦

Nadat Littlemore de hotelkamer had verlaten, werd Younger door een oorlogsherinnering overvallen: Colette die in een zwaar verwoest gebouw over een badkuip gebogen stond, slechts gekleed in twee witte handdoeken, eentje rond haar bovenlichaam, de andere rond haar haar, terwijl de stoom van kokendheet water de lucht vulde. Maar zo had hij haar nooit gezien. In deze herinnering, die geen herinnering was, draaide Colette zich met angstige ogen naar hem toe. Ze deinsde achteruit, alsof hij haar misschien iets zou aandoen, en vroeg hem of hij het vergeten was. Of hij wat vergeten was?

Younger liep naar de wasbak in de badkamer en drukte zijn pseudo-herinnering weg, enkel om die vervangen te zien worden door een grof-korrelig beeld van een schoolbord in een mist of een storm, waar iemand iets op tekende, zij het niet met krijt. Ook deze herinnering, als het al een herinnering was, verdreef hij geïrriteerd. Opeens wist hij zeker dat hij daadwerkelijk iets vergeten was – iets wat het heden betrof.

Hij plensde water over zijn gezicht. Op het moment dat het koude water zijn oogleden raakte, kwam het boven.

Younger repte zich opnieuw naar de duisternis van het balkon. Ver onder zich zag hij Littlemore, wachtend op zijn auto, net zoals hij eerder de man in het streepjespak had zien wachten. Deze keer hadden zijn kreten effect. Zwaaiend met zijn armen gebaarde hij Littlemore te wachten.

❧

Via de voordeur van het hotel stormde Younger Forty-Second Street op. In zijn armen hield hij een onhanteerbare verzameling haastig bijeengegraaide spullen: een gordijnroede die hij van een raam had gesloopt, een metalen kistje met wijzers en schakelaars erop, twee lange elektriciteits-draden, een rol zwart tape en een twintig centimeter lange, afgesloten glazen buis. Hij hurkte op de stoep, waar hij zijn vrachtje deponeerde. 'Ik heb je auto nodig,' zei hij tegen Littlemore, terwijl hij de draden aan de buis vastmaakte. 'Hoe heb ik ooit zo'n stommeling kunnen zijn?'

'Eh, waar ben je mee bezig?' vroeg de rechercheur.

'Dit is een stralingsdetector,' zei Younger, terwijl hij de andere uiteinden van de kabels met de metalen kist verbond. 'Colette was van plan hem bij haar lezing te gebruiken.'

'Geweldig. Maar ik heb op dit moment wel wat belangrijkers aan mijn hoofd, doc.'

'Alle monsters in Colettes laboratoriumkist zijn radioactief. Hun auto laat een spoor van radioactieve deeltjes achter. Net broodkruimels, maar dan onzichtbare. Alleen dit ding kan ze zien... Als we er snel bij zijn.'

Younger schakelde het apparaat in. In de buis kwam een gele flits tot ontbranding en uit het kistje steeg een explosie van statisch geknetter op. Net zo plotseling doofde de buis weer en hield het geknetter op.

'Was dat de bedoeling?' vroeg Littlemore.

'Niet echt,' antwoordde Younger. 'Radioactiviteit produceert een blau-we stroom. Geloof ik.'

Younger nam de kist onder zijn arm. Met zijn vrije hand hield hij de gordijnroede met de glazen buis aan het uiteinde als een wichelroede voor zich uit. Er gebeurde niets. Hij liep Park Avenue in om eerst de stoep en daarna de lucht af te tasten. Een geïsoleerde blauwe vonk flitste door de buis. 'Hebbes,' zei hij.

Younger stapte naar rechts. Niets. Een stap de andere kant op: een blauwe flits schoot door de buis, toen nog eens. Hij volgde de vonken, totdat hij oog in oog met Littlemore stond terwijl hij zijn staf op de borst van de rechercheur gericht hield.

'Wat hebben we hier?' zei Littlemore.

'Dat komt vast doordat je te dicht op de geopende kist hebt gestaan,' zei Younger. Hij richtte zijn aandacht weer op de straat. Auto's zwenkten om hem heen om een botsing te vermijden. Hij zocht naar een veel sterker signaal dan de losse blauwe vonken die hem naar Littlemore hadden geleid. Midden op Park Avenue brandde een blauw miniatuurvuurwerk in de buis los. Terwijl hij de Avenue af liep, veranderde het vuurwerk in een constante blauwe stroom en klonk er hoorbaar getik uit het metalen kistje.

'Wel heb je ooit,' zei Littlemore voor de tweede keer die dag.

Het volgende moment reden ze plankgas door Park Avenue, met Littlemore achter het stuur en Younger staande op de treeplank. Younger hield de gordijnroede voor zich uit, en in de glazen buis aan het uiteinde spetterde een elektrische vonkenregen blauw op in de warme avondlucht van Manhattan.

⁂

Op Times Square viel de stroom weg. 'Hier zijn ze gekeerd,' zei Younger.

Hij sprong van de treeplank en zeulde zijn apparaat met zich mee, terwijl Littlemore de wagen keerde. Younger zocht naar een signaal. In noordelijke richting vond hij niets. Maar toen hij naar de andere kant van het plein toog, kwam de blauwe stroom weer flikkerend tot leven. Al snel sjeesden ze via Broadway in zuidelijke richting. Ruim drie kilometer lang denderden ze over de rijbaan, terwijl het apparaat ononderbroken vonkte en tikte.

'Waarom?' riep Younger boven het geraas van de motor uit.

Littlemore vulde hem aan. 'Waarom ze ontvoerd is?'

Younger knikte.

'Jongedames worden om twee redenen ontvoerd,' schreeuwde de rechercheur. 'Geld is de ene.'

⁂

Colette wist niet wat ze gedaan had als ze in haar eentje was geweest. Toen de wagen eindelijk stopte en de mannen haar een onverlichte straat in trokken, begonnen de twee achterlijke ondergeschikten, Miljan en Zelko, uitgebreid te ruziën. Op dat moment had ze het misschien op een lopen gezet – als ze in haar eentje was geweest. Maar haar broer hielden ze ook vast, dus was elke gedachte aan ontsnappen en wegrennen uitgesloten.

Miljan, de kleine, die naar uien stonk, was klaarblijkelijk met Zelko in een strijd verwikkeld over wie hun vrouwelijke gevangene mocht bewaken. Ze probeerden haar ieder uit handen van de ander te rukken, en ze waren op de vuist gegaan als Drobac Miljan niet gedwongen had Luc mee te nemen, terwijl hij Colette aan Zelko toewees.

⁕

In het doolhof van de Lower East Side moest Younger bij praktisch elke kruising van de treeplank springen om in de wirwar van bochten en afslagen in de kronkelende achterafstraten op radioactiviteit te jagen. Een paar minuten later begon het apparaat in een duistere straat plots zo luid te spetteren dat Younger het volume zachter moest draaien.

'We zijn vlakbij,' zei Younger.

⁕

Luc tuimelde over de vloer van een appartement in een vervallen huis, waar afbladderende verf een groenige schimmel blootlegde. Ratten krabbelden achter de muren. Miljan bond de jongen aan een roestige radiator vast.

Colette stond in het midden van de kamer. De potige Zelko-zonder-nek hield haar bij de haren vast en wachtte zijn orders af. Drobac liep naar een tafel en wond een fonograaf met een slinger op. De cilinder begon te draaien en ondersteund door een swingorkest klonk Al Jolsons schalkse stem knarsend uit de hoorn, zingend over een commandant die nu voor hem werkte. Drobacs hoofd bewoog op de maat van de muziek.

'Is goed,' zei hij. 'Amerikaanse muziek is goed.' Hij draaide het geluid zo hard hij kon.

⁕

Plotseling stierf het geklik van Youngers detector weg. 'Terug,' zei hij. 'We zijn er voorbijgereden.'

Even later stelde Younger het brandpunt van de straling vast: een zwarte sedan die halverwege de straat stond geparkeerd. Er zat niemand in. De straat bestond voornamelijk uit donkere, uitgestorven pakhuizen. Slechts één gebouw vertoonde tekenen van bewoning: een oud bakste-

51

nen huis van twee verdiepingen met plat dak. Het was wellicht ooit een nette gezinswoning geweest, maar leek nu uit louter bouwvalligheid opgetrokken. Uit verschillende grote maar vuile ramen scheen een smoezelig schijnsel. Ergens binnenin klonk muziek.

Younger traceerde een zwak signaal dat van de sedan naar de voordeur van dit huis leidde. Beide mannen zwegen. Uit zijn jas trok Littlemore iets tevoorschijn wat op een liniaal leek, samen met een kleine metalen loper.

❦

Drobac diepte een reeks objecten uit zijn zakken op die Colette maar al te bekend voorkwamen: koperen flacons, afgesloten reageerbuisjes met gekleurd poeder en flonkerende stukken erts. Hij legde ze op de tafel naast de blèrende fonograaf. In hun onverstaanbare taal uitte hij bevelen, toen liep hij naar de deur en hield deze open.

Miljan in zijn geruite pak grijnsde boosaardig. Kennelijk had Drobac Zelko opdracht gegeven de kamer uit te gaan. Die vloekte en spuugde op de vloer; ondanks deze uitingen van weerzin pakte hij een stoel, droeg deze naar de gang en ging er met zijn volle gewicht op zitten, zijn gespierde armen over elkaar geslagen. Ook Drobac ging de kamer uit en hij trok de deur achter zich dicht.

Colette voelde een warme, onwelriekende adem in haar nek.

❦

Met getrokken pistool ging Littlemore Younger voor door een betegelde, groezelige vestibule. Op de benedenverdieping was geen enkel teken van leven. Boven hen klonk swingmuziek. Younger vond een signaal dat naar boven leidde. Littlemore maande Younger tot stilte en die zette het knetterende apparaat uit. De trap was smerig maar solide en maakte nauwelijks geluid terwijl ze hem bestegen.

Op de eerste verdieping bungelde een kaal elektrisch peertje aan het plafond, de gloeidraad zichtbaar. Het jazzorkest ging wild tekeer. Uit de kamers sijpelden geluiden van menselijke activiteit: gerinkel in de keuken, een wc die werd doorgetrokken. Littlemore sloop diep voorovergebogen door de gang, wierp een snelle blik om de hoek en zag Zelko aan het andere eind van de gang met de armen over elkaar geslagen op zijn stoel zitten. De rechercheur schuifelde onmiddellijk achteruit en nam Younger mee terug naar de trap.

'Er houdt iemand de wacht,' fluisterde Littlemore. 'Op een stoel. Aan het eind van de gang.'

'Kun je hem uitschakelen?' fluisterde Younger terug.

'Natuurlijk kan ik hem uitschakelen, maar wat schieten we daarmee op? Dat horen die kerels in de kamer vast. En dan zijn Colette en het joch gijzelaars... of dood.'

Er klonk een gedempte meisjeskreet door de muur. Ze konden er slechts één woord uit opmaken: 'Nee.' Het was een vrouwelijke stem met een Frans accent. Toen viel er iets zwaars – een lichaam wellicht – op de vloer.

Littlemore moest Younger in bedwang houden. 'Als je niet uitkijkt, wordt ze doodgeschoten,' fluisterde de rechercheur. 'Luister, ik heb een afleidingsmanoeuvre nodig. Lawaai op straat. Gooi iets tegen hun raam. Smijt het aan gruzelementen. Iets wat zo luid is dat die kerel van zijn stoel komt en de kamer in gaat.'

'Ik zal je je afleidingsmanoeuvre geven,' zei Younger. Maar in plaats van omlaag de straat op te gaan, ging hij naar boven via een smalle trap die naar het dak leidde.

❧

Colette was op haar knieën gedwongen en lag half op een dun, morsig matras, met haar wang op de hardhouten vloer en de handen op haar rug gebonden. In zijn bovenmaatse geruite pak stond Miljan met getrokken pistool achter haar.

Ze rook zijn smerige adem en voelde een van zijn handen naar haar middel graaien. Op goed geluk gaf ze een schop en stelde tevreden vast dat ze zijn knie had geraakt. Miljan onderdrukte een schreeuw, en met een van pijn vertrokken gezicht hinkte hij op één been op en neer. Terwijl ze op haar rug rolde haalde ze naar zijn andere been uit. Hij zeeg op zijn knieën ineen en ze schopte het pistool pardoes uit zijn handen. Verbaasd en des duivels joeg hij achter het wapen aan, dat kletterend naast Luc op de vloer terechtkwam. Net toen Miljan het op wilde pakken, schopte Luc – nog steeds aan de radiator vastgebonden – het buiten zijn bereik zodat het over de vloer naar Colette terugroetsjte.

Zij was er inmiddels in geslaagd haar vastgebonden handen naar de zijkant van haar lichaam te manoeuvreren. Met een dosis geluk – of voorzienigheid – belandde het voortglijdende wapen recht in haar handen. Ze had haar vingers al rond het wapen gesloten, toen Miljan op haar knokkels stampte alsof hij een kakkerlak doodtrapte.

Ze schreeuwde het uit. Zelfs toen Miljan haar hand onder zijn schoenzool vermorzelde, trachtte ze nog haar vinger rond de trekker te sluiten. Tevergeefs. Hij graaide het pistool uit haar hand en drukte het tegen haar slaap.

Boven aan de trap duwde Younger een gammele deur open en stapte het maanlicht in. Hij ontwaarde een waslijn waar lakens aan hingen, een tafel die op zijn rug lag en aan de andere kant een bakstenen schoorsteen. Hij liep naar de rand van het dak en keek uit over de straat. Er was geen balustrade of reling. De schoorsteen stond pal naast hem. Hij bevond zich, zo schatte hij, precies boven de kamer waarin Colette en Luc werden vastgehouden. Hij trok de gordijnroe los van de stralingsmeter, smeet de glazen buis aan diggelen en gebruikte de scherpe rand om de waslijn los te snijden.

Colette voelde een ruk aan de achterkant van haar jurk, gevolgd door een spattend geluid: een knoop die op de houten vloer ketste. Miljan stond weer achter haar. Hij rukte de bovenkant van haar jurk open; meer knopen sprongen los. Met de loop van zijn pistool streelde Miljan de witte huid tussen haar schouders. Naast Luc tolde een kleine doorzichtige knoop als een munt om zijn as. Wat er ook in de knul omging, hij liet er niets van blijken.

Younger stond aan de rand van het dak, zijn rug naar het luchtledige gekeerd, pal boven het raam van zijn keus. Hij had het uiteinde van de waslijn rond de schoorsteen geknoopt. Onder zijn ene arm zat de gordijnroede geklemd, die met zijn uiteinde van gebroken glas in een wapen was veranderd dat hem zeer vertrouwd voorkwam: een bajonet. Als test gaf hij een harde ruk aan de lijn; die hield het.

Younger haalde diep adem en sprong achterwaarts van de muur weg. Hij liet de lijn een fractie van een seconde door zijn vingers glippen. Toen greep hij hem vast. De lijn trok strak en hij zwaaide naar het raam. Met zijn voeten vooruit buitelde hij dwars door een splinterende massa groezelig glas en rottend grenen.

Littlemore, die binnen stond te wachten, hoorde het gekletter en zag hoe Zelko aan het eind van de gang van zijn stoel opsprong. Hij sprintte door de verlaten gang.

Younger sloeg rollend tegen de vloer en kwam, verf- en houtschilfers uitspugend, met zijn bajonet in de aanslag overeind. Wat hij zag verbaasde hem: een breekbaar oud mannetje in nachthemd, een zweem van grijs rond zijn hoofd, met uiteenstaande tanden in een opengesperde mond.

Younger had de verkeerde woning gekozen.

Littlemore koos de juiste. De rechercheur had op Youngers afleidings-manoeuvre gehoopt en verwachtte de mannen in de kamer te verrassen, terwijl ze met hun rug naar hem toe naar buiten stonden te kijken. Maar in plaats daarvan keken Miljan en Zelko hem recht aan toen hij de kamer binnen stormde. Het duurde pakweg een seconde voordat ze het vuur openden, maar aan die ene seconde had Littlemore genoeg. Terwijl hij zich de kamer in wierp, liet hij zich op zijn knieën vallen: hun schoten ging hoog over terwijl hij over de houten vloer naar voren kroop.

Littlemore wist dat hij ze niet allebei in één keer kon uitschakelen. Dan had hij zijn pistool heen en weer moeten bewegen en ze waarschijnlijk beiden gemist. Hij had Zelko onmiddellijk geïdentificeerd als degene om wie hij zich de meeste zorgen moest maken, en dus knalde de rechercheur drie kogels in diens borst, die hem achterwaarts de schouw in deden tuimelen.

Miljan bleef op de voortkruipende Littlemore schieten, maar hij was te zeer in paniek. Hij haalde de trekker te snel over en vergat elke keer rekening te houden met de terugslag van het wapen. Het resultaat was dat hij herhaaldelijk boven het hoofd van de rechercheur mikte, totdat Littlemore zich op hem wierp en de beide mannen over Zelko's dode lichaam rolden. Er volgde geen worsteling: Littlemore haalde met zijn pistool naar Miljans hoofd uit, sloeg hem bewusteloos en maakte hem met handboeien vast aan een ijzeren ring die uit de schoorsteenmantel stak.

Younger, de houtschilfers nog in zijn haar, denderde de kamer binnen, waarbij hij wild met zijn bajonet zwaaide – die helaas niet langer een bajonet was, maar slechts een gordijnroe die de glazen spies bij zijn tuimeling door het raam was kwijtgeraakt. Colette en Luc keken hem aan. De fonograaf vulde de ruimte met een swingend deuntje.

'Fraaie afleidingsmanoeuvre, doc,' zei Littlemore, die zijn ogen van Colette en haar afzakkende jurk afgewend hield en zich in plaats daarvan om Luc bekommerde.

Younger stapte op Colette af. Een knikje met haar hoofd en een dun lachje lieten hem weten dat ze ongedeerd was. Hij trok haar jurk over haar schouders, zag de bloeduitstorting boven haar oog en wilde haar omhelzen, wat natuurlijk geen pas gaf.

'Zou je me misschien los kunnen maken?' vroeg ze.

'Juist ja.'

'Die andere man, die met die baard,' voegde ze eraan toe. 'Hebben jullie die ook gepakt?'

Younger en Littlemore keken elkaar aan; ze voelden dat iemand hen door de deurpost beloerde. Littlemore bewoog als eerste. Hij sprong overeind in een poging zich in één beweging om te draaien en te schieten, maar was bij voorbaat kansloos. Vanuit de deuropening vuurde Drobac slechts één kogel af, waardoor Littlemore om zijn as tolde en in een regen van bloed op de tafel kwakte terwijl zijn pistool door het appartement zeilde.

Younger kwam langzamer overeind, met zijn rug naar de deur en de handen geheven ten teken dat hij geen vuurwapen had, al hield hij met zijn rechterhand nog steeds de gordijnroede vast. Littlemore lag op de grond en greep naar zijn bloedende linkerschouder. De fonograaf had de geest gegeven toen Littlemore tegen de tafel was gestort. Nu was het enige geluid in de kamer dat van een grote reageerbuis die, op zijn kant gedraaid, langzaam pal naast de voeten van de neergehaalde Littlemore dreigde te rollen.

Drobac blafte iets onverstaanbaars tegen Miljan, die, nog steeds aan de schoorsteenmantel geklonken, een even onbevattelijk antwoord gaf. 'Jij. Omdraaien,' droeg Drobac Younger op met een zwaar Oost-Europees accent dat Younger niet thuis kon brengen. 'Voor ik je vermoord.'

Younger zag Luc dringend naar de tafel gebaren. De ogen van de jongen waren strak op de afgesloten reageerbuis gericht, die met een zwart kristalpoeder gevuld was en elk moment van de tafel kon rollen, pal naast de voeten van de uitgeschakelde Littlemore. Zoals Luc kennelijk wist, was dat zwarte poeder uraniumdioxide, een stof die niet slechts radioactief is maar ook pyrofoor, wat wil zeggen dat die bij contact met de lucht spontaan ontbrandt.

'Vangen,' zei Younger zachtjes tegen Littlemore.

'Wat?' vroeg de rechercheur.

'Vang die buis.'

Net op het moment dat de glazen buis over de rand rolde, keek Littlemore naar de tafel. Hij stak zijn goede hand uit en ving hem halverwege op.

'Geef me een lekkere vette op mijn knuppel,' ging Younger op gedempte toon verder, 'dwars door Broadway.'

'Mond dicht!' gelastte Drobac. 'Waar zijn ze? Omdraaien, zei ik. Of ik schiet in rug.'

'Best. Ik draai me al om,' riep Younger. Terwijl hij zich naar Drobac wendde, keek hij Littlemore langzaam recht in de ogen en knikte. De rechercheur begreep wat Younger van hem verlangde: 'een lekkere vette dwars door Broadway' was honkbaljargon voor een worp die makkelijk te raken is. Wat hij niet begreep, was waarom. Littlemore haalde zijn schouders op en gooide de buis in een boogje een meter of wat bij Younger vandaan. Met zijn gordijnroede als honkbalknuppel haalde Younger keihard uit, verbrijzelde de buis en sloeg een zwarte wolk van uraniumdioxide in de richting van Drobac, die onmiddellijk tot een vuurbal ontbrandde.

Plotseling stond Drobac vanaf zijn schouders in brand, een pilaar van veelkleurige vlammen die blauw, groen, geel en bloedrood oplaaiden. Met de armen voor zich uit wankelde hij blind naar het midden van de kamer, liet zijn pistool vallen en greep naar zijn gezichtsbeharing. Younger pakte het wapen van de vloer. Littlemore kroop over de grond en pikte zijn eigen pistool op.

Onmiddellijk daarop doofde het poeder als flitspapier uit. Het vuur was verdwenen en liet slechts opkringelende rook achter, en een geblakerde man in een streepjespak, die in het midden van de kamer stokstijf stilstond en zijn gezicht bevoelde als om te controleren of het er nog zat. Zijn ogen verschoten van woest naar kalm naar beteuterd. Niemand bewoog; Younger en Littlemore hielden Drobac onder schot. Overal hing een stank van verschroeid haar.

Drobac verstrakte. Langzaam trok hij een lang mes uit zijn jas.

'Wat een grapjas,' zei Littlemore.

Drobac rende recht op het grote raam af en maakte een snelle beweging met zijn pols, alvorens zich door precies hetzelfde venster te storten als waardoor Younger een paar minuten eerder nog binnen had willen komen. Littlemore vuurde niet op hem. Younger wel, herhaaldelijk, maar zijn pistool, het wapen van de voortvluchtige, blokkeerde – het mechanisme klaarblijkelijk onklaar gemaakt door de vlammen van de uraniumdioxide. Littlemore en Younger repten zich naar de vensterbank, waar ze een man in de schaduwen overeind zagen krabbelen die strompelend de duisternis in hobbelde.

'Kijk!' riep Colette, terwijl ze naar de schoorsteenmantel wees.

Miljan staarde de ruimte in, zijn ogen opengesperd, gebiologeerd. Drobac, zo bleek, had zijn mes achtergelaten in het hart van zijn handlanger.

⁂

Ze moesten lang wachten op andere agenten en een ambulance die de lijken weghaalde. Uiteindelijk stemde Littlemore ermee in voor zijn schouder naar het ziekenhuis te gaan. Daarna restte de vraag waar Colette en Luc voor de nacht ondergebracht moesten worden. Littlemore was van mening dat ze niet terug naar het Commodore Hotel konden. Betty Littlemore, de vrouw van de rechercheur, die zich naar het ziekenhuis had gehaast toen ze hoorde dat haar man was neergeschoten – en vervolgens lichtelijk geërgerd leek toen zijn wond zo oppervlakkig bleek – wist iedereen over te halen naar het appartement van de familie Littlemore in Fourteenth Street te gaan.

'Onderweg stoppen we even op het politiebureau,' zei Littlemore. 'Verklaringen. De hele papierwinkel. Het spijt me.'

❧

Twee uur later waren de laatste politierapporten ondertekend. In de nachtelijke duisternis wachtte een lege patrouillewagen hen met draaiende motor voor het hoofdbureau van politie aan Centre Street op.

Twee aan twee daalden ze de trap af de duisternis in: eerst de vrouwen, achter hen Littlemore en Younger, van wie de laatste Luc over zijn schouder droeg. Littlemores jasje hing losjes over zijn linkerschouder, waaraan een mitella bevestigd was.

Een agent riep vanuit de deurpost naar Littlemore en vroeg om instructies. Younger en Littlemore draaiden zich om en keken hem aan. Met als gevolg dat Luc de straat in keek, waar zijn zus en Betty net in de patrouillewagen stapten. Wat hij zag, zag niemand anders: twee vrouwelijke gestaltes gevangen in het licht van de koplampen van de patrouillewagen. De ene had rood haar dat in de nachtwind opwaaide; de andere droeg een omslagdoek. De eerste vrouw bewoog zich langzaam in de richting van de wagen, met haar voeten onder de lichtstraal zodat ze leek te zweven. De tweede bleef in het licht van de koplampen staan. Ze had een halsdoek om haar nek geslagen, die ze begon los te maken.

De eerste vrouw reikte naar de deur van Colettes portier. Betty zag haar, slaakte een kreet, keek toen door de voorruit en wees. Colette, verschrikt door de ontzetting in Betty's stem, probeerde haar portier te vergrendelen, maar was te laat. De grendel gaf mee, de deur ging krakend open. Op hetzelfde moment had de vrouw voor de koplampen haar halsdoek afgewikkeld en toonde wat eronder lag.

Betty gilde van afschuw.

Littlemore riep iets, en hij en Younger sjeesden de trap af. De roodharige vrouw zag ze aankomen, draaide zich om en verdween in de duisternis. Littlemore zette de achtervolging in. Evenals de agent die Littlemore om instructies had gevraagd, en een vijftal andere agenten die na het horen van Betty's gil uit verschillende richtingen waren aan komen rennen. Ze verspreidden zich, doorzochten de hele straat, bonsden op deuren, schenen met zaklantaarns in geparkeerde auto's, maar vonden geen spoor van de vrouwen.

Toen Littlemore bij de patrouillewagen terugkwam, hield Betty haar handen nog steeds voor haar mond. 'Zag je dat?' vroeg Betty aan Colette.

'Wat?' zei Colette.

Betty maakte een aangeslagen, ontstelde indruk. 'Ze was een gedrocht, Jimmy.'

'Rustig maar,' zei Littlemore.

'Het was... Het groeide.'

'Wat groeide?' vroeg Littlemore.

'Ik weet het niet,' zei Betty. 'Het leek te leven. Als een hoofd, het hoofd van een baby.'

'Droeg ze een baby bij zich?'

'Ze droeg helemaal niks!' riep Betty uit. 'Het zat aan haar vast. Een soort babyhoofdje dat uit haar hals groeide.'

Er volgde een moment van stilte.

'Wegwezen hier,' zei Littlemore, terwijl hij Betty de wagen in hielp. Hij wierp Younger de sleutels toe. 'Jij rijdt, doc.'

❧❧❧

Om twee uur die ochtend zaten Younger en Littlemore aan de keukentafel van de rechercheur aan de whisky; een halflege fles stond tussen hen in. De anderen in het appartement waren in diepe slaap.

Littlemore leek in zijn hoofd een rekensom te maken. 'Toen jij onder de wapenen ging,' vroeg hij, 'hoeveel kinderen hadden Betty en ik toen?'

Younger gaf geen antwoord.

'Hoeveel het er ook waren, het zijn er nu drie meer,' ging Littlemore verder.

'Tweeënzeventig, dus.'

'Juist, laten we de boel eens op een rijtje zetten. We hebben een kies, we hebben een bom, we hebben een ontvoering en we hebben twee vrouwen die bij mijn patrouillewagen rondhingen, van wie er bij eentje een reservehoofd uit haar hals groeit. Je vraagt je vast af hoe dit allemaal met elkaar verband houdt.'

'Misschien.'

'Nou, zo moet je er dus niet tegenaan kijken. Je moet nooit voetstoots verbanden leggen, maar de zaken los van elkaar bekijken. Dus laten we nogmaals kijken naar waarmee we te maken hebben, maar dan alles afzonderlijk: een hele berg ongein waar geen touw aan vast te knopen is.'

Littlemore hield zijn hoofd scheef. 'Je wist dat die bom elk moment kon ontploffen. Hoe kon je dat weten?'

Younger schudde zijn hoofd.

Littlemore liet de whisky walsen in zijn glas. 'Een baby kan onmogelijk uit de hals van een vrouw groeien, toch?'

Younger schudde opnieuw zijn hoofd.

'Je zegt niet veel meer tegenwoordig, hè?' vroeg Littlemore.

Even overwoog Younger nogmaals zijn hoofd te schudden, maar hij veranderde van gedachten.

'Voor alle duidelijkheid,' ging Littlemore verder. 'Je hebt niet gevraagd of je je baan als docent terug kon krijgen. Je doet niks wetenschappelijks meer. Sinds je terug bent, heb je ook niet meer voor doktertje gespeeld. Wat doe je eigenlijk wel?'

'Het noodlot tarten.'

'Dat kun je niet echt een baan noemen.'

'Ik ben net terug.'

'Ja, maar de oorlog is al twee jaar voorbij. Waar heb je in de tussentijd gezeten?'

Er verstreken een paar minuten. De mannen dronken.

'Ik ken niemand die zo graag bereid is te sterven,' zei Littlemore.

'Hoe bedoel je?'

'Vanochtend zei je dat je niet kunt begrijpen dat mannen zo graag bereid zijn te sterven.'

Younger wist dat Littlemore probeerde hem aan het praten te krijgen; daar had hij niets op tegen. 'Je had Frankrijk in 1918 moeten zien,' zei Younger. Hij stond op en stak een sigaret aan met een van Littlemores lange aanmaaklucifers. 'De Britten, de Fransen – die hadden er zo schoon genoeg van. Die wilden alleen nog maar overleven. Toen de Amerikanen kwamen, geloofden ze hun ogen niet. Alsof we ons hele leven naar het moment hadden zitten smachten om de kans te krijgen te sterven.'

'Ik zou erbij zijn geweest,' zei Littlemore. 'Als ik Betty en de kinderen niet had gehad.'

'Maar het is niet alleen de oorlog,' zei Younger. 'Schotel mensen een portie doodsangst voor en ze vreten het likkebaardend op. Waarom staan er anders achtbanen op Coney Island?'

'Niet zodat mensen er omkomen.'

'Zodat ze de doodsangst aan den lijve ondervinden. Rijke mannen, mannen met gerieflijke levens, helpen zichzelf om zeep door bergen te beklimmen. Of voor de lol in vliegtuigjes te vliegen. Weet je wat er gebeurt als een krant bericht dat er iemand in een achtbaan op Coney Island is omgekomen? Dan komen er de volgende dag nog meer mensen om een ritje te maken.'

'Nou, aan mijn lijf geen achtbanen.' Littlemore schonk nog eens bij. 'Waarom zou iemand een straathoek op willen blazen? Dat slaat toch nergens op.'

'Omdat je als een politieman denkt. Altijd op zoek naar het motief.'

'Reken maar,' zei Littlemore.

'Maar wat als ze alleen maar mensen wilden vermoorden?'

'Maar waarom?'

'Wie leg je om,' antwoordde Younger, 'als je een heel land haat? Vroeger zou dat de koning zijn geweest. Pleeg een aanslag op de koning van Engeland en je pleegt een aanslag op heel Engeland. Maar bij een president? Een president is niets meer dan een politicus die over een paar jaar toch weer verdwenen is. In een democratie moet je de moordaanslag van het paleis naar de straat verplaatsen. Dan moet je je op het volk richten.'

Littlemore dacht hierover na. 'Waarom zouden ze ons haten?'

'De hele wereld haat ons.'

'Niemand haat ons. Iedereen is gek op Amerika.'

'Duitsland haat ons omdat we ze verslagen hebben. Engeland en Frankrijk haten ons omdat we ze gered hebben. Rusland haat ons omdat we kapitalisten zijn. De rest van de wereld haat ons omdat we imperialisten zijn.'

'Dat is nog geen motief,' wierp Littlemore tegen. 'Zeg, je hebt me nooit gevraagd waarvoor ik Colette vandaag nodig had.'

'Waar had je haar voor nodig?'

'Nou, er is een vent, ene Fischer. Een paar dagen terug stuurde hij een waarschuwing naar een makker in het bankwezen en seinde hem in dat hij na de vijftiende maar beter uit Wall Street weg kon blijven. Fischer werkt voor een of andere Franse onderneming op een paar straten van Wall Street. Dus ik eropaf. Met Colette om te tolken. En moet je nou eens horen: die Fransen hebben gisteren ook een brief van Fischer gekregen, waarin hij ze maande iedereen weg te sturen omdat er iets enorms stond te gebeuren in Wall Street.'

Younger floot. 'Wie is hij?'

'De vraag is: waar is hij? Het lijkt erop dat hij een maand terug met de noorderzon vertrokken is. Hij zit waarschijnlijk ergens in Canada. Maar we vinden hem wel. Ik heb de pers over hem ingelicht. Over een paar uur zijn een miljoen mensen naar die kerel op zoek. En weet je wat het grappige is? Die Franse baas van Fischer heeft de brief verscheurd en weggegooid. We moesten de snippers uit de prullenbak vissen. Niemand nam die vent serieus.' Littlemore duwde de dop op de whiskyfles, legde hem op zijn kant en tolde hem op tafel rond. 'Ze gaan ons beentje lichten.'

'De Fransen?'

'De federale politie. Die gaan proberen het onderzoek van ons over te nemen. Big Bill Flynn is er al. En Palmer is ook al onderweg.'

A. Mitchell Palmer was de Amerikaanse minister van Justitie, William J. Flynn de baas van het federale Bureau of Investigation.

'Het hele BOI is naar New York onderweg,' ging Littlemore verder met een blik alsof hij een vieze smaak in zijn mond had. 'Plus de jongens van Financiën, van de geheime dienst – het wemelt van die lui. Het onderzoek is "in handen van de federale overheid". Dat is wat Big Bill onze jongens gisteravond verteld heeft. Die Flynn. Ik zal je eens wat zeggen: hij is geen Teddy Roosevelt. Een paar jaar terug was Big Bill hier de baas over de rechercheurs. Niemand mocht hem. Weet je, toen ik nog een jochie was, wilde ik per se speciaal agent worden. Mijn pa en ik praatten erover hoe het zou zijn. Doen we nog steeds trouwens. Ik zou me op het subdepartement opwerken, dan naar Washington D.C. gaan en voor Roosevelt gaan werken. Nu denk ik: maar goed dat me dat nooit gelukt is. Met Palmer en Flynn die hier de lakens uitdelen en het Congres dat de drooglegging heeft aangenomen, weet ik werkelijk niet meer wat ze zich in Washington allemaal in het hoofd halen.'

'Eeuwig zonde van Roosevelt,' zei Younger. In tegenstelling tot de rechercheur, die Roes-velt zei, sprak Younger de naam als Roos-a-velt uit, net als de Roosevelts zelf.

'Wat heeft T.R. de das omgedaan? Die kogel die ze nooit uit zijn borst hebben gehaald?'

'Nee,' zei Younger. 'Het was zijn malaria.'

'Heb je hem wel eens ontmoet?'

'Een paar keer,' zei Younger. 'Hij was een neef van me.'

'Iedereen is familie van jou.'

'Geen volle neef, maar een achterachterachter. Zijn dochter Alice ken ik beter. Of beter gezegd: ik heb haar – heel kort – beter gekend.'

'Ga weg.'

Younger zei niets.

'Verdikkeme, doc, Roosevelts dochter,' riep Littlemore. 'En ook nog eens een mooie meid. Waarom ben je niet met haar getrouwd?'

'Om te beginnen had ze al een echtgenoot.'

'Doc, doc, doc,' zei Littlemore. 'T.R.'s dochter. Was dat voor of na Nora?'

'Een beruchte schuinsmarcheerder,' ging Younger verder.

'Jij bent geen schuinsmarcheerder.'

'Ik bedoelde de man van Alice. Maar evengoed bedankt.'

'Jij bent meer een rokkenjager.'

'Ah, een subtiel verschil,' zei Younger. 'Ik ben geen rokkenjager. Ik ga niet met ze naar bed. Behalve als ze me aanstaan. Wat zelden het geval is. Kom jij nooit in... de verleiding?'

'Ik?' lachte Littlemore. 'Ik vraag me altijd af wat mijn pa zou doen. Die zou daar nooit aan beginnen, dus doe ik het ook niet.'

'Hoe gaat het met hem, met je vader?'

'Goed. Ik ga nog steeds bijna elk weekeinde bij hem langs.' Littlemore trommelde met zijn vingers op de tafel. 'Wat is dat trouwens voor naam, Drobac?' Colette had de politie verteld dat de ontsnapte ontvoerder – de leider van het drietal – door zijn handlangers Drobac werd genoemd. 'En waarom vroeg hij ons "waar zijn ze"? Waar zijn wat?'

'En waarom heeft hij zijn kompaan vermoord?' kaatste Younger terug.

'Dat is simpel zat. Om te voorkomen dat hij zou praten.' Littlemore plantte zijn hakken op de tafel en zijn stem veranderde van toon. 'Maar weet je wat ik nu echt niet snap?'

'Wat precies mijn relatie met Colette is,' zei Younger.

'Je hebt haar uit Frankrijk meegebracht,' zei Littlemore, die gretig op het onderwerp inging, 'maar je laat haar in Connecticut wonen. Je raakt buiten zinnen als ze verdwijnt, maar je doet ontzettend, ik weet niet, terughoudend als je bij haar bent.'

'Je vraagt je af wanneer ik van plan ben haar ten huwelijk te vragen.'

'Waarom heb je haar anders de Atlantische Oceaan over gesleept? Of heb je soms oneerbare bedoelingen?'

'Je lijkt je vanavond nogal wat zorgen over mijn huwelijksvooruitzichten te maken.'

'Tja, ben je het nu wel of niet van plan?' vroeg Littlemore.

'Om haar te onteren? Dat heb ik al geprobeerd,' zei Younger, terwijl hij een flinke teug nam. 'Wil je het hele verhaal horen?'

'Wat dacht je?'

5

In oktober 1917 werd luitenant dr. Stratham Younger overgeplaatst naar het Amerikaanse veldhospitaal in Einville, niet ver bij Nancy vandaan, waar de Amerikaanse troepen ten langen leste aan het front werden ingezet. Op dat moment opereerden de Amerikaanse soldaten nog onder Frans bevel; Younger zou uiteindelijk meer Fransen dan Amerikanen behandelen. Tijdens de strenge winter en de daaropvolgende lente, toen Younger eerst bij de Eerste Divisie gestationeerd was en later bij de Tweede, trok hij voortdurend langs het westelijk front om ingezet te worden waar de nood het hoogst was: in Saillant de Saint-Mihiel, bij Seicheprey, Chaumont-en-Vexin, Cantigny en het Bois de Belleau.

Daar, vlak bij de bossen van Belleau aan de rand van Château-Thierry, ontmoette hij Colette.

Het eerste ochtendgloren. De rood opkleurende lucht luidde een tijdelijk einde van de gruwelijke nachtbombardementen in. Younger dook uit het bos op en ploeterde te voet door het open veld, een oude Franse korporaal met zich mee slepend naar de medische barakken. De barakken waren ongeschonden – de witte tenten, tafels en instrumentkasten stonden alle nog op hun plek – maar er was geen arts of ordonnans te bekennen. Kennelijk had de medische staf in allerijl een veilig heenkomen gezocht.

Van de andere kant van het veld klonk kabaal. Franse infanteristen hadden zich rond een vrachtwagen van het Rode Kruis verzameld. Ze deden

Younger aan kinderen denken die zich rond een ijscokar verdringen, behalve dan dat er een sfeer van mannelijke onstuimigheid om hen heen hing. Met de arm van de korporaal over zijn schouder geslagen stak Younger het veld over, dwars door dichte nevelbanken die zich aan de met diepe voren doorsneden grond hechtten. Naast de vrachtwagen stond een jonge vrouw die door een halve cirkel van uitgelaten mannen belaagd werd. Met haar rug naar hen toe leunde ze door een raam van de cabine van de truck. In het Frans, wat Younger verstond, bestookten de mannen haar met allerlei zelfbedachte ziektes en gespeelde verzoeken om behandeling. Een van hen, een kerel met een buitengewoon rauwe stem, smeekte de jonge vrouw onder zijn hemd te voelen. Zijn hart, zo zei hij, bonsde gevaarlijk en stond op springen.

Met een bruine tas in haar handen klom het meisje de cabine uit. Het was een slanke, gracieuze brunette van rond de twintig, met de kin uitdagend omhoog en onnatuurlijk groene ogen. Met haar onopgesmukte wollen rok en lichtblauwe trui was ze duidelijk geen verpleegster.

Ze sprak met de mannen. Younger kon niet horen wat ze zei, maar hij zag dat zij haar tas naar de luidruchtige kerel smeet, die hem ving en daarbij noodgedwongen zijn geweer liet vallen, wat een spottend gelach aan de anderen ontlokte. Het meisje sprak opnieuw. Een voor een vervielen de mannen in zwijgen en ze dropen beschaamd af. Ze maakte geen triomfantelijke indruk. Ze oogde – afgemat. Mooi, afwezig en afgemat. Terwijl de infanteristen zich verspreidden, was Younger de enige die er nog stond, met de gewonde korporaal die zwaar over de schouder van zijn vuile uniform hing. Het meisje zag dat Younger haar aanstaarde. Ze streek een haarlok uit haar gezicht.

Nadat hij de korporaal – een kerel die de indruk wekte stokoud te zijn, met een tanig gezicht en grijs haar, en met één hand op zijn buik gedrukt – op het gras had gelegd, beende hij met grote passen op de jonge vrouw af, die instinctief een stap achteruit deed. Hij liep haar voorbij zonder haar een blik waardig te keuren en trok het portier van de vrachtwagen open. In de cabine zag hij twee zaken die hem verbaasden. De eerste was een jongen, niet ouder dan een jaar of acht, die in de schaduwen achter in de cabine een boek zat te lezen. De tweede was een ingewikkeld ogend röntgenapparaat, compleet met een grote glazen plaat, zware gordijnen en glazen ampullen.

Younger draaide zich naar het meisje om. 'Waar is uw vriend?' vroeg hij in het Frans.

'Wat?'

'Waar is de man die dit röntgenapparaat bedient?'
'Ik bedien het,' antwoordde ze in het Engels.
Hij nam haar van top tot teen op. 'U bent een van de meiden van madame Curie.'
'Ja.'
'Nou, aan de slag dan maar. Tenzij u wilt dat deze korporaal het loodje legt.'
'Het is zinloos,' zei ze. 'Er is hier geen chirurg. Ze zijn allemaal vertrokken.'
'Zorg nu maar dat hij tegen het vallen van de avond gereed is.' Younger liep naar de korporaal, fluisterde hem een paar woorden in het oor en verdween via dezelfde route waarlangs hij gekomen was het bos weer in.

✿❦✿

Toen Younger terugkwam, stond de maan aan de hemel. Hij trof het legerkamp net zo aan als die ochtend: intact maar uitgestorven. In een van de tenten scheen elektrisch licht. De vrachtwagen stond ernaast geparkeerd, met draaiende motor en een stel kabels dat van het voertuig over de grond de tent in leidde. Het meisje gebruikte de vrachtwagenmotor als krachtbron.

Younger trok de tentflap omhoog en ging naar binnen. Alles stond gereed. De oude korporaal, die Dubeney heette, lag met gewassen gezicht en gekamd haar op een operatietafel te slapen. De instrumenten lagen keurig uitgestald. Waskommen onder handbereik. Het meisje stond op uit haar stoel. Het jongetje lag lezend aan haar voeten. Zonder iets te zeggen pakte ze een stapeltje röntgenfoto's en wiskundige berekeningen en gaf deze aan Younger.

Hij hield de platen tegen een van de kale gloeilampen omhoog. Tegen een achtergrond van witte botten en grijzige ingewanden tekenden de kleine zwarte spikkels en stippen zich opmerkelijk scherp af. Wanneer een man granaatscherven in de buikstreek opliep, was het grootste gevaar niet orgaanbeschadiging maar bloedvergiftiging. Tot voor kort was het terugvinden van elke scherf een zo goed als hopeloze onderneming en was de man waarschijnlijk ten dode opgeschreven geweest. Maar met een stel goede radiogrammen en de juiste berekeningen kon iedere bekwame chirurg hem redden.

Younger waste zijn handen, polsen, gezicht en onderarmen. Hij nam er uitgebreid de tijd voor en spoelde het vuil en bloed zowel uit zijn gedachten als van zijn huid. Ondertussen diende het meisje korporaal Dubeney meer chloroform toe. De man trachtte tevergeefs haar handen weg te duwen, waarna hij weer wegzonk. Younger ging aan de slag, de stilte uitsluitend onderbroken door zijn verzoeken om instrumenten en, toen de incisie korte tijd later gereed was, nu en dan het geplonk van metalen deeltjes die in een keramische schaal vielen.

Zweetdruppels parelden op Youngers voorhoofd.

'Wacht,' zei het meisje in het Engels. Het was het eerste woord dat ze gesproken had.

Terwijl hij zijn mes omhooghield, veegde ze zijn voorhoofd droog en depte met de doek zijn wangen, kaaklijn en nek. Younger staarde omlaag naar haar fijne maar serieuze gelaatstrekken. Niet één keer keek ze hem in de ogen.

'Wat zat er in de tas?' vroeg Younger.

'Pardon?'

'U gooide de soldaten een tas toe.'

'O, alleen maar wat levensmiddelen. Voornamelijk kaas. Ze krijgen niet genoeg te eten; ze hebben allemaal honger. Net een bende muizen.'

'Wat heeft u tegen ze gezegd?'

'Dat ze Duitsers moeten vermoorden in plaats van Franse meisjes lastigvallen.'

Younger knikte en ging verder met zijn patiënt. 'Wij zeggen troep.'

Het meisje trok haar wenkbrauwen op terwijl ze de doek uitspoelde.

'In het Engels,' zei hij, 'is het een "troep" muizen. Heeft madame Curie u persoonlijk opgeleid?'

'Ja,' zei het meisje.

'Wat vond u van haar?'

Haar antwoord volgde direct: 'Ze is de edelmoedigste vrouw ter wereld.'

'Ah, een bewonderaarster. Persoonlijk verbaast het me dat ze het toestaan.'

'Hoe bedoelt u?'

'Een echtbreekster per slot van rekening, die jonge meisjes opleidt.'

'Zíj was geen echtbreekster,' reageerde het meisje bits. 'Dat was híj. Monsieur Langevin is degene die getrouwd was, maar híj is niet degene die het in zijn schoenen krijgt geschoven. Zij roepen hém niet op het land te verlaten. Naar zíjn huis gooien ze geen stenen. En nu heeft hij een andere maîtresse. Einstein heeft een buitenechtelijk kind, iedereen weet ervan. Waarom zou madame Curie haar leerstoel moeten kwijtraken, waarom zou zíj doodsbedreigingen moeten krijgen, terwijl mannen hetzelfde of erger doen?'

'Omdat ze een vrouw is,' zei Younger zelfgenoegzaam. 'Vrouwen zouden onbedorven moeten zijn.'

'Mannen zouden onbedorven moeten zijn.'

'En omdat ze joods is. Scalpel.'

'Wat?'

'Scalpel. En een Poolse.'

'Wat heeft dat er nou mee te maken?'

'En vanwege haar ergste misdaad van al: omdat ze de Nobelprijs niet één, maar twee keer heeft gewonnen.'

Ze fronste opnieuw. 'Ik weet werkelijk niet wanneer u meent wat u zegt.'

'Als u het echt wilt weten,' zei Younger, 'ik ben alleen eerlijk tegen mannen. Met vrouwen kan ik niet vertrouwd worden.'

Ze keek hem aan.

'Vrouwen leren mannen te liegen,' ging hij verder. 'Maar we worden er nooit zo goed in als zij willen. Hoe hebt u madame Curie ontmoet?'

Na een tijdje antwoordde het meisje: 'Ik ben de Sorbonne binnen gelopen en heb ze verteld dat ik me aan de scheikunde wilde wijden. Ik was zeventien. Ze lachten me allemaal uit omdat ik geen middelbareschooldiploma had. Toevallig – of wie weet was het voorzienigheid – kwam madame op dat moment binnen. Ze had het gesprek opgevangen. Báng dat ze voor haar waren! Ze zag er erg oud uit, maar heel vriendelijk. Waarom weet ik niet, maar toen ze hoorde dat mijn vader me privéles in wis- en natuurkunde had gegeven, kreeg ze opeens belangstelling voor me. Ze stelde me een paar vragen, zodat ik haar kon laten zien wat ik wist. Toen heeft ze geregeld dat ik toelatingsexamen kon doen.'

'Dat u gehaald heeft?' vroeg Younger.

'Met de hoogste cijfers die dat jaar behaald zijn.'

'Dan zou u nu in de collegebanken moeten zitten in plaats van röntgenfoto's van gewonde soldaten te maken.'

'Ik heb ook colleges gevolgd, twee jaar lang. Maar toen kwam ik erachter wat Marie voor de soldaten deed. Die vrachtwagens, dat was haar idee. Zij was de eerste die inzag hoeveel levens er gered konden worden als we op het slagveld röntgenapparatuur hadden. Iedereen zei dat het onmogelijk was, dus ontwierp zij een apparaat dat je in een vrachtwagen kon gebruiken. Omdat ze zo stom zijn, weigerde de overheid te betalen, dus heeft madame zelf al het geld bij elkaar geschraapt. Toen zei het leger dat ze geen manschappen konden missen om de vrachtwagens te bedienen, dus leidde madame meisjes op om het te doen. Toen kondigde de overheid af dat vrouwen geen auto mochten rijden, dus reed madame de eerste vrachtwagen zelf en daagde ze de overheid zo uit haar tegen te houden. Ze leerde rijden, verwisselde zelf de banden en maakte röntgen-foto's. Toen ze zagen dat ze levens redde, gaven ze uiteindelijk toe. Nu zijn we met ruim honderdvijftig, en ons enige probleem zijn de mannen.'

'De mannen?'

'Sommigen worden behoorlijk... behoorlijk agressief in de aanwezig-heid van vrouwen.'

'Ze voeren oorlog.'

'Dat is geen excuus. Wij zijn die vuile Duitsers niet.'

Vanuit zijn ooghoeken keek Younger het meisje aan. Haar gezicht had iets onverbiddelijks gekregen; hij had daar eerder al een glimp van opge-vangen toen ze met de soldaten had staan praten, maar nu schemerden haar zachtere trekken er niet langer doorheen. Hij ging verder met zijn uitputtende werk.

Na enige tijd nam ze opnieuw het woord. 'Hij is erg lief, deze korpo-raal. Hoe is hij aan uw zorg toevertrouwd geraakt?'

'Niet door mijn toedoen,' antwoordde Younger. 'Hij is 's nachts ver-dwaald. Per ongeluk aan onze kant van de frontlinie beland. Hij wierp zich op me, de arme stakker.'

'Luister niet naar hem, mademoiselle,' mompelde korporaal Dubeney.

'Hé. Je bent bij,' zei Younger. 'Zuster, chloroform.'

'Hij is het niemandsland in getrokken en heeft me eruit gehaald,' zei Dubeney. 'Dwars door alle beschietingen heen.'

'Hij hallucineert,' zei Younger.

'Hij slaapt aan het front,' zei Dubeney.

'Waar is die verduvelde chloroform?' vroeg Younger.

'Niet nodig, niet nodig, ik voel toch niets,' zei Dubeney.

Door zijn opeengeklemde lippen liet Younger een geërgerde grom ont-snappen. Niemand sprak.

'Ik kon mijn beste proefkonijn niet zomaar verloren laten gaan,' zei Younger. 'Kijk naar zijn rechterknie.'

Nieuwsgierig geworden vroeg het meisje of korporaal Dubeney daar bezwaar tegen had. Toen hij zijn hoofd schudde, rolde ze zijn ene broeks-pijp op en zag een gemene wond.

'Die moet ontsmet worden,' zei ze.

'Ik heb hem ontsmet,' zei Younger. 'Elke dag. Kijk nu eens naar zijn andere knie.'

Toen het meisje Dubeneys andere broekspijp tot over zijn knie had ge-rold, stokte haar adem. Ook deze knie was gewond, en er krioelde iets op. 'Wat zijn dat?' vroeg ze.

'Maden. Wat valt je nog meer op?' vroeg Younger.

'Dat de wond schoon is,' zei ze.

'Identieke wonden, op dezelfde dag door dezelfde man door dezelfde oorzaak opgelopen. Toch is er één genezen, terwijl de andere is gaan zweren. En de wond die genezen is, is uitsluitend met maden behandeld. Dat was niet mijn idee. Mannen gebruiken ze al jaren op het slagveld. En terwijl hij weet hoe belangrijk zijn knieën voor de wetenschap zijn, ziet onze smerige ouwe vuilak hier kans te verdwalen en in zijn buik te worden geschoten. Geen greintje plichtsbesef.'

Younger zag hoe het jongetje zwijgend naast het meisje was komen staan en gebiologeerd naar korporaal Dubeneys met maden bedekte knie keek.

'Mijn broer,' zei ze tegen Younger. 'Hij heet Luc.'

In tegenstelling tot zijn zus had het joch vuilblond haar, met voor jongensbegrippen een enorme haardos, die warrig tot op zijn schouders hing. Zijn huid was veel minder blank dan de hare – of misschien gewoon veel vuiler – maar zijn bruine ogen bezaten eenzelfde gestrengheid, eenzelfde intelligente blik, maar dan waakzamer en minder afwezig dan die van het meisje. 'En hoe oud ben jij, jongeman?' vroeg hij.

De jongen keek niet naar Younger op en gaf geen antwoord.

'Luc, je manieren zijn abominabel,' zei het meisje. 'Hij praat niet graag. Dus u bent die vent?'

'Pardon?' zei Younger.

'De mannen vertellen al tijden verhalen over een Amerikaanse arts die weigert de frontlinies te verlaten. Die gewonde soldaten op het slagveld behandelt.'

'Ik behandel ze niet. Ik voer experimenten op ze uit.'

'En die vecht, zeggen ze.'

'Onzin.'

'Als de duivel,' zei Dubeney.

De jongen nam Younger belangstellend op.

'En jij kon dus niets voelen, hè?' zei Younger tegen Dubeney, terwijl hij zijn mes weer ter hand nam en een brul aan de oude korporaal ontlokte.

⁕

Onder een heldere sterrenhemel laadden ze de vrachtwagen een paar uur later weer vol. Voor haar tengere bouw was ze opmerkelijk sterk. Een explosie deed de grond zachtjes onder hun voeten trillen; de vuurstorm die erop volgde, kwam ver weg, diep in het bos, tot uitbarsting. 'Bent u niet bang?' vroeg Younger.

'Voor de oorlog?'

'Om met een vreemde alleen te zijn.'

'Nee,' zei ze.

'U bent goed van vertrouwen.'

'Mannen vertrouw ik nooit,' antwoordde ze. 'Daarom ben ik niet bang voor ze.'

'Een verstandig beleid,' zei Younger. Hij keek op naar het fonkelende uitspansel boven hen. 'Vandaag zag ik iets wat ik nooit zal vergeten. Een sergeant van de Amerikaanse mariniers die zijn peloton bevel gaf de loopgraven te verlaten. Ze waren zwaar in de minderheid, met veel minder geschutssterkte, maar de sergeant besloot tot de aanval over te gaan. Zijn mariniers waren te bang om hun verschansing op te geven. Toen zei de sergeant tegen ze... eh, hij gebruikte een woord dat in beschaafd gezelschap niet thuishoort. Zal ik het toch zeggen?'

'Maakt u een geintje?' vroeg Colette.

'De sergeant schreeuwde: "Kom op, klootzakken, willen jullie soms voor eeuwig leven?" Zijn mannen stormden de loopgraven uit. Het was een bloedbad.'

'Heeft hij het overleefd, de sergeant?'

'Ja, hij wel.'

Op een geluid als de gil van een klaagvrouw volgde een andere explosie. Deze keer trof de inslag dichterbij doel. De grond schokte en ze zagen de vlammen op een kleine kilometer afstand oplaaien.

'U moet maken dat u hier wegkomt,' zei Younger. 'Vannacht nog. Als de Duitsers door de linies heen breken, zijn die al voor de ochtend hier. En die kunnen een Frans meisje heel wat ergers aandoen dan wat uw soldaten deden.'

Ze zei niets. Younger hees zijn bepakking op zijn schouder en verdween weer in de richting van de bossen, in de richting van de explosies.

❦

Het was in juli 1918 dat hij haar terugzag. Duitsland was in Frankrijk met een reeks ongemeen hevige aanvallen begonnen, vastbesloten om de overwinning veilig te stellen voordat de Verenigde Staten hun leger geheel konden mobiliseren. Honderdduizenden doorgewinterde Duitse manschappen stoomden vanuit het oosten op, waar Ruslands nieuwe bolsjewistische heersers de strijd hadden gestaakt en de legers van de Kaiser van het oostfront bevrijd waren. Tegen eind mei had Duitsland de Franse strijdkrachten tot aan de Marne terug weten te drijven, op slechts vijfenzeventig kilometer van Parijs.

Maar daar, bij Belleau, bij Vaux, bij Château-Thierry, stuitten de Amerikanen de Duitse opmars, in een gevecht op leven en dood, met een strijdlust die in de geallieerde troepen sinds 1914 niet meer was waargenomen. Amerikaanse kranten staken de loftrompet over de Amerikaanse overwinningen en dikten hun belang enorm aan. Vraag was of de nieuwe verdedigingslinie het zou houden.

Veertig dagen lang bestookten de twee kampen elkaar met de ene golf van vuurkracht en jongemannen na de andere die in een gruwelijke, onbesliste strijd eindigden. Langzaam doofden de gevechten, om zich te beperken tot een uitwisseling van vernietigende granaataanvallen vanuit goed verschanste loopgravenstelsels. De adempauze was een veeg teken. Het zag ernaar uit dat de Duitsers weer sterker werden en steeds meer divisies wisten samen te brengen.

Tijdens deze stilte voor de storm was er in het dorp Crézancy een levensmiddelenhandel van dubieuze juridische statuur ontstaan, pal onder het oog van enorme, glimmende Amerikaanse kanonnen die hoog op de Moulin Ruiné waren geplaatst. Kromgetrokken en uitgemergelde Franse boeren boden alles te koop aan wat ze voor de invorderaars van de overheid verborgen hadden weten te houden.

Als eerste zag Younger Luc. Hij herkende het jongetje onmiddellijk, dat kaas en melk aan het kopen was, zwijgend zijn hoofd schuddend om een exorbitante prijs, om pas met de koop in te stemmen nadat het bedrag tot een acceptabel niveau was gedaald. Younger begroette de jongen hartelijk. In een vlaag van inspiratie trok hij een afgesloten potje met krioelende maden uit zijn zak. Luc sperde zijn ogen open.

'Het zijn larven,' zei Younger in het Frans. 'Binnenkort zal elk van deze kleine donderstenen zich inspinnen en verpoppen. Een week of twee later breekt de cocon open en dan kruipt er een... weet je wat eruit kruipt?'

De jongen schudde zijn hoofd.

'Een vlieg. Een doodgewone bromvlieg.'

Deze informatie leek zijn toch al buitengewone ontzag voor de krioelende massa in het potje nog te doen groeien.

'Wil je weten waarom ze zulke goede maatjes zijn van de gewonde soldaten? Omdat ze alleen maar dood weefsel eten. Levende cellen vinden ze maar niets. Hier, neem het potje aan. Ik heb er nog meer. Er zijn niet veel jongemannen met hun eigen troetellarven.'

De jongen nam het geschenk aan en haalde iets uit zijn eigen zak tevoorschijn, wat hij bij wijze van tegenprestatie aanbood.

Younger trok een wenkbrauw op. 'Een handgranaat.'

Luc knikte.

'Hij staat toch niet op scherp?' vroeg Younger.

Luc zette de maden neer, vergrendelde de pin, schroefde het omhulsel los, trok de veer eruit, verwijderde de slagpin en klikte de hefboom los.

Younger bukte zich en rook de droge poeder in de huls. 'Juist ja. Voortreffelijk. Inderdaad, op scherp.'

De jongen herhaalde het proces in omgekeerde volgorde, zette de handgranaat weer behendig in elkaar en bood hem opnieuw aan Younger aan, die het cadeau zeer voorzichtig in ontvangst nam. Hij was Luc aan het bedanken, toen hij een meisjesstem achter zich op strenge toon hoorde spreken.

'U heeft hem er toch niet aan laten zitten?' vroeg ze.

Younger draaide zich om en zag de zus van de jongen.

'Wilt u soms dat hij denkt dat granaten speelgoed zijn?' ging ze boos verder. 'Zodat hij hem, de volgende keer dat hij er een op de grond ziet liggen, oppakt en ermee gaat spelen?'

Younger wierp een korte blik op Luc, die duidelijk niet wilde dat zij wist dat hij met een onontplofte granaat had rondgelopen. 'U heeft volkomen gelijk, Miss,' zei Younger, terwijl hij het wapen wegstopte. 'Ik weet niet wat me bezielde. Luc, een granaat is geen speelgoed. Hoor je me? Alleen mensen die exact weten hoe ze werken, zouden ze ooit aan mogen raken.'

Tot bedaren gekomen verontschuldigde ze zich tegen Younger. 'Hij speelt graag met geweren en munitie. Hij jaagt me voortdurend de stuipen op het lijf.'

'Ik had gehoord dat u terug was gegaan naar Parijs,' antwoordde Younger.

Ze fronste haar wenkbrauwen. Luc trok aan haar rok. 'Neem me niet kwalijk,' zei het meisje en ze boog zich naar hem toe. Tussen hun gezichten in maakte de jongen handgebaren, een soort gebarentaal. Haar antwoord aan hem was onverbiddelijk. 'Geen denken aan. Hoe haal je het in je hoofd?' Tegen Younger legde ze uit: 'Nu wil hij met u naar het front.'

'Gezien je leeftijd vrees ik dat dat onmogelijk is, jongeman,' zei Younger. 'Maar gelet op het verloop van de oorlog krijg je wellicht toch nog een kans. Maar misschien wil je wel een Amerikaanse basis zien?'

De jongen knikte.

Younger richtte zich tot het meisje. 'U zou ons een enorme dienst bewijzen als u met uw vrachtwagen naar onze basis kwam. Wij hebben een röntgenapparaat, maar vergeleken met dat van u is het primitief. Er zijn heel wat mannen die ik zou kunnen helpen.'

'Goed,' zei ze. 'Ik kan vanmiddag komen. Maar ik weet nog steeds... nog steeds uw naam niet.'

❦

De daaropvolgende dagen kwam Colettes vrachtwagen in een wolk van stof over de onverharde weg tot stilstand bij Youngers veldhospitaal. Met Younger aan haar zijde begaf ze zich naar verschillende legerkampen, helemaal tot bij Lucy-le-Bocage. Bij tientallen manschappen, die gewond en wel weer aan hun peloton waren toegevoegd, liet het herstel te wensen over. Younger wilde ze stuk voor stuk opnieuw onderzoeken. Meestal brachten de röntgenfoto's niets aan het licht, maar zo nu en dan vertoonden hun spookachtige skeletten, precies zoals Younger verwacht had, minuscule granaatsplinters die hij eerder over het hoofd had gezien.

De eerste keer dat dit gebeurde, slaakte Colette een triomfantelijke kreet. Younger glimlachte. Terwijl ze achter in de vrachtwagen dicht op elkaar werkten, beroerden hun vingers elkaar vaak bij het aanreiken van instrumenten. Of streek haar lichaam langs het zijne. Steeds wanneer dat gebeurde maakte ze zich snel van hem los. Toch kreeg Younger het idee dat het contact misschien bewust gezocht was.

Voor gewonden en zieken was Colette vriendelijk, zij het zonder bijzonder zachtaardig of meelevend te zijn. Voor gezonden was ze bikkelhard. Younger zag dat haar stroefheid gedeeltelijk uit zelfbescherming voortkwam; ze was te mooi om op een andere voet met de soldaten om te gaan. Maar er stak meer achter. Younger vroeg zich af wat ervoor nodig zou zijn om haar milder te stemmen.

❦

Op een avond, toen Colette druk bezig was met haar berekeningen, benutte Younger de gevechtspauze door bij het licht van een lantaarn zelf aan enkele wiskundige vergelijkingen te werken. Na enige tijd werd hij zich ervan bewust dat Luc naast hem stond.

De jongen gaf Younger een boek. Het was een jaar eerder in het Engels verschenen. De auteur was ene Toynbee; de titel luidde *The German Terror in France*. Het dunne werkje was zwaar beduimeld. Was het mogelijk dat de jongen Engels kon lezen?

Younger begon door het boek te bladeren. Dat was het moment waarop de jongen hem een briefje gaf waarin stond dat hij de doden haatte. Het was de eerste keer dat Luc op deze wijze met hem communiceerde. Daarna ging de jongen tegen een van de wielen van de vrachtwagen geleund met een oud stuk speelgoed zitten spelen.

'Waar heb je dat vandaan?' vroeg Colette plotseling toen ze het boek in Youngers handen zag.

'Je broer heeft het me gegeven.'

'O.' Haar lichaam ontspande zich. 'Hij wil dat ik je vertel wat er met onze familie gebeurd is.'

'Dat hoeft echt niet.'

Ze keek Luc aan, die zijn spel geen moment onderbrak. 'Als je wilt, kun je het zelf lezen,' zei ze, terwijl ze naar een pagina in het boek wees met een ezelsoor en waarop een passage onderstreept was. Younger las:

Op 6 september ging Someilles geheel in vlammen op. 'Toen de vuurzee ontstond,' zo verklaarde de burgemeester, 'zochten M. en Mme. Adnot (de laatste ongeveer zestig jaar oud), Mme. X. (vijf- of zesendertig jaar oud), wier echtgenoot in het leger dient, en de vier kinderen van Mme. X. beschutting in de kelder van de familie Adnot. Daar werden zij onder gruwelijke omstandigheden vermoord. De twee vrouwen werden verkracht. Toen de kinderen gilden, werd een van hen het hoofd afgehakt en bij twee anderen een arm, terwijl iedereen in de kelder werd afgeslacht. De kinderen waren respectievelijk elf, vijf, vier en anderhalf jaar oud.'

'Mijn god,' zei Younger. 'Ik hoop maar dat dit niet jullie familie was.'

'Nee, maar wel ons dorp, Someilles,' zei ze. 'We zijn daarheen verhuisd toen ik nog klein was: moeder, vader, grootmoeder en ik. Luc is er geboren. Toen de oorlog begon, trokken al onze jongemannen ten strijde. Het dorp was weerloos. Die nacht dat de Duitsers kwamen, zijn Luc en ik naar de timmerman gestuurd omdat hij een geheime kelder had. Daarom hebben we het overleefd. De Duitsers hebben iedereen vermoord, maar ons hebben ze nooit gevonden. De hele nacht hoorden we schoten en gegil. De volgende dag waren ze verdwenen. Ons huis was in brand gestoken, maar stond nog overeind. Moeder en vader lagen dood op de grond. Vader had als een leeuw gevochten, dat kon je zien. Grootmoeder leefde nog, maar niet lang meer. Moeder was naakt. Er lag heel veel bloed.'

Terwijl zijn zus sprak, was Luc met zijn spel gestopt. Toen duidelijk werd dat ze klaar was, hervatte de jongen zijn spel.

'Iedereen gaat er maar van uit,' zei Colette, 'dat je voor de rest van je leven verdrietig moet zijn.'

6

Met de Grote Oorlog kwam het grote leed – onbekende ziektes op een ongekende schaal. De laatste was de ergste: de griep van 1918-'19 die zich met de legers over de continenten verspreidde en, verscholen in de warme maar kapotte longen van de huiswaarts kerende soldaten, in elke uithoek van de wereld miljoenen levens eiste. Vóór de Spaanse griep waren er de gesels van fosgeen en mosterdgas geweest, die ogen en huid wegbrandden en tot op het bot wegvraten. Vóór de gifgassen werden soldaten op gruwelijke wijze uitgeschakeld door schimmels en parasieten, die het op hun voeten hadden voorzien, door het gangreen dat welig tierde in de van ratten vergeven loopgraven zonder afwatering. Maar vóór dit alles was er shellshock.

De eerste meldingen van deze eigenaardige gesteldheid plaatsten het leger voor een raadsel. Op het oog gezonde mannen vertoonden een hele verzameling tegenstrijdige symptomen: versnelde ademhaling en extreme kortademigheid, langdurige zwijgzaamheid en tomeloos geraaskal, onbeheerste bewegingen en catatonie, de weigering hun wapen los te laten en de weigering hun wapen aan te raken. Maar het ging altijd gepaard met nachtmerries – steeds weer bij elk geval waren het de nachtelijke angstdromen die hun kameraden wakker maakten en hen op deden schrikken.

Daarop volgden symptomen die nog curieuzer waren. Doofheid, stomheid en blindheid, verlamde handen en benen. En alles zonder enige aanwijsbare lichamelijke oorzaak.

De Fransen hadden een woord voor deze mannen: *simulateurs*. Ook de Britten zagen hen als lijntrekkers. De eerste behandeling die door de Engelsen werd voorgeschreven bestond dan ook uit het vuurpeloton, daar in het Britse leger op lafheid de doodstraf stond. Duitse artsen daarentegen gebruikten elektriciteit. De algemeen aangehangen theorie achter deze Duitse elektrocutietherapie was niet dat deze een genezende werking had, maar dat wanneer het voltage maar hoog genoeg was de terugkeer naar het front een te verkiezen alternatief bleek. De Duitse artsen hadden echter een derde optie over het hoofd gezien, die menig patiënt dankbaar aangreep: zelfmoord.

Toch zou zelfs dit probate ontmoedigingsbeleid het tij niet doen keren. Het aantal manschappen dat erdoor getroffen werd, steeg tot duizelingwekkende hoogte. Uiteindelijk zou de mysterieuze aandoening in Groot-Brittannië bij tachtigduizend soldaten vastgesteld worden. Velen van hen waren officieren van onbesproken reputatie en, vanuit Brits oogpunt gezien, van onberispelijke stand en komaf. Met uiteindelijk gevolg dat er al snel vraagtekens geplaatst werden bij de simulantentheorie.

De eerste artsen die de toestand serieus namen, stelden dat het euvel aan exploderende granaten te wijten was. De luchtverplaatsingen die de explosies van de machtige granaten – ook wel de *shellblast* genoemd – van de moderne oorlogsvoering veroorzaakten, leidden, zo werd gezegd, tot minuscule bloeduitstortingen in de cerebrale bloedvaten, die op hun beurt een neurologische uitval of shock in de hersenen teweegbrachten. Aldus ontstond de term 'shellshock'.

De term zou beklijven, de diagnose erachter niet. Te veel mannen met shellshock hadden nooit aan bombardementen blootgestaan. Al snel werd duidelijk dat hun geestelijke gesteldheid meer met de aandoening van doen had dan hun lichamelijke toestand. Het werd al evenzeer duidelijk dat er op de wereld maar één psychiater was die een theorie van de psychopathologie geponeerd had die hun symptomen kon verklaren: Sigmund Freud.

Geleidelijk aan raakten steeds meer artsen over de hele wereld, mannen die de psychoanalyse eerder nog met de grootst mogelijke afkeer en wantrouwen bejegend hadden, ervan overtuigd dat alleen het freudiaanse concept van het onbewuste een verklaring en een behandeling voor shellshock kon bieden. 'Het noodlot lijkt ons de ongekende kans te bieden,' zo schreef een Britse arts in 1917, 'om de juistheid van Freuds theorie van het onbewuste te toetsen.' De toets viel positief uit.

Engelse, Franse, Australische en Duitse artsen maakten gewag van opmerkelijke successen bij hun psychotherapeutische behandeling van shellshockpatiënten. In Groot-Brittannië schakelden de militaire autoriteiten dr. Ernest Jones in, een van Freuds vroegste volgelingen – die vanwege zijn zwak voor het bespreken van onbetamelijkheden met twaalfjarige meisjes de toegang tot het ziekenhuis waar hij in dienst was geweest nog steeds ontzegd werd –, om een behandelplan op te stellen voor hetgeen inmiddels 'oorlogsneurose' was gedoopt. Duitsland vaardigde een delegatie naar een internationaal psychoanalytisch congres af om hulp af te smeken bij de behandeling van de overbevolkte ziekenzalen vol shellshockpatiënten. Freud zelf – die zo lang belasterd en buitengesloten was geweest – werd nu door de Oostenrijkse overheid gevraagd de leiding op zich te nemen van een onderzoek naar een effectieve behandeling van *Kriegsneurose*. In 1918 was er op de hele wereld wellicht slechts één man die zowel de waarheid van de psychoanalyse onderschreef als de mening toegedaan was dat de freudiaanse theorie nu net niet in staat was de oorlogsneurose te verklaren. Zijn naam was Sigmund Freud.

❦

'Hij zou op school moeten zitten,' zei Colette een paar dagen later over haar broer. Ze zat achter het stuur van haar vrachtwagen en loodste hem over met karrensporen doorploegde wegen. Ze had er geen moeite mee om over Luc te spreken waar die zelf bij was. 'Maar hij wil niet meewerken. In Parijs dachten de onderwijzers dat hij doof was. Ook dachten ze dat hij niet kon praten. Maar dat kan hij wel. Ik weet het.'

Achter in de truck zat Luc met zijn favoriete speeltje te spelen – een oude vishengel – en hij murmelde daarbij onherleidbare klanken.

'Hoe lang is hij al zo?' vroeg Younger.

'Nadat ze Sommeilles platgebrand hadden, was er overal rook. Ook in de kelder van de timmerman, maar Luc weigerde naar buiten te komen. Die hele dag heeft hij daar gelegen. Toen werd hij verkouden en begon die nacht te hoesten – een gemene hoest. Ik dacht dat ik hem misschien ook zou verliezen. Hij is beter geworden, maar sindsdien is hij zo.'

'Heeft hij wel eens moeite met ademhalen, bij het rennen bijvoorbeeld?'

'Nooit,' zei Colette. 'Iedereen zegt dat hij een longontsteking moet hebben gehad, maar ik denk dat het iets anders is geweest. Iets psychisch. 'Een "neurose" misschien. Heb je wel eens van dr. Freud uit Wenen gehoord?'

'Bij die wegwijzer links,' zei Younger.

'Dat is een psycholoog. Een heel beroemde. Iedereen zegt dat hij de enige is die oorlogsneurosen begrijpt. En hij behandelt kinderen.'

'Dr. Freud uit Wenen,' zei Younger. 'Hij heeft een eigenaardige theorie over de oorzaken van neurosen.'

'Je hebt zijn werk gelezen? Ik kon niets in het Frans vinden.'

'Ik heb hem gelezen, en ik ken hem. Persoonlijk.'

'Maar dat is geweldig!' riep Colette. 'Zodra de oorlog voorbij is, ga ik hem schrijven. We hebben geen geld, maar ik hoop dat hij toch bereid is Luc te zien. Wil je me helpen?'

'Nee.'

'Je wilt me niet helpen? Waarom niet?'

'Ik geloof niet in Freuds psychologie,' zei Younger. 'Eerlijk gezegd geloof ik überhaupt niet in psychologie. Granaatscherven, bacteriën, zwavel; zorg dat je die uit iemands gestel verwijdert en je maakt een behoorlijke kans dat hij geneest. Maar "neurose"? Neurose betekent "geen diagnose". Hoe weet je dat Luc niet gewoon iets aan zijn strottenhoofd mankeert?'

'Ik weet dat hij kan praten. Ik weet het. Hij wil het alleen niet.'

'Tja, als dat waar is, dan is hij verlegen. Op zijn leeftijd was ik ook verlegen.'

'Hij is niet verlegen,' zei Colette. 'Het is alsof – hoe moet ik het zeggen? – alsof hij de wereld afwijst.'

'Een volkomen rationele reactie als je bedenkt wat hij van de wereld gezien heeft. Stop daar eens.'

Dat deed Colette, ze bracht de vrachtwagen hortend tot stilstand. 'De patiënten van dr. Freud worden beter,' antwoordde ze. 'Dat zegt iedereen.'

'Dat bewijst nog niet dat zijn theorieën steekhoudend zijn.'

'Wat maakt dat nou uit, zolang zijn patiënten maar beter worden?' vroeg ze.

'In dat geval kun je de jongen net zo goed naar een kwakzalver sturen.'

'Dat zou ik doen ook, als hij er beter van werd. Ik zou alles doen om hem te genezen.'

Younger opende zijn portier. 'Er is niets mis met de geestelijke vermogens van je broer,' zei hij. 'Het enige wat hij nodig heeft is... is een spoedig einde aan deze vervloekte oorlog.'

❧

Op 13 juli was Younger de hele nacht aan het front in touw, druk doende enkele zwaargewonde mannen te behandelen; hij kon pas de volgende avond laat naar zijn basis terugkeren. Ondanks het late tijdstip vorderde hij een transportwagen en reed daarmee naar de Franse stelling waar Colette gewoonlijk te vinden was. Toen hij er aankwam, stond ze in het schijnsel van de koplampen van haar vrachtwagen haar kleren te wassen.

Ze rende op hem af; ze stonden oog in oog, maar raakten elkaar niet aan. 'Waar was je?' vroeg ze. 'Aan het front?'

In oorlogstijd komt er een moment waarop een man ofwel niet langer aan de dood denkt of erdoor verlamd raakt. Younger dacht er niet meer aan. 'Op dit ogenblik ben ik zonder verlof afwezig,' antwoordde hij. 'Een overtreding die me voor de krijgsraad kan brengen.'

'Toch niet echt?'

'Maak je geen zorgen. Mijn ordonnans weet waar ik ben. Ik kon *le quatorze juillet* niet zomaar voorbij laten gaan.' Achter uit de wagen viste hij een fles dessertwijn op, twee glazen, een blikje foie gras, een blauw kaasje, een potje aardbeienjam, verse boter en een assortiment Engelse koekjes. 'Niet bepaald revolutionair,' merkte hij op, 'maar meer kon ik zo gauw niet regelen.'

'Waar heb je dit allemaal vandaan?' vroeg ze vol verbazing.

'Staat u mij toe, mademoiselle?'

'Graag.'

Ze spreidde een laken over het gras uit en stalde de spullen uit die hij had meegebracht. De nacht was warm. Hij gooide zijn leren jasje op de grond, legde zijn pet en wapenriem erbovenop en begon de wijn te ontkurken, maar stopte toen er bloed van zijn vinger op de fles druppelde. 'Hoe ben je met naald en draad?' vroeg hij.

Ze trok zijn mouw omhoog en staarde met open mond naar de diepe snijwond in zijn onderarm. 'Wacht even,' zei ze. Toen ze even later met hechtdraad en desinfecterende alcohol terugkeerde, voegde ze eraan toe: 'Ik heb niets om je mee te verdoven.'

'Hiervoor?' vroeg hij.

Ze goot de kleurloze alcohol over zijn huid, waar die siste en schuimde, trok een naald door een stukje bruisende, bloedende huid, toen door het volgende en trok de draad daarna strak aan. 'Hoe kun je de pijn verbijten?' vroeg ze.

'Ik voel hem niet,' zei hij.

'Natuurlijk voel je die,' antwoordde ze terwijl ze doorging met hechten.

'Het laat me onverschillig.'

'Iemand die geen pijn kan voelen, kan ook geen genot voelen.'

'Genot laat me ook onverschillig.'

'Dat is niet wat ik van de verpleegsters gehoord heb.'

'Pardon?'

'Hoe lang geleden heb je voor het laatst geslapen?' vroeg ze.

'Er kleeft iets aan je wat ik niet kan plaatsen, mejuffrouw Rousseau. Meer in het bijzonder dat je Parijs verlaten hebt om in een vrachtwagen te gaan wonen. En vertel me nou niet dat je dat aan je land verplicht bent.'

'Waarom niet?' vroeg ze, terwijl ze het laatste reepje open huid doorboorde. 'Niet bewegen.'

'Omdat vrouwen niet vanuit plicht jegens het vaderland handelen. Er is altijd ergens een man in het spel.'

'Jij ben onvergeeflijk.' Ze sneed de draad door en bond hem af. 'Klaar.'

Hij balde zijn hand, knikte, opende de fles, schonk haar een glas in en bracht een dronk uit op het vrouwelijk geslacht. Op haar beurt toostte zij op Frankrijk. Ze zetten zich aan de maaltijd; zij bediende hem. 'Het is zonneklaar dat je een jongen achternareisde,' ging Younger verder. 'Hij werd naar het front geroepen, en dit was de enige manier waarop je met hem mee kon gaan. De enige vraag is of jij hem bent kwijtgeraakt of hij jou.'

'Ik reisde geen jongen achterna.'

'Pardon, een man.'

'Ook geen man.'

'Een meisje?'

Ze bekogelde hem met een cracker.

'Neem me niet kwalijk, maar er klopt gewoon iets niet,' zei hij. 'Je bent van de Sorbonne af gegaan, wat het belangrijkste in je leven moet zijn geweest. Je weet dat ze je na de oorlog niet opnieuw toe zullen laten. Er zullen te veel mannen zijn van wie de opleiding onderbroken is.'

'Ja.' Ze veegde kruimels van het laken en gaf nauwelijks blijk van haar diepe teleurstelling. 'Zelfs madame heeft me gewaarschuwd dat ze niet in staat zal zijn om me terug te nemen.'

'Dus waarom ben je er dan weggegaan?'

'Ik kon niet langer tegen de liefdadigheid.'

Hij was niet bij machte de uitdrukking in haar ogen te doorgronden.

'Er zijn mensen,' ging ze verder, 'die bereid zijn mensen zoals wij, die hun familie verloren hebben, onderdak en eten te geven. Maar aan liefdadigheid hangt een prijskaartje. Hier buiten hebben we een dak boven ons hoofd, en ik hoef niemand om brood te vragen.'

'Wat was de prijs?' vroeg Younger.

'Afhankelijkheid.'

'We zijn allemaal afhankelijk als we jong zijn. Van ons gezin en anders wel van anderen.'

'Van je familie afhankelijk zijn is een vreugde,' zei ze. 'Van een buiten-staander afhankelijk zijn is... is anders.'

Opnieuw leek haar gelaatsuitdrukking niet te doorgronden, maar de-ze keer lukte het Younger wel.

'Dus,' zei hij, 'heb je niet gelogen, maar heb ik nog steeds gelijk.'

'Hoe bedoel je?'

'Je reisde niet een man achterna toen je uit Parijs wegging. Je probeer-de er aan een te ontsnappen. Aan een man die dividend op zijn liefdadi-ge investering verlangde.'

Ze keek hem over de rand van haar glas aan.

'Je had een... een intieme relatie met hem,' zei Younger. 'Dat kan nie-mand je kwalijk nemen.'

'Je bent nogal nieuwsgierig naar mijn relaties.'

'Ieder meisje zou in jouw plaats hetzelfde hebben gedaan.'

'Misschien een Amerikaans meisje. Maar ik niet. Je zult me wel gelo-ven wanneer ik je vertel wie het geweest is: monsieur Langevin.'

Paul Langevin was de grote Franse natuurkundige die een paar jaar eerder in krantenberichten over de hele wereld zo roemrucht met Marie Curie in verband werd gebracht.

'Ik had het kunnen weten,' verklaarde Younger. 'Je hebt zijn naam één keer eerder tegen me genoemd, met meer venijn in je stem dan bij welk ander woord ook, afgezien van "Duitser". Wat heeft die onverlaat ge-daan?'

'Hij probeerde me in het laboratorium uit de kleren te krijgen.'

'De snoodaard. Waar had hij dat anders moeten doen?'

'Jij denkt dat dit grappig is? Dit is de man van wie madame hield. De man voor wie ze alles opgegeven heeft. En hij probeert me bijna onder haar neus het hof te maken.'

'Hij heeft in elk geval smaak.'

'Ik heb het gevoel dat je me probeert te provoceren,' zei ze. 'Het was vreselijk. Hij had Luc en mij in huis genomen. Ik dacht dat het uit vrien-delijkheid was. Maar toen kwam het laboratorium en later nog meer, 's nachts, in zijn huis.'

'Gebruikte hij geweld?'

'Nee. Als ik me weerde, liet hij me gaan. Maar ik moest hem echt van me af duwen. Het was ondraaglijk. Als ik uit zijn huis was weggegaan zonder Parijs te verlaten, dan had madame alles onmiddellijk doorgehad, wat ik haar ook gezegd zou hebben. Dat zou een marteling voor haar ge-weest zijn. En ze zou me erom gehaat hebben.'

'Dus heb je geleerd hoe deze vrachtwagen te besturen,' zei Younger.

'Ik kon niets anders bedenken. Ik moest wel van de universiteit af. Hij vond altijd wel een manier om dicht bij me te zijn. Vroeg of laat zou madame doorzien hebben hoe de vork in de steel zat.'

Younger nam een moment om het tot zich door te laten dringen. 'Je hebt de Sorbonne opgegeven om haar te sparen.'

Er volgde een langere stilte. 'Er zijn drie dingen die ik in mijn leven van plan ben te doen,' zei ze. 'Het eerste is te zorgen dat Luc beter wordt. Het tweede is afstuderen aan de Sorbonne, voor mijn vader. Als ze me na de oorlog niet onmiddellijk terugnemen, zal ik me net zo lang opnieuw aanmelden tot ze wel moeten.'

'En het derde?'

Ze streek haar rok glad. Toen nam ze hem uitgebreid op. 'Natuurlijk ligt het voor jou anders. Jij bent een man, jij hebt talloze meisjes gehad en je wordt er nog om bewierookt ook.'

'Ik? Ik leef zo kuis als een kapucijner monnik.'

Ze lachte spottend.

'Als je weer eens naar de verpleegsters luistert,' zei Younger, 'die zijn alleen maar jaloers omdat ik al mijn tijd met jou doorbreng.'

'Je bent nooit getrouwd?' vroeg ze.

'Ik geloof niet in het huwelijk.'

'Drie keer raden waarom,' zei ze. 'Omdat je denkt dat het tegen de mannelijke natuur indruist om monogaam te zijn.'

'Het huwelijk richt de blik op de toekomst. Dat is niet praktisch als je in oorlog bent.'

'Ik heb een andere verklaring.' Ze zette haar glas neer en pakte Youngers leren jas en legerpet op. 'Het is omdat je Amerikaan bent.'

'Want?'

'Want als je een Fransman was en zou trouwen, kon je net zoveel affaires hebben als je maar wilt. Dat zou je als je recht beschouwen. Maar als Amerikaan moet je wel trouw zijn.'

'O ja?'

'Amerikaanse mannen zijn veel trouwer. Dat zegt monsieur De Tocqueville tenminste.' Ze stond op en probeerde de jas en de pet. 'Hoe staan ze me?'

Hij gaf geen antwoord.

'Heb je liever niet dat ik je uniform draag? Best.' Ze nam de pet van haar hoofd en zette die op het zijne, steeds schever tot ze tevreden was. 'Hij staat jou sowieso beter.'

Terwijl ze de pet op zijn hoofd schikte en vanuit haar middel voorovergebogen voor hem stond, vielen de lapellen van zijn leren jasje open, dat vele malen te groot was voor haar, waardoor een klein zilver-met-paarlemoeren medaillon uit haar witte bloes omlaag hing. Hij leidde haar bij haar polsen langzaam naar het gras.

'Wat doe je?' vroeg ze.

Hij maakte het bovenste knoopje van haar bloes los.

'Niet doen,' zei ze.

Hij kuste haar hals.

'Nee,' fluisterde ze.

Hij stopte, keek haar aan. Haar felgroene ogen staarden naar hem op en sneden hem de adem af. Het medaillon schokte op het ritme van haar borst op en neer. Hij reikte naar haar bloes. Als een dier krabbelde ze bij hem vandaan. Toen kwam ze half overeind, op haar knieën, met zijn pistool in haar handen. Alleen stak het nog in zijn holster, dat ze niet losgeschud kreeg. Ze zwaaide woest met het wapen, de wapenriem kwispelde als de staart van een hond. Ten slotte zwiepte ze het pistool los en hield het op hem gericht.

'Beweeg je niet.'

Hij trok een wenkbrauw op. 'Voor de goede orde wil ik er wel op wijzen,' zei hij, 'dat ik alleen maar van plan was je bloes dicht te knopen.'

'Daar heb ik jouw hulp niet bij nodig,' antwoordde ze, terwijl ze opstond en haar bewering gestand deed. Ook hij kwam overeind. 'Niet bewegen, zei ik.'

Hij negeerde haar bevel en stond op.

'Stap nou maar in je wagen en maak dat je wegkomt,' zei ze, terwijl ze zich uit het jasje wurmde en het voor zijn voeten smeet. 'Als je ook maar één stap dichterbij doet, schiet ik.'

'Ga je gang.' Hij deed een stap naar voren om de jas te pakken. 'Ik sterf liever door jouw toedoen dan op allerlei andere manieren die ik kan bedenken.'

Ze kreeg niet de kans te antwoorden. Dichtbij gromde de motor van een legervoertuig, en de koplampen van een open twoseater hielden het tweetal in hun licht gevangen. Het voertuig kwam op nog geen drie meter bij hen vandaan tot stilstand. Youngers ordonnans stapte uit, terwijl hij de motor liet draaien. In het schijnsel van de koplampen hield Colette nog steeds een pistool op Younger gericht.

'Neem me niet kwalijk, luit,' zei de ordonnans. 'Is alles goed?'

'Wat kom je doen, Franklin?'

'Ze willen dat u terugkomt, luit. Nu meteen.'

'Waarom?' vroeg Younger.

'Vlak bij Reims zijn twee Duitse verkenners opgepakt,' zei Franklin.

'Ze hadden berichten bij zich. De aanval staat voor vanavond gepland, luit. Het Grote Offensief.'

'Vergeef me, Miss, maar mijn land heeft mijn diensten nodig,' zei Younger, terwijl hij zijn wapenriem van het gras graaide en rond zijn middel bevestigde.

Ze fronste haar wenkbrauwen. 'Gaan ze je naar het front sturen?'

Hij glimlachte. 'Ik heb nog nooit iemand die een dodelijk wapen op me gericht hield tegelijkertijd zo bezorgd om me gehoord. Hij strekte zijn handpalm uit. Ze legde het wapen erin.

'Luit?' drong de ordonnans angstvallig aan.

'Ja, ik kom al, Franklin,' zei Younger. Hij blikte spijtig naar het nauwelijks aangeroerde maal. 'Misschien lust de jongen morgen de restjes wel. Niet de wijn.'

⁂

Terwijl Amerikaanse en Franse generaals in Parijs in het voormalige huis van baron Charles Rothschild aan een galadiner aanzaten, openden de geallieerde strijdkrachten om kwart voor twaalf die avond met alles wat tot hun beschikking stond het vuur op de onzichtbare Duitse divisies die, zo werd aangenomen, aan de noordelijke oever van de Marne samentrokken. Vier uur lang lieten de Duitsers de beschietingen onbewogen en bewegingloos over zich heen komen. Om halfvier die ochtend zetten zij hun aanval in.

Onder dekking van helse contrabeschietingen – 17.500 gasgranaten, 35 ton explosieven – begonnen onzichtbare Duitse handen overal in de Marne pontonbruggen aan te leggen. Stormtroepen stroomden in golven de bruggen over. Het Franse hondervijfentwintigste regiment werd onmiddellijk onder de voet gelopen en viel in chaos uiteen. De naïeve Amerikaanse vooruitgeschoven compagnieën hielden daarentegen stand en vochten al snel tot de laatste man.

De Duitse opmars was gestaag, onstuitbaar, en walste alles plat wat op zijn pad kwam. Na drie kilometer liepen de Duitsers in een fuik tussen de twee hoog oprijzende bergkammen aan weerszijden van de Surmelinvallei. De Amerikanen hadden zich op deze gelegenheid voorbereid. In weerwil van de bevelen van de Franse bevelhebbers, die geweigerd hadden om de mogelijkheid van een grootschalige geallieerde aftocht onder ogen te zien, had de Amerikaanse Derde Divisie achter de geallieerde posities aan de ene kant van de vallei bij Bois d'Aigremont en aan de andere kant bij de Moulin Ruiné goed verschanst zwaar geschut in stelling gebracht. Nu bestookten deze zelfde kanonnen de onbeschutte Duitse infanteristen. Het ene na het andere Duitse regiment marcheerde het gebied in dat de geallieerde kanonnen bestreken; Duitse soldaten sneuvelden in zulke enorme aantallen dat de grond vijftien centimeter diep rood kleurde.

Youngers eerstehulppost werd overspoeld met gewonden. Zowel gemotoriseerde als door paarden voortgetrokken wagens pendelden heen en weer, volgeladen met gewonden, doden en stervenden. In de vroege, donkere uren van de zestiende juli werd een Duitse officier met verbrijzelde ribben binnengedragen, maar Younger, die de afgelopen tweeënzeventig uur nauwelijks geslapen had, weigerde de officier voorrang te geven boven de gewonde geallieerde infanteristen.

'Amerikaanse wilden,' merkte de officier in het Duits op.

'Help me even herinneren,' antwoordde Younger in dezelfde taal, terwijl hij een opmerkelijk lang stuk bebloed prikkeldraad uit het been van een man trok. 'Wie waren het ook alweer die twee weken geleden een Brits hospitaalschip torpedeerden, en vervolgens alle verpleegsters die het overleefd hadden afmaakten door ze in het water af te knallen? O ja, dat is waar ook: de Duitsers.'

De officier spuugde bloed in een zakdoek. 'Jullie Amerikanen schieten daar buiten op mannen die al gesneuveld zijn. Jullie geven ons de kans niet om ons over te geven. Jullie vermoorden iedereen.'

'Mooi zo,' zei Younger.

⁕

Ook al hielden de gevechten nog vierentwintig uur langer aan, op de ochtend van de zestiende was het duidelijk dat het Duitse offensief mislukt was. Op de achttiende lanceerden de geallieerden een nietsontziende tegenaanval, ondersteund door een Amerikaanse strijdmacht van inmiddels meer dan een miljoen man sterk. De Duitsers, die enkele dagen tevoren Parijs nog in het vizier hadden gehad, waren nu plotseling aan het wankelen gebracht en trokken zich spoorslags terug in een wanhopige poging zich ten noorden van de Marne te hergroeperen om zo een totale nederlaag te voorkomen.

De volgende ochtend werd Youngers medische korps naar Soissons overgeplaatst. De legerplaats bij Château-Thierry was nu uitgestorven. Alles wat restte, was puin, een opgeblazen kerk en het uitgebrande wrak van een neergehaalde Duitse Friedrichshaven-bommenwerper. De enige geluiden waren die van militaire transporten en kanongebulder in het noorden.

Terwijl zijn compagnie zich op weg begaf, keek Younger achterom naar de onverharde weg, dezelfde weg waarover hij en Colette samen met de zwijgende jongen achter in de vrachtwagen een aantal dagen gereden hadden. Toen bande hij de herinnering uit zijn gedachten. Als een man niet vooruitkijkt, moet hij ook niet achteromkijken.

※

De rest van de oorlog zou hij haar niet weerzien.

Tegen augustus waren de Duitsers verslagen. Zij wisten het, iedereen wist het. Begin november bevond Younger zich in een kapotgebombardeerde kazerne in de buurt van Verdun, gebogen over een Engelse artillerist die onder een kanon van vijfhonderd kilo bekneld had gezeten. Het been van de kanonnier was gebroken; Younger deed een poging zijn kuitbeen te zetten. Ondanks de pijn bleef de man op zijn horloge kijken.

'Met permissie, luitenant,' zei de gewonde man ten slotte, 'maar denkt u nog lang bezig te zijn?'

'Ik kan het ook gewoon afhakken,' antwoordde Younger. 'Dat gaat sneller.'

'De moffen,' fluisterde de man. 'Over tien minuten gaan die deze plek hier bombarderen.'

'Hoe kun jij dat weten, soldaat?' vroeg Younger.

De gewonde man blikte om zich heen om zich ervan te vergewissen dat ze alleen waren. 'We hebben een... een soort regeling getroffen.'

'O ja?' Younger keek de man in de ogen om te zien of hij raaskalde. Dat leek niet het geval.

'Ze beschieten ons hier veertig minuten lang, en wij hebben een plek waar wij hen veertig minuten onder vuur nemen. Elke dag dezelfde tijd, dezelfde plek. Op die manier hoeft niemand eronder te lijden.'

Younger hield op met wat hij aan het doen was. 'Jullie officieren stemmen daarmee in?'

'Zij weten er niet van,' zei de soldaat. 'Wij artilleristen hebben dat zogezegd onder elkaar geregeld. U verraadt ons toch niet, hè?'

Younger overdacht het. 'Nee, dat zal ik niet doen.'

※

Twee dagen later pikten alle marconisten verspreid over heel Frankrijk om 5.45 uur in de ochtend op alle kanalen hetzelfde vanaf de Eiffeltoren verzonden signaal op. Het was een boodschap van maarschalk Foch, de opperbevelhebber van de geallieerden, waarin hij aankondigde dat de oorlog ten einde was. Er was een bestand overeengekomen. Alle vijandelijkheden moesten om 11.00 uur Franse tijd gestaakt worden.

Om 9.00 uur die ochtend was het bevel tot een staakt-het-vuren officieel aan alle geallieerde commandanten doorgeseind en aan de mannen in de loopgraven gebrieft. Paradoxaal genoeg waren de soldaten die het meest bij het nieuws te winnen hadden ook degenen die er het zenuwachtigst van werden. Mannen die geleerd hadden zich maand na maand zonder angst voor lijf en leden onbezonnen in de kogelregens van machinegeweren te werpen, waren plotseling bevreesd dat ze tijdens de laatste twee uren van de oorlog zouden sneuvelen.

Om 10.30 uur opende het regiment waarin Younger diende een hevig offensief op de Duitse stellingen aan de overzijde van het niemandsland. In een loopgraaf voor officieren schreeuwde Younger naar een hem bekende tweede luitenant of hij wist waar ze in godsnaam mee bezig waren.

'We hebben de aanval geopend,' antwoordde de tweede luitenant.

'Wat?' riep Younger, die weigerde te geloven dat hij het goed verstaan had. Toen zag hij infanteristen met strakke gezichten in een lange rij achter elkaar door het complexe stelsel van loopgraven marcheren, bepakt en bewapend voor de aanval. Uit de richting van het front hoorde hij geschreeuwde bevelen en het geratel van machinegeweren – van Duitse zijde, wat betekende dat geallieerde soldaten al over de randen aan het klauteren waren.

'Dit is waanzin,' zei Younger.

De luitenant haalde zijn schouders op. 'Bevel van hogerhand,' antwoordde hij.

Om 10.56 uur werd het commando gegeven om het geallieerde offensief te staken. Het duurde zo'n twee minuten voordat dat bevel vanuit de hoofdkwartieren aan de radiocommandoposten was doorgegeven, en van daaruit naar de kapiteins ter velde. Om 10.58 uur viel het laatste geallieerde kanon stil. Om 10.59 uur was ook de bommenregen van de Duitse artillerie ten einde. Er hing een broze, etherische stilte in de lucht.

Twaalf seconden later hoorde Younger het gefluit van een laatste binnenkomende granaat, op het geluid afgaand een salvo van een 75 millimeter-langeafstandsveldkanon. Het schot sloeg vlakbij in; de grond schudde onder zijn voeten en plukken vuil en aarde vielen uit de wanden. De granaat had mogelijk een loopgraaf getroffen, misschien zelfs een bemande. Iedereen hield de adem in. Toen hoorden ze drie geallieerde houwitsers losbarsten, vermoedelijk gericht op het Duitse kanon dat de laatste granaat had afgevuurd.

'Nee,' fluisterde Younger.

Uiteraard sloegen de Duitsers terug. Al snel vulde de lucht zich weer met het gegil en de schokgolven van een grootscheeps bombardement. De nietsontziende beschietingen hielden nog uren aan, door niets of niemand een strobreed in de weg gelegd. De lucht werd zelfs met lichtkogels gekleurd, overdag totaal nutteloos en met verwaarloosbare gevolgen. Geen van beide partijen leek een doel te hebben, of dat moest het afschieten van elk laatste brokje munitie zijn dat ze nog in voorraad hadden.

Op 11 november 1918 kwamen elfduizend soldaten om of raakten gewond bij gevechten die plaatshadden toen alle bevelhebbers al wisten dat de oorlog voorbij was.

❧

Na de wapenstilstand werd Younger bij het geallieerde bezettingsleger gedetacheerd. De grensovergang naar Duitsland was een openbaring: in het land van de vijand lagen de velden er groen en goedverzorgd bij, waren daken en schoorstenen onbeschadigd, was het vee vet van het zoete gras en de boerinnen mollig van de overvloedige oogsten. Na de verwoesting van Frankrijk zagen de geallieerde soldaten – in het bijzonder de Fransen, maar zij niet alleen – dit vol afgrijzen aan.

In Bitburg diende Younger in een ziekenhuis. Hij vond het niets. Het werk was te gewoontjes en, als hij eerlijk was, te veilig. In januari van het nieuwe jaar werd hij tijdens zijn middagmaal verrast toen een verpleeghulp hem op de schouder tikte, hem vertelde dat hij bezoek had en naar de deuropening van de eetzaal wees, waar Younger Colette in haar gebruikelijke wollen trui en lange rok zag staan.

Hij veegde zijn mond af en liep op haar toe. Er werden geen handen geschud, noch volgde er een omhelzing. Soldaten wurmden zich langs Younger de enorme, lawaaiige eetzaal in.

'Je leeft nog,' zei ze.

'Daar lijkt het wel op. Je veroorzaakt de nodige commotie, mademoiselle Rousseau.'

Enkelen van de soldaten die zich door de deuropening spoedden, stonden plots als aan de grond genageld, waardoor degenen achter ze over hen heen vielen, hetgeen in een chaotische kluwen resulteerde, enkel en alleen omdat er een onwaarschijnlijk lieftallig Frans meisje in de deuropening stond.

'Doorlopen, mannen. Vooruit, doorlopen,' zei Younger, terwijl hij er een van de vloer overeind hielp en hem naar de deur duwde. 'Wat doe jij hier in Bitburg?'

'Ik ben op zoek naar het Duitse verbindingsbureau. Ik herkende de kleuren van je compagnie. Ik wou eigenlijk...' Ze keek naar de grond. 'Ik wilde me voor die avond verontschuldigen. Het was mijn schuld.'

'Jouw schuld?' vroeg hij.

Ze fronste haar wenkbrauwen. 'Ik zat met je te flirten.'

'Ja. Mijn gelukkigste herinnering aan de oorlog. Ik weet naar wat voor man je op zoek bent.'

Haar frons werd strenger. 'O, heus?'

'Eentje die je kunt vertrouwen,' zei Younger. 'Je vertrouwde mij en ik heb je vertrouwen beschaamd. Ik denk dat ik daar voor de rest van mijn leven spijt van zal houden. Kom mee, dan breng ik je naar het verbindingsbureau.'

'Nee. Ik vind het wel.'

'Laat me meegaan,' zei Younger. 'Ze zullen je beter behandelen als je een Amerikaan bij je hebt.'

De buitenkant van het ziekenhuis was stil en grijs, evenals de straten van Bitburg, evenals de lucht die een eeuwige belofte van sneeuw in zich droeg zonder deze ooit in te lossen. Hij nam haar mee naar een gedrongen bakstenen gebouw waar een kleine staf van Duitsers een soort 'gevonden voorwerpen'-afdeling runde, maar dan voor soldaten. Een rij van minstens honderd burgers strekte zich via de voordeur naar de straat uit. Colette zag de stoet en droeg Younger op terug te gaan. Toen riep er iemand iets bij de voordeur en wenkte hen met een handgebaar. De rij was voor burgers, niet voor officieren.

Met Younger als tolk vertelde Colette aan de balie dat ze op zoek was naar een soldaat: ene Gruber, Hans Gruber.

De flegmatieke, gezette Duitse vrouw achter de balie nam het Franse meisje zonder enig medeleven op. 'Reden?' vroeg ze.

Colette verklaarde dat ze tijdens de laatste maanden van de oorlog in Parijs in een ziekenhuis voor grieppatiënten had gediend. Onder de stervenden had zich een Duitse krijgsgevangene bevonden – Hans Gruber. 'Hij was erg bedroefd en erg toegewijd. Hij zei dat zijn compagnie niet eens wist wat er met hem gebeurd was. Ik beloofde hem dat ik na de oorlog zou proberen om zijn identiteitsplaatje en bezittingen aan zijn ouders terug te geven.'

'Geef mij dat identiteitsplaatje,' zei de vrouw. 'Dat is eigendom van de Duitse staat.'

'Ik heb het niet bij me,' antwoordde Colette. 'Het spijt me.'

De vrouw kreeg een misprijzende uitdrukking op haar gezicht. 'De gegevens van zijn regiment?'

Colette gaf ze. De vrouw gelastte haar over zeven dagen terug te komen. 'Maar dat kan niet,' zei ze. 'Ik heb een baan, een broertje.'

De vrouw haalde haar schouders op en riep de volgende in de rij op.

'Ik zorg wel dat ik er ben, mejuffrouw Nightingale,' zei Younger tegen Colette toen ze buiten waren.

De verwijzing maakte geen indruk op haar. 'Nee, ik vind er wel iets op,' antwoordde ze.

Er begon een soort prut uit de hemel te vallen. Geen sneeuw, eerder iets als klodders gestolde regen. 'Heb je een nieuwe baan?' vroeg hij.

'Ja,' zei ze, een beetje opgewekter. 'Ik begin in maart. Je had gelijk: de Sorbonne heeft me afgewezen. Maar geen nood. Volgend jaar lukt het me zeker. Hoe het ook zij, God heeft kennelijk medelijden met me gekregen. Madame heeft me een baan als technicus in het Radiuminstituut aangeboden. Daar leer ik meer dan ik aan de universiteit ooit zou kunnen.'

'Gods wegen zijn ondoorgrondelijk.'

Ze keek hem aan. 'Je gelooft niet?'

'Waarom zou ik niet geloven? Het is schandalig – al die mensen die de dood van al die honderdduizenden kinderen die aan de griep zijn gestorven aangrijpen om God er de schuld van te geven. Het is niet Zijn schuld.'

'Zo is dat.' Ze wendde zich af. 'Ze hebben Luc bij me weggehaald,' zei ze triest. 'Naar een school voor moeilijk opvoedbare kinderen. Hij woonde samen met mij in de kelder van het instituut. Ik mag daar van madame wonen tot mijn baan begint. Het is er alleraardigst. Er zijn toiletten en boeken en een komfoor waar ik op kook. Maar iemand heeft ons bij de autoriteiten aangegeven.'

'De dwazen,' zei Younger. 'En wat bedoelen ze met moeilijk opvoedbaar?'

'De andere kinderen zijn dieven en imbecielen. Het is misdadig. Luc leert er niets en wordt niet behandeld.'

'Hij heeft geen behandeling nodig, hij moet leven.'

'En hoe weet jij dat?' vroeg ze. 'Ben je soms psycholoog?'

Hij gaf geen antwoord.

'Je had hem kunnen helpen de beste behandeling ter wereld te krijgen,' zei ze. 'Weet je nog hoe hij soms briefjes schreef? Zelfs dat doet hij niet meer. Hij heeft al twee maanden met niemand gecommuniceerd. Ach, waarom vertel ik je dit allemaal? Wat doe ik hier eigenlijk? Ik haat dit land. Ik moet gaan, mijn trein komt eraan.'

Ze rende weg.

❦

Hij verwachtte haar de week daarop terug te zien. Na tien dagen ging hij naar het verbindingsbureau om te vragen of ze terug was geweest. Dat was niet het geval. Younger stak een sigaret op en staarde omhoog naar de eeuwig grijze lucht van Bitburg.

❧

Toen hij in de lente eindelijk afzwaaide, nam hij de trein naar Parijs. Op het Radiuminstituut vroeg hij naar mademoiselle Rousseau. De receptioniste vertelde hem dat Colette weg was, maar elk moment terug kon komen. Hij wachtte buiten.

De straten van Parijs waren bewonderenswaardig. Altijd een boom op precies de goede plek. De gebouwen fraai en groot, maar nooit te groot. De geur van schoon water op de stoep. Hij overwoog hierheen te verhuizen.

Colette was al halverwege de trap, toen ze hem herkende. Overrompeld hield ze stil en toonde haar stralendste glimlach, die net zo snel weer verdween. Ze was nog magerder dan voorheen. Haar wangen hadden een bekoorlijke blos, maar de oorzaak, zo kwam hem voor, kon best eens honger zijn.

'Kom binnen,' zei ze.

Hij schudde zijn hoofd. In plaats daarvan gingen ze een stukje lopen. 'Heb je Hans Gruber al gevonden?' vroeg hij.

'Nog niet.'

'Je bent niet naar Bitburg terug geweest, hè?'

'Nee, dat komt nog wel.'

'Omdat je geen geld voor de trein had. Heb je wel gegeten?'

'Over tien dagen komt alles goed. Dan begint mijn baan. Nu leg ik alles opzij voor Luc. Ze geven hem op school niet genoeg te eten. Zie ik er verschrikkelijk uit?'

'Mooier dan ooit,' zei Younger, 'als dat al mogelijk is. Ik heb je soldaat gevonden. Hans was een Oostenrijker. Toen de oorlog uitbrak, trad hij vrijwillig in Duitse dienst. Ze hebben me een adres in Wenen gegeven. Hier.'

Hij gaf een vel papier. Ze staarde ernaar. 'Bedankt.'

'Hoe gaat het met Luc?' vroeg hij.

'Hopeloos.'

'Laten ze hem ooit nog eens gaan?'

'Natuurlijk. Aan het eind van de week gaat zijn school voor de vakantie dicht. Hoe lang blijf je in Parijs? Ik weet dat hij je graag zou zien.'

'Vrijdag vertrek ik.'

'O,' zei ze. 'Kom mee, dan laat ik je het instituut zien. We hebben Amerikaanse soldaten op bezoek om over madames röntgentechnieken te leren.'

'Dat weet ik. Daarom wil ik niet naar binnen. Ik heb voorlopig mijn buik vol van het leger.'

'Maar ik zou je aan madame kunnen voorstellen.'

'Nee.' Ze waren in een straat aangekomen waar trams doorheen hotsten. 'Tja, Miss Rousseau, dan hou ik je niet langer op.'

Ze keek hem aan. 'Waarom ben je gekomen?'

'Dat vergat ik bijna. Er is iets wat ik je wilde geven.'

Hij haalde een envelop uit zijn zak en gaf die haar. Hij bevatte een kort telegram.

ZAL JONGEN GRAAG ALS PATIËNT AANNEMEN. ZEG ZUSTER CONTACT OP TE NEMEN ZODRA ZE IN WENEN IS.

FREUD

Ze was sprakeloos. 'Dan kun je twee vliegen in één klap slaan,' zei Younger. 'Luc naar Freud brengen en de familie van je soldaat opzoeken.'

'Maar dat lukt nooit. Ik spreek geen Duits. Waar moet ik verblijven? Ik kan de treinkaartjes al niet eens betalen.'

'Ik spreek Duits,' zei hij.

'Wil je meekomen?'

'Niet als jij van plan bent me neer te schieten.'

Tot zijn verbazing vloog ze hem om de hals. Hij kreeg de indruk dat ze huilde.

❧

Jimmy Littlemore verloste zijn keukentafel van zijn voeten. Hij strekte zijn goede arm uit en schonk nog eens twee whisky's in. 'Ik kan maar geen hoogte van je krijgen, doc. Eerst verkracht je haar bijna...'

'Ach wat.'

'Je knoopte haar bloes los. Wat voor meisje dacht je wel niet dat ze was?'

Younger onderwierp de herfstkleuren van de whisky aan een grondig onderzoek. 'In oorlogstijd gelden andere regels.'

'Zij vond anders van niet,' zei Littlemore. 'Wat ik mooi vind, is dat ze precies weet wat ze met haar leven wil. Ze wil haar *sorbun*, en die krijgt ze ook.'

'Pardon?'

'Die school, die sorbun. Voor haar pa. Dat is precies zoals ik tegen een loopbaan in Washington aankijk. Mijn pa heeft zijn enige kans om bij het BOI te komen gemist. Toen Teddy Roosevelt naar D.C. ging, had mijn pa met hem mee gekund. Hij was de beste diender van New York, maar hij had hier zijn familie, kinderen – je weet wel. Zelf zal ik die kans waarschijnlijk nooit krijgen, maar komt-ie toch, nou, dan kan ik je wel vertellen dat die ouwe dan apetrots zou zijn. Vertel eens, hoe ben je erachter gekomen dat haar soldaatje niet dood was?'

Youngers glas bleef halverwege in het luchtledige hangen. 'Hoe weet jij dat?'

'Het identiteitsplaatje,' zei Littlemore. 'Ze gaat naar een bureau in Duitsland om een dode soldaat op te sporen, en dan laat ze de *dogtags* van die vent in Frankrijk achter? Daar trap ik niet in. Waarom zou ze dat doen? Omdat hij niet dood is.'

'Ik heb altijd al gezegd dat je rechercheur zou moeten worden.'

'Ze is smoor op die knul, niet? Wilde niet dat jij het wist?'

Younger wachtte even voordat hij antwoord gaf. 'Ze is verliefd op hem, op haar Hans. Wil je weten wat er in Oostenrijk gebeurd is?'

'Ik ben een en al oor.'

7

Geen stad ter wereld is meer door de Grote Oorlog veranderd dan Wenen.

Niet fysiek. Wenen is tijdens de oorlog nooit belegerd of beschoten, zoals Parijs. Niet één steen heeft er een kras opgelopen. Wat de oorlog vermorzeld heeft, was slechts de ziel van Wenen, en haar plaats in de wereld.

In de lente van 1914 was Wenen de zon geweest waaromheen een melkwegstelsel van vijftig miljoen onderdanen cirkelde, een bevolking die tientallen talen sprak maar waarvan eenieder trouw verschuldigd was aan keizer Franz Josef en het Huis Habsburg. Wenen was rijk, haar handel en wandel een zaak van wereldbelang. Vijf jaar later was het een stad die er niet toe deed in een land dat er niet toe deed; hongerend, verkleumd, de fabrieken opgedoekt, haar keizer een vluchteling, haar dubbelmonarchie ontbonden, haar kinderen misvormd door jaren van ondervoeding.

Voor de reizigers die er in maart 1919 neerstreken, resulteerde dit in een reeks van tegenstrijdige indrukken. Onderweg van het station zagen Younger, Colette en Luc in hun huurkoetsje – een elegant, door twee paarden voortgetrokken rijtuig – een Wenen dat er in het licht van de ondergaande zon op het eerste gezicht nog even indrukwekkend uitzag als altijd. De majestueuze Ringstrasse, die avenuebrede parade van monumentaliteit die de oude binnenstad omgordt, bood dezelfde onoverwinnelijke aanblik als voor de oorlog. De Ring had scheutig en zonder veel oog voor consistentie uit de complete canon van de westerse architectuur geput. Nadat ze op een sukkeldrafje langs een oogverblindend, bovenmaats wit Grieks parthenon waren gereden, passeerde hun koets een sombere gotische kathedraal en daarna een uitwaaierend palazzo in neorenaissancestijl. Het eerste was het parlement, het tweede het stadhuis, het derde de wereldberoemde universiteit. Zelfs de onbeduidende gebouwen aan de Ring zouden elders paleizen zijn geweest.

Hoe modieus ze ook gekleed gingen, de gestaltes die 's ochtends hun wandelingetje over de Ring maakten, hadden een heel wat minder vorstelijk voorkomen. Veel mannen waren verminkt: overal zag je krukken, loshangende mouwen en ooglapjes. Zelfs degenen die recht van lijf en leden waren, straalden iets wezenloos uit. In de kleinere straatjes voorbij de Ring stonden kinderen met honderden aaneen in de rij voor voedselpakketten. Op zeker moment zagen Colette en Younger hoe een kluitje kinderen aan een woeste stormloop begon; op het opstootje volgden furieuze kreten van volwassenen, gevolgd door klappen en vluchtende kinderen die onder de voet werden gelopen.

❦

Colette wilde dat het rijtuig haar bij het adres van Hans Gruber afzette.

Younger wees erop dat ze vanwege alle vertragingen met de trein, die de avond daarvoor al had moeten aankomen, het gevaar liepen hun afspraak met Freud mis te lopen.

'Kun je de koetsier niet vragen hoe ver dat adres hiervandaan is?' vroeg ze. 'Misschien is het vlakbij.'

Dat bleek niet het geval. Colette gaf zich gewonnen. Nadat ze zich, teleurgesteld, op de bank terug had laten zakken, sprak hun koetsier haar in onberispelijk Frans aan. 'Neemt u mij niet kwalijk, mademoiselle, maar als u mij toestaat: strekt de haat van de Fransen jegens de Duitsers zich ook tot de Weners uit?'

'Nee,' antwoordde ze. 'We weten dat jullie net zoveel geleden hebben als wij.'

'Wij hebben ook zo onze problemen,' beaamde de koetsier. 'Is u opgevallen, meneer, wat er zo verontrustend is aan de honden in Wenen?'

'Ik heb helemaal geen honden gezien,' antwoordde Younger.

'Dat is wat er zo verontrustend aan is. De mensen eten hun honden op. En wellicht heeft u van de huilziekte gehoord? Mensen barsten zonder enige aanwijsbare reden in huilen uit – mannen zowel als vrouwen – en kunnen niet meer ophouden. Ze huilen in hun slaap; de huilbui gaat net zolang door tot hij in een epileptische aanval eindigt. Wanneer ze bijkomen, weten ze van niets meer. Het zijn onze zenuwen. Wij Weners zijn altijd al zenuwachtig geweest. Vrolijk maar zenuwachtig.'

Colette complimenteerde hem met zijn Frans.

'Mademoiselle is al even genereus als lieflijk,' antwoordde de koetsier. 'Als jongen had ik een gouvernante uit Parijs. Hier is mijn kaartje. Als u weer een koets behoeft, kunt u wellicht een beroep op mij doen.'

De naam die op het kaartje gedrukt stond was Oktavian Ferdinand Graf Kinsky von Wchinitz und Tettau.

'U bent van adel,' zei Younger. In Duitsland is *Graf* een adellijke titel en ook het *von* in zijn achternaam duidde op een verheven afkomst.

'Een graaf, inderdaad, en daarbij een buitengewoon fortuinlijke graaf. Ik heb mijn allerlaatste rijtuig kunnen behouden en daarmee steeds mijn brood verdiend. Een bevriende baron veegt de vloer in een restaurant. En neem nu mijn livrei.'

Voor het eerst viel Younger het ooit gedistingeerde, maar inmiddels tot op de draad versleten uniform van de koetsier op.

'Het behoorde aan een van mijn bediendes toe. Ook daarmee had ik geluk: ik had een butler die even dik en gedrongen was als zijn baas. Maar we zijn er al – Hotel Bristol.'

❧

'Maar dit... dit is veel te imposant,' zei Colette toen ze de kamer zag. Lucs blik was strak gericht op een met wit linnen gedekte tafel waarop een zilveren schaal stond die met gebakjes was volgeladen, plus twee kokendhete kannen: een met koffie, de andere met warme chocola. Hij was niet uitgehongerd zoals sommige kinderen in Wenen, maar zo heel veel scheelde het niet. Zijn zus vervolgde: 'Mijn leven lang heb ik nog nooit een kamer gezien als deze.'

'En daar durven ze drie hele Engelse penny's voor te vragen,' antwoordde Younger. 'Je reinste diefstal.'

❧

In een klein maar gerieflijk appartement aan de Berggasse – een smalle, met kinderkopjes geplaveide straat die lichtjes naar het Donaukanaal afloopt – liet een dienstbode Younger en Colette een klein uur later binnen in Sigmund Freuds lege spreekkamer. 'Ik ben zo zenuwachtig,' fluisterde Colette.

Younger knikte. Dat was zo vreemd ook niet, bedacht hij: natuurlijk was Colette nerveus en opgewonden over het vooruitzicht dat dr. Freud wel eens daadwerkelijk in staat zou kunnen zijn haar broer te helpen, en uiteraard was ze erop gebrand een goede indruk op de wereldberoemde Weense arts te maken. Maar zij, zo mijmerde hij, was niet degene die hem teleurgesteld had.

Freuds spreekkamer was als een bad dat met beschaving was volgelopen. In leer gebonden boekwerken vulden de wanden, en elke vierkante centimeter boekvrije ruimte bood plek aan antiek en kleine beeldhouwwerken: Griekse vazen naast Chinese terracotta's, Romeinse intaglio's naast Zuid-Amerikaanse beelden en Egyptische bronzen. De kamer was doortrokken van het rijke aroma van sigaren en het diepe karmozijn van oosterse tapijten, die niet alleen dik op de parketvloer uitgespreid lagen, maar ook over de bijzettafeltjes en zelfs over een lange sofa gedrapeerd waren.

Een deur ging open. Een hond, een dwergchowchow, trippelde keffend naar buiten. Gevolgd door Freud zelf, die in de deuropening bleef staan en de hond beval om de schoenen van Younger en Colette met rust te laten. De chowchow gehoorzaamde.

'Zo, mijn beste,' zei Sigmund Freud zonder enige inleiding tegen Younger, 'je bent dus niet langer psychoanalyticus?'

Freud droeg een pak met das en vest. In zijn half opgeheven linkerhand stak een sigaar tussen twee vingers. Hij was ouder geworden sinds de laatste keer dat Younger hem had gezien. Zijn grijze haar dunner en verder teruggeweken, zijn korte, puntige baard inmiddels sneeuwwit. Maar voor een man van drieënzestig zag hij er niettemin nog knap, fit en krachtig uit, met zijn ogen precies zoals Younger ze zich herinnerde: zowel doordringend als innemend, zowel nors als geamuseerd.

'Miss Rousseau,' zei Younger, 'mag ik je aan dr. Sigmund Freud voorstellen? Dr. Freud, ik nam aan dat u wel even met Miss Rousseau wilt spreken voordat u haar broer ontmoet.'

'Een waar genoegen, Fräulein,' zei Freud. Hij draaide zich naar Younger. 'Maar je hebt mijn vraag niet beantwoord.'

'Ik heb de psychologie geheel de rug toegekeerd.'

'Ben jij ooit psychoanalyticus geweest?' vroeg Colette aan Younger.

'Heb ik je dat nooit verteld?'

'Heeft hij u niet verteld dat hij ooit mijn meest veelbelovende Amerikaanse volgeling was?' vroeg Freud.

'Nee,' zei Colette.

'O, absoluut,' zei Freud. 'De eerste keer dat we elkaar ontmoetten, had Younger onder mijn supervisie een patiënte in analyse; het meisje met wie hij later getrouwd is.'

'O ja,' zei Colette. 'Natuurlijk.'

Younger zei niets.

'Heeft hij u nooit verteld dat hij getrouwd is geweest?' vroeg Freud.

Colette bloosde. 'Hij heeft me nooit iets over zichzelf verteld.'

'Juist ja. Tja, hij is niet langer getrouwd, voor het geval u belangstelt in dat onderwerp. Maar hij zal u toch op zijn minst verteld hebben wat een analyse inhoudt?'

'Nee, ook dat niet.'

'In dat geval kan ik het maar beter uitleggen. Alstublieft, neem plaats,' zei Freud, terwijl hij een snelle blik op Younger wierp. Toen riep hij de dienstbode bij zich, vroeg haar om thee en zakte onderuit in een gemakkelijke stoel. 'U bent wetenschapster, Fräulein Rousseau?'

'Daar word ik voor opgeleid. Voor radiochemicus. Ik ga in het instituut van madame Curie werken. Mijn aanstelling gaat volgende week in.'

'Juist ja. Als vrouw van de wetenschap zult u hetgeen ik ga zeggen zonder problemen kunnen volgen. We zijn tot de conclusie gekomen dat wanneer een kind in analyse gaat het voor de ouder – of, zoals in uw geval, de verzorger – noodzakelijk is vooraf te worden geïnformeerd over wat wij analytici doen. Daarom heeft Younger mij de mogelijkheid geboden eerst met u te spreken.'

Younger en Colette hadden Luc in het hotel achtergelaten. Paula, Freuds dienstmeisje, kwam met een theeservies binnen.

'Alle neurosen,' ging Freud verder terwijl de meid thee inschonk, 'vinden hun oorzaak in herinneringen, doorgaans een vroege herinnering die betrekking heeft op een verboden verlangen. De verlangens waar neurotici aan lijden zijn zeker niet uitsluitend aan hen voorbehouden. In onze kindertijd hebben we ze allemaal gehad, maar bij neurotici is er iets wat hen verhindert deze herinneringen op normale wijze te vergeten en te verwerken. Ze leven voort in de verste uithoeken van hun geest, zo goed verborgen dat mijn patiënten zich aanvankelijk zelfs niet van hun bestaan bewust zijn. Het doel van de analyse is de patiënt bewust te maken van deze verdrongen herinneringen.'

'Om ze zo te kunnen vergeten?' vroeg Colette.

'Om zo van ze bevrijd te worden,' antwoordde Freud. 'Maar het proces verloopt zelden soepel, want het kan moeilijk zijn om de waarheid onder ogen te zien. De patiënt – en de familie van de patiënt – biedt steevast weerstand tegen onze interpretaties, en vaak zeer uitgesproken. Daar kunnen goede redenen voor zijn. Zodra de waarheid boven tafel komt, kan het gezin op een onherroepelijke wijze getransformeerd worden.'

Colette fronste haar wenkbrauwen. 'Het gezin?'

'Inderdaad. Daaraan merken we vaak dat we de waarheid hebben blootgelegd: het gezin van de patiënt eist opeens dat de analyse wordt stopgezet. Al zijn er nu en dan andere, sterkere bewijzen. Ik zal u een voorbeeld geven. Ik heb een patiënte – net als u een Française van geboorte – die afkomstig is uit een welgestelde familie uit de hogere kringen. Haar klacht is frigiditeit.'

Younger verschoof in zijn stoel. De directheid waarmee de psychoanalyticus op de zaken des vlezes inging, was voor Younger een van de voornaamste redenen geweest het onderwerp niet bij Colette ter sprake te brengen.

'In een van haar eerste sessies,' ging Freud verder, 'beschreef deze patiënte, een knappe vrouw van rond de veertig, een droom die ze de nacht daarvoor had gehad. Ze was in het Bois de Boulogne. Een stel dat ze kende, lag midden in het park in een tweepersoonsbed op het groene gras bij een meer. Dat was alles, meer niet. Wat denkt u dat deze droom betekende, Fräulein Rousseau?'

'Ik weet het niet,' antwoordde Colette. 'Hebben dromen betekenis dan?'

'Zeker wel. Ik liet haar weten dat ze als klein kind ergens tussen haar derde en vijfde jaar – en wellicht zelfs meer dan eens – getuige was geweest van een seksueel tafereel dat niet voor haar ogen bestemd was. Haar antwoord luidde dat dat volstrekt onmogelijk was, omdat ze zonder moeder was opgegroeid. Maar natuurlijk had ze kindermeisjes gehad. Opeens herinnerde ze zich dat haar eerste kindermeisje plotseling was weggegaan toen ze vijf was. De reden heeft ze nooit geweten. Ik vertelde haar dat het waarschijnlijk was dat dit kindermeisje een rol in haar droom speelde. Dus won ze in haar ouderlijk huis de nodige inlichtingen in.

Ze ondervroeg iedereen, onder wie de reeds lang dienende huisknechten. Zonder uitzondering ontkenden ze dat het vertrek van het kindermeisje met iets onbetamelijks verband had gehouden, en ze liet me weten dat ik me vergist moest hebben. Toen had ze weer een droom waarin precies dit kindermeisje voorkwam, maar nu met een paardengezicht. Ik vertelde haar dat dit symbool stond voor... Maar, Younger, wellicht kun jij ons vertellen wat de tweede droom symboliseerde?'

'Nee,' antwoordde Younger.

'Nee? Waarom vertel je Fräulein Rousseau in dat geval niet wat ik zou hebben gezegd waar hij symbool voor stond?'

'Ik betwijfel of dat wel een gepast onderwerp is.'

'Gepast? Voor mij?' vroeg Colette scherp.

'Als Fräulein Rousseau geacht wordt toestemming te geven voor de behandeling van haar broer,' zei Freud, 'vind je dan niet dat ze moet weten waarvoor ze toestemming geeft?'

'Goed dan,' zei Younger. 'Om te beginnen zal dr. Freud waarschijnlijk gezegd hebben dat het paardengezicht van het kindermeisje een voorbeeld van verdichting is: het representeert zowel het kindermeisje zelf als de man met wie ze naar bed is geweest.'

'Juist,' zei Freud met oprecht vergenoegde blik. 'En wie was die man?'

'Ik neem aan dat de vader van de patiënte een paardenfokker was.'

'Nee,' antwoordde Freud, zonder verder iets prijs te geven.

'Associeerde zij hem met paarden?'

'Voor zover ik weet niet.'

Younger was even stil. 'Maar er werden wel paarden gehouden op het landgoed?'

'Er was een stal,' zei Freud. 'Voor de koetsen.'

'In dat geval,' overwoog Younger, 'vermoed ik dat u gezegd zult hebben dat de man met wie het kindermeisje geslapen heeft iets met deze paarden te maken had, maar dat hij tegelijkertijd op de een of andere manier ook met de vader van de patiënte werd geassocieerd.'

'Voortreffelijk,' riep Freud uit. 'Ik vertelde haar dat haar kindermeisje naar alle waarschijnlijkheid een relatie met hun stalknecht had gehad. Hij was een van de bedienden geweest die haar gezegd hadden dat het kindermeisje niets onwettigs had gedaan. Ik zei haar dat ze hem er nog maar eens naar moest vragen.'

'En heeft ze dat gedaan?' vroeg Colette.

'Inderdaad,' antwoordde Freud. 'Ze is naar de man toe gegaan en heeft hem gezegd dat ze alles over zijn affaire met haar kindermeisje wist. Waarop hij alles bekende. De stal was de plek waar ze hun afspraakjes hadden. Het kindermeisje diende mijn patiënte een siroop toe waar ze doezelig van werd. Vervolgens legden ze haar op een bed van stro en gaven zich aan hun activiteiten over. De stalknecht voegde er tussen twee haakjes nog aan toe dat het kindermeisje zeer hartstochtelijk was geweest; soms was hij bang geweest dat ze aan het genot zou bezwijken. De verhouding begon toen mijn patiënte drie was en duurde tot haar vijfde jaar, toen de geliefden betrapt werden en het kindermeisje werd ontslagen.'

'Maar dat is ongelooflijk,' riep Colette uit. '*Vraiment incroyable.*'

'Goed gedaan, ouwe jongen,' zei Freud tegen Younger alsof het zijn verdienste was geweest, en hij stond op om aan te geven dat het onderhoud voorbij was. 'Jullie moeten vanavond bij ons komen eten, jullie allebei. Mijn vrouw Martha nodigt u in het bijzonder uit. Breng uw broertje mee, Fräulein. Dat geeft me een beter idee van hoe ik de zaak moet aanpakken.'

Colette zei dat het haar een eer was.

'Dr. Freud,' zei Younger, 'kan ik u nog even spreken?'

'Ik wilde jou net hetzelfde vragen. Wilt u ons vijf minuutjes excuseren, Fräulein Rousseau? Younger, in mijn studeerkamer graag.'

⚜

'En hoe had je je dat precies voorgesteld,' vroeg Freud vanachter zijn bureau in zijn privéwerkkamer, die met nog meer antiek ingericht was, 'dat ik een jongen analyseer die niet kan praten?'

'Maar u...'

'Het klinkt als het begin van een mop: Ken je die van die stomme die naar Sigmund Freud ging om zich te laten analyseren? Jouw gedrag, ouwe jongen, smeekt om analyse.'

'Mijn gedrag?'

Freud opende de deksel van een houten kistje. 'Sigaar?'

'Graag.'

Freud knipte de sigaar met een fijn, delicaat schaartje. 'Tja, jij wilt mij iets vertellen en ik heb jou wat te zeggen. Laten we beginnen met wat jij mij wilt vertellen.'

Younger probeerde de juiste woorden te vinden.

'Als je me toestaat?' vroeg Freud. 'Op de eerste plaats wilde je me zeggen dat het niet jouw idee was de jongen naar mij toe te brengen.'

Younger gaf geen antwoord.

'Als het jouw idee was geweest,' zei Freud, 'dan had je de psychoanalyse aan Fräulein Rousseau uitgelegd, haar verteld dat je die zelf toegepast hebt, haar heilzame werking beschreven, enzovoort. Maar dat heb je allemaal niet gedaan. Dus was het idee van haar afkomstig. Bovendien is de reden waarom je aarzelde de jongen in analyse te laten nemen dat je bang bent voor wat ik over de aard van zijn toestand te zeggen zal hebben. Het is duidelijk dat Fräulein Rousseau al enige tijd zijn substituutmoeder is. Jij verwacht dat ik tot de conclusie kom dat hij derhalve met haar naar bed wil, en je wilt dat ik haar die kennis onthou.'

Younger was stomverbaasd. 'Er is op de hele wereld maar één ander iemand,' zei hij, 'van wie ik me voortdurend afvraag hoe hij weet wat hij weet, en die iemand zit toevallig net naar dit verhaal te luisteren.'

⚜

'Dat heb je niet echt gezegd,' zei Littlemore, met zijn afgetrapte zwarte schoenen opnieuw over elkaar geslagen op het tafelblad. 'Val me niet zo in de rede. Dat verpest het, eh...'

'Het dramatisch effect?'

'Ja. Weet je, die kerel, die Freud, die had rechercheur moeten worden. Maar jullie hebben er wel een mooie janboel van gemaakt, doc. Het klonk net alsof Luc volgens die Freud van jou met Colette naar bed wil. En hij zou met haar naar bed willen omdat ze al die jaren zijn má is geweest!'

Littlemore barstte in luid gelach uit. Hij hield op toen hij zag dat de uitdrukking op Youngers gezicht niet veranderde. 'Dat denkt-ie toch niet écht?' zei Littlemore.

Younger knikte.

'Daarom ben ik niet langer praktiserend psychoanalyticus,' antwoordde Younger. 'Ik heb Freud tien jaar geleden al gezegd dat ik daar niet in geloof. Daarom wist hij wat ik dacht.'

'Dus wat was jouw antwoord?'

❦

'Ja, ik zou het inderdaad op prijs stellen als u haar dat niet zei, dr. Freud,' antwoordde Younger. 'Ze zou geloven dat het waar is.'

'Terwijl jij dat niet gelooft.'

'Inderdaad.'

Freud knikte en nam een trek van zijn sigaar.

'Het spijt me,' voegde Younger eraan toe, 'maar ik zie niet in hoe Lucs problemen in de verste verte in verband gebracht kunnen worden met een verlangen het bed te delen met zijn zus, zijn moeder of welk ander familielid ook. Als hij al een neurose heeft, dan is het een soort oorlogsneurose. Absoluut geen seksuele.'

'Absoluut geen seksuele... En op welke bewijzen baseer je deze diagnose? Je doet me denken aan die overheidsartsen die onze conferentie in Boedapest hebben bijgewoond. "Ja, dat moet je die Freud nageven. Ja, die ouwe had het met zijn onbewuste achteraf gezien toch bij het rechte eind. Ja, die oorlogsneurosen worden inderdaad door onbewuste herinneringen veroorzaakt, precies zoals Freud steeds gezegd heeft. Maar dan dat onsmakelijke seksgedoe? Godzijdank heeft shellshock daar niets mee van doen." Feit is dat geen enkel geval van oorlogsneurose ooit helemaal tot op de bodem geanalyseerd is. We weten niet welk verband het heeft met verlangens uit de kindertijd. Daarom ben ik zo geïnteresseerd in de broer van Fräulein Rousseau.'

'Om te zien of onder zijn symptomen Oedipus sluimert?'

'Als die erachter zit, waarom zou ik hem dan niet proberen te vinden? Maar wees maar niet zo zeker over wat ik verwacht aan te treffen. Misschien dat er zich iets anders in de jongen verborgen houdt. Ik heb iets nieuws gezien, Younger – schimmig nog, maar ik heb het gezien. Misschien dat er nog een ander fantoom in de kelder huist.'

'Wat voor fantoom?'

'Dat kan ik je niet zeggen omdat ik het niet weet.' Freud tipte de as van zijn sigaar. 'Maar we hebben het nog niet gehad over wat ik jou wilde zeggen.'

'Je wilt dat ik mijn verwerping van het oedipuscomplex in heroverweging neem.'

'Ik wil dat je je weer aan de psychoanalyse wijdt. Waarom ben je hier?'

'Miss Rousseau...'

'Wilde dat haar broer in analyse gaat,' onderbrak Freud hem, 'en jij bent verliefd op haar, dus zei je ja om haar een plezier te doen. Zoveel is duidelijk. Maar afgezien daarvan.'

'Afgezien daarvan?'

'Stel dat het überhaupt mogelijk is de jongen in analyse te nemen, dan had je dat gewoon zelf kunnen doen. Het was niet nodig om naar Wenen af te reizen. Sterker nog, gezien het feit dat Fräulein Rousseau van plan is snel naar Parijs terug te keren was het een onlogisch besluit; zoals je maar al te goed weet, is het onmogelijk in een of twee weken een complete analyse te verrichten. Daaruit volgt dat je een andere reden had om hier te komen.'

'En die is?'

'Dat je mij wilde spreken.'

Younger dacht erover na. Het duurde lang voordat hij uiteindelijk antwoord gaf. 'Dat klopt.'

'Waarom?'

'Ik denk om u iets te vragen.'

Freud wachtte. Er volgde een lange stilte.

'Ik heb geen...' zei Younger, zoekend naar het juiste woord, 'geen geloof meer.'

'Het verlies van het religieus geloof,' antwoordde Freud, 'is de eerste stap naar volwassenwording.'

'Niet mijn religieus geloof,' zei Younger.

Freud wachtte.

'De oorlog,' zei Younger. 'Miljoenen mannen, miljoenen en miljoenen jongemannen gesneuveld, voor niets. Eén grote zinloze slachtpartij. En nog talloze anderen die kreupel of verminkt zijn.'

'Ah,' zei Freud. 'Ja. De schaal van vernietiging die we doorstaan hebben, is inderdaad vrijwel niet te bevatten. In het licht daarvan schiet alles wat ik ooit over de ratio dacht te weten hopeloos tekort. Maar dat is nog steeds niet de reden waarom je hier bent.'

Younger gaf geen antwoord.

'Je wilde me niet over de oorlog vragen,' voegde Freud eraan toe.

'Ik zie er de zin niet meer van in,' zei Younger. 'Ik kan het begin... de mogelijkheid van een bestaansreden niet langer zien. Ik heb gedachten, ik heb verlangens, maar ik kan nergens nog een reden in ontwaren.' Hij balde zijn rechtervuist, toen ontspande hij hem weer. 'Kun je een leven leiden zonder bestaansreden?'

'De eis dat je leven zin moet hebben, mijn beste, is iets wat je van je ouders hebt meegekregen, waarschijnlijk van je vader; iets wat nodig geanalyseerd moet worden.'

'Als u het zo stelt,' wierp Younger tegen, 'komt dat neer op de erkenning dat het leven zinloos is.'

'Tja, dan kan ik je niet helpen.'

Meer stilte.

'Je hebt al een tijd geen trekje meer genomen,' zei Freud, die had gezien dat Youngers sigaar was uitgegaan en hem een vuurtje aanbood. 'Ik heb je carrière van een afstand gevolgd. Brill heeft me op de hoogte gehouden. Je hebt goed werk verricht.'

'Bedankt.'

'Je hebt gevochten?'

'Ja.'

'Mijn zoons ook. Martin zit nog steeds als krijgsgevangene in Italië vast.' Freud nam een trek van zijn sigaar. 'Het speet me zeer te horen dat je vrouw is overleden. Verschrikkelijk voor je. Behandel je vrouwen slecht?'

'Pardon?'

'Je bent nooit hertrouwd. Afgaand op je onwil om in het bijzijn van Fräulein Rousseau over seksualiteit te spreken, zou ik zeggen dat je er overtrokken ideeën over de vrouwelijke onschuld op na houdt. Ik vraag me af of je er een gewoonte van maakt vrouwen slecht te behandelen.'

'Waarom zou ik vrouwen slecht behandelen?'

'Dat is een volkomen normale reactie. Een man die vrouwen idealiseert, heeft tegelijkertijd dikwijls een lage dunk van ze.'

'Ik heb geen lage dunk van vrouwen. Ik heb juist de hoogste achting voor ze.'

'Ik observeer slechts. Dat je na de dood van je vrouw met de psychologie hebt gebroken, dat je de geest de rug hebt toegekeerd.'

'Ik ben de geest wel degelijk blijven bestuderen,' antwoordde Younger. 'Maar dan vanuit biologisch perspectief.'

'Dat was hóé je je ervan afgekeerd hebt; waarschijnlijk een manier om terug te slaan.'

'Tegen wie?'

'Tegen je vrouw, tegen mij neem ik aan, tegen jezelf.'

Younger zei niets.

'Je maakt misbruik van vrouwen om dezelfde reden dat je ook de psychoanalyse hebt afgezworen,' vervolgde Freud. 'Vanuit een gevoel dat je voor de dood van je vrouw verantwoordelijk bent.'

'Dat is absurd. Ik was niet verantwoordelijk voor haar dood.'

'Absurditeiten zijn een affront jegens de logica,' zei Freud, 'maar in de geest is de logica niet heer en meester.'

❧

Toen de beide mannen uit Freuds werkkamer tevoorschijn kwamen, was Colette niet langer in de spreekkamer. Younger ging naar buiten, maar vond haar niet op straat. Hij liep de Berggasse uit naar het kanaal. Hij dacht dat ze misschien een wandeling had gemaakt om de Donau te bekijken. Ze was er niet. Younger staarde lange tijd naar het water.

❧

In Hotel Bristol vroeg Younger Luc of zijn zus was teruggekomen. De jongen schudde zijn hoofd en liet Younger een tekening zien die hij gemaakt had.

'Knap gedaan,' zei Younger. De jongen had een boom met een groot aantal takken getekend. Op verschillende takken zaten dieren, elk met hun grote, hongerige ogen rechtstreeks naar de kijker gericht. 'Zijn dat honden?'

Luc schudde zijn hoofd.

'Wolven?'

De jongen knikte.

'Besef je wel, jongeman,' zei Younger, 'dat we niet eens weten of je wel kunt spreken? Lichamelijk gesproken dan.'

Luc keek hem tegelijkertijd belangstellend en met desinteresse aan.

'Maar jij weet of je het kunt,' zei Younger. 'Ik weet dat jij het weet. En als je niet kunt spreken, Luc, heeft het voor jou ook geen zin naar dr. Freud te gaan. Zo'n soort arts is hij niet.'

De jongen bleef zwijgen.

'Maar áls je het kunt,' ging Younger verder, 'dan was je zo van dit hele gedoe verlost. Alleen maar door te praten. Dan hoef je niet naar die dokter, niet meer naar die school waar je op zit. En je zou je zus heel gelukkig maken.'

Luc staarde Younger een hele tijd aan, waarna hij zijn tekening omdraaide en een boodschap op de achterkant schreef. Het was pas de tweede keer dat hij dit bij Younger deed. Op het vel stonden vier woorden: JE
HEBT HET MIS.

Terwijl hij toekeek hoe de jongen met een van zijn boeken in een hoek
ging zitten, vroeg Younger zich af op welk punt hij het mis had. Dat Luc
wist of hij wel of niet kon praten? Of dat als hij praatte zijn zus daar gelukkig van zou worden?

❧

Colette kwam een uur later in het hotel terug.

'Je was opeens verdwenen,' zei Younger.

'Ik ben...' begon ze.

'Naar de Grubers gegaan.'

'Ja. Ik ben gaan lopen. Maar het adres was niet van hun huis,' antwoordde ze. 'Het was niet eens een woonhuis. Ik ben er niets wijzer geworden. Ik weet niet eens zeker wat voor soort plek het precies was. Een
concertzaal of zo. Kun jij me helpen?'

Younger vergezelde haar naar het adres om te tolken. Het bleek een
muziekschool te zijn. Een secretaresse, die zo vriendelijk was het school-
archief erop na te slaan, kwam erachter dat er in 1914 een leerling met de
naam Hans Gruber op de school had gezeten, of in elk geval een poging
had gedaan erop te komen. Ze gaf hun een nieuw adres, dat volgens hun
koetsier in de wijk Hütteldorf lag, met paardenkracht op zo'n twee uur
rijden, maar per trein veel korter en goedkoper. Colette verklaarde dat ze
er de volgende dag in haar eentje naartoe zou gaan.

'Doe niet zo mal, ik ga met je mee,' zei Younger.

❧

Die avond deden Martha Freud, haar zus Minna en Paula, de dienstmeid
van de familie, allemaal hun best om Luc in de watten te leggen en ze
verkondigden dat hij het schattigste *schmätige Kerlchen* ter wereld was.
Martha verontschuldigde zich herhaaldelijk voor de karigheid van het
maal, dat in werkelijkheid allesbehalve karig was, zij het wel buitengewoon eenvoudig, alsof de Freuds zo van het platteland kwamen. 'Allemaal door die afgrijselijke oorlog,' zei Martha.

'In elk geval heeft de goede kant gewonnen,' verklaarde Freud.

Martha vroeg hoe haar man dat in godsnaam kon zeggen nu ze alles
waren kwijtgeraakt.

'We zijn niet alles kwijtgeraakt, mijn liefste,' wees Freud haar terecht.

'Alleen maar al ons spaargeld,' antwoordde Martha. 'Het zat allemaal in staatsobligaties. De veiligst mogelijke manier van beleggen, zo zei iedereen. Op elke obligatie stond een afbeelding van keizer Franz Josef.'

'En nu is dat gezicht niet meer waard dan het papier waarop het gedrukt is,' zei Freud.

'Ze zijn compleet waardeloos geworden!' zei Martha.

'Precies wat ik net zei, mijn liefste,' antwoordde Freud. 'Maar onze zoons zijn ongedeerd en onze dochters gelukkig. Martin hebben we weliswaar nog niet thuis, maar hij is beter af waar hij nu is. Als gevangene krijgt hij elke dag te eten, terwijl Wenen verhongert. Mijn patiënten betalen me met geitenmelk en eieren, wat tenminste nog eten op de plank brengt. Maar onze beweging is rijk, Younger. Een Hongaarse patiënt heeft ons een legaat van een miljoen kronen nagelaten. Zodra het geld vrijkomt, zullen we gratis klinieken in Berlijn en Hongarije stichten. Boedapest wordt ons nieuwe centrum. Je oude vriend Ferenczi is daar zojuist tot professor in de psychologie benoemd.'

Nadat hij zijn bord had leeggegeten, kreeg Luc toestemming van tafel te gaan. Hij zat in een hoek, geheel verdiept in een van Freuds boeken.

'Waarom laat u de jongen hier niet een paar nachten blijven?' vroeg Freud aan Colette. 'Ik kan geen echte sessies met hem houden, maar als hij in mijn huis verblijft, kan ik hem in elk geval observeren.'

Inwendig was Younger een voorstander van het plan, zij het niet om therapeutische redenen. Als de jongen bij de Freuds introk, dan hadden zij – Colette en Younger – de hotelkamer voor zich alleen.

'U kunt ook bij ons logeren, Fräulein Rousseau,' ging Freud verder. 'Ons nest is leeg. Anna is bij haar zus in Berlijn op bezoek. U kunt zolang haar kamer krijgen.'

Younger bracht de nacht alleen door.

⁂

De afspraak was dat Colette de volgende ochtend na het ontbijt naar het hotel toe zou komen. Ze kwam inderdaad na het ontbijt, maar inmiddels was ook de lunch al achter de rug.

'Martha en Minna hebben Luc meegenomen naar het Wiener Prater,' zei ze, alsof dat de uren verklaarde die ze zomaar verstek had laten gaan. 'Hij is zo machtig, dr. Freud. Die ogen. Hij ziet alles.'

'Ik weet waar je geweest bent,' antwoordde Younger. 'In Hütteldorf.'

'Ja. Vlak bij de Freuds is een metrostation. Ik wilde je er niet mee lastigvallen. Maar...' Ze trok haar wenkbrauwen smekend op.

'Je moet nog eens terug,' zei Younger.

'Zou je me nog één keer kunnen helpen?' vroeg ze, terwijl ze hem haar liefste lachje schonk. 'Ik heb het gebouw gevonden waar ik denk dat hij ooit gewoond heeft, maar ik kon er niemand verstaan. Ik geloof niet dat de familie Gruber er nog woont, maar misschien dat iemand ons kan vertellen waar ze heen zijn gegaan. Met de trein ben je er zo.'

❦

'Waar zijn zijn spullen?' vroeg Younger, terwijl ze met de metro naar Hütteldorf reden. De Weense winter was klaarblijkelijk lang en koud geweest; ook al was het bijna lente, er viel nog nergens een blaadje aan een boom te bekennen.

'Spullen?' vroeg Colette.

'De bezittingen van je soldaat. Die je aan zijn familie terug zou geven. Ben je ze vergeten?'

'Natuurlijk niet,' zei ze. 'Ik zei je toch dat ik niet denk dat de familie er nog woont. Waarom heb je dat voor me verzwegen, dat je getrouwd bent geweest?'

'Dat heb ik niet.'

'Je hebt het me nooit verteld.'

'Je hebt er nooit naar gevraagd.'

'Jawel,' antwoordde Colette. 'Je zei dat je niet in het huwelijk geloofde.'

'Wat ook zo is.'

Ze keek uit het raam. 'Je vertelt me nooit iets. Dat is net zoiets als liegen. Het ís liegen.'

'Niets zeggen is niet hetzelfde als liegen,' wierp hij tegen.

'Wel als je daarmee iemand een rad voor ogen draait. Dan heb ik nog liever dat je gelogen had. Als je gelogen had, wist ik tenminste dat het je iets kon schelen wat ik ervan vind.'

Ze zaten zwijgend naast elkaar terwijl het treinstel langs de oever van de onverstoorbare, bruine Donau hotste. Younger keek naar haar profiel. Hij vroeg zich af hoe of waarom het kwam dat hij kwetsbaarheid in haar kon zien, terwijl haar gezicht noch haar figuur daar ook maar een spoortje van verraadde. 'Dat kan me wel degelijk iets schelen,' zei hij.

'Niet waar.'

Het was een basisbeginsel van Younger om geen woord méér over zichzelf, zijn verleden, zijn gedachten te zeggen dan nodig was, in elk geval tegen vrouwen. Zij vroegen hem er altijd naar; hij gaf nooit toe. Kennelijk was hij zijn principes aan het verliezen. 'Het was in november 1909,' zei hij. 'Haar naam was Nora. Wil je er meer over horen?'

'Als je het niet vervelend vindt om te vertellen.'

'Ze was het mooiste meisje dat ik ooit ontmoet had,' ging hij verder, 'althans tot dan toe. Totaal anders dan jij. Blond. Zo fragiel dat je bang was dat ze tussen je handen zou breken. En behept met een drang tot zelfvernietiging. Ik geloof dat dat me wel aanstond. We hadden zes goede maanden. In mijn ervaring is dat heel wat... zes goede maanden. Maar zelfs toen al waren er waarschuwingssignalen. Ik weet nog dat ik met haar voor een trouwjurk ging winkelen. Ze haalde het in haar hoofd dat de mannequin die de jurken voor ons showde – een meisje van een jaar of zestien – de spot met haar dreef. Ik beging de vergissing Nora te vragen wat het meisje dan wel gedaan had. Nora beschuldigde me ervan dat ik het voor haar opnam. Ik beging nog een vergissing door te lachen. Die ruzie duurde twee dagen. Maar na het huwelijk begon het pas echt, toen ze een paar van mijn aantekeningenboeken vond. Aantekeningen van mijn psychoanalytische sessies, beknopte gevalsbeschrijvingen. Mijn vrouwelijke patiënten hadden de neiging om – nou ja – ze gedroegen zich vaak alsof ze verliefd op me waren, wat tijdens een analyse precies de bedoeling is. Je kunt het Freud vragen als je me niet gelooft.'

'Natuurlijk geloof ik je,' zei Colette.

'In de aantekeningenboeken stond precies wat er elk uur van de analyse gebeurd was: wat mijn patiënten me verteld hadden, hoe ik daar vanbinnen op reageerde, enzovoort.'

'Enzovoort?'

'Ja.'

'Je... je was op je patiënten gesteld? En dat schreef je in je aantekeningenboeken op?'

'Een van hen. Ze heette Rachel.'

'Rachel. Was ze mooi?'

'Ze had net zo'n figuur als jij,' antwoordde Younger. 'Dus ja, ze was mooi.'

'Wilde ze met je naar bed?'

'Dat wilde ze zeker,' zei hij.

'Wil je zeggen dat je met haar gedaan hebt wat je ook bij mij geprobeerd hebt te doen, en dat zij dat toestond?'

Younger keek Colette alleen maar aan.

'Niet dat ik het je kwalijk neem,' zei ze. 'Een mooi meisje dat dagelijks naar je spreekkamer komt en op je bank haar geheimen ligt te vertellen. Als ik een man was, dan had ik dat aantrekkelijk gevonden.'

'Vele analytici gaan met hun patiënten naar bed. Maar Freud niet. En ik ook niet.'

'Wel met Nora,' zei Colette.

'Niet voordat ik met haar getrouwd was. En ze was niet mijn patiënte, niet echt.'

'Juist ja. Je hebt dus niets met Rachel gedaan, alleen maar een aantekening gemaakt dat je je tot haar aangetrokken voelde. Dus begreep je niet waarom je vrouw zo'n stampij maakte.'

'Dat klopt,' zei Younger.

'Nou, dat was dan knap dom van je.'

'Vind je? Als vrouwen van hun man verlangen dat ze zich hun leven lang nog nooit tot een ander meisje aangetrokken hebben gevoeld, dan zijn het niet de mannen die dom zijn.'

'Wat heb je tegen Nora gezegd?' vroeg Colette.

'Ik heb haar de les gelezen omdat ze mijn aantekeningen had ingekeken, die vertrouwelijk waren. Dat was een vergissing. Ze beschuldigde me ervan dat ik mijn "romances" voor haar verborgen wilde houden. Daarop kwam ze met een omstandige theorie op de proppen waaruit moest blijken dat psychoanalytici het hele concept van vertrouwelijkheid alleen maar ontwikkeld hadden om zo ongestoord relaties met hun vrouwelijke patiënten aan te kunnen knopen. We bereikten het punt waarop er geen avond meer voorbijging zonder een verwijzing naar mijn "romances". Ze zei dat ze van me walgde. Dat ik geen gevoel had. Dat ik zwak was. Ze begon met dingen te gooien. Eerst naar de muren, toen naar mij.'

'En jij was als een steen, onbewogen.'

'Min of meer.'

'Dat moet haar nog nijdiger hebben gemaakt,' zei Colette.

'Ja. Ze begon me te slaan. En te schoppen. Dat probeerde ze tenminste.'

'En wat deed jij?'

'Tja, ze was erg jong en ze had de nodige huiveringwekkende ervaringen doorgemaakt. Bovendien was ze bijzonder tenger. Het had bijna iets vertederends toen ze me probeerde te slaan. Dus liet ik het over me heen komen en verdrong ik mijn woede.

Op een avond kwam ik thuis en vond ik onze psyché, een grote antieke spiegel die we als huwelijksgeschenk van mijn tante hadden gekregen, in duizend stukjes op de parketvloer. Het bleek dat Nora hem opzettelijk gebroken had. Die nacht ging ze woester tekeer dan ooit. Een van haar uithalen trof doel en uiteindelijk sloeg ik terug, met de rug van mijn hand tegen haar wang. Met meer kracht dan ik bedoeld had. Ze viel tegen de grond. Tot mijn verbijstering verontschuldigde ze zich. Het was de eerste keer dat ze ooit voor iets excuses had aangeboden. Ze vervloekte haar dwaasheid, roemde mijn goedhartigheid en bezwoer me haar eeuwige liefde. Ze sloeg haar armen om me heen en smeekte me om vergiffenis. Ze begon te huilen. Ik dacht dat het hiermee eindelijk achter de rug was.

In plaats daarvan was dit het begin van een patroon. De ruzies begonnen opnieuw, zwollen weer tot hun oude proporties aan, waarna er klappen vielen. Of beter: zij probeerde mij te raken totdat ik haar uiteindelijk een klap gaf, waarop ze milder gestemd raakte en me smeekte haar te vergeven. Maar het vreemdst van al was dat ik ontdekte dat ik ons ergste geruzie kon vermijden door... eh... door meteen naar de laatste fase van het patroon van ons intieme leven te springen.'

'Ik begrijp je niet,' zei Colette.

'Nee, en ik was niet van plan het uit te leggen,' zei Younger. 'Maar het werkte. In elk geval een tijdje, zij het niet lang. Wanneer we ergens in het openbaar verschenen – op straat, in een theater, waar dan ook – ontstak Nora in hevige woede en verweet me dat ik me tot andere vrouwen aangetrokken voelde. Wat natuurlijk ook zo was, als ze aantrekkelijk waren. Ik zei haar dat ze het zich verbeeldde, dat het allemaal in haar hoofd zat. Ze wist dat ik loog, maar ze leek de leugen boven de waarheid te verkiezen.

Toen vroeg de jonge echtgenote van een rijke, oude patiënt me een huisbezoek af te leggen. Haar man lag op sterven. Ik ben er een hele tijd gebleven. Heel triest allemaal. Toen ik die avond thuiskwam, merkte ik dat ik het bezoek voor Nora verborgen hield. Er viel niets te verbergen, maar de vrouw was vermaard om haar charme – ze was actrice geweest – en ik wist dat als ik het Nora vertelde me een eindeloos lange nacht van zinloze beschuldigingen en tegenbeschuldigingen wachtte. Het was allemaal zo voorspelbaar, zo eentonig geworden. Dus hing ik tegen haar een ander verhaal op en ze geloofde me. Op dat moment besefte ik dat ik niet langer van mijn vrouw hield.

Zo'n twee maanden later belde dezelfde vrouw me opnieuw. Haar man was overleden en ze had haar Broadway-carrière weer opgepakt. Ze zei dat ze een pijnlijke onderrug had van het vele repeteren. Ze vroeg me naar haar huis te komen en ernaar te kijken. Dat deed ik. Daarna vroeg ze me een paar keer in de week een huisbezoek af te leggen. Ik spelde Nora de ene onbesuisde leugen na de andere op de mouw.

Op een dag arriveerde er bij ons thuis een briefje van de actrice waarin mijn onmiddellijke aanwezigheid werd verzocht. Natuurlijk zag Nora het briefje, en natuurlijk doorzag ze meteen alle leugens die ik haar verteld had. Ze beschuldigde me van een affaire; ik bekende. We scheidden, wat een schandaal opleverde na net iets meer dan een jaar getrouwd te zijn geweest, en het meest komische van al was dat ik helemaal geen verhouding had gehad. Dat wil zeggen: het zou komisch zijn geweest als Nora niet kort daarna was overleden. Ik kreeg een telegram uit Boston. Ze was van het perron van de ondergrondse voor een aanstormende trein gevallen. Ze noemden het een ongeluk, maar ik had mijn twijfels. Het enige wat ze wel ontdekten, was dat ze zwanger was. Freud zegt dat ik me verantwoordelijk voel voor haar dood.'

'En is dat zo?' vroeg Colette.

'Het is nog veel erger. Ik was blij dat ze dood was. Ik ben er tot op de dag van vandaag nog steeds blij om.'

⁕

Station Hütteldorf was het eindpunt van de lijn. In het stadscentrum van een verder arcadisch en dicht bebost gebied stonden een paar lage etagewoningen. Een daarvan was het adres van de familie Gruber, maar er leek niemand meer met die naam te wonen. Younger kon verder niets nuttigs ontdekken, totdat hij op een struise vrouw afstapte die de binnenplaats stond te vegen.

'Hans Gruber?' vroeg ze. 'Op wie alle meisjes verliefd waren? Die lange jongeman met dat blonde haar en die prachtige blauwe ogen?'

Younger vertaalde de omschrijving zonder enig commentaar. Juist door er niet op te reageren, erkende Colette zijn trefzekerheid. Hij meende dat hij haar gezicht lichtjes zag kleuren.

'Natuurlijk herinner ik me hem,' zei de vrouw. 'Wat een luie, arrogante donder was dat. Hij kreeg een toelage – misschien dat zijn vader overleden was – dus werken hoefde hij niet. Stak nooit een vinger uit. Maakte alleen maar lange wandelingen door de bossen en liep overal maar een beetje op zijn viool te spelen. En wat een driftig baasje. Als hij nuchter was, liep hij ons voortdurend rond te commanderen; was-ie dronken, dan liep hij ons uit te schelden.'

'Zo te horen span je je wel heel erg in,' zei Younger tegen Colette, nadat hij de opmerkingen van de vrouw had vertaald, 'voor iemand die het niet bijster lijkt te verdienen.'

Colette fronste haar wenkbrauwen, schudde haar hoofd, maar gaf geen antwoord.

Younger legde hun missie aan de schoonmaakster uit en vroeg of er nog Grubers in de buurt woonden.

'Dus hij is dood,' antwoordde de vrouw. 'Dat is er dan weer eentje. Nee, de familie heb ik nooit gekend. Hij kwam uit een van die rivierstadjes in het westen, vlak bij Beieren. Waar precies weet ik niet. Vraag dat maar na in de Drei Husaren bij de Stephansdom. Daar at hij 's avonds altijd. Misschien dat daar iemand meer weet.'

❦

De zon was al onder toen ze weer in Wenen terugkwamen. In de paardentaxi vroeg Younger de koetsier of hij een restaurant kende dat de Drei Husaren heette. De koetsier zei dat het restaurant gesloten was, maar op donderdag weer open zou gaan.

'Komt eigenlijk wel goed uit,' zei Colette tegen Younger. 'Ik wil niet dat je met me meegaat. Ik heb al veel te veel beslag op je tijd gelegd.'

❦

'Fräulein, uw broer speelt een spel,' zei Freud die avond tegen Colette, 'met een hengel en een vislijn. Bij dat spel maakt hij geluiden. Een soort "oh" en "ah". Heeft u enig idee wat hij daarmee bedoelt?'

'Gewoon larie,' antwoordde Colette. 'Betekent het spel iets?'

'Het betekent in elk geval dat er niks aan zijn stembanden mankeert,' zei Freud.

'Om uitentreuren hetzelfde spel te spelen,' vroeg Colette, 'is dat heel slecht?'

'Het is interessant,' zei Freud.

❦

Terwijl de volgende ochtend de eerste zonnestralen flonkerend op de vochtige kinderkopjes weerkaatsten, onthaalde Sigmund Freud zijn hond op een ommetje, hand in hand met een klein Frans jongetje. Hun conversatie was strikt eenzijdig. In het Frans praatte Freud amicaal honderduit en vergastte Luc op verhalen uit de Griekse en de Egyptische mythologie. De jongen ging er geheel in op, maar gaf geen verbale reactie.

In een klein, driehoekig park stuitten ze op een menigte rond een man die op het gras lag te stuiptrekken. Zijn arbeiderskloffie was schoon, zij het her en der opgelapt en sleets. Zijn pet, klaarblijkelijk afgeworpen toen de aanval begon, lag naast zijn kronkelende lichaam.

'Als je met mijn vrouw en zuster op stap was geweest,' zei Freud zachtjes tegen de jongen, 'dan zouden ze op dit moment ongetwijfeld hun handen voor je ogen houden. Wil je dat ik mijn handen voor je ogen hou?'

Luc schudde zijn hoofd. Hij vertoonde niets van het afgrijzen dat kinderen normaal gesproken aan de dag leggen wanneer ze met ziekte worden geconfronteerd. Uit medelijden met de epilepticus wierp een enkeling in de menigte wat muntjes in de pet van de man. Uiteindelijk voerde Freud de jongen bij de hand mee.

Luc keek bedachtzaam. Toen trok hij aan Freuds hand en keek hem aan. Er had zich een vraag in zijn ogen gevormd.

'Wat is er?' vroeg Freud.

De jongen trok nog eens.

'Zo werkt dat niet, mannetje,' zei Freud. 'Ik kan je niet iets uitleggen als ik niet weet wat je dwarszit.'

Luc staarde, keek weg en staarde Freud opnieuw aan. Toen trok hij zijn broekzakken binnenstebuiten.

Freud sloeg hem gade terwijl hij over de oren van zijn hond aaide. Ten slotte begreep hij het. 'Je wilt weten waarom ik die man geen geld heb gegeven?'

Luc knikte.

'Omdat hij het niet goed genoeg deed,' antwoordde Freud.

❧

De volgende ochtend stuitte Younger, in zijn eentje in de oude wijk van Wenen aan de wandel, toevallig op een grote, goed voorziene markt. Het was duidelijk dat Freud geen geld voor Lucs behandeling wilde aannemen, dus besloot Younger het een en ander bij de Berggasse 19 te laten bezorgen: vers fruit en bloemen, melk, eieren, kippen, lange worsten, wijn, chocolaatjes en een paar dozen met conserven.

Maar hij liet zich de hele dag niet bij de familie Freud zien. Hij wilde nog de nodige oude, niet erg bekende, kerken bezichtigen. En er was het feit dat Colette iets voor hem verborgen hield.

❧

'Fräulein Rousseau, werd er bij u in de familie soms Duits gesproken?' vroeg Freud die avond.

Freud had zijn patiënten van die dag op bezoek gehad, zijn correspondentie afgehandeld, aantekeningen gemaakt bij de kladversies van een tweetal verhandelingen waaraan hij werkte en tussen de bedrijven door kennelijk nog de tijd gevonden om Luc te observeren. Hij stond in de deuropening van de keuken, waar Colette de dienstmeid bij het afruimen hielp.

'We spraken uiteraard Frans,' antwoordde ze.

'Geen woord Duits?' vroeg Freud. 'Als kind dan misschien?'

'Grootmoeder was Oostenrijkse, zij sprak Duits,' zei Colette glimlachend. 'Toen we nog heel klein waren, speelde ze vaak een spelletje met ons. Dan verborg ze haar gezicht achter haar handen en zei ze *"fort"*, vervolgens liet ze haar gezicht weer zien en zei ze *"da"*.'

'Fort en da – "weg" en "hier".'

Colette deed de afwas.

'U bent diep in uzelf verzonken, Fräulein,' zei hij.

'Nee hoor,' antwoordde ze, terwijl ze haar blik strak op haar werk gericht hield. 'Ik zou alleen maar willen dat ik Duits kon spreken.'

'Als hetgeen u voor me verborgen houdt met uw broer te maken heeft, Fräulein Rousseau, dan zou ik dat graag vernemen,' zei Freud. 'Zo niet, dan wil ik me er niet mee bemoeien.'

❧

De Drei Husaren, gelegen aan een schilderachtig, glooiend laantje in het oudste deel van Wenen, kwam donderdagochtend om halftwaalf tot leven. De luiken gingen open, de voordeur ging van het slot en een ober met voorschoot, geheel in zwart-wit gekleed, stapte naar buiten om de stoep te vegen. Deze man werd door een beeldschoon Frans meisje aangesproken, dat verlegen glimlachte en door hem het restaurant binnen werd geleid.

Younger, die in een café verderop in de straat had plaatsgenomen, keek toe en wachtte. Tien minuten later kwam het meisje tevoorschijn, haar voorhoofd gegroefd van angst. Younger volgde haar.

❧

In het oude centrum van Wenen mondden alle straten in één enkel groot plein uit, de Stephansplatz, waar de kathedraal van Sint-Stephan staat: enorm, donker, gotisch en ongenaakbaar, het dak gestreept in hevig detonerende rode en groene zigzags, de zuidelijke toren even belachelijk buiten proportie als de linkerschaar van een wenkkrab, waarbij de rest van het bouwwerk in het niet zonk.

Colette ging door de gigantische houten deuren de kathedraal binnen. Ze stak een kaars aan, doopte twee vingers in een stenen wijwatervat, sloeg een kruis, nam plaats op een lege bank in de spelonkachtige middenbeuk naast een zuil van drie keer haar omvang en boog haar hoofd. Lange tijd later stond ze op en haastte zich naar buiten, zonder Younger een moment op te merken, die zich in een duistere nis in een van de kapellen ophield.

Ze liep ruim anderhalve kilometer en stopte verschillende keren om de weg te vragen, waarbij ze een vel papier liet zien waarop klaarblijkelijk een adres stond. Nadat ze de Ring en vervolgens het kanaal was ge-

passeerd, ging ze een groot, plomp gebouw binnen. Het was een politiebureau. Na zo'n halfuur kwam ze weer buiten. Younger stond haar rokend naast de voordeur op te wachten.

'Die Hans van je leeft dus nog,' zei hij.

Ze verstijfde alsof ze in het duister door een schijnwerper werd betrapt. 'Heb je me gevolgd?'

Hij had nog niet geantwoord, toen een vriendelijk ogende politieagent
met lange bakkebaarden uit het bureau kwam gesneld. 'Ah, mademoiselle, ik vergat nog,' zei hij in gebroken Frans. 'Het bezoekuur eindigt om
twee uur. Ze zijn heel streng in de gevangenis. Als u er niet voor tweeën
bent, mag u uw verloofde pas morgen zien.'

'Dank u,' zei Colette in de ongemakkelijke stilte die was ontstaan.

'Geen dank,' antwoordde de agent stralend. Hij moest Younger voor
een vriend of familielid hebben aangezien, want tegen hem zei hij: 'Hoe
roerend, twee jonge mensen, van elke kant één, die in oorlogstijd verliefd
op elkaar worden. Als er uit alle dood en vernietiging ook maar iets goeds
kan voortkomen, dan is dit het misschien wel.' De agent zei Colette ge-
dag en verdween het bureau in.

'Je had het me moeten vertellen,' zei Younger.

'Ik...'

'Ik had je nog steeds naar Wenen gebracht. Ik had je nog steeds met
Freud in contact gebracht. Waarschijnlijk had ik ook nog jullie huwelijksreis betaald. Wat je me ook gevraagd had, ik had het je gegeven.'

Ze verbaasde hem met haar antwoord: 'Je wilt me vermoorden.'

'Ik wil met je trouwen.'

Ze schudde het hoofd. 'Ik kan niet.'

Ze keken elkaar aan. 'Ik ben te laat, niet?' zei Younger.

Colette keek weg en knikte.

⚜

Al had hij geen trek, Younger dineerde die avond in de Drei Husaren,
een restaurant met een laag balkenplafond, ongelijke vloeren en tafeltjes
die nauwelijks groot genoeg waren om plaats te bieden aan de enorme
schnitzels die vrijwel alle klanten kregen voorgeschoteld.

Toen de ober kwam afruimen, legde Younger een forse stapel bankbiljetten op het tafeltje en vertelde de man dat hij op zoek was naar een oude vriend, ene Hans – Hans Gruber – die nu in de gevangenis zat maar
hier ooit vaste klant was. De ober merkte vrolijk op dat de verloofde van
Hans uitgerekend vandaag ergens rond de lunch in het restaurant was
langsgekomen, en voegde er nog aan toe dat het meisje Frans was, beeld-

schoon en tot over haar oren verliefd op die Gruber; maar Hans was dan ook altijd al een bofkont waar het vrouwelijk schoon betrof.

Younger dreef zijn vleesmes door de stapel biljetten en pinde ze aan de houten tafel vast. Hij stond op, torende hoog boven de kelner uit en vroeg, zijn stem nauwelijks luider dan een fluistering: 'Waar zit Hans voor?'

'Hij had aan de bijeenkomst deelgenomen,' stamelde de ober, en het was niet duidelijk wat hij meer vreesde: fysiek geweld of de kans geld mis te lopen.

'Wat voor bijeenkomst?'

'De bijeenkomst van de liga. Voor de *Anschluss*, de vereniging met Duitsland.'

'Welke liga?'

'De liga.'

Younger ging weg, niet omdat er geen informatie meer te halen viel, maar omdat hij bang was dat hij iemand iets zou aandoen als hij bleef.

༻✿༺

'Zo,' zei Freud later die avond in de schitterende lobby van Hotel Bristol. 'Ik heb een vermoeden.'

Het duurde even voordat de mededeling doordrong. Freud stond rechtop, zijn handen op de rug en met een jas aan die van zijn schouders afhing, terwijl Younger aan een lage tafel voor een leeg cognacglas zat. Freud stond er al ruim een minuut. Younger had hem niet opgemerkt.

'Neem me niet kwalijk,' zei Younger, die weer bij zijn positieven kwam.

'Mijn vermoeden is dat jij ontdekt hebt wat Fräulein Rousseau verborgen heeft gehouden,' zei Freud.

'Wist u het?' vroeg Younger.

'Wist wat?'

'Dat ze verloofd is?'

'Ik had geen idee. Verloofd? Waarom heeft ze je dat niet verteld?'

Younger schudde zijn hoofd.

'Van jullie drieën heb ik volgens mij degene in analyse die dat het minst nodig heeft,' zei Freud.

'Is er een liga in Wenen die betogingen houdt voor een vereniging met Duitsland?' vroeg Younger.

'De Antisemitische Liga.'

'Noemen ze zich antisemieten?'

'En daar zijn ze trots op. Al zijn de meesten eigenlijk gewoon antisocialistisch; niet meer anti-Joods dan de rest van de wereld. Een paar maanden terug hebben ze een demonstratie gehouden. Een aantal van hen verdween achter de tralies. Hoezo?'

'Een van hen is de verloofde van Colette.'

'Juist ja,' zei Freud. 'Wat ben je verder van plan?'

'Weggaan uit Wenen. Maar ik...'

'Ja?'

'Ik wil nog steeds voor de behandeling van haar broer betalen. Als u denkt dat u hem kunt behandelen.'

'Ik vrees van niet. En ik ben van plan dat morgen ook tegen Fräulein Rousseau te zeggen. De waarheid is dat ik zijn toestand niet begrijp, dat ik überhaupt niets van oorlogsneurosen begrijp. Het zou aanmatigend zijn te doen alsof ik ze wel begrijp. Ik weet net genoeg om te weten hoeveel ik niet weet. Ik zou willen dat ik de jongen uitgebreid in analyse kon nemen, maar onder de gegeven omstandigheden is dat onmogelijk.'

Geen van beiden zei iets.

'Tja,' zei Freud, 'ik ben langsgekomen om je hartelijk te bedanken, ook namens Martha en Minna. Je hebt ons genoeg proviand bezorgd om een klein leger te bevoorraden. Loop je een stukje met me op? Dat is mijn enige lichaamsbeweging. Ik heb je iets belangrijks te vertellen. Het zal je deugd doen, dat beloof ik je.'

❧

Ze slenterden naar het oude centrum en verruilden de brede, moderne Ringstrasse voor kronkelende straatjes die steeds middeleeuwser aandeden, alsof ze steeds dieper het verleden in liepen. Op een klein, onregelmatig gevormd plein keken oude herenhuizen op de achtermuren van logge overheidsgebouwen uit. Het plein was leeg, donker. 'Dit is de Judenplatz,' zei Freud. 'Die is historisch beladen. Er is hier ergens een plaquette van ruim vierhonderd jaar oud. Daar heb je 'm. Kom, laten we even kijken. Zie je dat reliëf? Dat is Christus die in de Jordaan gedoopt wordt. Hoe goed is je Latijn?'

Younger las hardop: '"Zoals het water van de Jordaan de zielen van de dopelingen zuiverde, zo zuiverden de vlammen van 1421 de stad van de misdaden van de... van de... Hebreeuwse honden"?'

'Ja, in 1421 probeerde Wenen haar joden tot bekering te dwingen. Zo'n duizend van hen zochten een veilig heenkomen in een synagoge en barricadeerden de deuren. Ze hielden het drie dagen lang zonder voedsel of water vol. Toen brandde de synagoge af. Volgens de joodse overlevering heeft de opperrabbijn persoonlijk opdracht gegeven voor de brand; hij verkoos de dood boven bekering. Zo'n twee- à driehonderd van hen hebben het overleefd. Die werden bijeengedreven en naar de oever van de

Donau gesleept, waar ze levend werden verbrand. Zuinig als ze zijn, gebruikten de Weners de stenen van de fundering van de synagoge om er hun universiteit mee te bouwen, waar ik bijna mijn hele volwassen leven getracht heb een aanstelling als hoogleraar te bemachtigen.'

'Goeie god,' zei Younger. 'Maar maken de joden geen bezwaar tegen deze plaquette?'

'Moet je daar joods voor zijn?' antwoordde Freud. Ze liepen verder. 'Maar het antwoord is nee. Niet naar buiten toe. De joden in Wenen streven er met elke vezel naar zich Oostenrijks te voelen, Oostenrijks te denken... te zijn. Of Duits. Daartoe reken ik ook mezelf. Het is een belachelijke en volstrekt irrationele leugen die we onszelf voorhouden: dat ze ons wel zullen accepteren zolang we maar een verbeterde versie vormen van wie ze zelf willen zijn.'

Nadat ze door een steegje waren gekomen dat nauwelijks breed genoeg was voor twee mannen naast elkaar, arriveerden ze nu op het weidse Am Hof, waar overdag vanonder gigantische parasols in kraampjes kleding – voor het merendeel tweedehands – werd verkocht. Nu waren de kramen leeg, de parasols opgevouwen en samengebonden.

'Herhaling is de sleutel.'

'Tot zelfbedrog?'

'Tot oorlogsneurosen. Heb je tijdens de oorlog patiënten voor shellshock behandeld?'

'Nee, maar ik heb ze wel gezien.'

'Ben je gevallen tegengekomen waarbij de symptomen van de patiënt overeenstemden met de traumatische ervaring die hij beleefd had?'

'Twee keer. We hadden een man die dwangmatig met zijn ogen knipperde; die bleek een Duitser met een bajonet een oog te hebben uitgestoken. En er was er een wiens hand verlamd was. Die had per ongeluk een granaat tussen zijn eigen peloton gegooid.'

'Ja, dergelijke zaken zijn uiteraard uitzonderlijk, maar niettemin illustratief. Ze ondergraven al mijn voorgaande theorieën.'

'Ondergraven?' vroeg Younger. 'Ze vormen het bewijs van uw theorieën.'

'Dat is wat iedereen zegt. De hele wereld barst opeens van het respect voor psychoanalytici, omdat alleen wij in staat zijn shellshock te verklaren. Begrijp me niet verkeerd: die erkenning laat ik me graag welgevallen. Maar ironisch blijft het, om uitgerekend aanvaard te worden omwille van een ziektebeeld dat nu juist je ongelijk bewijst.'

'Het spijt me, ik begrijp het niet,' zei Younger. 'Als shellshock-patiënten hun verdrongen herinneringen in hun gedrag zichtbaar maken, dan staaft dat toch slechts uw theorie van het onbewuste?'

'Zeker,' antwoordde Freud. 'Maar ik heb het over wat er ín het onbewuste plaatsvindt. Shellshock tart mijn theorieën omdat genot er geen rol in speelt. Dat wilde ik je vertellen.'

Younger dacht na. 'Geen seksualiteit?'

'Ik zei toch dat je blij zou zijn het te horen. Ik geef niet graag een vergissing toe, maar wanneer de feiten niet met je theorieën overeenstemmen, heb je geen andere keus. Door voortdurend hun eigen ergste nachtmerries op te roepen, gedragen oorlogsneurotici zich als masochisten, maar dan zonder de bijbehorende seksuele bevrediging. Misschien dat ze zo hun angsten trachten te verlichten. Of, waarschijnlijker: dat ze proberen die te beheersen. Als dat zo is, dan schiet hun strategie tekort. Ik vermoed dat er nog iets anders speelt. Ik bespeur het bij de broer van Fräulein Rousseau. Ik weet nog niet wat het is. Zonde dat hij niet praat. Iets duisters, mysterieus bijna. Ik zie het niet, maar ik kan het horen. Ik hoor zijn stem.'

⚜

Jimmy Littlemore hield zijn whiskyglas ondersteboven, maar er zat niets in. Hij probeerde zich nog een glas in te schenken; ook in de fles zat geen druppel meer. Het daglicht had net zijn opwachting door het venster gemaakt. 'Goed,' zei hij langzaam. 'En wat gebeurde er toen?'

'Dat was alles. De volgende dag ben ik weggegaan. Naar India.'

'India?'

'Daar ben ik bijna een jaar gebleven.'

Littlemore keek hem aan. 'Helemaal smoor op haar, hè?'

Younger gaf geen antwoord. Hij had India afstotelijk gevonden. En fascinerend. Hij had voortdurend plannen gemaakt om te vertrekken, maar was er maand na snikhete maand blijven plakken, vol verwondering over de slangenmensen van Benares, over het vuil in de Ganges, waar de plaatselijke bewoners zich wasten nadat ze er de dode lichamen van hun familieleden in gebaad hadden, over de harmonie van de grootse paleizen en grafmonumenten. Hij wist dat hij alleen maar bleef omdat niets in India hem aan Colette herinnerde, in tegenstelling tot Europa of Amerika, waar hij aan niets anders zou hebben kunnen denken. Maar uiteindelijk deden ook de Indiase meisjes hem aan Colette denken.

'Het is geloof ik tijd om op koffie over te stappen,' zei Littlemore. Hij liep naar het fornuis en bediende de percolator met zijn goede arm. 'Wat is er verder met de jongedame gebeurd?'

'Ze heeft me geschreven. Er lag een brief op me te wachten toen ik in

Londen terugkwam. Ze had die afgelopen kerst verstuurd. Kennelijk had ze Wenen verlaten zonder naar de gevangenis te zijn geweest om haar teerbeminde soldaat te bezoeken. Ze had met Freud gesproken en was van gedachten veranderd. Ze keerde naar Parijs terug, waar ze zes maanden in het Radiuminstituut werkte, waarna de Sorbonne haar uiteindelijk aannam. Ze was bezig af te studeren. Ze vroeg of ik op bezoek wilde komen.'

'En wat heb je teruggeschreven?'

'Ik heb niet teruggeschreven.'

'Briljante zet,' zei Littlemore.

Beide mannen zwegen.

'Ben je bij een meisje ooit op het punt beland,' vroeg Younger, 'dat je je ogen niet meer kunt sluiten zonder haar voor je te zien? Dag en nacht, of je nu wakker bent of slaapt? Dat je nergens meer aan kunt denken zonder ook aan haar te denken?'

'Nee.'

'Ik kan het je niet aanbevelen,' zei Younger.

'Waarom heb je haar niet teruggeschreven?'

'Als ik aan opium verslaafd was, wat zou je me dan aanraden: aan mijn zucht toegeven of die weerstaan?'

'Opium is slecht voor je.'

'Zij ook.'

'En toen?'

'Toen ben ik naar Amerika teruggegaan. Afgelopen juli.'

'En hoe is zij hier beland?'

'Ik heb haar aanbevolen voor een aanstelling bij Yale. Ene Boltwood, een radiochemicus, was op zoek naar een assistent. Zij was de best gekwalificeerde kandidaat.'

'Dat kun je niet menen.'

'Echt. Veruit.'

'Kom op, waar wacht je nog op?' vroeg Littlemore. 'Wanneer ga je haar een aanzoek doen?'

De deksel van de percolator begon te klepperen.

'Wat is dat toch met getrouwde mannen?' vroeg Younger. 'Jullie denken maar dat iedere man in jullie positie wil verkeren. Ik was smoorverliefd op een meisje. Nu ben ik uitgesmoord.'

'Je hebt zelf gezegd dat je met haar wilde trouwen. Toen je in Wenen was.'

'Ik had het mis. Ze is te jong. Ze gelooft in God.'

'Ik geloof in God.'

'Tja, met jou wil ik ook niet trouwen.'

'Je bent alleen maar gepikeerd omdat ze tegen je heeft gelogen over Hans.'

'Ik ben gepikeerd omdat ik haar wilde en haar nooit gehad heb,' zei Younger. 'Freud had gelijk: ik behandel vrouwen inderdaad slecht. Als ik ze eenmaal heb, wil ik ze niet meer. Ik gebruik ze op. Na drie maanden kan ik ze niet meer luchten of zien, dan dank ik ze af. Met Hans is ze beter af. Veel beter.'

'Ze wil Hans niet. Ze is van gedachten veranderd.'

'En dat zal ze nog eens doen,' zei Younger. Hij dronk zijn glas leeg en sprak op zachtere toon verder: 'Denk je nou echt dat ze hem vergeten is, de man met wie ze verloofd was? Zo werkt dat niet bij vrouwen. Ik zal je zeggen hoe het verdergaat. Ze zal hem gaan zoeken. Daar kun je vergif op innemen. Vroeg of laat beseft ze dat ze haar Hans nog een keertje moet zien – één keertje maar – gewoon om zekerheid te krijgen.'

In de gang klonk rumoer, gevolgd door voetstappen. De mannen keken elkaar kort aan. Colette kwam de kamer binnen, de ogen tot spleetjes geknepen, in een nachthemd van Littlemores vrouw dat haar een paar maten te groot was. Alleen jonge mensen krijgen het voor elkaar om om zes uur 's ochtends mooi te zijn. En dat was Colette, ondanks haar verwilderde haar: mooi. Beide mannen kwamen overeind.

'Goedemorgen, Miss,' zei Littlemore. 'Koffie?'

'Nou, graag... O, wacht, ik doe het wel, stelletje hulpbehoevenden,' antwoordde ze. Fonteintjes heet water spoten door de glazen bovenkant tegen de deksel van de koffiepot. In haar ogen wrijvend zag Colette de lege whiskyfles op tafel. 'Is dat hier niet verboden?'

'Je mag het wel thuis drinken,' zei Littlemore, 'alleen niet kopen of verkopen. Een briljant beleid. Heel wat mensen brouwen hun eigen alcohol in hun badkuip. Zeg, ik heb je nog helemaal geen complimentje gemaakt voor die stunt die je gisteravond hebt uitgehaald; dat je ze zover gekregen hebt je radium te stelen zodat we je konden vinden.'

'Dank je wel, Jimmy,' zei Colette. 'Ik had geluk.'

'Heeft ze dat opzettelijk gedaan?' vroeg Younger.

'Natuurlijk,' zei Littlemore. 'Nogal wiedes, doc. Hoeveel keer zijn de ontvoerders in haar hotelkamer geweest?'

'Geen idee. Twee keer?' vroeg Younger.

'Twee keer,' beaamde Littlemore. 'De eerste keer namen ze Luc mee. Ze hadden hem al toen je belde, weet je nog? Maar toen wij daar aankwamen, stond Drobac met volgestopte zakken in de hal en was de sigarettenas naast de kist van Colette nog warm. Met andere woorden: hij is een tweede keer binnen geweest, en toen heeft hij de substanties meegenomen. Waarom zou hij ze de eerste keer niet hebben meegenomen als ze zoveel geld waard waren? Omdat hij niet wist dat ze er waren. En hoe is hij daarachter gekomen? Onze jongedame hier moet het hem verteld hebben. De enige vraag was of ze zich dat per ongeluk heeft laten ontvallen of opzettelijk. En gelet op hoe slim onze jongedame is, moest ik van het laatste uitgaan.'

Younger knikte. 'Ik ben onder de indruk, dubbel onder de indruk.'

'Ik moet terug, Stratham,' zei Colette.

'Naar het hotel?' vroeg Younger.

'Nee, naar Europa.' Colette trok de stekker uit het stopcontact en schonk koffie in.

'Dat is onmogelijk, je hebt de leiding over Boltwoods laboratorium,' zei Younger. 'Reken Amerika niet af op wat er gisteren gebeurd is. Het is hier veilig.'

'Dat is het niet,' antwoordde ze. 'Ik heb een brief ontvangen. Uit Oostenrijk. Die zat bij de post die Jimmy's vriend Spanky uit het hotel heeft meegebracht.'

'Stanky, Miss,' zei Littlemore. 'Niet Spanky.'

Younger zei niets.

'Van wie was die brief?' vroeg Littlemore.

'Van een politieagent die me ooit eens geholpen heeft toen ik in Wenen was,' antwoordde ze. 'Hans komt vrij, Stratham. Over een paar weken al. Ik moet terug.'

Deel twee

8

Op de ochtend na de aanslag dromden honderdduizend mensen in Wall Street samen. Ze kwamen ongevraagd, aangetrokken door de nabeelden van vernietiging, de sluimerende nabijheid van de dood. Sommigen waren ramptoeristen van buiten de stad. Anderen hielden zich beroepsmatig in het financiële district op. Maar de meesten lieten zich er al ronddolend heen drijven, zonder duidelijk omlijnd doel, voortbewogen door een behoefte die ze niet hadden kunnen verklaren, alsof het simpele feit er te zijn op de een of andere manier een leegte vulde die ze gewaarwerden zonder zich ervan bewust te zijn.

Met als gevolg dat de viering van de Dag van de Grondwet de grootste was die het land ooit had meegemaakt. Arbeiders werkten de hele nacht door om een houten podium voor het bronzen beeld van George Washington op te trekken. Rood-wit-blauwe vaandels waren opgehangen samen met slingers van Amerikaanse vlaggen. Met een volledig bewapende compagnie soldaten die het subdepartement van Financiën nog immer bewaakten, hing er een sfeer die het midden hield tussen een feestdag en een belegering.

Er werden patriottistische redevoeringen afgestoken. Het 'America the Beautiful' klonk op, tranen glinsterden op duizenden gezichten. Terwijl de woorden 'sea to shining sea' nog nagalmden in de diepe ravijnen tussen de wolkenkrabbers van zuidelijk Manhattan, betrad een rossige brigadegeneraal met witte bakkebaarden het podium. De menigte kwam tot bedaren.

'De zestiende september,' verkondigde hij, terwijl zijn stem tegen de wolkenkrabbers weerkaatste. 'Een datum die Amerika nooit zal vergeten. De zestiende september, de datum waarover Amerikanen tot het einde der tijden zullen zeggen dat die ons land voor altijd veranderd heeft. Op deze plek waar we nu staan, is een van de meest infame misdaden uit de geschiedenis van onze natie gepleegd. Zijn wij, wij als Amerikaanse burgers, van plan onze ogen voor deze schanddaad te sluiten? Nee, zeg ik. Duizendmaal nee.'

Het woord werd nog duizenden keren herhaald.

De brigadegeneraal hief zijn armen op om de juichende menigte tot stilte te manen. 'Deze bloedzuigers moeten en zullen voor het gerecht gesleept worden.'

Een donderend applaus.

'Dames en heren. Vanochtend heb ik met minister van Justitie A. Mitchell Palmer gesproken,' ging hij verder, waarbij de naam Palmer aanleiding gaf tot hernieuwd gejuich en voetgestamp. 'Minister Palmer had vanmorgen persoonlijk hier bij u willen zijn, maar helaas was dat niet mogelijk. De minister heeft mij echter dringend verzocht u te verzekeren dat hij op dit moment niet slechts naar onze stad onderweg is, maar dat hij nu reeds van de identiteit van de plegers van dit schandelijke misdrijf op de hoogte is. Sterker nog, hij heeft hun bekentenis – hun snoeverige bekentenis – in handen. En hij heeft een boodschap, zowel voor ons als voor onze vijanden. Minister Palmer zegt, en ik citeer, dat hij "de natie van deze buitenlandse zwijnerij zal zuiveren"!'

Er klonk een brul van voldoening en een zinderend eenstemmig: 'Ja! Ja! Ja!' Op het podium stapte een jonge man naar voren en hij hief het volkslied aan. Honderdduizend stemmen smeedden zich aaneen tot een krachtige samenzang.

❦

Younger zat een brief te schrijven aan een tafeltje in Littlemores huiskamer, toen hij Lucs aanwezigheid achter zich niet zozeer hoorde als wel voelde.

Tijdens het voorafgaande uur had Betty Littlemore een eindeloze stroom kleine Littlemores aangekleed, gevoed en naar school gestuurd. In de woning was de rust nog niet geheel weergekeerd: baby's huilden, peuters hengstten potten en pannen tegen elkaar en de vrouw van de rechercheur stond in de keuken uitbundig met haar schoonmoeder te converseren. Younger verstond hun Italiaans niet, maar het betrof kennelijk een onderwerp waarover beide vrouwen er een uitgesproken mening op na hielden.

Younger draaide zich om naar Luc. De jongen stond aan de andere kant van de kamer, volkomen roerloos en, zoals gewoonlijk, in volmaakt stilzwijgen. Zijn lange vuilblonde haar was keurig geborsteld en zijn grote oplettende ogen deden vermoeden dat hij volledig verdiept was in een scala aan gedachten, zonder er een van te verraden.

'Heeft je zus je verteld,' vroeg Younger in het Frans, 'dat ze van plan is om jou mee terug te nemen naar Europa?'

Luc knikte.

'En je vraagt je af of ik van plan ben om haar op andere gedachten te brengen?'

De jongen knikte opnieuw.

'Het antwoord is nee. Zij weet wat het beste voor je is.'

Luc schudde zijn hoofd – één keer maar, heel lichtjes.

'Ja, dat weet ze,' zei Younger. Hij legde zijn pen neer, leunde achterover en keek naar buiten. Toen draaide hij zich naar de jongen terug. 'Tja, als je echt teruggaat naar Europa, dan hebben we geen tijd te verliezen. Ik weet het goed gemaakt. Breng me een krant. Dan kunnen we zien wanneer de Yankees spelen. Misschien dat Babe Ruth vandaag wel zijn vijftigste homerun slaat.'

De jongen maakte zich uit de voeten en kwam een moment later terug, met de ochtendkrant in zijn hand en een teleurgestelde uitdrukking op zijn gezicht.

Younger keek naar de pagina die Luc had opengeslagen: de Yankees speelden uit en waren bijgevolg niet in het Yankee Stadium, hetgeen de jongen kennelijk begrepen had. 'Kun je Engels lezen?' vroeg Younger.

Luc haalde zijn schouders op.

'Juist ja,' zei Younger, wie zich te binnen schoot hoe hij zelf als jongen zijn vader ooit verbijsterd had door zichzelf de beginselen van het Latijn te leren. Ook herinnerde hij zich hoe hij alles wat er in het huishouden gebeurde in zich had opgezogen en geheime uitdrukkingen op zijn moeders gezicht had doorzien waarvan zij dacht dat hij ze zelfs niet eens gezien had. 'Kun je praten, Luc? Ik vraag je niet iets te zeggen. Ik wil alleen maar weten of je het kunt. Ja of nee?'

De jongen staarde hem beweginloos aan.

'Juist,' zei Younger. 'Tja, eeuwig zonde van de Yankees. Eens even kijken... Zou je het leuk vinden om naar het dak van het hoogste gebouw van de hele wereld te gaan?'

Lucs ogen begonnen te schitteren.

'Ga je zus maar vragen of je mag,' zei Younger. 'En of ze met ons mee-gaat.'

❧

Rechercheur Littlemore had door kunnen gaan voor een van de heren van de pers die in het Astor Hotel in ongemakkelijke stoelen opeenge-pakt zaten, behalve dan dat de handen van de rechercheur in zijn zakken waren weggestoken, terwijl het journaille druk bezig was de uitlatingen neer te pennen van William Flynn, de baas van het federale Bureau of Investigation, die voor in het zaaltje naast een schoolbord stond met daar-op een kaart van Zuid-Manhattan. Directeur Flynn had een reeks ver-trekken in het Astor gevorderd en er zijn persoonlijk commandocen-trum van gemaakt. Littlemore zat achterin op zijn tandenstoker te kauwen, met zijn strohoed zo ver naar achteren op zijn hoofd dat het leek alsof hij zich door een storm worstelde.

Flynn, met mopsneus, brede schouders, gezwollen borstkast en een buik van bijpassende omvang, had verrassend gladgeschoren wangen en een fris gezicht. Met zijn stemmige pak en das, en zijn gepommadeerde bruine haar strak achterovergekamd, vertoonde hij een opmerkelijke ge-lijkenis met een uitsmijter van een nachtclub. Hij bezag zichzelf echter meer in militair perspectief. Flynn was van mening dat politiewerk in es-sentie een militaire operatie was en ging er prat op dat hij de kromtaal van het krijgsbedrijf onder de knie had. 'Gisteren rond, eh, twaalfhon-derd uur werd een ontbrandbaar explosief object,' zei Flynn, en hij tikte met een aanwijsstok op de kaart, 'voor de Morgan Bank op Wall Street 23 tot ontploffing gebracht.'

'Bedoelt u een bom?' vroeg een van de heren journalisten.

'Dat is correct,' zei Flynn.

'Hoofdinspecteur Carey zegt dat het misschien een wagen met dyna-miet is geweest,' riep een ander.

'De politie van New York heeft nul komma niets met het onderzoek te maken,' pareerde hij. 'Het ontbrandbaar explosief object werd middels een op dierkracht voortbewogen transportvoertuig naar de plaats delict getransporteerd.'

'Een paard-en-wagen?' riep een reporter.

'Dat zeg ik toch,' antwoordde Flynn bits. 'En nu koppen dicht zodat ik mijn verhaal af kan maken. Ik heb jullie wat belangrijks te vertellen, en als jullie nou even je bek houden is het zo gepiept. Gisterochtend om elf uur dertig opende een briefbesteller van de Amerikaanse posterijen hier' – hij wees een ander plekje op de kaart aan – 'een postbus op de hoek van Cedar en Broadway. Op dat moment was de bus leeg. Om elf uur achtenvijftig ontsloot de besteller nogmaals de bus, waarop hij vijf circulaires' – een woord dat directeur Flynn als 'sojculères' uitsprak – 'zonder enige vorm van emballage aantrof. Drie minuten later hoorde de besteller een luide knal, het ontbrandbare explosieve object was tot ontbranding gekomen. Op bevel van minister Palmer maken we deze circulaires openbaar, opdat de gezagsgetrouwe burgers van dit land weten wie hun vijanden zijn.'

Flynn deelde vijf vlugschriften rond.

'Niet graaien!' blafte Flynn. 'Wie er eentje beschadigt, gaat regelrecht de gevangenis in wegens vernietiging van bewijs. En dat is geen geintje.'

De vellen waren van ruw, goedkoop papier, elk mat zo'n zevenentwintig bij zeventien centimeter, alle vijf met eenzelfde opdruk in rode inkt. De onregelmatigheid van de letters verraadde dat de boodschap letter voor letter met de hand was gezet.

Vergeet niet
Wij zullen niet langer
tolereren
laat de politieke
gevangene vrij of het wordt
een wisse dood voor jullie allen
Anarchistische Strijders
Van Amerika

De verslaggevers zaten het driftig over te schrijven.

'De hoek van Cedar en Broadway,' hervatte Flynn, terwijl hij weer met zijn aanwijsstok zwaaide, 'ligt op vier minuten loopafstand van de ontbrandbare locatie. Dat laat geen twijfel over de loop van de gebeurtenissen. De anarchisten parkeerden hun op dierkracht voortbewogen voertuig rond elf uur vierenvijftig in Wall Street. Toen ze drie minuten voor de explosie bij de desbetreffende straathoek aankwamen, deponeerden ze deze circulaires in de postvergaarbak. U zult zich herinneren,' ging Flynn verder, 'dat de circulaires die verband houden met de infame bomaanslagen van 1919 er net zo uitzagen als deze en door dezelfde organisatie zijn opgeëist. Als er verder nog iets van bewijs was, wat niet het geval is, dan zouden we in herinnering willen brengen dat de aanslag op het hoofdpostkantoor van Chicago in 1918 op de derde donderdag van september plaatshad, net als gisteren. De precieze verjaardag dus. Met andere woorden: dit zijn dezelfde bolsjewistische terroristen die ons ook in 1918 en 1919 hebben geteisterd – spaghettivreters die met de Galliani-organisatie in contact staan. Daar hebben jullie je verhaal. Druk dat maar af. Ik zal nu de namen van de gezochten voorlezen.' Flynn las hardop voor uit iets wat op een arrestatiebevel leek: 'Carlo Tresca, anarchistenleider en erkend terrorist; Pietro Baldesserotto, anarchist; Serafino Grandi, anarchist en revolutionair; Rugero Bacini, anarchist; Roberto Elia, anarchist.'

Nadat Flynn zijn opsomming voltooid had, bleven de verslaggevers nog een tijdje doorpennen. Toen riep een van hen: 'Is J.P. Morgan gewond geraakt, directeur?'

'Ben je achterlijk of zo? J.P. Morgan was gisteren niet eens in de stad,' zei Flynn. 'Deze aanslag was niet tegen Mr. Morgan of enig ander individu gericht, maar tegen de Amerikaanse overheid, het Amerikaanse volk en de Amerikaanse manier van leven. Schrijf dat maar in je kranten.'

'Wat kunt u ons over de paard-en-wagen vertellen?' vroeg een journalist.

'De getuigen die we tot dusver hebben gehoord,' zei Flynn, 'hebben ons verteld dat het paard in oostwaartse richting stond, wat in strijd is met de verkeersreglementen. Maar daar malen die terroristen niet om, toch?' Bij die laatste opmerking schokte zijn torso op en neer; kennelijk had hij haar komisch gevonden.

'Dus u heeft de wagen niet kunnen identificeren?' vroeg een verslaggever.

'Die hebben ze opgeblazen, slimmerik,' kaatste Flynn geïrriteerd terug. 'Hoe worden we in godsnaam geacht die te identificeren? Hij ligt in duizend stukjes. Net als het paard. Nog meer intelligente vragen?'

'Hoe zit het met Fischer?'

'Breken jullie je hoofd nou maar niet over Fischer,' zei Flynn.

'Heeft u hem al opgepakt?'

'Wie zegt dat ik hem zoek? Als de NYPD Fischer wil, laten zij hem dan maar zoeken.'

'Maar hoe kon hij van de aanslag geweten hebben?'

'Wie zegt dat hij ervan wist? Op die ansichtkaart stond niks over een bom. En hij had het over de vijftiende, niet de zestiende. Ik ga verder geen woorden aan Fischer vuil maken. Als je het mij vraagt, is hij een halvegare die met een toevalstreffer kwam. En nu wegwezen allemaal. Mijn manschappen in het veld wachten op mijn bevelen.'

Onder de gewelfde, met bladgoud versierde, plafonds van het Woolworth-gebouw wees Younger Colette en Luc op een uit steen gehouwen karikatuur van de oude Mr. Woolworth, die in eigen persoon zijn dubbeltjes en kwartjes zat te tellen. Ze stapten in de snellift. De ogen van de jongen waren strak en vol verwondering op de knipperende lichtjes gericht die de duizelingwekkende opeenvolging van verdiepingen aangaven. Slechts een licht gewiebel van de kooi en het fluiten van de lucht verraadden de snelheid waarmee ze opstegen.

Zevenenvijftig verdiepingen hoger betraden ze door zware eikenhouten deuren een oogverblindend blauw zonlicht en stapten een wind in die zo hevig gierde dat Younger Colette bij de schouders pakte en Luc bij de hand moest nemen. Het panoramaplatform, dat in drie richtingen over de stad uitkeek, stond boordevol dagjesmensen met flapperende jaspanden. Younger, Colette en Luc – de laatste hoog op zijn tenen – tuurden over een balustrade omlaag op daken van gebouwen die zelf weer hoger waren dan de hoogste kathedralen van Europa. Onmogelijk ver onder zich ontwaarden ze rivieren van menselijke mobiliteit – minuscule sjablonen van mensen, auto's, bussen – die in een vreemd traag ritme in groten getale afwisselend door de straten stroomden en weer tot stilstand kwamen. Dit was geen vogelperspectief. Dit was het uitzicht van een god die er getuige van was hoe Amerika tegen de eerste grondregel van goddelijkheid zondigde: de scheiding van aarde en hemel.

Achter hen zwaaiden de zware eikenhouten deuren weer open, en de lift liet een nieuwe lading bezoekers op het uitkijkplatform los. Tot de nieuwkomers behoorde een man met een diep over zijn voorhoofd getrokken gleufhoed op. Hij trekkebeende en zijn gladgeschoren gezicht was bespikkeld met paarse vlekjes – brandwondjes, naar het leek.

Terwijl de verslaggevers een voor een zijn kantoor verlieten, nam Big Bill Flynn achter een groot eikenhouten bureau plaats, met een vulpen in de aanslag als een man die tal van belangrijke papieren te ondertekenen heeft, hoewel de enige papieren op zijn bureau kranten waren. Achter hem stond – aan weerskanten van zijn bureau – een in donker pak gestoken assistent met de handen op de rug en de voeten wijd uiteen.

Littlemore was in zijn stoel blijven zitten, en terwijl zijn tandenstoker ver uit zijn mond hing, bestudeerde hij een van de circulaires. 'Is dat niet grappig?' vroeg hij aan niemand in het bijzonder nadat de laatste reporter vertrokken was.

Flynn richtte zich tot een van zijn ondergeschikten. 'Wat denk je, zou die kerel doof zijn?'

'Hé, maat, ben je doof of zo?' vroeg de assistent.

'"Of het wordt een wisse dood voor jullie allen,"' zei Littlemore terwijl hij de met de hand gezette boodschap citeerde. 'Dat zou ik eerder een dreigement noemen, omdat er staat dat er iets gáát gebeuren. Maar hoe zit het met wat er al gebeurd ís? Ik bedoel, als je een boodschap zou achterlaten nadat je Wall Street hebt opgeblazen, zou je dan niet ook iets zeggen over wat je zonet hebt klaargespeeld? Je weet wel, iets onheilspellends als: "Vandaag was nog maar het begin." Of een lekkere schimpscheut als: "Vandaag was Wall Street aan de beurt, morgen wordt de hele stad roodgekleurd."'

De rechercheur had de laatste woorden op de melodie van 'Ring around the Rosie' gezongen.

'Wie is die kerel, goddomme?' vroeg Flynn.

'Wie ben jij, goddomme?' vroeg het hulpje.

'Inspecteur James Littlemore,' zei Littlemore. 'NYPD, afdeling Moordzaken. Commissaris Enright heeft me gevraagd als verbindingsofficier op te treden tussen Moordzaken en het BOI. Het is mijn taak u onze hulp aan te bieden.'

'O ja?' vroeg Flynn. 'Nou, dat van die verbindingsofficier kun je op je buik schrijven, want er valt hier niks te verbinden. En nu opgehoepeld, ja!'

Flynns andere assistent boog zich voorover en sprak zachtjes in het oor van zijn superieur.

'Het is niet waar,' zei Flynn hardop. Hij leunde achterover in zijn stoel. 'Dus jij bent degene die met Fischer op de proppen is gekomen?'

'Dat klopt,' zei Littlemore.

'Dacht je nou echt dat je daarmee iets in handen hebt, Littleboy?'

'Het zou kunnen,' zei Littlemore.

'Ik zal je vertellen wat je in handen hebt,' zei Flynn. 'Een rare kwibus. Die zul je in een krankzinnigengesticht moeten verhoren.'

'Dat weet ik nog zo net niet.'

'Ik wel,' zei Flynn. 'Hij zit er nu in een.'

'Waar?'

'Als jij hem wilt, dan zoek je hem maar.'

'Hoe weet u ervan?' vroeg Littlemore.

'Laten we het er maar op houden dat het uit de lucht tot me is gekomen,' zei Flynn, wiens bovenlijf opnieuw op en neer schokte. Zijn ondergeschikten leken deze opmerking erg geestig te vinden en lachten met hun baas mee.

'Tja, dan rest mij niets anders dan u te feliciteren, directeur Flynn,' zei Littlemore, terwijl hij verderging met het bestuderen van het vlugschrift dat hij boven zijn hoofd tegen het licht hield. 'Ik heb nog nooit een zaak van dit formaat zo snel opgelost gezien.'

'Daarom verdienen wij ook zoveel,' zei Flynn.

'Zeg,' zei Littlemore, 'heeft u al die soldaten voor het ministerie van Financiën gezien? Ik vraag me af wat ze daar doen.'

'Die zijn daar omdat ik ze heb opgedragen daar te zijn,' zei Flynn. 'Er moet toch iemand zijn die de eigendommen van de Amerikaanse staat beschermt als de politie geen knip voor de neus waard is. En nu wegwezen.'

'Ja, baas,' zei Littlemore. Hij bleef voor het schoolbord met de kaart van zuidelijk Manhattan staan en krabde op zijn hoofd. 'Nu vraag ik u toch. Die anarchisten – hoe pak je in vredesnaam mensen op die het onmogelijke kunnen klaarspelen?' vroeg Littlemore.

'Wat bedoel je met "het onmogelijke"?' vroeg Flynn.

'Nou ja, ze laten hun paard-en-wagen om 11:54 in Wall Street achter en doen er dan vier minuten over om bij de brievenbus op Cedar en Broadway te komen, dat is toch wat u zei? De bus wordt om 11:58 geleegd. De bom gaat om 12:01 af. Hoeveel tijd is er tussen 11:54 en 12:01 verstreken?'

'Zeven minuten, goochemerd,' zei Flynn.

'Zeven minuten,' zei Littlemore hoofdschuddend. 'Dat verbaast me nu echt. Denkt u dat ze hun bom zeven lange minuten laten tikken? Dat risico zou ik nooit nemen. Ik bedoel, terwijl dat paard het verkeer ophoudt en zo. Ik zou de ontsteker op een of twee minuten hebben ingesteld. Want bij zeven minuten had iemand misschien het paard weggeleid of zelfs de bom ontdekt.'

'Nou, dat is toch niet gebeurd, of wel soms?' blafte Flynn. 'Daar is allemaal niks onmogelijks aan. Zorg dat hij hier verdwijnt.'

'Misschien dat niemand het paard heeft weggeleid,' zei Littlemore, terwijl de twee assistenten op hem afkwamen, 'omdat het daar maar twee minuten gestaan heeft.'

Flynn gebaarde zijn ondergeschikten nog even te wachten. 'Waar heb je het over?'

'Mijn mannen hebben gisteren van een heleboel mensen getuigenverklaringen opgenomen, Mr. Flynn. Van ooggetuigen. De paard-en-wagen werd daar hooguit een of twee minuten voordat de bom in Wall Street ontplofte geparkeerd. Die anarchisten, dat moet je ze toch nageven. Ze vertrekken om 11:59 of 12:00 van Wall Street en weten vóór 11:58 bij Cedar en Wall Street aan te komen, waar de postbode hun circulaires vindt. Hoe kun je ooit mensen oppakken die dat voor elkaar boksen?'

Niemand gaf antwoord. Flynn stond op. Hij streek zijn gepommadeerde haar naar achteren. 'Dus jij bent inspecteur, hè? Hoeveel man heb je onder je? Zes?'

'Genoeg,' zei Littlemore, terwijl hij aan zijn agenten Stankiewicz en Roederheusen dacht.

'Ik heb er duizend. En die van mij zijn heel wat anders dan de jouwe. Bij de NYPD heb je twee soorten dienders: de corrupten en degenen die te stom zijn om door te hebben dat de rest corrupt is. Welk type ben jij?'

'Het stomme,' zei Littlemore.

'Zo zie je eruit ook,' zei Flynn. 'Maar niet zo stom dat je mij bij mijn onderzoek hindert. Of wel soms?'

Littlemore liep naar de deur. 'Ik weet het niet. Ik ben echt behoorlijk achterlijk,' zei hij en hij trok de deur achter zich dicht.

Flynn wendde zich tot zijn ondergeschikten. 'Ik wil het dossier van die vent,' zei hij. 'Alles over zijn vrouw, vrienden, familie – de hele reutemeteut. En kijk ook even of Hoover iets belastends over hem heeft.'

⁂

Luc maakte zijn hand uit die van Younger los en rende naar de overzijde van het platform met uitzicht over het water. Vlakbij riep een clubje schooljongens elkaar iets toe over wat ze beneden zich zagen. Luc rende op hen af.

'Moet je hem zien,' zei Younger. 'Hij verstaat wat die jongens roepen.'

'Niet hun woorden,' antwoordde Colette. 'Dat kan toch helemaal niet.'

'Hij kan de krant lezen,' zei Younger.

'In het Engels? Onmogelijk,' antwoordde Colette. Ze stonden naast elkaar aan de balustrade en keken over het enorme stedelijke panorama uit. Ze legde haar hand op de zijne. 'Ik zou willen dat ik niet terug hoefde.'

Hij trok zijn hand weg en pakte een sigaret.

'Maakt het je niet uit dat ik wegga?'

'Ik heb je bij Boltwood aanbevolen. Als jij weggaat, heeft hij niemand om zijn laboratorium te leiden. Natuurlijk maakt me dat wat uit.'

'Nou ja, ik mocht die professor Boltwood toch al niet. Weet je wat hij pas nog over madame Curie zei? Dat ze een walgelijke idioot is.'

'Hij is alleen maar jaloers. Elke chemicus ter wereld is jaloers op Marie Curie.'

'Mannen zijn wreed wanneer ze jaloers zijn.'

'Is dat zo? Dat zou ik niet weten.'

Niemand die een korte blik op de man zou werpen die trekkebenend naar het centrum van het platform hobbelde, zou de dolk in zijn rechterhand hebben gezien, die hij onzichtbaar tegen de binnenkant van zijn mouw gedrukt hield. Zelfs Colette had zich om kunnen draaien zonder Drobac te herkennen, wiens overvloedige gezichtsbeharing inmiddels was afgeschoren. Alleen zijn ogen – de kleine, zwarte, opmerkzame ogen die vanonder zijn diep over zijn hoofd getrokken hoed de wereld in staarden – hadden hem kunnen verraden. Hij hield het mes bij het lemmet vast en streelde met een vinger over het snijvlak. Hij liep geen risico op snijwonden: zoals bij elk goed werpmes waren de beide snijvlakken bot. Alleen de punt was vlijmscherp.

Een ervaren beoefenaar van de kunst van het messenwerpen mikt, als hij van plan is te doden, op het hart van het slachtoffer. Van alle organen waarvan het doorboren een vrijwel zekere dood tot gevolg heeft, is het hart het grootste, met uitzondering uiteraard van de hersenen, maar vanwege het harde schedelbot gelden die als onbereikbaar. De ribben van het slachtoffer lijken een lastig te mijden obstakel, maar dat is geenszins het geval. Zolang het mes onderhands, niet bovenhands, wordt gegooid is er geen echt probleem. Negenennegentig van de honderd keer zullen de ribben van het slachtoffer de punt van het mes doorlaten. Men zou zelfs bijna kunnen stellen dat ze de punt naar het doel loodsen.

Younger en Colette stonden met hun rug naar Drobac, net als ieder ander op het platform, omdat hij in het midden stond en alle anderen langs de balustrades. Een goede messenwerper ziet er geen been in op de rug van het slachtoffer te mikken, hetgeen hem tenslotte van het verrassingselement verzekert. Het enige wat hij nodig heeft, is een lemmet dat lang genoeg is om zich door het zachte weefsel van de linkerlong te boren en nog voldoende metaal overhoudt om zich in het hart te klieven. Bij een tenger slachtoffer volstaat doorgaans een schacht van twintig centimeter. Colette Rousseau was tenger, en het mes was in dit geval een dolk met een lemmet van vijfentwintig centimeter. Drobac vertraagde zijn ademhaling.

⁂

'Goed zo,' riep rechercheur Littlemore naar een wegwerker met een drilboor. 'Geef die boor de ruimte.'

Littlemore bevond zich nu in Wall Street, voor de Morgan Bank, waar de bom de vorige dag tot ontploffing was gekomen. Twee geüniformeerde agenten – Stankiewicz en Roederheusen – hielden de voetgangers op afstand. Aan de andere kant van de straat zagen het departement van Financiën en de Assay-gebouwen er nog steeds uit als een legergarnizoen, met een complete compagnie soldaten die eromheen geposteerd stonden.

In de geblakerde krater spleet het boorijzer een kinderkopje in tweeën, toen nog een. Littlemore gebaarde de wegwerker te stoppen. Terwijl hij op zijn hurken zakte en het stof en de kiezels wegveegde, wrikte de rechercheur een hoefijzer uit de stenen los. Het ijzer was een maatje vier; de overblijfselen van een *shamrock* waren nog zichtbaar. Stankiewicz en Roederheusen keken over zijn schouder mee. Littlemore draaide het ijzer om. Op de achterkant stonden de letters HSIU gedrukt.

'Wel heb je ooit,' zei Littlemore. 'Weet een van jullie waar HSIU voor staat?"

'Nee,' zei Roederheusen.

'Horse Shoers International Union.'

'Is daar wat vreemds aan, chef?' vroeg Stankiewicz.

'Nou en of.' Littlemore vertelde er niet bij wat.

❧

Op het platform van het Woolworthgebouw barstte een kluitje schooljongens in wild geschreeuw uit en stormde woest van de ene kant naar de andere. Luc zette de achtervolging in en zat ze dicht op de hielen; pal op die van Luc joeg een gealarmeerde onderwijzeres achter haar leerlingen aan. Colette riep haar broer en ook zij zette het op een rennen, in de volle overtuiging dat Luc zou struikelen en over de balustrade zou tuimelen.

Drobac glimlachte. Hij stond nog steeds alleen en roerloos in het middelpunt van het platform. Aan de overkant rende Colette van Drobac uit gezien van rechts naar links. De gierende wind nam even af. Precies op dat moment deed hij, als een schermer die een uitval doet, één enkele grote pas naar voren en gooide hij zijn mes met een soepele onderhandse beweging. Algemeen gesproken had hij een voorkeur voor bewegende doelwitten, omdat ze een grotere uitdaging vormden. Maar Colette bood hem geen enkele uitdaging. Heel plotseling stond ze stokstijf. Luc was met een schok stil blijven staan en had de onderwijzeres achter hem – en Colette in haar kielzog – eveneens tot stilstand gedwongen.

De dolk wentelde precies drieënhalve keer horizontaal om zijn lengteas en boorde zich in de rug van het meisje. De punt schoot tussen haar ribben door en doorboorde haar long. Maar het was de rechterlong, niet de linker, en als gevolg daarvan zou de punt van het mes, toen die eenmaal aan de andere kant van de long was aanbeland, haar hart niet bereiken. Een mes dat met kracht in iemands rug landt, heeft doorgaans tot gevolg dat het slachtoffer beide armen hoog en wijd uitstrekt, een kreet slaakt en minstens een paar stappen naar voren valt. Dat alles vond ook nu plaats. Dit was onfortuinlijk, want de voorwaartse struikelpassen dreven haar over de balustrade. Ze maakte nog steeds een gerede kans dat haar val door een van de lagergelegen balkons gebroken werd. Maar het mocht niet zo zijn. Haar lichaam duikelde in een koprol omlaag, raakte een borstwering en ketste van het gebouw vandaan. De botsing had tot gevolg dat een brokje beton losbrak, dat naast het lichaam van het meisje omlaag stortte en haar op haar zevenenvijftig verdiepingen lange tuimeling naar de aarde begeleidde. Het meisje en het stuk beton ploften op precies hetzelfde moment op de stoep neer, dat op die plek uit een mozaïek van vierkante tegels van gekleurd glas bestond. Bij de inslag kaatste de betonkiezel vele verdiepingen hoog de lucht in. Omdat zij aanzienlijk zwaarder was, reet het kletterende meisjeslichaam zich met een ziekmakende donderklap dwars door de kleurige glastegels en smakte het in het eronder gelegen metrostation.

⁕

Littlemore kon de klap helemaal in Wall Street horen. Hij luisterde of hij geluiden van een nasleep – een oproer of een verdere terreurdreiging – kon ontdekken. Toen hij verder niets hoorde, hervatte hij zijn instructies aan zijn mannen: 'Stanky, jij brengt dit hoefijzer rechtstreeks naar rechercheur Lahey.'

'Kan ik de pers erover vertellen?' vroeg Stankiewicz.

'Ga vooral je gang,' zei Littlemore. 'Maar je laat het BOI niet in de buurt van dat ijzer, begrepen?'

'Neem me niet kwalijk, chef,' zei Roederheusen. 'Maar Mr. O'Neill zit nog steeds op u te wachten.'

⁕

Een panisch gegil golfde over het dak van het Woolworthgebouw. De schooljongens slaakten met grote, verschrikte ogen een ijzingwekkende kreet. Alleen Luc was volmaakt stil en strekte zijn handen met een vreemde, beschermende intelligentie naar die van zijn zuster uit.

Het dode meisje was de onderwijzeres die pal achter Luc tot stilstand was gekomen. Had Colette één stap meer gezet, dan had Drobacs mes haar getroffen. Maar dankzij de onverwachte noodstop van de leerkracht had het mes zich door de rechterlong van het verkeerde slachtoffer – de beklagenswaardige onderwijzeres – gekliefd in plaats van door de linkerlong van het beoogde doelwit.

Omdat ze het mes niet hadden gezien, meende de mensenmassa op het uitkijkplatform dat ze van een gruwelijk ongeluk getuigen waren geweest. Een nieuwe lading toeristen die net op het platform waren losgelaten, droeg aan de algehele verwarring bij. Maar Younger had het mes in de rug van de onderwijzeres wel degelijk gezien, en nu zag hij een man in de richting van de zware eikenhouten deuren strompelen – de enige persoon die het uitkijkplatform te midden van alle tumult verliet – om zich snel naar de rij snelliften te begeven. Terwijl hij door de deur verdween, blikte Drobac kort achterom. Younger herkende op slag de kleine, zwarte ogen.

Hij vloog over het platform en door de deuropening. Tussen de dichtglijdende deuren van een liftkooi werd Younger opnieuw met die zwarte ogen geconfronteerd, die hem vanonder de rand van een gleufhoed aanstaarden. De snel slinkende ruimte tussen de deuren was voor een man al te smal om zich doorheen te wurmen, maar breed genoeg voor Youngers arm, die hij de kooi in wrong om Drobac bij zijn jas te pakken. Daarop maakte een verbijsterde liftbediende de deuren protesterend open. Younger sleurde Drobac naar buiten en smeet hem op de grond.

Drobac probeerde zich te verweren, maar hij was geen partij. Younger sloeg hem keer op keer en bleef hem slaan totdat de botten in zijn neus, zijn kaak en zelfs zijn oogkassen het begaven.

※

'Wie is die O'Neill ook weer?' vroeg Littlemore aan Roederheusen op een hoek vlak bij de Morgan Bank.

'Het is die man daar, chef. Hij zit al de hele ochtend te wachten. Hij beweert dat ook hij voor de aanslag gewaarschuwd is.'

'Breng hem hierheen. En ga dan op zoek naar de postbode die de bus bij Cedar en Broadway geleegd heeft. En niet volgende week. Ik wil die postbode morgenochtend op mijn kantoor, begrepen?'

'Maar morgen is het zaterdag,' zei Roederheusen.

'Wat zou dat?' vroeg Littlemore.

'Niets, chef.' Roederheusen stak de straat over en kwam terug met een man die nauwelijks langer was dan één meter vijftig, met een taille van grofweg dezelfde omvang en armen die, wanneer hij liep, bewogen alsof ze aan een speelgoedsoldaatje toebehoorden.

'Mijn excuses dat u zo lang heeft moeten wachten, Mr. O'Neill,' zei

Littlemore. 'U heeft informatie voor me?'

'Nou, het was afgelopen donderdag,' zei O'Neill. 'Of anders vrijdag. Nee, toch donderdag.'

'Vertelt u maar gewoon wat er gebeurd is,' zei Littlemore.

'Ik zit in de trein uit Jersey, zoals elke ochtend, en die kerel stapt in bij de Manhattan Transfer en we raken aan de praat. Heel gemoedelijk.'

'Beschrijft u hem eens,' zei Littlemore.

'Een knappe vent,' zei O'Neill. 'Een jaar of veertig, tweeënveertig misschien. Ik had hem nooit eerder in de trein gezien. Zeker één meter tachtig. Zo'n sportieve vent. Ontwikkeld. Tennisracket.'

'Een tennisracket?' vroeg Littlemore.

'Ja, hij had een tennisracket bij zich. Nou ja, hoe dan ook, we zitten in de trein, de Hudsonlijn, en hij vraagt waar ik werk. Dus ik zeg Broadway 61. Hij zegt dat hij in hetzelfde gebouwenblok werkt in een soort ambassade of zoiets, en we praten nog een tijdje door, over koetjes en kalfjes, u kent het wel, en dan buigt hij zich opeens naar voren en fluistert: "Blijf tot na de zestiende bij Wall Street uit de buurt."'

'Hij zei de zestiende?' vroeg Littlemore. 'Weet u dat zeker?'

'O absoluut. Hij zei het een paar keer. Ik vraag hem waar hij het in godsnaam over heeft, en hij zegt dat hij heimelijk voor de geheime dienst werkt en dat het zijn taak is om anarchisten op te sporen. Dan zegt-ie: "Ze hebben dik zevenentwintigduizend kilo aan explosieven en die gaan ze opblazen." Hij meende het echt. Dat kon je aan hem zien. Het was hem, nietwaar? Het was die Fischer?'

'Wat heeft u toen gedaan?'

'Nou, ik ben op de zestiende bij Wall Street uit de buurt gebleven.'

Drie beveiligingsbeambten van Woolworth trokken Younger, toen ze eindelijk gearriveerd waren, van de bebloede man af en sloegen hem – Younger – in de handboeien. Ze waren niet onder de indruk van zijn bewering dat het slachtoffer van zijn hardhandige aanpak verantwoordelijk was voor de dood van de onderwijzeres die zojuist te pletter was geslagen. Niemand anders had de moord zien gebeuren, en Younger gaf toe dat ook hij niet met eigen ogen getuige was geweest van het voorval. De bewakers waren evenmin onder de indruk van Youngers bewering dat de man de avond tevoren een ander meisje ontvoerd had, een meisje dat nog altijd buiten op het uitkijkplatform stond. Alles bij elkaar genomen meenden ze dat hij stapelgek was.

Colette en Luc werden naar voren geleid. Nadat de bewakers Younger het zwijgen hadden opgelegd, vroegen ze Colette of ze de bewusteloze man herkende die Younger bijna dood had geslagen. Ze ontkende. Drobacs hevig bloedende gezicht was dan ook volslagen onherkenbaar.

'Uw echtgenoot beweert dat deze man u gisteren ontvoerd heeft,' zei een van de beveiligingsbeambten.

'Hij is mijn echtgenoot niet,' zei Colette.

'Jij smerige leugenaar,' merkte een andere bewaker op.

'Ik heb nooit beweerd dat ik haar man ben,' zei Younger.

Luc, die ononderbroken aan Colettes mouw trok, slaagde erin haar aandacht te trekken en maakte enkele handgebaren. Ze vroeg of hij het zeker wist. Hij knikte. 'Dit is de man die ons ontvoerd heeft,' zei ze tegen de beveiligers. 'Mijn broer herkent hem.'

De twijfelende beambten vroegen hoe de jongen dat zo zeker kon weten.

Luc maakte nog een gebaar. 'Hij weet het gewoon,' zei Colette.

Om de een of andere reden vermocht deze verklaring de twijfels bij de bewakers niet weg te nemen. Uiteindelijk namen ze de bebloede man mee naar een ziekenhuis en stelden ze Younger in verzekerde bewaring.

❧

De Morgan Bank, die de dag na de explosie weer open was, zag er eerder als een ziekenboeg uit dan als een tempel van de haute finance. Om het andere bureau viel wel een hoofdverband of ooglapje te zien. Klerken sleepten zich mank voort. Mannen met een arm in een mitella hamerden met één hand op telmachines. Het gezicht van een bewaker was zo zwaar omzwachteld dat enkel zijn ogen en neus zichtbaar waren.

'Mr. Lamont komt zo bij u,' zei een receptionist tegen Littlemore.

De J.P. Morgan Company was niet zomaar een bank. Het Huis Morgan was een machtsfactor die internationale relaties smeedde, een onderneming die geschiedenis schreef. Het was Morgan die een failliet van de Amerikaanse overheid had weten af te wenden bij de goudpaniek van 1895, en opnieuw tijdens de bankenpaniek van 1907. Het was Morgan die een consortium van financiers geleid had dat tijdens de Grote Oorlog een lening van vijfhonderd miljoen dollar aan de geallieerden ritselde, zonder welke ze hoogstwaarschijnlijk de oorlog niet zouden hebben gewonnen. De oude magnaat J. Pierpont Morgan was in 1913 overleden; zijn zoon Jack, die minder tijd op de bank doorbracht dan zijn vader gedaan had, verliet zich geheel op één partner in de bank om de gigantische activa en wereldwijde financiële belangen van het bedrijf in goede banen te leiden. Die partner was Thomas Lamont.

Littlemore maakte een teken van herkenning naar het tiental geüniformeerde agenten dat het indrukwekkende contingent bewakingspersoneel van de bank was komen versterken. Ook knikte hij nauwelijks merkbaar naar nog eens vijf agenten in burger die zich her en der in het centrale atrium ophielden. Littlemore keek op naar de koepel hoog boven zich, waar steigers het de werkmannen mogelijk maakten de verste uithoeken te bereiken.

Ver onder de koepel sprak Mr. Lamont – tenger, iel en duur maar behoudend gekleed – een twintigtal mannen toe en beantwoordde vragen alsof hij een reisleider was. Hij was het juiste type man om het Huis Morgan te bestieren: afgestudeerd aan de Philips Exeter Academy en het Harvard College en door Washington geselecteerd om de Verenigde Staten bij de vredesconferentie van 1919 in Parijs te vertegenwoordigen. Hij had dunner wordend grijs haar, grote oren en ogen die een afkeer van risico's verraadden. De twintig mannen die hij toesprak, waren geen toeristen; het was de *grand jury*, de Kamer van Inbeschuldigingstelling, die een onderzoek naar de fysieke gevolgen van de bomaanslag uitvoerde. Terwijl hij naar de koepel boven zijn hoofd wees, waar grote scheuren in het pleisterwerk zichtbaar waren, legde Lamont uit dat een team van bouwkundigen de koepel veilig had verklaard.

'Laat ik daarbij nog benadrukken,' zei hij tegen de juryleden en verslaggevers die zich om hem heen verdrongen, 'hoe trots ik vandaag op dit bedrijf ben. Wij zijn J.P. Morgan. Wij raken niet in paniek. Wij zijn vandaag op ons gewone tijdstip opengegaan, en weest gerust: dat zullen we ook blijven doen.'

Lamont schudde de hand van de juryvoorzitter en droeg het gezelschap aan de hoede van een confrère over. Hij stapte op de rechercheur af, stelde zich voor en vroeg hoe hij hem van dienst kon zijn.

'Het spijt me dat ik beslag moet leggen op uw tijd, Mr. Lamont,' zei Littlemore. 'Dit moet niet gemakkelijk voor u zijn.'

'Niet gemakkelijk?' antwoordde Lamont, wiens doorgaans zo onbekommerde gelaat door de last van de verantwoordelijkheden getekend werd. 'Met Mr. Morgan in het buitenland is de taak aan mij toegevallen om met de gezinnen van de overledenen en de gewonden te spreken. Ik voel me verantwoordelijk voor ieder van hen. Wist u dat onze koepel bijna is ingestort? En dat ook het hele beursgebouw gisteren bijna is bezweken? We zijn op een haar na aan een totale catastrofe ontsnapt. Duizenden zouden zijn omgekomen. Wall Street zou geruïneerd zijn. Ik kan niet bevatten hoe dit gebeurd kan zijn. Als u het kort kunt houden, inspecteur, dan zou ik dat zeer waarderen.'

'Zeker,' zei Littlemore. 'Ik wil graag weten wie uw vijanden zijn.'

'Pardon?'

'Niet uw persoonlijke. Die van de bank.'

'Ik geloof niet dat ik u begrijp,' zei Lamont. 'Mr. Flynn van het Bureau of Investigation heeft me vanochtend verzekerd dat de bomaanslag niet specifiek tegen de Morgan Bank was gericht.'

'Ze hebben die bom pal voor uw voordeur laten ontploffen, Mr. Lamont. Uw bank was bijna ingestort.'

'Dat is niet Mr. Flynns zienswijze.'

'Het zijn de feiten,' zei Littlemore.

'Als ik me niet vergis, inspecteur, dan is het bepaald niet onmogelijk dat deze hele tragedie het resultaat van een ongeluk met een dynamietwagen is. Ik laat me niet tot speculaties verleiden over de vraag of J.P. Morgan and Company doelwit van aanslagen is.'

'Wanneer heeft u voor het laatst gehoord van een dynamietwagen die met een halve ton granaatscherven was volgeladen?'

'Maar wie zou de bank op deze manier willen belagen?' vroeg Lamont. 'Wie zou daar beter van worden? Deze bank schiet behoeftige mensen overal ter wereld te hulp. Wie zou er in godsnaam een aanslag op ons willen plegen?'

'Laat ik het zo zeggen, Mr. Lamont. Mijn mannen hebben voortdurend de handen vol aan moorden op woekeraars. Uw bedrijf is niet zo heel anders, alleen groter. De vraag die ik altijd stel, is wie de woekeraar de duimschroeven heeft aangedraaid om zijn schulden af te betalen. En of er nog een "krediethaai" rondzwemt die zijn aandeel wil vergroten.'

'Juist ja,' zei Lamont.

'Als u mij de vergelijking kunt vergeven,' zei Littlemore.

'Nee, dat kan ik niet,' zei Lamont. 'Onze firma draait geen duimschroeven aan, inspecteur.'

'Vanzelfsprekend. En jullie hebben ook geen vijanden, toch? Alleen maar vrienden?'

Lamont gaf geen antwoord.

'Indekken tegen risico's, daar verdient u uw brood mee,' zei Littlemore. 'Dat doet elke bankier. Ik bied u een dekking. Er bestaat een kans dat de daders het op uw bedrijf hebben gemunt. Misschien dat dit een waarschuwing was. Misschien dat er nog een volgt. Wilt u dat risico lopen?'

Lamont dempte zijn stem: 'Nee.'

'Misschien dat ik ze te pakken kan krijgen als u bereid bent er wat tijd in te steken om me te helpen. Dat zou een fiks rendement op een kleine investering betekenen, Mr. Lamont.'

'Inderdaad,' beaamde Lamont. 'U valt niet onder directeur Flynn?'

'Ik ben van het New York Police Department,' antwoordde Littlemore. 'Wij krijgen onze orders niet van Mr. Flynn.'

'Laat uw visitekaartje bij de receptionist achter, inspecteur. U heeft toch een kaartje?'

'Ik heb een kaartje.'

'Ik zal me beraden op wat u gezegd heeft.'

    ❧

De schemering was ingevallen toen Littlemore bij Youngers arrestantencel arriveerde. 'Goeie genade, doc, je hebt hem tot moes geslagen,' zei de rechercheur terwijl hij de getraliede deur ontgrendelde. 'Zijn gezicht ziet eruit alsof het onder een stoomwals heeft gelegen.'

Younger trok zijn jasje aan en kwam zijn cel uit.

'Ik heb je borg betaald,' zei de rechercheur. 'Sigaret?'

'Graag,' zei Younger. De boord van zijn hemd zat los, zijn knokkels waren geschaafd. 'Is hij ontkomen?'

'Nee,' antwoordde Littlemore. 'Toen ik het hoorde, heb ik onmiddellijk een paar jongens naar het ziekenhuis gestuurd. Zodra de artsen hem ontslaan, verdwijnt hij achter de tralies. We hebben hem, voorlopig.'

De rechercheur reikte Younger een grote bruin papieren envelop aan, waaruit laatstgenoemde zijn das, horloge, portemonnee en andere persoonlijke eigendommen tevoorschijn schudde. 'Voorlopig?' vroeg hij. 'Hoe bewijzen we dat hij Drobac is? Ik kan hem niet eens identificeren na wat je met zijn gezicht gedaan hebt. Voordat zijn rechtszaak op de rol staat, zullen we met heel wat meer op de proppen moeten komen. Maar dat is geen probleem. Dat zal nog zeker zes maanden duren.'

'Ik kan hem identificeren,' zei Younger, terwijl hij zijn horloge omdeed.

'Het spijt me het je te moeten vertellen, maar jouw woord heeft een tikkeltje aan gewicht ingeboet sinds je erin geslaagd bent een poging tot doodslag aan je broek te krijgen.'

Younger staarde de rechercheur aan.

'Zo ziet de officier van justitie het,' zei Littlemore. 'Toebrengen van zwaar lichamelijk letsel en poging tot moord met voorbedachten rade. Ik had nog geluk dat ik je vrij heb gekregen. De rechter wilde er niets van weten totdat ik hem vertelde dat je aan Harvard gestudeerd hebt en er professor bent. En dat Roosevelt je neef was. En je met zijn dochter geslapen hebt. Vooruit, dat laatste heb ik niet gezegd.'

'Om je de waarheid te zeggen,' zei Younger, terwijl hij zijn das in een lus rond zijn nek sloeg, 'was ik inderdaad van plan hem te vermoorden.'

'Nee, dat was je niet.'

'Wie beweert hij te zijn?'

'Heel raar,' zei Littlemore, 'maar er komt geen woord uit zijn mond. Het schijnt dat die dichtgenaaid is omdat iemand zijn kaak op drie plaatsen gebroken heeft. Man, ik hoop maar dat je er niet naast zit.'

'Het is Drobac. Hij trok met zijn been. Hij had brandwonden in zijn gezicht.'

'Dat is geen bewijs.'

'Kun je zijn vingerafdrukken niet afnemen?'

'Heb ik gedaan,' zei Littlemore. 'Maar dan moeten ze wel ergens mee overeenkomen. We hebben geen afdrukken op het mes gevonden. Geen identieke vingerafdrukken in die woning in het centrum. Geen identieke afdrukken in de auto. Helemaal geen afdrukken op Colettes laboratoriumkist. Niets. Die kerel wist wat hij deed.'

De mannen zwegen.

'Waarom zou hij achter ons aan zitten?' vroeg Younger.

'Misschien dat hij zich van de mensen wil ontdoen die hem kunnen verraden.'

'Waar is ze?' vroeg Younger, terwijl hij zijn manchetknopen vastmaakte.

'De jongedame? Haar lezing aan het geven.'

'Wat?'

'Ze was niet te vermurwen,' zei Littlemore. 'Ze wist me zelfs zover te krijgen dat ik al haar monsters uit het bewijsdepot heb gehaald.'

༄༅

Die avond kwam A. Mitchell Palmer, de minister van Justitie van de Verenigde Staten, per speciale trein uit de hoofdstad in Manhattan aan. Een lange, zwart-met-goud gespoten auto – een Packard Twin Six Imperial, het soort dat uitsluitend extreem rijke mensen zich kunnen veroorloven – stond hem even buiten Pennsylvania Station op te wachten. In de wagen zat een chic gekleed heerschap met hoge hoed op en de punten van zijn boord omhooggeslagen.

De auto bracht Palmer naar het ministerie van Financiën tegenover de Morgan Bank in Wall Street. Soldaten sprongen in de houding en stapten opzij toen de beide mannen de marmeren trap beklommen en door de indrukwekkende entree verdwenen. Een halfuur later kwamen Palmer en de goed geklede heer weer naar buiten. De laatste leidde de minister langs de zuilengalerij naar een smalle doorgang die het departement van het naastgelegen Assaygebouw scheidde. Het steegje werd afgesloten door een hoge gietijzeren poort, die geopend was om de minister toegang te verlenen.

De twee mannen liepen halverwege de steeg in, waar de heer met de hoge hoed naar de eerste verdiepingen van de net niet aaneengesloten gebouwen wees. Daar, op één verdieping boven straatniveau, waren in het luchtledige recht tegenover elkaar twee vreemd ogende ingangen aangebracht die er als garagedeuren uitzagen. Minister Palmer schudde grimmig zijn hoofd en liet de heer vervolgens weten dat hij de volgende dag uit New York zou vertrekken. Het onderzoek naar de bomaanslag zou in handen blijven van de directeur van het BOI, Flynn. Palmer zelf was voornemens om voor een familiebezoek naar Stroudsburg af te reizen.

~※~

Op 17 september 1920 organiseerde het Marie Curie Radium Fonds een bijzondere voordracht in de Saint Thomas Church aan Fifth Avenue. Het Fonds was het geesteskind van Mrs. William B. Meloney, een struise dame van onbestemde leeftijd die in de filantropische en literaire kringen van New York bekendheid genoot. Mrs. Meloney was een werkende vrouw, een krantenvrouw, die op grond van haar onvermoeibare berichtgeving over de Manhattanse beau monde er ten slotte zelf deel van was gaan uitmaken. Zoals veel Amerikaanse vrouwen had Mrs. Meloney de zielenkwellingen van de grote Marie Curie uit Frankrijk met gretigheid gevolgd – ja, er zelfs uitgebreid over geschreven.

'Het is toch werkelijk een schandaal,' verklaarde de met fleurige strik getooide Mrs. Meloney vanaf de rijk gedecoreerde maar sombere kansel, 'dat madame Curie, 's werelds meest vooraanstaande wetenschapper, de ontdekster van het radium, om louter financiële redenen verhinderd wordt haar onderzoek voort te zetten; onderzoek dat al geleid heeft tot een radiummedicijn tegen kanker, tot radiumcrèmes voor gelaats- en handverzorging die onooglijke puistjes en wratten bestrijden' – Mrs. Meloney was naast haar vele andere bezigheden tevens redactrice van een veelgelezen damesblad – 'en het met radium versterkte water dat de echtelijke vitaliteit van onze echtgenoten herstelt.'

Het publiek, dat bijna geheel uit vrouwen bestond, beloonde haar met een warm applaus.

Mrs. Meloney complimenteerde haar toehoorders met hun standvastigheid om één dag na de vreselijke tragedie in Wall Street alweer acte de présence te geven. 'Het is immer het lot van de vrouw,' zei ze, 'om te volharden wanneer de mannen door hun gewelddadige hartstochten overweldigd worden. En volharden moeten we. De prijs van een gram radium is ontstellend hoog – honderdduizend dollar – maar deze som moeten we bijeenbrengen. Wij zijn het aan de eer van de vrouwen van Amerika verplicht. Ik heb haar die toezegging zelf gedaan – aan madame Curie persoonlijk, in haar huis in Parijs – en het is nu de dure plicht van ieder van ons om met gulle hand aan het Fonds te geven, of ervoor te zorgen dat onze echtgenoten dat doen.'

Terwijl de dames opnieuw applaudisseerden, zwaaide de hoofddeur van de kerk luid krakend open.

'De Here zij dank,' zei Mrs. Meloney, 'hier is Miss Rousseau dan eindelijk. We begonnen ons al zorgen te maken, liefje.'

Het publiek van modieus geklede dames draaide zich als één vrouw om. In stilte liep Colette het spelonkachtige middenpad door, een toonbeeld van ingetogenheid, terwijl ze de zware kist met ertsmonsters en radioactieve elementen met twee handen achter zich aan zeulde. Ze mompelde een verontschuldiging, maar haar zwakke stem reikte niet ver in de vaag verlichte gotische kerk met zijn enorme pilaren en gewelfde dak. Colette had een handjevol vrouwen in een klein zaaltje verwacht, niet tweehonderd in een reusachtig gebedshuis, gezeten voor een preekstoel met daarachter een levensgrote kruisigingsscène op een enorm altaarstuk.

'De afgelopen weekeinden,' ging Mrs. Meloney verder, 'heb ik samen met Miss Rousseau – die bij madame Curie persoonlijk in Parijs gestudeerd heeft en die aanstonds haar licht zal laten schijnen op "het mirakel van het radium" – een rondreis gemaakt langs de grootste fabrieken in Amerika waar radiumproducten worden gefabriceerd. Wij hebben getracht de eigenaren van deze fabrieken ervan te doordringen hoeveel zij madame Curie verschuldigd zijn. Onze inspanningen zijn niet vergeefs geweest, zoals ik u aanstonds zal onthullen.'

Daarop wisselde Mrs. Meloney een veelbetekenende blik met een gedrongen, mollige, onberispelijk geklede heer die links van haar zat en een gebaar van vrijgevigheid naar het publiek maakte. Toen stond ze het preekgestoelte af aan Colette, die met een glimlach de enorme inspanning trachtte te verhullen waarmee ze de laboratoriumkist de treden naar de kansel op hees.

'Dank u, Mrs. Meloney,' zei Colette. Haar toehoorders schreven de bleekheid van haar wangen aan haar buitenlandse afkomst toe. 'Het is mij een eer en een voorrecht mijn diensten, hoe bescheiden ook, aan het Marie Curie Radium Fonds te mogen aanbieden.'

Colette laste een korte pauze in, in de veronderstelling dat haar publiek voor de naam Marie Curie zou applaudisseren. Maar het bleef opmerkelijk stil.

'Tja, laat ik beginnen,' vervolgde ze, terwijl ze de omkrullende pagina's van haar met zorg uitgeschreven voordracht op de katheder trachtte plat te strijken. 'Vierentwintig jaar geleden zette Henri Becquerel, een Franse wetenschapper, een schaaltje met uraniumkristallen naast een in zwart papier verpakte fotografische plaat in een afgesloten la en liet het daar een week staan. Voerde hij een experiment uit? Nee. Monsieur Becquerel was slechts bezig zijn laboratorium op te ruimen, en was vergeten waar hij zijn uranium had weggeborgen!'

Colette wachtte op een lach; er volgde slechts stilte.

'Maar toen hij de fotografische plaat uitpakte, zag hij dat er zich een afbeelding op gevormd had, hetgeen onmogelijk had moeten zijn omdat de plaat niet aan licht was blootgesteld. En aldus werd het mysterie van de atoomstraling ontdekt, door puur toeval! Twee jaar later, in 1898, ontrafelden Marie Curie en haar man Pierre dit mysterie. Madame Curie toonde aan dat uraniumatomen een onzichtbare straling afgeven en zij muntte een term voor dit fenomeen: radioactiviteit. In bijna volledige afzondering ontdekte madame Curie twee nieuwe elementen die voordien onbekend waren. Het eerste noemde ze polonium, naar haar geboorteland Polen; het tweede en veruit krachtigste noemde ze radium. De potentiële energie van radium is zo ontzagwekkend dat die met gewone maatstaven onmogelijk te beschrijven is. Bent u bekend met het begrip paardenkracht? Eén enkele gram radium bevat een hoeveelheid energie die overeenkomt met die van tachtigduizend miljoen paarden.'

Colette pauzeerde opnieuw, in de verwachting dat het publiek bij een dergelijk enorm getal een zucht van verbazing zou slaken. Het enige geluid was een onrustig geritsel van rokken en handschoenen.

'Als deze kracht,' ging Colette, van de weeromstuit in een te hoog tempo, verder, 'in één keer vrijkomt, is dat genoeg om alle gebouwen in New York City in één gruwelijke explosie weg te vagen. Maar de wetenschap heeft een manier gevonden om radioactiviteit in te tomen en er levens mee te redden in plaats van ze te vernietigen. Vandaag de dag brengen artsen enkele microgrammen radium in minuscule glazen buisjes rechtstreeks in het gezwel van de kankerpatiënt in. Binnen enkele weken is de tumor verdwenen. Dankzij het radium zijn tegenwoordig overal ter wereld mensen springlevend, die een paar jaar terug nog aan kanker overleden zouden zijn.' Nu had ze eindelijk haar opmerking waarvoor het publiek bereid was te klappen, maar door haar stijgende nervositeit vergat ze deze keer een pauze in te lassen. 'Nu zal ik u een van de buitengewone bijverschijnselen van radioactiviteit demonstreren: luminescentie.'

'Och, kindje toch,' zei Mrs. Maloney. 'Je gaat toch geen experimenten doen – in een kerk? Is dat wel gepast?'

'Het is maar een kleine demonstratie,' zei Colette.

Terwijl ze twee flacons uit haar kist haalde, stond ze ongemakkelijk op de kansel te dralen. De ongemakkelijkheid was het gevolg van het ontbreken van een tafel. Colette moest de beide verbindingen zien te verenigen. Ze glimlachte nerveus en knielde op de vloer om haar materialen neer te zetten. Op deze manier kon ze haar beide handen gebruiken; helaas was ze zo tevens onzichtbaar voor het publiek.

Plotseling klonk er een luid applaus. Colette keek verbaasd op. De aandacht van de dames was op de mollige man achter haar gevestigd, die met stralend gelaat zijn vuisten boven zijn hoofd hield. Aan elke hand bungelde een horloge dat een groenachtige, fluorescerende, gloed verspreidde.

'Daar heeft u uw luminescentie, Miss Rousseau,' verkondigde de heer. 'Daar heeft u de magie van het radium.'

Meer applaus.

'Dank u, Mr. Brighton,' riep Mrs. Meloney uit, 'u bent een ware redder in de nood. En ook jíj bedankt, Miss Rousseau, voor de uiterst informatieve lezing.'

'Maar ik...' protesteerde Colette, die nog maar net begonnen was.

'En nu, lieve vrienden,' ging Mrs. Meloney verder, 'graag uw aandacht voor het meest verheugende deel van deze avond. Vorige week in Connecticut smaakte ik het genoegen om een tycoon van de Amerikaanse industrie te mogen ontmoeten, wiens vriendelijkheid en gemeenschapszin slechts geëvenaard worden door zijn voortreffelijke zakelijk inzicht. Hij is een van de stuwende krachten in de olie- en mijnbouwindustrie, en in radiumverwerking. Graag een warm applaus voor Mr. Arnold Brighton.'

De mollige gestalte stapte naar voren en boog in alle richtingen naar zijn stormachtig applaudisserende publiek. Hij was volkomen kaal, op een klein plukje bruin weerbarstig haar boven beide oren na, en met overdreven zorg uitgedost, met glimmende gemanicuurde vingernagels en gouden manchetknopen die blonken toen hij zijn armen hief om de dames tot stilte te manen.

'Dank u, dank u... o, waar heb ik mijn toespraak nu weer gelaten?' Brighton klopte met zijn glimmende nagels op zijn zakken. 'Heb ik die soms aan u gegeven, Mrs. Meloney?'

'Aan mij, Mr. Brighton?'

'Verdikkie. Is Samuels hier? Die zou wel weten waar ik hem gelaten heb. Tja, mijn concurrenten zeggen altijd dat ik mijn hoofd verlies in de aanwezigheid van dames. U moet weten, zij weigeren vrouwen in dienst te nemen, terwijl mijn fabrieken voor fluorescerende wijzerplaten stuk voor stuk de meeste vrouwen in dienst hebben. Mijn concurrenten begrijpen niet hoe ik jonge vrouwen in een fabriek kan laten werken. Mijn antwoord is simpel: vrouwen verdienen minder dan mannen, veel minder. O, ik weet wat u denkt. Al die werkloze mannen, en vooral zij die in de oorlog hebben gediend, verdienen zij die banen dan niet? Daarover moet ik helaas met u van mening verschillen. Mannen hebben vrouwen en kinderen die ze geacht worden te onderhouden. Dat kost meer. Terwijl negentig procent van mijn meisjes ongetrouwd is. Dat kost minder. En kijk eens naar hun fijne handwerk. Kijk eens naar die prachtige horloges. Het aanbrengen van radiumverf op zulke minuscule oppervlaktes vereist een vrouwelijke behendigheid en properheid. Mrs. Meloney, wilt u mij toestaan u een geschenk te offreren? Of zal de heer Meloney daar bezwaar tegen maken?'

Zijn opmerking werd op een waarderend gechoqueerd gelach onthaald. 'O, schaamt u zich, Mr. Brighton,' zei Mrs. Meloney, maar ze stak hem haar volumineuze arm zedig toe, zodat Brighton haar het grootste van de twee horloges – ingelegd met paarse edelstenen – om kon gespen. Ze hield haar arm omhoog en toonde het kleinood aan de dames uit het publiek, die welwillend klapten.

'Mrs. Meloney kan nu zelfs tijdens de donkerste uren van de nacht zien hoe laat het is,' zei Brighton. 'Als de politie- en brandweermannen van deze stad gisteren mijn horloges hadden gedragen, dan hadden ze na de explosie geen hinder ondervonden van de grote rookwolken. Dan hadden ze over een lichtbron beschikt die geen batterijen, geen brandstof, ja, zelfs geen enkele vorm van energie nodig heeft. Dat is het wonder van radium. En voor u, Miss Rousseau, moesten we speciaal een uniek exemplaar maken. Onze gewone producten zijn niet verfijnd genoeg voor uw delicate pols. Staat u mij toe?'

Het horloge dat Brighton haar aanbood, was afgezet met rondgeslepen briljanten, die ondanks de schimmige verlichting in de kerk in alle kleuren van de regenboog schitterden. Ongemakkelijk stak Colette haar hand uit. Brighton bevestigde het geschenk rond haar onderarm; de gloed van de groen oplichtende wijzerplaat weerspiegelde in zijn glanzende vingernagels. Hij sprak de hoop uit dat het cadeau naar haar zin was. Colette wist niet wat te zeggen.

'Wij staan verstomd van uw vrijgevigheid, Mr. Brighton,' zei Mrs. Meloney. 'Maar gaat u alstublieft verder.'

'Verder met wat?'

'Met uw donatie, Mr. Brighton.'

'Mijn donatie? O, maar natuurlijk, mijn donatie.' Brighton klopte weer op zijn zakken en trok met een groots gebaar een cheque uit zijn vestzak, waarbij hij de katheder bijna omverstootte. Na een lange inleiding verklaarde hij dat het hem een buitengewoon genoegen was het Marie Curie Radium Fonds een cheque ter waarde van vijfentwintigduizend dollar aan te mogen bieden. Er golfde een zucht van opwinding door het publiek, tezamen met een luid en langdurig applaus.

Mrs. Meloney bedankte haar gulle gever omstandig. Toen vroeg ze het publiek of er nog vragen waren, waarbij ze betuigde zeker te weten dat vele toehoorders vooral van Miss Rousseaus expertise zouden willen profiteren.

'Neemt u mij niet kwalijk,' zei een vrouw op de derde bank, 'maar ik gebruik nu al een jaar lang elke dag radiumzeep en ik heb nog steeds wratten op allebei mijn ellebogen. Dit ontstemt mij zeer.'

'O,' zei Colette, 'ik vrees dat ik niet erg bekend ben met het cosmetisch gebruik van radium.'

Mrs. Meloney schoot Colette te hulp. 'Heeft u de nachtcrème van Radior al gebruikt? Die heeft mij geweldig geholpen.'

Er schoot een andere hand de lucht in. 'Ik heb een vraag voor Miss Rousseau. Wat is de juiste dosis radiumwater om de vitaliteit van een zesenzestigjarige man te herstellen?'

'Pardon?' vroeg Colette. 'Zijn wat?'

'Zijn vitaliteit,' herhaalde de vrouw.

Mrs. Meloney fluisterde iets tegen Colette. Haar bleke wangen kleurden rood.

⁜

Naderhand, bij een drankje en een hapje, maakte Mrs. Meloney Mr. Brighton een compliment over zijn lengte. 'U bent zoveel langer dan je zou verwachten, Mr. Brighton,' zei de grijze Mrs. Meloney koket. Het was waar. Van een afstand maakte Brighton een gedrongen indruk en deed zijn voorkomen denken aan dat van een verstrooide wiskundeleraar. Van dichtbij bleek hij veel langer; het was niet echt mogelijk te zeggen waar die extra lengte precies vandaan kwam. Het effect maakte zijn onhandigheid des te zorgwekkender. 'En dan uw geschenk,' vervolgde Mrs. Meloney, terwijl ze met haar saffieren polshorloge pronkte. 'Ik heb nog nooit zo'n betoverend cadeau gekregen.'

'En ik,' antwoordde Brighton galant, 'heb nog nooit zulk betoverend bezoek aan mijn fabriek mogen verwelkomen als twee weken geleden van u en uw assistente.'

'Mr. Brighton, in vredesnaam,' protesteerde Mrs. Meloney, 'wat moet mijn man wel niet denken?'

'Hoezo?' vroeg Brighton verschrikt. 'Heb ik iets verkeerds gezegd?'

'Men mocht willen dat mannen altijd zulke verkeerde dingen zeiden,' verzekerde Mrs. Meloney hem. 'Ik sta er echter op dat u de feestelijke presentatie bijwoont, Mr. Brighton, wanneer we madame Curie volgend jaar mei haar radium overhandigen – als we erin slagen de rest van het geld bijeen te krijgen. Ik ben van plan de burgemeester zover te krijgen om de ceremonie te leiden.'

'De burgemeester?' zei Brighton. 'Waarom niet de president? Ik zal het er met Harding over hebben. Die zal tegen die tijd wel in het Witte Huis zitten. Miss Rousseau, bent u wel eens in onze hoofdstad geweest? Ik ga er... o, verdikkie, wanneer ga ik ook weer? Waar is Samuels, mijn secretaris? Zonder hem kan ik gewoonweg niets onthouden. Ah, daar heb je hem, de stuurse kerel. Wat zei u ook weer, mevrouw?'

'Ik, Mr. Brighton?' zei Mrs. Meloney. 'Ik geloof dat u het zojuist over Mr. Harding had.'

'O ja, ik ga naar Washington om Harding te spreken. Waarom komt u niet met me mee, dames? Ik heb mijn eigen trein, weet u. Buitengewoon gerieflijk. U en Miss Rousseau zullen in de hoofdstad de nodige charitatieve instellingen aantreffen. Vruchtbare grond voor uw Fonds.'

'Het zal ons een waar genoegen zijn, nietwaar, liefje?' vroeg Mrs. Meloney aan Colette.

'Kijk die Samuels nou weer,' zei Brighton geërgerd. 'Hij wil me spreken, zoals gewoonlijk. Als u mij wilt excuseren, dames?'

'Wat een innemende man,' verklaarde Mrs. Meloney, terwijl Brighton naar zijn secretaris liep, die een jas over de schouders van zijn patroon legde en in zijn oor fluisterde. De meeste vrouwen die de lezing hadden bijgewoond, waren in de kerk gebleven, waar ze informatie uitwisselden over welke radiumproducten hun voorkeur genoten. 'Hij heeft een oogje op je, liefje,' vervolgde Mrs. Meloney.

'Op mij?' vroeg Colette. 'Nee. Niet op mij, Mrs. Meloney. Op u.'

'Ach, kom toch. Wie ben ik nu helemaal? Een oude dame. Kijk eens naar het horloge dat hij je gegeven heeft. Dat zijn diamanten. Heb je er wel enig idee van hoeveel dat ding waard is?'

'Ik kan het niet houden,' vertrouwde Colette haar toe.

'Waarom niet in hemelsnaam?' antwoordde de licht ontvlambare Mrs. Meloney.

'Omdat het volslagen verkeerd is radium voor een wijzerplaat te gebruiken. En, alstublieft, u moet deze vrouwen niet aanmoedigen om radium voor cosmetische doeleinden te gebruiken.'

'Ga me nu niet vertellen dat je een radiumscepticus bent. Mijn man is een radiumscepticus van het ergste soort, maar ik verzeker je dat mijn Radior-nachtcrème mijn gezicht tien jaar jonger heeft gemaakt. Ik kan het zien, ook al ziet hij het niet.'

'Het zijn de kosten,' zei Colette. 'Door bedrijven als Radior is radium voor wetenschappers onbetaalbaar geworden.'

'Kom nou toch. Mijn nachtcrème kost maar negenennegentig cent.'

'Zeker, Mrs. Meloney, maar omdat zoveel vrouwen die negenennegentig cent neertellen, ligt de prijs van een gram radium nu boven de honderdduizend dollar.'

'Ik ben bang dat jullie wetenschappers bar weinig begrip hebben van de werking van de economie, liefje. De prijs van radium bepaalt de prijs van mijn nachtcrème, niet andersom.'

'Nee, Mrs. Meloney. Denk eens aan alle mensen die radiumcrèmes en radiumhorloges kopen. Hoe meer er van deze producten verkocht worden, hoe minder radium er in de wereld beschikbaar is en hoe kostbaarder het wordt.'

'Nu duizelt het me, Miss Rousseau. Het enige wat ik weet, is dat ons Fonds een vliegende start heeft gemaakt. Laten we ons daarop concentreren.'

'Ik kan het belang niet genoeg benadrukken,' zei Colette. 'Er is zo weinig radium. Bedrijven als die van Mr. Brighton souperen daarvan ruim negentig procent op. Ze laten bijna niets voor de wetenschap en de geneeskunde over. En wat ze overlaten, is zo duur dat ze het zich niet kunnen veroorloven. Duizenden mensen die op dit moment aan kanker overlijden, zullen nooit met radium behandeld worden omdat het simpelweg te duur is. Deze bedrijven vermoorden mensen. Ja, het is letterlijk moord. Ik heb geprobeerd dat aan Mr. Brighton uit te leggen toen we zijn fabriek bezochten, maar ik geloof niet dat hij echt geluisterd heeft.'

'Ik mag hopen van niet,' zei Mrs. Meloney. 'Dan trekt hij zijn donatie in. Kun je niet wat vriendelijker voor die beste man zijn? Verdikkie, wanneer jij gewoon een beetje aardig tegen hem doet, zou het me zelfs niet verbazen als hij voor de hele gram betaalt.'

Een glunderende Mr. Brighton kwam terug om vaarwel te zeggen, en hij boog ten afscheid alle kanten uit. 'Samuels zegt dat ik ervandoor moet. Maar vergeet niet, Miss Rousseau: u heeft mij Washington beloofd.' Hij bood de oudere vrouw zijn elleboog. 'Wilt u zo vriendelijk zijn mij naar de deur te begeleiden, Mrs. Meloney?'

'Maar Mr. Brighton toch, mensen zouden denken dat we pasgetrouwd zijn,' zei Mrs. Meloney.

'Vooruit dan maar,' zei Brighton, 'dan zullen jullie dames mij beiden moeten escorteren.'

Colette trachtte zijn uitnodiging af te wimpelen, maar daar wilde Mrs. Meloney niets van horen. Gedrieën daalden ze de treden van de kansel af en liepen ze door het middenpad van het schip, waar Brightons assistent aan de overzijde van het pad met gulle hand producten aan een kleine schare dankbare, vertrekkende vrouwen uitdeelde.

'U heeft de naam Radior genoemd,' legde Brighton aan Mrs. Meloney uit. 'Ik kon u geen reclame voor onze infame concurrent laten maken zonder zelf met een reactie te komen. We zijn net een nieuwe lijn in oogschaduw gestart. Fluorescerend uiteraard, zoals u ziet.'

Een aantal dames had de oogschaduw en mascara die ze gekregen hadden al opgebracht en zo aaneengeschakelde fosforescerende cirkels gecreëerd die de duistere voorhal van de kerk in een soort grot veranderden van waaruit nachtvogels of -dieren naar buiten leken te turen. Mrs. Meloney verontschuldigde zich tegenover Brighton; ze had geen idee gehad dat zijn bedrijf een lijn in cosmetica was begonnen en zou dat zeker in het eerstvolgende nummer van *The Delineator* vermelden. Zij en Mr. Brighton gingen zo in de woordenstroom van hun gebabbel op, en Colette raakte er zo door geërgerd, dat ze de eenzame gestalte voor hen niet in de gaten hadden, die als in gebed verzonken met gebogen hoofd tussen de beschaduwde kerkbanken neerknielde.

'Mrs. Meloney, ik heb mijn monsters bij de katheder laten staan,' zei Colette. 'Ik moet ze echt ophalen.'

'Niet zo onbeleefd, liefje,' antwoordde de oudere vrouw, die stevig aan Brightons arm trok, die op zijn beurt die van Colette meesleepte.

Op hun nadering begon de knielende gedaante zich te roeren. Het hoofd ging schuil onder een kap.

'U laat mij niet in de steek, Miss Rousseau,' zei Brighton. 'Ik laat Samuels uw spullen wel halen.'

Colette gaf geen antwoord. Haar mond was plotseling uitgedroogd. De met een kap getooide gedaante was midden op het gangpad gaan staan en versperde hun de weg. Sprietig rood haar ontlook vanonder de kap. Een benige hand rustte op de omslagdoek rond haar nek, die leek te moeten verbergen dat er iets onder uitpuilde.

'Kunnen we je helpen, liefje?' vroeg Mrs. Meloney.

Colette wist dat ze iets moest zeggen, een waarschuwing moest geven.

Maar ze had het gevoel alsof ze verlamd was. De ogen van het uitgemergelde schepsel leken haar te wenken. Ze leken het verband tussen haar, Mr. Brighton en Mrs. Meloney – de ineengehaakte ellebogen, hun ogenschijnlijke eenheid – te beseffen en te veroordelen. Een hand werd naar Colette geheven en gebaarde naar haar. Om redenen die ze niet kon verklaren – misschien was het alleen maar dat ze in een kerk was, misschien was het een gevolg van de opeenstapeling van gruwelijke incidenten van de afgelopen twee dagen die haar weerstand had ondermijnd – had Colette het gevoel dat ze de uitgestrekte hand van de gestalte vriendelijk en niet met afgrijzen tegemoet moest treden. Hun vingers raakten elkaar.

De aanraking voelde weerzinwekkend, klam, en leek een ziekte of besmetting in zich te dragen, alsof het creatuur zojuist uit een rottende poel tevoorschijn was gekropen en daar aanstonds naar zou wederkeren. De gestalte met de kap klemde haar vingers rond die van Colette, deed een pas naar achteren en trok Colette met zich mee.

'Houd daar onmiddellijk mee op,' zei Mrs. Meloney, alsof ze een stel ongemanierde kinderen tot de orde riep.

'Ja, houd daar onmiddellijk mee op,' zei Brighton. Het meisje met de kap richtte haar blik op hem en wees met uitgestrekte hand naar zijn gezicht. Hij deinsde terug en liet Colette los. 'Samuels?' bracht hij zwakjes uit.

De vrouw met de cape trok Colette nog een stap met zich mee, met aldoor één benige, blauwgeaderde hand op de halsdoek rond haar nek gedrukt. Colette bood geen weerstand. Het was het horloge – het geschenk van Brighton, nu op slechts enkele centimeters van het gezicht van het meisje – dat de ban verbrak.

In de groenachtige gloed van de wijzerplaat zag Colette ogen opblinken die haar vluchtig als zachtaardig, als van een damhinde, voorkwamen. Toen veranderden de ogen. Ze leken zich bewust te worden van de glinsterende diamanten rond Colettes pols en raakten van een vurige felheid vervuld. Met scherpe nagels begon de gedaante naar het horloge en de met diamanten afgezette band te klauwen en krabde Colettes huid open totdat er bloed vloeide. Colette trachtte vergeefs haar hand los te wringen.

'Houdt de dief!' riep Mrs. Meloney.

De roodharige vrouw klauwde als een bezetene naar Colettes hals en sprak voor het eerst: 'Geef me... geef me...'

De adem stokte Colette in de keel: de vrouw bracht een diepe, schrapende keelklank voort, als die van een man, maar dan lager dan Colette een man ooit had horen spreken. Door haar wilde bewegingen was de halsdoek van de vrouw van haar kin gegleden. Het eerste wat tevoorschijn kwam, was een paar dunne, kleurloze lippen. Toen zakte de doek verder omlaag, en net als Betty gilde Mrs. Meloney het bij de aanblik uit. 'Mijn god,' zei Colette.

De gedaante met de kap trok, geheel op het diamanten horloge gespitst, een schacht van glimmend metaal tevoorschijn: een mes. Colette was nu vleugellam. Mr. Brighton had de aftocht geblazen, doch de onverschrokken Mrs. Meloney had zijn plaats ingenomen en meende nu dat ze Colette het beste kon helpen door haar bij haar vrije arm te pakken en die onder geen beding los te laten. Met een wilde blik in haar ogen hief de roodharige vrouw het mes. Colette, met haar ene pols in de greep van haar belaagster en de andere in die van haar goed bedoelende beschermster, was hulpeloos.

Mrs. Meloney schreeuwde: 'Straks snijdt ze haar arm nog af. Help dan toch!'

Er klonk een schot. Een kogel boorde zich in het kruisbeeld achter de preekstoel en rukte een uit hout gesneden schouder van de Verlosser af. De vrouw in de cape draaide zich om, het mes hoog boven haar hoofd. Toen volgde er weer een schot, en toen nog een. De vlammen in de ogen van de vrouw doofden. Het mes gleed uit haar hand. Een onnatuurlijk diepe reutel rolde van haar lippen, in haar mondhoek vormde zich bloed. Haar lichaam zakte in Colettes armen ineen.

Het Franse meisje voelde de hals van de vrouw tegen de hare drukken, een ziekmakend huidcontact. Huiverend liet Colette het lichaam op de grond vallen. Samuels, Brightons assistent, stond met rokend pistool in de hand in het voorportaal van de kerk.

Eén lang moment bewoog er niemand. Toen kwam Brightons hoofd vanachter Mrs. Meloney tevoorschijn. 'Eh, goed werk, Samuels,' zei hij. 'Goed werk.'

'Mr. Brighton,' sprak Mrs. Meloney op berispende toon.

'Ja, Mrs. Meloney?'

'U kroop achter mij weg.'

'O nee, ik ben niet weggekropen,' zei Brighton. 'Iedereen wist waar ik was. Ik zocht dekking. Ik mag wel zeggen: een uitstekende dekking. Een zeer royale dekking.'

'Toen de schoten vielen, Mr. Brighton, hield u mij vast. Ik probeerde te vluchten, maar u hield me tegen.'

'U bedoelt... o, ik begrijp wat u bedoelt. Ik profiteerde van u zonder u daarvoor te compenseren. Hoe kan ik het goedmaken? Is duizend dollar afdoende? Vijfduizend?'

'Wel heb je ooit,' zei Mrs. Meloney.

'Samuels, sta daar niet te staan,' zei Brighton. 'Ruim de boel op. We kunnen toch niet zomaar een lijk op de vloer van een kerk laten liggen? Wat denkt u, zouden we haar tegen betaling door vuilnismannen kunnen laten weghalen?'

'Ze leeft nog,' zei Colette, terwijl ze naast de gevallen vrouw neerknielde.

'Werkelijk?' vroeg Brighton, die eruitzag alsof hij opnieuw dekking achter Mrs. Meloney wilde zoeken.

'Politie!' riep rechercheur Littlemore, terwijl hij door de hoofddeur van de kerk stormde. 'Iedereen de wapens neer!'

⚜

Het lichaam van de vrouw lag verfomfaaid op de koude stenen vloer, en een snel groter wordende plas donker bloed kleurde eronder op. Younger en Littlemore waren net op tijd gekomen om de dames die uit de kerk waren weggevlucht 'moord' te horen roepen. Terwijl Mrs. Meloney de rechercheur uitlegde hoe de krankzinnige vrouw Colette had aangevallen en hoe Mr. Samuels hen gered had, trachtte Younger de pols van de gevallen vrouw te voelen. Hij vond een uiterst zwakke hartslag.

Colette knielde naast hem. 'Moet je haar hals zien,' zei ze.

Samengeklit, rood, ongezond haar maskeerde het gezicht van de vrouw. Verbeten maar voorzichtig streek Younger het haar uit haar gezicht. Hij zag wezenloze ogen, een mooie neus en dunne, opengesperde lippen. De rafelige halsdoek zat weer rond haar nek. Younger trok hem weg.

De vrouw had geen kin. Waar haar kin had moeten zitten, en waar een hals had moeten zijn, stulpte een enorme massa bolvormig gezwollen weefsel naar buiten, bijna even groot als het hoofd van de vrouw zelf. Er zaten rimpels, kuiltjes, bulten en inkepingen op en er liep een enorme hoeveelheid adertjes doorheen.

'Wat moet dat in godsnaam voorstellen?' vroeg Littlemore.

9

En jaar voor de aanslag in Wall Street werd de president van de
Verenigde Staten op de wc van het Witte Huis getroffen door een
zware hersentrombose; een bloedklonter verstopte een van de
bloedvaten naar zijn hersenen. In een oogwenk was de ooit zo visionaire
Woodrow Wilson een halfblind wrak, niet langer in staat de linkerzijde
van zijn lichaam, waaronder de linkerhelft van zijn mond, te bewegen.

Wilsons beroerte werd voor het volk, het kabinet en zelfs de vicepre-
sident verzwegen. Het viel lastig uit te maken wie na Wilsons attaque geacht werd het land te besturen. Het viel al lastig uit te maken wíé het land
bestuurde. Was het de minister van Buitenlandse Zaken, Robert Lan-
sing, die de regering in afwezigheid van de president in het geheim bijeen had geroepen? Of was het Wilsons vrouw Edith, die zowel de Plan-
tagenets als Pocahantas tot haar voorouders mocht rekenen en als enige
toegang tot het presidentiële ziekbed had, en daar steevast met orders
vandaan kwam die Wilson haar gedicteerd zou hebben? Of was het toch
minister van Justitie Palmer, die de hand had weten te leggen op nog meer
geld voor zijn Bureau of Investigation en in het hele land tienduizenden
mensen als vermeende vijanden van de natie had laten vastzetten?

Het hele jaar 1920 sleepte het land zich in deze vreemde, leiderloze
toestand voort. In januari werd de drooglegging van kracht. In maart ver-
wierp de Senaat de toetreding tot de Volkerenbond en daarmee Wilsons
droombeeld van een Amerika dat deel uitmaakt van een internationale

gemeenschap van vreedzame landen om zo een centrale positie op het wereldtoneel voor zich op te eisen. Wilson was er nooit in geslaagd zijn praktisch ingestelde landgenoten ervan te overtuigen waarom Amerika zich zo nodig met de Europese intriges en eeuwenoude vijandschappen in zou moeten laten. Wat was Amerika nu helemaal opgeschoten met de laatste oorlog, waarin honderdduizend jonge Amerikanen het leven hadden gelaten om de Engelsen en de Fransen uit de brand te helpen?

Onzeker over welke richting ze uit wilden en van hun borreltje beroofd, konden de Amerikanen in 1920 alleen maar afwachten; wachten op een storm die de oplopende spanningen moest ontladen, op een nieuwe president die in november gekozen zou worden, op het herstel van hun economie. De Amerikanen waren van mening dat ze vrede in de wereld hadden gebracht. Dat gaf hun toch stellig het recht zich nu even alleen over de eigen problemen te buigen.

Er was echter geen vrede in de wereld. In de zomer van 1920 trokken grote legers overal op aarde verwoestend rond. In augustus deed het Sovjetleger een triomfantelijke inval in Polen en marcheerde het zelfs Warschau binnen, het vizier op Duitsland en verder gericht. Lenin had goede redenen om ambitieus te zijn. Gewapende communisten hadden in München de macht gegrepen en Beieren tot Radenrepubliek uitgeroepen. Hetzelfde vond in Hongarije plaats. Bij de naaste buren van de Verenigde Staten, Mexico, wierpen revolutionairen het door Amerika gesteunde regime omver met de belofte de enorme oliereservoirs van het land te nationaliseren, die in handen van particuliere, in het bijzonder Amerikaanse, bedrijven waren.

Maar de meeste Amerikanen hadden daar in 1920 noch weet van noch veel belangstelling voor. De meesten hadden hun buik vol van de wereld. De meesten, maar niet iedereen.

⁕

Op zaterdagochtend 18 september, twee dagen na de bomaanslag en één dag na Colettes lezing in de Saint Thomas Church, ontmoetten Younger en Littlemore elkaar bij een metrostation op een paar straten van het Bellevue Hospital.

'Kunnen we dat meisje identificeren?' vroeg Younger, terwijl ze naar het ziekenhuis onderweg waren.

'Tweehoofd?' vroeg Littlemore. 'Daar komen we waarschijnlijk met een dag of wat wel achter. Bij meisjes komt er bijna altijd wel iemand opdagen om ze als vermist op te geven. Behalve als ze een hoer is. In dat geval komt er niemand.'

'Ik heb het gevoel dat dit geen hoer is,' zei Younger.

De twee manen keken elkaar aan.

'Heb je haar gebit gecontroleerd?' vroeg Younger.

'Om te zien of ze een kies mist? Ja, daar was ik ook al opgekomen. Maar nee, geen ontbrekende kiezen.'

'Waarom Colette?'

'Je bedoelt, waarom overkomen deze dingen haar? Dat is inderdaad de vraag. Maar zoals ik al zei: ga er niet voetstoots van uit dat er een verband is.'

'Waar ga jij dan van uit? Van een bizar toeval?'

'Ik ga helemaal nergens van uit. Ik doe niet aan veronderstellingen. Als ik moest gissen, dan zou ik zeggen dat iemand denkt dat de jongedame iemand is die ze niet is. Misschien dat er wel mensen rondlopen die denken dat ze iemand is die ze niet is.'

Bellevue was een met gemeenschapsgeld betaald ziekenhuis dat verplicht was iedere patiënt op te nemen die bij de voordeur afgeleverd werd, en de ramp in Wall Street had een nieuw en zwaar beroep gedaan op de toch al niet toereikende middelen. Elke gang was een hindernisbaan van patiënten die voorovergebogen in hun stoelen hingen of plat op brancards lagen. Op de tweede verdieping vonden Younger en Littlemore de vrouw uit de kerk op een ziekenzaal die ze met minstens tien andere vrouwelijke patiënten deelde. Ze haalde adem maar was bewusteloos, met kloppende aderen in de massa gezwollen weefsel dat uit haar hals stulpte. Een verpleegster liet hun weten dat het meisje sinds haar opname niet bij bewustzijn was geweest. Een bed verder diende een arts een injectie aan een andere patiënte toe. Littlemore vroeg hem of hij dacht dat de roodharige vrouw het zou overleven.

'Dat zou ik u niet kunen zeggen,' zei de arts hulpvaardig.

'Wie wel?' vroeg Littlemore.

'Ik,' zei de arts. 'Ik ben de dokter van dienst voor deze ziekenzaal. Alleen heb ik nog geen tijd gehad haar te onderzoeken.'

'Heeft u er bezwaar tegen als ik haar onderzoek?' vroeg Younger.

'Bent u arts?' vroeg de arts.

'Opgeleid aan Harvard,' zei Littlemore.

'Ik zou graag een kijkje willen nemen naar wat er in dat neoplasma in haar nek zit,' zei Younger. 'Hebben jullie een röntgenapparaat?'

'Natuurlijk hebben we dat,' zei de dokter, 'maar dat mag uitsluitend door de röntgenologische afdeling van het ziekenhuis gebruikt worden.'

'Goed,' zei Littlemore. 'En waar kunnen we die röntgenologische afdeling vinden?'

'Ik ben de röntgenologische afdeling van het ziekenhuis,' antwoordde de arts.

Littlemore sloeg zijn armen over elkaar. 'En wanneer kunt u die röntgenfoto maken?'

'Over twee weken,' zei de dokter. 'Elke eerste maandag van de maand maak ik röntgenfoto's.'

'Twee weken?' herhaalde Littlemore. 'Over twee weken kan ze wel dood zijn.'

'Hetzelfde geldt voor vijfhonderd andere patiënten in dit ziekenhuis,' snauwde de arts. 'Als u mij nu wilt verontschuldigen. Ik heb het erg druk.'

Nadat de arts vertrokken was, zei Littlemore: 'Misschien had ik hem beter niet kunnen vertellen dat je aan Harvard hebt gestudeerd. Ik begrijp niet waarom mensen zich beledigd voelen door iets waar ze juist bewondering voor zouden moeten hebben. Wat voor de donder is toch dat ding in haar hals?'

'Dat weet ik niet, maar misschien dat we daar al snel achter gaan komen.' Younger wees naar een dunne, blauwachtige verticale scheur die in de opgezwollen massa ontstond. De scheur liep van de ontbrekende kin van het meisje tot aan haar borstbeen. 'Wat daarin zit, zou wel eens plannen kunnen hebben om naar buiten te komen.'

'Geweldig,' zei Littlemore.

'Het zou een teratoom kunnen zijn.'

'Wat is dat?'

'Meestal een ingekapselde haar of tand,' zei Younger.

'Tand, zoals een kies?' vroeg Littlemore.

'Misschien. Of een tweeling.'

'Een wat?'

'Een tweeling van wie de tweede nooit geboren is,' zei Younger. 'Niet levend. Er heeft zich nog nooit een geval voorgedaan van een levende tweeling.'

'Eerst zien we in Wall Street een vrouw zonder hoofd en nu hebben we er eentje met twee hoofden. Dat noem ik nog eens... Hé, wacht even. Die had ook rood haar.'

'Een vrouw zonder hoofd? Met rood haar?' vroeg Younger.

'Haar hoofd had rood haar. We zijn er nota bene langsgelopen. En ik ben er behoorlijk zeker van dat ze net zo'n jurk droeg als deze hier. Ik ga naar het lijkenhuis. Misschien dat er bij haar een kies ontbreekt.'

⁂

Diezelfde ochtend meldden kranten in het hele land dat Edwin Fischer, de man die vooraf over de Wall Street-aanslag had geweten, in Hamilton, Ontario, in verzekerde bewaring was gesteld nadat een raad van Canadese magistraten hem krankzinnig had verklaard. Fischer was voor het gerecht gedaagd door zijn eigen zwager, die over de inmiddels beroemde ansichtkaarten had gelezen en begeleid door twee agenten van het Amerikaanse ministerie van Justitie van New York naar Toronto was gereisd.

✿

Nadat de rechercheur vertrokken was, keek Younger uitgebreid in het Bellevue rond. Voor een arts was het niet al te lastig zijn gezag in een groot, overbevolkt ziekenhuis te doen gelden. En dat gold zeker voor Younger, die tijdens de oorlog geleerd had bij zijn ondergeschikten gezag af te dwingen door de simpele kunstgreep toe te passen zich zo te gedragen alsof het voor zich sprak dat zijn bevelen werden opgevolgd.

Hij vond de röntgenafdeling op de eerste verdieping. Die was zoals hij gehoopt had: een modern apparaat dat op een transformator werkte in plaats van middels inductie en was uitgerust met Coolidge-buizen. De milliampères waren duidelijk aangegeven. Hij wist dat hij het kon bedienen.

✿

Op het hoofdbureau van politie klopte Roederheusen op Littlemores deur. 'Ik heb die postbode, chef,' zei hij. 'Degene die de post op de hoek van Cedar en Broadway ophaalt.'

'Waar wacht je nog op?' vroeg Littlemore. 'Stuur hem naar binnen.'

'Eh, chef, denkt u dat ik een bijnaam kan krijgen?'

'Een bijnaam? Hoezo?'

'Stanky heeft een bijnaam. En mijn naam is best lastig voor u, chef.'

'Goed dan, geen slecht idee. Ik zal je Spanky noemen.'

'Spanky?'

'Gaat mooi samen met Stanky. En nu hier met die postbode.'

'Ja, chef. Dank u, chef.'

Roederheusen keerde een ogenblik later met de postbode in zijn kielzog terug. Littlemore bood de man een stoel, een donut en koffie aan. De postbode, die de drie attenties aannam, kuchte en snoof.

'Dus u bent degene die de circulaires heeft gevonden,' zei Littlemore. 'Heeft u nog gezien hoe de mannen eruitzagen die ze op de bus hebben gedaan?'

Met volle mond schudde de man zijn hoofd.

163

'Juist, dit is wat ik weten wil: wanneer heeft u die circulaires voor het eerst gezien? Toen u de bus opende of pas later, toen u op het postkantoor terugkwam?'

De postbode snoot zijn neus in een papieren servetje. 'Ik heb geen idee waar u het over heeft. De bus was leeg.'

'Leeg?' herhaalde Littlemore. 'De brievenbus op de hoek van Cedar en Broadway? Op de dag van de bomaanslag? Op uw ronde van 11.58?'

'Die van 11.58 heb ik nooit gehaald. Na mijn ochtendrondes vond ik het welletjes. Veels te ziek. Dat was nog eens mazzel, hè?'

'Is er iemand voor u ingevallen?'

'Ingevallen? Voor mij?' De man lachte in zijn servet. 'Nog in geen honderd jaar. Waar gaat dit trouwens allemaal over?'

Littlemore stuurde de postbode weg.

⚜

Honderdtwintig kilometer verderop, in een laboratorium van Yale University, was een mensachtig creatuur getooid met een helm en gehuld in iets wat op een diepzeeduikerpak leek gewoon op zaterdag aan het werk. Het bizar ogende schepsel was bezig fumaarzuur in zes buizen met thorium te titreren in een poging ionium te isoleren. Nog voordat deze lastige en tijdrovende klus geklaard was, sjokte het creatuur het lab uit en het felle zonlicht van de binnenplaats van een campus in, met als gevolg dat een kind huilend naar zijn kinderjuf vluchtte.

Het schepsel trok de handschoenen uit en zette de helm met kijkspleet af. Daaronder vandaan golfde het lange donkere haar van Colette Rousseau. Ze ging op een bank zitten, verblind door de zon na de dubbele duisternis van zowel het laboratorium als haar helm.

Colette en Luc waren die ochtend vroeg in New Haven aangekomen zodat zij haar laboratoriumtaken na twee dagen van afwezigheid kon voortzetten. Haar experimenten waren erop gericht het bestaan van ionium te onderzoeken, een hypothetisch nieuw element waarvan professor Bertram Boltwood beweerde de ontdekker te zijn; 'de bron van het radium' had hij het genoemd. Madame Curie geloofde niet in ionium en had geoordeeld dat het slechts een verschijningsvorm van thorium was. En dus geloofde Colette ook niet in ionium. Ze had al vastgesteld dat ionium niet met gewone precipitaten als natriumthiosulfaat of *metanatriumbenzonaatzuur* uit thorium geëxtraheerd kon worden. Vandaag probeerde ze fumaanzuur. Maar in haar zware, met lood gevoerde handschoenen waren haar handen gaan trillen, en ze had moeten stoppen.

Ze bond haar haar in een lange vlecht en gooide deze over een schou-

der van haar beschermende pak. Ze trok de ketting met medaillon tevoorschijn die altijd op haar borst hing. Ze draaide de kunstig gegroefde
ring eerst de ene kant uit, toen de andere en opende de twee helften van
het medaillon. In de palm van haar hand viel een dun, dofmetalen ovaal
– als een ellipsvormige munt – waarin twee kleine gaatjes waren geslagen.

De ene kant van het metalen ovaal was kaal. Toen ze het omdraaide,
liet Colette haar ogen over een reeks machinaal uitgestanste letters en cijfers glijden: HANS GRUBER, BRAUNAU AM INN, 20.4.89., 2. ERS. MASCH.
GEW. K., 3.A.K. NR. 1128.

Ook al was het zaterdag, toch zag Littlemore licht branden in het kantoor van de commissaris. De rechercheur klopte aan en ging naar binnen.

'Inspecteur Littlemore, jou wilde ik net spreken,' zei commissaris Enright vanuit een leunstoel bij een groot raam, terwijl hij opkeek van een
rapport dat hij had zitten lezen. Enright werd door zijn mannen op handen gedragen. Hij was de enige politiecommissaris in de geschiedenis van
New York die het van gewoon diender tot deze positie had weten te
schoppen. 'Ik heb contact gehad met de Canadezen. Die zijn graag bereid om hem uit te leveren. Stuur iemand naar Ontario om die Edwin
Fischer op te halen.'

'Er is al iemand onderweg,' zei Littlemore.

'Zo mag ik het horen. Gisteren heb je directeur Flynn van het BOI gesproken. Wat voor indruk kreeg je?'

'Big Bill laat niets los, commissaris,' zei Littlemore. 'Neem nou Fischer.
Flynn wist dat Fischer vastzat, maar wilde niet zeggen waar of hoe hij
ervan wist. Terwijl wij hem nota bene al ons bewijsmateriaal hebben toe-
gespeeld.'

Enright schudde meelevend met zijn hoofd. 'Precies wat ik verwacht
had. Daarom heb ik jou als verbindingsofficier aangewezen. Zij mogen
dan over meer middelen beschikken dan wij, Littlemore, maar niet over
meer hersencapaciteit. Blijf ze steeds een stap voor. Zorg dat we mee blijven doen. Flynn heeft die circulaires gevonden. Laten wij de volgende
vondst doen.'

'Ik zie niks in die circulaires,' zei Littlemore.

'Je ziet er "niks" in?'

'Dat verhaal van Flynn klopt van geen kanten. Het is onmogelijk dat
die bommenleggers vanaf Wall Street om 11.58 uur bij die brievenbus hadden kunnen zijn. Plus dat die vlugschriften gewoon verkeerd aanvoelen.
Er staat niet eens iets over de bomaanslag in. Als ik die aanslag in Wall

Street gepleegd had en iedereen had willen laten weten dat het mijn werk was, dan zou ik dat zeggen ook. Mr. Enright, ik betwijfel of die circulaires wel echt bij een brievenbus zijn opgehaald. Ik ben net klaar met de postbode die de bus had moeten legen. Die is die ochtend ziek naar huis gegaan.'

'Wat wil je daarmee zeggen, Littlemore?'

'Niets. Het enige wat ik weet, is dat Flynn alles uit de kast haalt om onze bomaanslag met die van 1918 en 1919 in verband te brengen. Hij beweerde zelfs dat het hoofdpostkantoor van Chicago op de derde donderdag van september was opgeblazen, zodat 16 september de exacte verjaardag was.'

'Ja, dat heb ik ook in *The Times* gelezen,' zei Enright.

'Die bom in Chicago ontplofte op 4 september 1918, Mr. Enright. Ik weet niet of dat een donderdag was, maar het was in elk geval niet de derde donderdag. Ik denk dat we moeten blijven graven.'

'Zeker moeten we blijven graven,' zei Enright. 'Daarom gaan we Mr. Fischer aan de tand voelen. Maar laat ik je gelijk duidelijk maken dat ik het op dit punt geheel met minister Palmer eens ben: de aanslag in Wall Street was het werk van bolsjewistische anarchisten. Wie anders zou er zoiets doen? De Grote Oorlog is niet in 1918 geëindigd. Het was een vergissing om onze troepen uit Rusland terug te trekken. Zo hebben we toegestaan dat ze de oorlog op Amerikaanse bodem voortzetten. Aan Wilson hebben we niets, maar na de verkiezingen zullen de zaken veranderen. Dan brengt Harding de oorlog terug waar hij hoort: bij Lenin op de stoep. Dat was alles, inspecteur.'

De volgende ochtend keerde Younger terug naar het Bellevue. Het was nu veel rustiger in het ziekenhuis, niet omdat er opeens minder patiënten waren, maar omdat het zondag was, er dus minder medisch personeel aanwezig was en er nauwelijks behandelingen werden gegeven.

In een badkamer op de eerste verdieping trok Younger een witte jas over zijn pak en das aan. Hij liep met statige passen door de gang, ging de kamer binnen waar het röntgenapparaat stond, rolde het geval naar buiten en loodste het een lift in, waarna hij in een gang op de tweede verdieping uitkwam, waar hij op dwingende toon om een verpleegster riep om hem te assisteren. Onmiddellijk kwam er een aangesneld.

Het bewusteloze roodharige meisje lag op dezelfde kamer in dezelfde toestand – in leven, zij het in coma. Met hulp van de zuster draaide Younger het meisje op haar buik, met haar wang op de houten röntgenbank.

En profil zag ze er bijna bovennatuurlijk engelachtig uit, afgezien dan van de monsterlijke wanstaltigheid die uit haar kin en hals puilde en die er in het elektrische licht van de ziekenhuisruimte nog veel gezwollener en onnatuurlijker uitzag dan in het halfduister van de kerk. Younger porde met twee gehandschoende vingers in de vormeloze substantie, hetgeen een vreemd, uiterst niet medisch verantwoord gevoel van walging bij hem opriep. Vanbinnen was het gezwel zacht maar korrelig.

Röntgenfoto's maken van een bewusteloze patiënt was aanzienlijk makkelijker, zo ondervond Younger, dan van iemand die bij bewustzijn is. Hiermee was het probleem opgelost van een patiënt die tijdens de bestraling beweegt. Hij manoeuvreerde de röntgenbuis, die in een kist zat vastgeklemd die onder de tafel op wieltjes meebewoog, probleemloos pal onder de wang van het meisje. Terwijl hij zich met een loden paneel beschermde, begon hij met het bestralen en stelde hij het diafragma zo af dat uitsluitend het gezwel op het testbeeld boven het hoofd van het meisje fluorescentie vertoonde. Toen verving hij het testbeeld door een onbelichte fotografische plaat. Hij liet de straling exact acht seconden door het meisjeslichaam stromen, herhaalde dit proces verscheidene malen vanuit verschillende hoeken en gebruikte daarvoor elke keer een nieuwe plaat.

༺ꕥ༻

Diezelfde ochtend buitelde de Littlemore-clan hun etagewoning in Fourteenth Street uit om naar de kerk te gaan. De kinderen waren geschrobd en geboend totdat ze als vrolijke spiegels glommen. Littlemore droeg de peuter Lily op zijn schouders. Lily kreeg altijd een speciale behandeling; vanwege een aandoening maakte geen van de kinderen daar bezwaar tegen.

Betty's moeder, vijftien centimeter korter dan Betty zelf, deed wat ze elke zondagmorgen deed: ze zette haar zondagse hoed op, voegde zich bij het gezin en bleef nadrukkelijk bij haar schoonzoon uit de buurt. Uit eerbied voor Betty's sterker ontwikkelde religieuze gevoelens had Littlemore ermee ingestemd elke zondag naar een katholieke kerk te gaan en hun kinderen in dat geloof op te voeden, maar hij had nooit aan dat almaar kruisjes slaan kunnen wennen. Of aan het knielen. Of het biechten. Hij was bereid zijn hoofd te buigen, maar een kruis slaan was te veel gevraagd. Bijgevolg getuigde Betty's moeder elke zondag van haar vroomheid door net te doen alsof ze haar schoonzoon niet kende.

Een kleine Littlemore riep naar zijn vader dat er post was. Hij gaf Littlemore een kleine, bedrukte, vierkante envelop. Terwijl hij Lily van zijn schouders haalde, legde Littlemore zijn zoon uit dat, wat de envelop ook

was, het geen post kon zijn, omdat er op zondag geen post werd bezorgd.
'Is het een bom?' vroeg de jongen oprecht nieuwsgierig.

'Alsjeblieft, natuurlijk is het geen bom,' zei Littlemore, die probeerde te klinken alsof het idee alleen al absurd was. Hij wisselde een korte blik met Betty. 'Bommen zijn groter.'

De envelop bevatte een gedrukte invitatie voor zeven uur die avond in de Bankers and Brokers Club. De uitnodiging was van Thomas Lamont afkomstig.

De rechercheur en zijn gezin waren nog geen half huizenblok gevorderd, toen een mollige man in een donker pak de straat overstak en Littlemore op de schouder tikte. Het was een van Flynns ondergeschikten.

'Ik heb een boodschap voor je,' zei de assistent.

'O ja?' zei Littlemore. 'Laat maar horen dan.'

'De baas weet dat je een brievenbesteller van de Amerikaanse posterijen hebt ondervraagd.'

'O ja? Nou, en ik heb een boodschap voor Big Bill,' antwoordde Littlemore. 'Zeg hem maar dat zo iemand een postbode heet. Gewoon postbode. Onderweg naar de kerk?'

'Je vindt jezelf knap bijdehand, niet?' zei Flynns hulpje. Hij keek naar de kinderen van Littlemore en toen naar hun moeder in haar zondagse jurk. 'Leuk gezinnetje. De baas weet alles over die familie van je. Spaghettivreters, niet?'

Littlemore ging vlak voor de man staan. 'Je probeert me toch niet te bedreigen of zo?'

'We vroegen ons alleen maar af waarom de zoon van een Ier met een knoflookbol is getrouwd.'

'Kwaliteitsonderzoek, hoor,' zei Littlemore, 'maar mijn vader is geen Ier.'

'O nee?'

'Nee.'

'Hoe komt het dan dat hij zuipt als een Ier?' De assistent, veel groter dan Littlemore, lachte uitbundig om zijn eigen grapje en bracht een 'har har har'-geluid voort. 'Ik heb gehoord dat je pa niet meer nuchter is geweest sinds ze hem uit het korps hebben gemieterd.'

Littlemore lachte inschikkelijk, schudde zijn hoofd en keerde zich om. 'Best, de eerste ronde is voor jou,' zei hij, waarna hij om zijn as draaide en de assistent met één uithaal naar zijn middenrif, gevolgd door een vuistslag in zijn vollemaansgezicht, vloerde. Flynns hulpje probeerde overeind te krabbelen, maar viel groggy op het trottoir terug. 'Maar aan de tweede ronde moet je nog een beetje werken.'

Littlemore en zijn gezin vervolgden hun wandeling naar de kerk.

Nadat hij de belichte platen ontwikkeld en gefixeerd had, meende Younger dat hij de milliampères op het röntgenapparaat verkeerd moest hebben afgesteld. Op de platen viel geen enkel beeld te ontwaren, slechts een amorfe witte wolk, bespikkeld met een kolkend schaduwpatroon dat Younger nooit eerder had gezien. Anderzijds was het topje van haar borstbeen duidelijk zichtbaar, waaruit hij kon afleiden dat het negatief niet overbelicht was. Het was alsof de stralen gewoonweg niet bij machte waren geweest om zich door wat het ook was dat uit de hals van het meisje groeide heen te boren.

Younger pakte een nieuw stapeltje platen. Deze keer varieerde hij in de bestralingsduur en gebruikte zowel korte als lange intervallen. Toen hij de nieuwe afbeeldingen ontwikkeld had, bleken de resultaten ofwel waardeloos ofwel identiek aan de eerste.

In het algemeen genomen is er niets opzienbarends aan dat een deel van het menselijk lichaam röntgenopaak – bestand tegen röntgenstralen – is. Botten zijn bijvoorbeeld röntgenbestendig. Ook was het niet ondenkbaar dat het gezwel dat uit de kaak van het meisje groeide uit massief bot bestond. Bij gevorderde reumatoïde artritis konden hoornvormige uitgroeisels op de meest uiteenlopende plekken van het lichaam de meest bizarre vormen aannemen. Een dergelijk uitgroeisel uit de kin en hals van het meisje zou op Youngers platen volmaakt wit oplichten.

Er waren drie problemen met deze theorie. Ten eerste zou een hoornvormig uitgroeisel zich scherp op de platen hebben afgetekend, niet als de onafgegrensde amoebe van wit die op de röntgenfoto's van het meisje te zien was. Ten tweede zou bot nooit een schuimend schaduwpatroon in het vormeloze wit hebben achtergelaten; een patroon dat op elke plaat net ietsje leek te verschuiven, alsof wat daar zat voortdurend van vorm veranderde. Tot slot had Younger de substantie met zijn vingers betast en er aan weerszijden van de dunne blauwe scheur op gedrukt. De massa gaf te zeer mee, was bijna niet vast te pakken, alsof hij zich aan zijn aanraking wilde onttrekken.

Younger slikte met droge mond en overwoog de mogelijkheid dat er zich in de hals van het meisje iets levends bevond, iets wat ongevoelig was voor röntgenstralen.

De Bankers and Brokers Club was gevestigd in een fraai herenhuis in klassiek Grieks-Romeinse stijl in het zakencentrum. Om kwart over zeven die avond trof Littlemore Thomas Lamont op de derde verdieping van de club, waar hij in zijn eentje in een hoek zat van een verder druk bevolkt, gerieflijk ingericht vertrek dat kennelijk voor whist en sigaren was bestemd. Alle aanwezigen waren mannen. Littlemore verbaasde zich over de atmosfeer die er hing – niet de dichte sigarenrook, maar de uitgelatenheid en het plezier die er heersten. Ondanks de aanslag ging het met de zaken kennelijk nog steeds uitstekend.

Lamont was daarentegen onrustig. Hij zag eruit alsof hij graag ergens anders zou zijn. 'Een drankje, inspecteur?' vroeg hij. 'Dit is een privéclub, dus het is volkomen legaal.'

'Geen dorst,' zei Littlemore.

'Ah, natuurlijk, in functie,' zei Lamont terwijl hij een ober wegwuifde. 'Ik heb nagedacht over wat u mij vrijdag gezegd heeft. Weet u zeker dat die criminelen het op mijn bank voorzien hadden?'

'Ik heb nooit gezegd dat ik dat zeker wist, Mr. Lamont,' antwoordde Littlemore. 'Ik heb alleen gezegd dat als ik u was, ik daarachter zou willen komen.'

'U vroeg me of de bank vijanden heeft. Nadat u was weggegaan schoot me een naam te binnen. Maar het mag nooit bekend worden dat ik die naam heb genoemd. Is dat afgesproken?'

Littlemore knikte. Lamonts gedempte stem gekoppeld aan het rumoer van het kaartspel waarborgden dat er niemand mee kon luisteren. Dikke slierten rook kringelden rond de leunstoelen en dreven omhoog naar het cassetteplafond.

'Het is iemand uit het bankwezen,' ging Lamont bijna fluisterend verder. 'Een buitenlander. Voor de oorlog was hij de op een na rijkste financier van New York – hij moest alleen J.P. Morgan boven zich dulden, dat wil zeggen: J.P. senior. En of hij Morgan daarvoor haatte. Nu is hij zwaar onderuitgegaan en houdt hij ons verantwoordelijk voor zijn malaise. Dat is natuurlijk bespottelijk. Het is een Duitser, een persoonlijke vriend van de keizer. Zijn bankiershuis financierde de legers van de Kaiser. Uiteraard droogde zijn kredietstroom op toen ons land het zijne de oorlog had verklaard. Wat had hij anders verwacht? Maar hij lijkt te geloven dat er zelfs nu nog een samenzwering bestaat om hem kapitaal te weigeren en dat wij het meesterbrein erachter zijn. Hij heeft me bedreigd.'

Lamont zag er onmiskenbaar angstig uit.

'Wat voor dreigement?' vroeg Littlemore.

'Het was tijdens ons diner voor de campagne van de Democraten. Of nee, het was ons diner voor de Republikeinen, voor Harding. We steunen ze allebei, uiteraard. Hoe dan ook, hij nam me terzijde en drukte me op het hart dat ik "uit moest kijken" – dat waren zijn exacte woorden, inspecteur – dat ik "uit moest kijken" omdat "sommige mensen er niet van gediend zijn wanneer een van de huizen met de andere samenspant om ze hun kapitaal te ontzeggen.'"

'U zei dat hij het Duitse leger financierde?'

'Zonder meer,' zei Lamont. 'In het geheim, natuurlijk. U zult zijn naam nergens op een document tegenkomen. Weet u, het zit in hun aard. Een bolsjewiek, in feite.'

'Wacht even,' antwoordde Littlemore. 'U zei dat die vent een bankier is, een vriend van de keizer...'

'Nou en of, de Kaiser heeft hem tot ridder geslagen. Hij heeft het kruis in de orde van de rode adelaar ontvangen.'

'En een bolsjewiek?'

'Hij is joods,' verduidelijkte Lamont.

Aan de andere kant van de kamer barstten mannen in lachen uit. Een butler kwam naderbij.

'Ah, een jood,' zei Littlemore. 'Nu snap ik het. Hoe heet hij?'

De butler boog zich naar Lamont en zei: 'Die heer is er weer, meneer.'

'Zeg hem in vredesnaam dat ik er niet ben,' antwoordde Lamont.

'Ik ben bang dat hij weet dat u hier bent,' zei de butler.

'Vertel hem maar dat hij weg moet gaan. Ik ga niet naar de club om er zaken te doen. Zeg hem dat hij maar naar mijn kantoor moet komen.' Tegen Littlemore voegde hij eraan toe: 'De nieuwe financiële consul van Mexico. Die krijgt het maar niet in zijn botte hoofd wat het woord "nee" betekent.'

'De naam van de man, Mr. Lamont,' zei Littlemore.

'Señor Pesqueira of zoiets. Hoezo?'

'Niet die. De man die u bedreigd heeft.'

'O, Speyer. Mr. James Speyer.'

'Weet u waar ik hem kan vinden?'

'Daarvoor heb ik u hier uitgenodigd. U kunt Mr. Speyer wellicht vanavond te spreken krijgen.'

'Is hij lid?' vroeg Littlemore.

'Van de Bankers and Brokers?' vroeg Lamont op zijn beurt vol ongeloof. 'Absoluut niet. Mr. Speyer dineert graag in Delmonico's. Dat is een openbare gelegenheid. Ik heb gehoord dat hij daar vanavond zal zijn. Het kon wel eens uw laatste kans zijn.'

'Hoezo?'

'Men zegt dat hij morgen het land verlaat.'

In New Haven, Connecticut, waren ook Colette en Luc Rousseau die zondag naar de kerk geweest, vlak bij de statige landhuizen op Hillhouse Avenue. Onderweg naar huis liepen ze om een oude begraafplaats heen, terwijl topzware wolken gedachteloos in een opzichtig blauwe lucht dreven. Colette probeerde de hand van haar broertje vast te houden, maar die wilde daar niets van weten.

Nadat de zon was ondergegaan en Colette terug was gekeerd naar hun kleine slaapvertrek, schreef ze een brief.

19/9/1920

Beste Stratham,

Ik schrijf je dit terwijl Luc speelt dat hij jou is en met een denkbeeldige honkbalknuppel loopt te zwaaien. Dan doet hij net alsof hij die verschrikkelijke man is en springt wild rond omdat zijn haar in brand staat.

Ik geloof dat hij het niet erg vond ontvoerd te worden. Hij was helemaal niet bang. Maar hij is wel kwaad op mij omdat ik uit Amerika weg wil. Ik zou zeggen dat hij niet meer met me praat, als je zoiets tenminste kunt zeggen van een jongen die niet praat.

Ben je erachter gekomen wie dat meisje was of heb je haar hals onderzocht? Elke keer als ik aan haar denk, heb ik de vreemdste gevoelens. Ik wou dat ze gewoon dat afgrijselijke horloge gepikt had en ervandoor was gegaan.

Stratham, je zult me niet geloven wanneer ik je zeg hoezeer ik het betreur te moeten vertrekken. Ik vertelde het meisje van hierboven over mijn uitstapje naar New York: een bomaanslag, een ontvoering, een mes dat me rakelings miste, een krankzinnige vrouw in een kerk. Ze zei dat als het haar was overkomen ze erin gebleven was van de schrik. Ze zei dat ik vast zo snel als ik kan het land uit wil. Maar nee. Ik wil blijven.

Maar ik heb een plechtige belofte gedaan. Ik weet dat je het niet graag hoort, maar ik heb nog nooit voor iemand gevoeld wat ik voor Hans voel. Hem nog een keer ontmoeten, is belangrijker voor me dan wat ook ter wereld, zelfs als het bij die ene ontmoeting blijft. Het spijt me. Maar misschien kan het jou niets schelen; bij jou weet ik het nooit.

Als het je wel iets kan schelen, wil ik je iets heel dwaas vragen: een gunst die ik nauwelijks durf op te schrijven gezien alles wat je al voor me hebt gedaan. Ik ben vast het ondankbaarste meisje dat ooit geleefd heeft. Kom alsjeblieft met me mee naar Wenen. Dat is de gunst die ik je

vraag. In alle oprechtheid verwacht ik Hans maar één keer te zien, en
daarna nooit meer. Hoe het ook loopt, ik zal in mijn hart wensen dat je
daar bij me was. Zeg alsjeblieft dat je meegaat.

Met al mijn genegenheid,
Colette

In Delmonico's waren de rookwalmen nog dichter, maar verder ging het er rustiger en ingetogener aan toe. In de hoofdzaal, die op Fifth Avenue uitkeek, viel het Littlemore op dat de gebruikelijke overdaad aan diamanten oorbellen en glinsterend kristal afwezig was. De bomaanslag bleef het belangrijkste gespreksonderwerp, maar de verdoving en sprakeloosheid die op de gruwelen van 16 september waren gevolgd maakten, bij sommigen, langzaam plaats voor venijn en woede.

'Weet je wat we zouden moeten doen?' vroeg een man aan een tafel voor vier. 'Die Italianen een voor een afknallen totdat ze ons vertellen wie het gedaan heeft.'

'Maar, Henry, toch niet allemaal?'

'Waarom niet?' pareerde Henry. 'Als zij ons opblazen, maken wij hen af. Zo simpel is het. Dat is de enige manier om een terrorist te stoppen. Tref hem waar het echt pijn doet.'

'Waarom haten ze ons zo?' vroeg een vrouw naast Henry.

'Mij een biet.'

'Ik zeg: allemaal het land uit zetten,' verklaarde de andere man. 'Gooi alle Italianen het land uit, dan zijn die afgrijselijke bomaanslagen zo voorbij. Ze dragen toch al niets aan de samenleving bij.'

'En de familie Delmonico dan?' vroeg de andere vrouw. 'Die dragen toch heel wat bij?'

'Alle Italianen het land uit behalve de Delmonico's!' riep de man, terwijl hij zijn glas in een spottend proostgebaar hief.

'Nee, mijn biefstuk is te doorbakken, dus ook de Delmonico's eruit!' joelde Henry. De tafel barstte in lachen uit. Het was de gasten kennelijk ontgaan dat de Delmonico's niet langer eigenaar waren van Delmonico's.

De eerste kelner liep op Littlemore af. Deze vroeg naar Mr. James Speyer en werd naar een binnentuin geleid, waar de ramen van de vloer tot aan het plafond uit gebrandschilderd glas bestonden. Aan een hoektafel zat een man alleen, een man van rond de zestig met de haren nog overwegend zwart en de treurige ogen van een basset. De rechercheur liep op de tafel af.

'De naam is Littlemore,' zei Littlemore. 'New York Police Department.

Heeft u er bezwaar tegen als ik ga zitten?'

'Ah,' zei Speyer. 'Eindelijk krijgt de wet een gezicht. Waarom zou ik er bezwaar tegen hebben? Niemand eet graag alleen in een restaurant.' Speyer sprak met een onmiskenbaar Duits accent. Voor hem stonden de lege borden en glazen van een geheel verorberd maal. Hij vervolgde: 'Weet u wat jullie gedaan hebben? Jullie hebben dit etablissement vernietigd.'

Mr. Speyer was ontegenzeggelijk aangeschoten.

'Ik dol altijd wat met de ober,' ging hij verder. 'Dan vraag ik of ze moerasschildpad serveren. Niet dat ik dat ooit zou eten, maar ik vraag het. "Nee," zegt hij, "de moerasschildpad is verartikelachttiend. Je kunt geen moerasschildpad klaarmaken zonder wijn." Dus bestel ik de biefstuk bordelaise. Hij zegt: "De bordelaise is ook verachttiend, die is ook illegaal." Zo gaan we maar door. Uiteindelijk vraag ik wat hij wel heeft. Zegt hij: "Probeer eens de nummer achttien."'

Littlemore zei niets.

'Nummer achttien: de gebraden lendenbiefstuk,' verduidelijkte Speyer. 'Het gerecht dat altijd op was. Nu is dat het enige wat je hier nog kunt krijgen, de rest is drooggelegd.'

'Wij maken de wetten niet, Mr. Speyer,' zei Littlemore. 'Ik wil u graag een paar vragen stellen.'

'Goed dan,' zei Speyer. 'Maar niet hier. Als u zo nodig moet, laten we dan naar mijn auto gaan.'

Speyer betaalde zijn rekening en begeleidde de rechercheur naar Forty-fourth Street. Buiten stond een zilverkleurige vierzitter geparkeerd. 'Wat een schoonheid, hè?' zei Speyer. Hij trok het achterportier open, de chauffeur startte de motor. 'Na u, inspecteur.'

Littlemore stapte in. De chauffeur keek Littlemore in zijn achteruitkijkspiegeltje aan, draaide zich om en vroeg wie hij was.

'Het is in orde,' zei de rechercheur. 'Ik hoor bij Mr. Speyer.'

'Speyer? Wie is dat?' vroeg de chauffeur.

Het portier dat Speyer zo hoffelijk voor de rechercheur had opengehouden, stond nog op een kier.

'Dit is toch niet te geloven,' zei Littlemore tegen niemand in het bijzonder. De rechercheur wurmde zich uit de wagen. James Speyer was nergens te bekennen. Nijdig op zichzelf keerde Littlemore naar het restaurant terug, waar hij om zijn mannen, Stankiewicz en Roederheusen, riep.

❧

Op de ochtend van maandag 20 september kwam Edwin Fischer onder begeleiding van twee agenten van de NYPD per trein vanuit Canada op

Grand Central Terminal aan. Verslaggevers van alle kranten van de stad stonden hem samen met een aanzienlijke menigte op te wachten.

De knappe, vlasblonde Fischer stelde niet teleur. Elke vraag beantwoordde hij even welgemoed, terwijl hij de toegestroomde toehoorders waarschuwde dat hij niet over de bomaanslag mocht praten. Fischer had het kennelijk warm, want hij ontdeed zich van het crèmekleurige jasje van zijn pak, vouwde het netjes op en gaf het aan een verbouwereerde politieagent – en onthulde daarmee een tweede jasje; ditmaal een marineblauwe blazer.

'Vanwaar die twee jasjes, Fischer?' riep een journalist. 'Is het zo koud in Canada?'

'Ik draag er altijd twee,' antwoordde Fischer opgewekt, en hij toonde de taille van een marineblauwe broek die boven het crèmekleurige exemplaar uitstak. 'Waar ik ook heen ga, ik draag altijd twee pakken.'

De verslaggevers wisselden veelbetekenende knipogen: ze hadden allemaal gehoord dat Fischer geschift was. Een van hen vroeg waarom hij twee pakken droeg. Fischer verklaarde dat hij als Amerikaan graag sportief gekleed ging, terwijl hij als lid van de Franse consulaire staf altijd een meer formele uitmonstering achter de hand moest hebben. Met sprankelende ogen toverde hij nog een derde pak vanonder de eerste twee tevoorschijn, dat van wit katoen leek gemaakt, geschikter voor sportieve verrichtingen in de open lucht. Toen hem de reden werd gevraagd, antwoordde hij dat een opdringerige kerel hem, kort nadat hij het Open voor het laatst gewonnen had, tot een spelletje had uitgedaagd, dat hij had moeten weigeren omdat hij geen geschikt tenue bij de hand had. Op dat moment had hij besloten altijd op een wedstrijd voorbereid te zijn.

'Het Open?' vroeg iemand. 'Welk Open was dat, Ed?'

'Hoezo, het U.S. Open natuurlijk,' zei Fischer.

De bewering werd met onderdrukt gegiechel begroet. 'Dus je hebt de U.S. Open gewonnen, Eddie?' riep iemand.

'Jazeker,' zei Fischer met een brede glimlach. Hij had een voortreffelijk gebit. 'Vele keren.'

Het gelach klonk minder ingehouden.

'Hoe vaak?'

'Na de derde keer ben ik de tel kwijtgeraakt,' antwoordde hij onverdroten.

'Vooruit, opschieten nu,' zei een van de politieagenten, terwijl hij het crèmekleurige jasje in Fischers armen duwde.

Onder begeleiding van commissaris Enright, hoofdinspecteur Lahey en officier van justitie Talley werd Fischer van het Grand Central voor verhoor naar het hoofdbureau van politie overgebracht. Inspecteurs van de explosievenopruimingsdienst en de afdeling Moordzaken, onder wie Littlemore zelf, zaten op een rij harde stoelen tegen een muur. Fischer had voor iedereen een vriendelijk woord. De officier van justitie sneeuwde hij bijna onder met gemoedelijk gebabbel, waarbij hij niet slechts naar Talleys eigen gezondheid informeerde, maar ook naar die van Mrs. Talley.

'Jullie kennen elkaar?' vroeg commissaris Enright.

'We zijn oude vrienden,' antwoordde Fischer. 'Nietwaar, Talley?'

'Ik heb die man nog nooit ontmoet, commissaris,' zei Talley tegen Enright.

'Moet je hem horen,' zei Fischer lachend, terwijl hij Talley vriendschappelijk op de rug sloeg. 'Altijd een en al grapjes, die man.'

Commissaris Enright schudde zijn hoofd en gelastte met het verhoor te beginnen. 'Mr. Fischer,' zei hij, 'hoe komt het dat u wist dat er op 16 september een bomaanslag in Wall Street zou plaatsvinden?'

'Nou, maar dat wist ik ook niet, toch?' antwoordde Fischer. 'Ik wist alleen maar dat het na de slotbel van de vijftiende zou gebeuren.'

'Maar hoe? Hoe wist u dat?'

'Ik heb het uit de lucht.'

'De lucht?'

'Ja. Van een stem,' verduidelijkte Fischer behulpzaam. 'Uit de lucht.'

'Wiens stem?' vroeg hoofdinspecteur Lahey.

'Geen idee. Misschien van een medeagent van de geheime dienst. Ik ben geheim agent, moet u weten. Undercover.'

'Wacht eens even,' zei de officier van justitie. 'Hebben we elkaar niet een paar jaar terug bij dat gala voor de prijsuitreikingen van de Metropolitan Tennis Association ontmoet?'

'En of we elkaar ontmoet hebben,' antwoordde Fischer. 'We hebben de hele avond naast elkaar gezeten. U was de gangmaker van het feest.'

'Goeie genade,' verzuchtte Enright. 'Ga alstublieft verder.'

'Wie is uw contactpersoon bij de geheime dienst?' vroeg Lahey.

'U wilt zijn naam weten?' was Fischers wedervraag.

'Zijn naam, ja.'

Fischer wierp Talley een blik toe die hem liet weten dat hoofdinspecteur Lahey lichtelijk onnozel moest zijn, of op zijn minst niet helemaal op de hoogte, maar dat het tegelijkertijd onbeleefd was dat met zoveel woorden te zeggen. 'Hemeltje, hoofdinspecteur. Hij heeft me zijn naam nooit verteld. Stel je voor, dat zou geen beste beurt zijn voor een geheim agent.'

'Hoe wist u van de bomaanslag?' vroeg Talley voor de zoveelste keer. Fischer zuchtte. 'Dat heb ik uit de lucht.'

'Via draadloze communicatie?' vroeg Lahey.

'U bedoelt een radio? Ik dacht het niet. U moet weten, ik sta op heel goede voet met God. Sommige mensen nemen daar aanstoot aan.'

Na tweeënhalf uur beëindigde commissaris Enright het verhoor zonder dat het enig resultaat had opgeleverd. Fischer werd in een gesticht opgenomen.

⁂

Littlemore trok officier van justitie Talley aan zijn jasje voordat laatstgenoemde de kans kreeg het hoofdbureau van politie te verlaten en vroeg hem of het wettelijk was toegestaan dat er troepen van het federale leger in een straat in Manhattan waren gestationeerd.

'Waarom niet?' antwoordde Talley.

'Ik heb de infanterie nog nooit eerder in de stad gezien,' zei Littlemore. 'Ik dacht dat ze de plaatselijke reservisten voor dat soort dingen op moesten roepen – je weet wel, met toestemming van de gouverneur.'

'Geen idee,' zei Talley. 'Dat is federaal recht. Waarom vraag je het de jongens van Flynn niet? Die weten het vast.'

Littlemore ging terug naar zijn kantoor en ijsbeerde getergd op en neer. Toen zwengelde hij zijn telefoon aan. 'Rosie,' zei hij tegen de telefoniste, 'geef me de Metropolitan Tennis Association aan de lijn.'

Terwijl Littlemore de hoorn op de haak legde, stak agent Stankiewicz zijn hoofd door de deuropening. Hij hield een stapel papieren in zijn hand. 'De definitieve lijst van doden en gewonden, chef,' zei Stankiewicz. 'Wilt u hem nog zien voordat hij de deur uit gaat?'

Littlemore bladerde door het slordig getypte document, waarin van iedere man, vrouw en kind die op 16 september gedood of gewond was naam, adres, leeftijd en, mits van toepassing, beroep stonden vermeld. Pagina na pagina, honderden en honderden namen. Littlemore sloot zijn ogen, en opende ze weer toen iemand op de deur klopte. Ook agent Roederheusen stak zijn hoofd om de hoek van de deur.

'Ik heb het schip van Speyer gevonden, chef,' zei Roederheusen, ongeschoren en met bloeddoorlopen ogen. 'Ene James Speyer heeft een overtocht op de *Imperator* geboekt die morgenochtend om halftien naar Duitsland afvaart. Ik heb de passagierslijst zelf gezien.'

'Goed werk, Spanky.'

Stankiewicz keek Roederheusen vorsend aan.

'Ik heet nu Spanky,' verklaarde Roederheusen trots.

Littlemore wreef in zijn ogen, gaf de lijst aan Stankiewicz terug en gebaarde hem te vertrekken. 'Wat heeft die Speyer allemaal in zijn schild gevoerd?' vroeg hij Roederheusen.

'Niets, chef,' zei Roederheusen. 'Hij is de hele nacht thuisgebleven. Vanochtend ging hij om acht uur naar zijn werk. Daar is hij de hele dag gebleven.'

'Wie houdt er nu een oogje in het zeil?' Littlemore liep naar de deur en riep: 'Hé, Stanky, kom even terug. Geef me die lijst nog eens.'

De telefoon ging over.

'Twee wijkagenten,' antwoordde Roederheusen, terwijl Stankiewicz het kantoor weer binnenkwam. 'Moet ik ze van de zaak halen?'

Littlemore nam de telefoon op. Rosie, de telefoniste, liet hem weten dat ze de vicevoorzitter van de Metropolitan Tennis Association voor hem aan de lijn had.

'Verbind hem maar door.' Littlemore gebaarde naar Stankiewicz om hem de lijst te geven. Tegen Roederheusen zei hij: 'Nee, zorg ervoor dat iemand hem de hele dag in de smiezen houdt. Als hij ervandoor gaat, wil ik het weten. Zo niet, dan zie ik je morgenochtend om vijf uur bij zijn huis. Om vijf uur, ja. En maak nu dat je naar huis gaat en wat slaap krijgt.' Littlemore klemde de hoorn tussen zijn kin en schouder terwijl hij naar de pagina terugbladerde met de namen van gewonde en omgekomen ambtenaren. 'Waar is die vent van Financiën, Stanky? Er is iemand van de beveiliging van Financiën omgekomen.'

'Hallo,' kraakte een mannenstem uit de hoorn.

'Als hij niet op die lijst staat, chef, dan is-ie niet dood,' zei Stankiewicz.

'Blijf even hangen,' zei Littlemore in de telefoon. 'Stanky, vandaag ben ik niet in de stemming voor tegenspraak. Ga nu de handgeschreven lijst controleren.'

'De, eh, handgeschreven lijst?'

'Hallo,' klonk het uit de telefoon.

'Blijf even hangen,' herhaalde Littlemore. En tegen Stankiewicz: 'Moet ik het soms voor je uitspellen? Jij en Spanky hebben de gegevens van alle doden en gewonden op archiefkaartjes vastgelegd. Ik heb je opgedragen op basis van die kaartjes een lijst te maken. Je hebt die lijst gemaakt. Ik heb hem zelf gezien. Toen gaf ik je opdracht de handgeschreven lijst uit te typen. Dit is de getypte lijst. Ik vraag je naar de handgeschreven lijst terug te gaan en die te controleren, ja? De naam van die vent begon met een r; dat heb ik op zijn insigne gezien. Misschien heb je er nog wel meer gemist.'

'Is daar iemand?' zei de telefoon.

'Eh, die handgeschreven lijst is er niet meer, chef,' zei Stankiewicz.

'Blijf nou goddorie even hangen, wil je?' schreeuwde Littlemore in het apparaat.

Hij keek Stankiewicz aan. 'Wat bedoel je met "hij is er niet meer"?'

Stankiewicz gaf geen antwoord.

'Juist, Stanky, dus je hebt die handgeschreven lijst weggegooid. Slimme zet. En hoe zit het met die archiefkaartjes? Ga me nou niet vertellen dat je die ook hebt weggegooid.'

'Ik dacht het niet, chef.'

'Ik help het je hopen, want anders is het volgende week weer terug de wijk in voor jou. Controleer elk kaartje. En zorg er deze keer voor dat je niemand mist.'

Alleen in zijn kantoor maakte Littlemore zich bekend aan de vicevoorzitter van de Metropolitan Tennis Association en vroeg hem of ene Edwin Fischer ooit het U.S. Open had gewonnen.

'Edwin Fischer?' antwoordde de knerpende stem. 'Die meneer die in alle kranten staat?'

'Die, ja,' zei Littlemore.

'Of die het U.S. Open ooit gewonnen heeft?'

'Ik vroeg als eerste,' zei Littlemore.

'Zeker,' zei de vicevoorzitter.

'Hoe vaak?' vroeg Littlemore.

'Hoe vaak?'

'Nou goed, als we het zo spelen,' zei de rechercheur. 'Meer dan drie keer?'

'O ja, zeker vier keer. Gemengd dubbel. Een record, geloof ik. Hij stond toen nog nummer negen op de ranglijst. Hij heeft nog steeds een van de beste bovenhandse services op het veld. Hoe kan hij in vredesnaam van die aanslag geweten hebben?'

Littlemore hing op. Een koerier kwam zijn kantoor binnen en overhandigde de rechercheur een pakketje met daarin een handgeschreven rapport en een envelop. In de envelop zat een kleine witte kies die exact in tweeën was gebroken.

❧

Die middag ontmoette Littlemore Younger in een wegrestaurantje, waar laatstgenoemde hem boven een kop bittere koffie vertelde dat het rood-

harige meisje in het Bellevueziekenhuis nog steeds buiten bewustzijn was.
'Ze had allang bij moeten komen,' zei Younger. 'Ze is niet in haar hoofd
geschoten, er zijn geen verwondingen aan haar schedel.'
'Hoe zit het met haar stem?' vroeg Littlemore. 'Colette zei dat ze als
een kerel klonk.'
'Het gezwel in haar hals drukt waarschijnlijk op haar stembanden. Gisteren heb ik röntgenfoto's van haar genomen.'
'Hoe heb je dat voor elkaar gekregen?' vroeg Littlemore.
Younger gaf geen antwoord op die vraag. 'De röntgenstralen kwamen
er niet doorheen. Ik moet zeggen dat ik zoiets nog nooit eerder heb gezien. Ik ga morgen naar New Haven om te horen wat Colette van de platen denkt.'
'New Haven?' reageerde Littlemore. 'Je mag de staat niet uit, doc. Je
wordt van een ernstig misdrijf verdacht. En je bent op borgtocht vrij, weet
je nog?'
Younger knikte, klaarblijkelijk niet erg onder de indruk van deze argumenten.
'Een serieuze zaak,' vervolgde Littlemore. 'Je kunt achter de tralies verdwijnen als je je borgtocht verbeurt.'
'Dat zal ik in gedachten houden.'
'Laat ik het zo stellen: als je gaat, wil ik er niet van weten. En wat je
ook doet, je moet hoe dan ook over een paar maanden in de rechtbank
verschijnen.'
'Hoezo?'
'Omdat de borgstelling verdorie nog aan toe op mijn naam staat. Als
jij niet komt opdagen, wordt er beslag gelegd op mijn bankrekening en
op mijn bezittingen. Plus dat ik waarschijnlijk word ontslagen, omdat een
handhaver van de wet om te beginnen niet geacht wordt zijn makker uit
de bak te houden – en al helemaal niet als die makker ook nog eens op
de vlucht slaat. Duidelijk? Sinds wanneer lap jij wetten aan je laars?'
'Als je tijdens een storm op het punt staat het loodje te leggen,' antwoordde Younger, 'en je ziet een schuur waar je jezelf in veiligheid kunt
brengen, blijf je dan buiten staan om dood te gaan of breek je in, ook al
is dat in strijd met de wet?'
'Natuurlijk breek je in,' zei Littlemore. 'Als je je ergens midden in het
niets bevindt.'
'Iedereen bevindt zich midden in het niets.'
'Geen wonder dat Colette terug wil naar Europa. Als jij zo opgewekt
doet. Nou, en ik heb nieuws voor jou. Dat meisje zonder hoofd in Wall
Street? Ze hebben haar nooit kunnen identificeren. Ze is uit het lijken-

huis verdwenen; haar hoofd, lijf, de hele mikmak.'

'Heel vreemd, maar dat verbaast me nou niets,' zei Younger.

'Daar staat dan weer tegenover dat ze de autopsie al gedaan hadden. Drie keer raden: ze miste een kies. Feitelijk meerdere kiezen. Het is geen bewijs, maar ik zou zeggen dat je je Amelia gevonden hebt. Dat wil zeggen: gevonden en weer kwijtgeraakt. En nog iets. Moet je zien wat mijn gebitsjongens hebben gevonden.' De rechercheur haalde zijn vergrootglas tevoorschijn en uit een zakdoek wikkelde hij twee minuscule helften van een kies, die hij op tafel legde. Younger bekeek ze door het vergrootglas. 'Dat is de kies die Amelia voor Colette in het hotel heeft achtergelaten. Zie je de gaatjes?'

De binnenste laag van het glazuur – het interne oppervlak van de tand dat werd blootgelegd waar deze in tweeën was gebarsten – bleek door tientallen bijna microscopisch kleine vesikels of poriën aangetast.

'Cariës?' vroeg Younger.

'Wat is dat?'

'Tandbederf.'

'Nee. De jongens van tandheelkunde zeiden dat het niet gewoon tandbederf kan zijn omdat de buitenkant van de kies daar te gaaf voor is. Zelfs geen verkleuring. Het is alsof de kies van binnenuit werd weggevreten.'

***

De brief van Colette kwam de volgende ochtend in Youngers hotel aan. Hij las hem in bed. De brief maakte een golf van tegenstrijdige gevoelens in hem los. Hij wilde met Colette mee naar Wenen, maar vond het tegelijkertijd verachtelijk een dergelijk verlangen te koesteren.

Wat voor een man reist met een meisje de halve wereld over om haar verloren gewaande geliefde te vinden? In gedachten zag hij voor zich hoe hij glimlachend aan Hans Gruber werd voorgesteld. Het beeld vervulde hem met walging. Wat werd hij helemaal geacht daar in Wenen te doen? En waarom wilde zij zo nodig dat hij meekwam?

Uiteindelijk drong het tot hem door dat ze hem daar helemaal niet wilde: dat ze hem simpelweg had uitgenodigd omdat ze geld nodig had om de reis te kunnen betalen. Dit inzicht zorgde dat hij lange tijd naar het plafond lag te staren. Onmogelijk. Het was onmogelijk dat Colette ooit zo diep zou zinken dat ze hem voor zijn geld gebruikte. Toch?

Hij vroeg zich af hoe ze, zonder zijn hulp, van plan zou zijn de reis te betalen. En uiteraard kwam hij tot de conclusie dat ze daar de middelen niet voor had.

10

Op de hoek van Fifth Avenue en Eighty-seventh Street, op een steenworp afstand van het Metropolitan Museum of Art, stond een imposant, in klassieke stijl opgetrokken herenhuis. Nog voordat de zon die dinsdagmorgen was opgekomen, gaf Littlemore Roederheusen opdracht de achterkant van het huis in de gaten te houden terwijl hij zelf op de voordeur afstapte.

Er viel geen enkele activiteit in het huis te bespeuren. Om vijf uur 's ochtends was Fifth Avenue in rust gedompeld; slechts een eenzame autobus hobbelde door de straat. Een stukje noordelijker, aan de parkkant van de Avenue, stond een limousine stationair te draaien. Littlemore vroeg zich af of het Speyers auto was die daar stond te wachten om hem naar de haven te brengen.

Littlemore belde aan, en nog eens, en nog eens toen er niemand opendeed. Uiteindelijk hoorde hij voetstappen op de trap. In de hal ging het licht aan.

'Wat is dat? Wie is daar?' riep een mannenstem vanachter de voordeur met dezelfde Duitse tongval die Littlemore in Delmonico's had gehoord.

In zijn beste plat-Engelse accent, dat er heel best mee door kon, zei Littlemore: 'Is hier een Mr. Speyer? Die vandaag met de *Imperator* meevaart? Ik heb een boodschap voor hem van de gezagvoerder.' De *Imperator* was een Brits schip, de bemanning Engels.

'De gezagvoerder?' vroeg Speyer, terwijl hij de deur opende.

'Ja,' zei Littlemore, die meteen naar de gang doorstootte. 'Het gezag van de politie, dat u zondag te kakken heeft gezet.'

Speyer, gehuld in een bordeauxrode satijnen ochtendjas die rond zijn middel zat dichtgeknoopt, week een stap achteruit.

'Ik heb u onbillijk behandeld, inspecteur. Ik vraag u om vergiffenis.'

'Draai u om.'

Speyer gehoorzaamde en zei: 'Ik vraag u me te vergeven.'

Achter Speyers rug rammelde Littlemore met zijn handboeien. 'Geef me één goede reden om u niet naar het bureau te slepen wegens belemmering van de rechtsgang.'

'Ik heb mijn woord jegens u gebroken. Vergeef het me alstublieft.'

'Hou alstublieft op met dat "vergeef me"-gezever,' zei Littlemore, terwijl hij Speyer de handboeien omdeed.

'Neem me niet kwalijk,' zei Speyer. 'Ik moest het vandaag al drie keer vragen. Hoeveel wilt u? Ik geef u alles wat u maar vraagt.'

'En daar komt nu omkoping bovenop. Dat is nog eens vijf jaar in de bak.'

'Neem me niet kwalijk. Ik ging ervan uit dat u me geld uit de zak wilde kloppen.'

'Geld uit de zak kloppen. Dat is behoorlijk goed Engels voor een Duitser. Wat hebt u uitgevreten dat u denkt dat ik u geld uit de zak wil kloppen?'

'Ik ben geen Duitser,' zei Speyer, die de g in geen als een k uitsprak. 'Ik ben in deze stad geboren. Ik ben net zozeer Amerikaan als u.'

'Nou, dat is wel duidelijk,' zei de rechercheur. 'Daarom financierde u natuurlijk het Duitse leger nadat wij de oorlog hadden verklaard.'

'Dat was niet ik, maar familie van me in Frankfurt. Daar had ik niets mee te maken.'

'Hoe kan het dan dat u van uw oude maat de keizer het kruis in de orde van de rode adelaar hebt gekregen?'

'Dat was in 1912,' wierp Speyer tegen. 'En als dat iemand tot verrader bestempelt, dan had u J.P. Morgan moeten arresteren. Hij heeft het kruis ook gekregen.'

Het was de eerste keer dat Littlemore de regie even dreigde kwijt te raken. 'Morgan?'

'Ja. Hij kreeg het een jaar eerder dan ik.'

'Als u dan zo vaderlandslievend bent, waarom verdwijnt u dan zo overhaast het land uit?'

'Ik? Verdwijnen? Ik ga naar Hamburg om daar mijn handtekening onder een aantal zeer belangrijke documenten te zetten. Op 8 oktober ben ik weer terug.'

'Laat u me die contracten eens zien,' zei Littlemore. 'En uw retourbiljet.'

'In mijn aktetas,' zei Speyer. 'Op de eettafel.'

Terwijl Littlemore Speyer voor zich uit duwde, stommelden ze een uitbundig gedecoreerde, formele eetkamer binnen, met een fresco van Michelangelo tegen het plafond gekwakt. Kleine en grote olieverfschilderijen sierden de wanden. De rechercheur hield stil voor een klein portret, zo donker dat hij de afgebeelde persoon aanvankelijk niet kon onderscheiden: er stond een man op met blozend gelaat en wallen onder zijn ogen. 'Deze moet heel wat waard zijn, want je kunt niet eens zien wat erop staat. Hoeveel schuift zo'n gevalletje nou?'

'Weet u wat dat "gevalletje" is, inspecteur?' vroeg Speyer.

'Een Rembrandt.'

Nu was het Speyers beurt om paf te staan.

'Heb er precies zo een in het museum gezien,' voegde Littlemore eraan toe.

'Ik heb er een kwart miljoen dollar voor betaald.'

Littlemore floot. Op een langwerpige tafel, lang genoeg om aan twintig personen plaats te bieden, lag een geopende aktetas boordevol vellen met obligaties en schuldpapieren in het Engels, Spaans en Duits. Littlemore keek ze snel door. 'En wie heeft dat portret op ware grootte achter me gemaakt?' vroeg de rechercheur zonder op te kijken. 'Dat van Mr. James Speyer?'

'Een jongen uit de Lower East Side,' zei Speyer. 'Een student aan de Eldridge University Settlement. Een van de scholen die ik financieel steun.'

De contracten hadden betrekking op een enorme som geld, die klaarblijkelijk voor een Mexicaanse bank bedoeld was, een bank waarvan James Speyer de directeur was. Littlemore trof tevens een Amerikaans paspoort aan en een reisbiljet voor de *Imperator* van de Cunard-rederij, die op 1 oktober vanuit Hamburg naar New York zou uitvaren.

'Vindt u niet dat dit een beetje ver gaat,' vroeg Speyer, 'voor een fles wijn?'

'Welke fles wijn?'

'Die ik in Delmonico's dronk. Kwam u daarom niet naar mijn tafeltje? Bent u daarom niet hier?'

'De drooglegging is niet mijn afdeling,' zei de rechercheur. 'Voor alle duidelijkheid: uw verhaal is dat u bij Delmonico's de benen nam omdat u bang was dat ik u in de kraag zou vatten voor het drinken van alcohol?'

'Inderdaad.'

'En u dacht daar ik u daar zo mee weg zou laten komen?'

'Ik had niet door dat u wist wie ik was,' zei Speyer. 'Maar nu u dat wel weet, kan ik u maar beter meteen waarschuwen, inspecteur. Ik ben een rijk man, en een rijk man kan een politieman die meent hem te moeten lastigvallen het leven bijzonder onaangenaam maken.'

'Ach, hou toch op. U bent platzak, Mr. Speyer,' zei Littlemore. 'U heeft onlangs twee van uw grootste schilderijen moeten verkopen. U hebt zelfs uw oude huisbediendes moeten ontslaan.'

Speyer staarde de rechercheur aan. 'Hoe komt het dat u zoveel over mij weet?'

'Gewoon door mijn ogen de kost te geven.' Littlemore wees naar twee plekken op de wand, waar een geringe verkleuring van het behang verraadde dat er kleinere portretten waren opgehangen op de plek waar voorheen twee grotere werken te bezichtigen waren geweest. 'U zou niet zelf opendoen als u de bediendes nog had over wie een man in een huis als dit behoort te beschikken. Het ziet ernaar uit dat u de schijn probeert op te houden, Mr. Speyer. Het ziet ernaar uit dat u er knap beroerd voor staat. Waarom heeft u de Rembrandt niet verkocht?'

Er volgde een lange stilte. 'Die kon ik niet laten gaan,' zei Speyer ten slotte. 'Wat wilt u van me?'

'Wanneer presidentskandidaten onze stad bezoeken, neemt de NYPD de beveiligingstaken op zich,' antwoordde Littlemore niet geheel naar waarheid. 'Bij elk diner hebben we agenten in burger aanzitten. Bij een van deze diners ving een van hen op dat u iemand van J.P. Morgan heeft bedreigd.'

'Onzin.'

'U ontkent dat u een partner van Morgan op het hart heeft gedrukt dat hij moest uitkijken, omdat Morgan met andere banken samenspande om u krediet te ontzeggen?'

'Wat? Ik heb Lamont niet bedreigd. Ik heb hem gewaarschuwd.'

'U kijkt er misschien van op, Mr. Speyer, maar de wet maakt geen al te scherp onderscheid tussen bedreigingen en waarschuwingen.'

'U begrijpt het niet. Ondanks alles wat Morgan me heeft aangedaan, heb ik Lamont juist voor de Mexicanen gewaarschuwd. Die nieuwe financiële vertegenwoordiger van Mexico, dat was degene die bedreigingen uitte. Die deed de wildste beweringen over wat het huis Morgan – of Morgan zelf – zou overkomen als ze het embargo niet opheffen.'

'Welk embargo?'

'Het embargo van Morgan tegen Mexico. U moet gehoord hebben dat Mexico failliet is gegaan.'

'Nee.'

Speyer schudde zijn hoofd. 'Waar moet ik beginnen? Twintig jaar geleden heeft J.P. Morgan – senior – de totale Mexicaanse staatsschuld geconsolideerd. Een grote gok, en ongehoord voor een Amerikaanse bank. Het was een vermetel waagstuk, maar lange tijd waren de revenuen ernaar. Het heeft Morgan een fortuin opgeleverd. Maar toen kwam die Mexicaanse revolutie en besloot Mexico in 1914 om in gebreke te blijven. Sindsdien hebben ze geen cent meer afgedragen. Inmiddels zijn ze Morgan alleen al aan rente een paar honderd miljoen schuldig. Morgan zette de andere huizen onder druk om de Mexicanen geen nieuwe leningen meer te verstrekken totdat ze de oude hadden afbetaald.'

'Wat is daar fout aan?'

'Fout? Bij bankieren bestaat er geen goed of fout. Alleen maar waagstukken die goed of fout uitpakken. Morgan zag de revolutie niet aankomen. Daarom begrijpen die jongens van Morgan niet wat ze met me aan moeten.'

'Ik kan u niet helemaal volgen.'

Speyer haalde diep adem. 'Ik wed op de revolutionairen. Ik doorbreek het embargo. Ik ben de enige. Morgan weet dat ik de benodigde fondsen bij elkaar heb gesprokkeld, maar hij weet niet waar het geld vandaan komt. Daarom heb ik zondag de benen genomen. Ik kon niet riskeren gearresteerd te worden. Ik kan me geen uitstel – of publiciteit – veroorloven.' Speyer ging onhandig zitten, zijn handen nog steeds geboeid op de rug. 'Lamont weet dat ik al mijn geld inzet om het rechtstreeks aan de Mexicanen uit te lenen. En hij zou werkelijk alles doen om dat te verhinderen.'

Littlemore liet de informatie bezinken. 'Als Mexico de middelen niet heeft om Morgan af te betalen, waarom zou u ze dan geld lenen?'

'O, maar die middelen hebben ze best. Ze beschikken over spoorwegen. Over zilver. En vooral over olie. Meer olie dan wie ook ter wereld. Ik moet deze reis maken, inspecteur. Het is mijn laatste kans. Mijn vrouw is ernstig ziek. Als ik straks niet op de *Imperator* zit, verlies ik alles. Ik beloof u dat ik op de achtste terug ben. Ik kan u een onderpand geven.'

'Wat voor onderpand?'

'Wat u maar wilt. Zeg het maar.'

Littlemore zei het. Speyer slikte moeizaam.

⁂

Diezelfde ochtend stuurde Younger een antwoord op Colettes verzoek om met haar mee te gaan naar Wenen. Zijn brief kon niet van breedsprakigheid worden beticht.

21 september 1920

Nee.

Stratham

Buiten op Fifth Avenue liet Littlemore Roederheusen achter het stuur van hun auto plaatsnemen. De handen van de rechercheur werden in beslag genomen door een rechthoekig object dat in een dikke deken was gewikkeld. Toen Roederheusen vroeg wat het voorwerp was, vertelde Littlemore hem dat het een borgstelling van een kwart miljoen betrof.

Toen ze wegreden, zag Littlemore dat ook de limousine verderop in de straat optrok, zij het in tegenovergestelde richting.

⁘

Omdat het nog vroeg was, besloot Littlemore een uur in een juridische bibliotheek door te brengen. De bibliothecaresse was graag bereid te helpen, maar ze wist minder over onderzoek naar wetten dan de rechercheur. Ze vonden niets.

Toen Littlemore in zijn kantoor terugkwam, ging de telefoon over. Rosie, de telefoniste, liet hem weten dat er een zekere Mr. Lamont aan de lijn hing, en dat hij al de hele ochtend gebeld had.

'Heeft u met Mr. Speyer gesproken?' vroeg Lamont toen Rosie hem had doorverbonden.

'Dat weet u best, Lamont. U had een mannetje op de uitkijk staan.'

'Juist ja. Tja, we houden graag een oogje in het zeil. Bent u nog iets wijzer geworden?'

'Ja, ik ben te weten gekomen dat ik door J.P. Morgan gebruikt ben. U hoopte dat ik Speyer zou arresteren, of hem in elk geval een paar dagen op zou houden. Om zo te voorkomen dat hij zijn geld naar het buitenland brengt en het aan de Mexicanen kan lenen.'

Aan de andere kant van de lijn was het even stil. 'Speyer heeft u over Mexico verteld?' vroeg Lamont.

'Inderdaad.'

'Wat heeft hij precies gezegd?'

'Genoeg,' zei Littlemore.

'Wij proberen Mexico te helpen, inspecteur. Een land kan niet zomaar in gebreke blijven bij het aflossen van zijn schulden. Mexico zet zijn eigen toekomst op het spel als het op deze kortzichtige weg volhardt. Een schuld is een heilige verplichting. Maar zoals zoveel mannen van zijn slag kan Mr. Speyer dat maar niet begrijpen. Voor hem is een schuld niets anders dan geld.'

'Terwijl het voor u een religie is,' zei Littlemore. 'Ik heb u mijn hulp aangeboden, Lamont. U heeft geprobeerd mij als een marionet te bespelen.'

'Ik zweer u, inspecteur, dat is nooit mijn bedoeling geweest. Mijn enige zorg is of mijn bank doelwit van een aanslag is geweest en zo ja, uitvissen wie erachter zit.'

'Ik geloof niet dat Speyer iets met de aanslag te maken had, en volgens mij gelooft u dat evenmin.'

'Maar de man heeft me bedreigd. Hij heeft me met zoveel woorden gewaarschuwd dat hij zijn toevlucht zou nemen tot geweld. Heeft u hem daarop aangesproken?'

'Het was geen dreigement. Hij probeerde u voor een nieuwe financiële jongen uit Mexico te waarschuwen, misschien wel dezelfde gast die gisteravond bij uw club langs is geweest.'

'Wie? Pesqueira? Wat is er met hem?'

'Dat weet ik niet, Lamont. Dat zijn uw zaken, niet de mijne.'

'U kunt Speyer niet zomaar het land uit laten gaan, inspecteur. Wat als hij nooit meer terugkomt?'

Op dat moment stak Stankiewicz zijn hoofd om de hoek van de deur. 'Hé, chef,' zei hij buiten adem. 'Het Bureau...'

Littlemore maande hem met opgestoken handpalm tot stilte. 'Hij komt beslist terug,' zei hij tegen Lamont, terwijl hij het gesprek beëindigde. 'Wat is er, Stanky?'

'De jongens van het BOI hebben een vent opgespoord die de paard-en-wagen van de bommenleggers onder handen heeft gehad,' zei Stankiewicz. 'Ze zeggen dat die de anarchist Carlo Tresca als dader heeft aangewezen. Flynn maakt het over tien minuten aan de pers bekend.'

'Waar?' vroeg Littlemore, terwijl hij zijn jas en strohoed greep.

'Voor het ministerie van Financiën.'

'Haal dat hoefijzer op,' zei Littlemore, die de gang al opstoof. 'Ik zie je daar.'

⁂

Met op de achtergrond het standbeeld van George Washington en aan weerszijden geflankeerd door een falanx van gewapende soldaten stond

Big Bill Flynn van het Bureau of Investigation op de trappen van het Amerikaanse subdepartement van Financiën, met zijn arm rond de schouders van een oude, grijze hoefsmid met een leren voorschoot vol olievlekken om. Ten overstaan van een kleine schare van journalisten en fotografen legde Flynn de volgende verklaring af:

'Wat we hier hebben, is niets minder dan een grote doorbraak in het onderzoek. Deze voortreffelijke vaderlander hier is Mr. John Haggerty, een hoefsmid met ruim veertig jaar ervaring, die onder mijn persoonlijke leiding door agenten van het Bureau is opgespoord. Haal je pennen maar tevoorschijn, jongens. Hier hebben jullie je verhaal. Op of rond de eerste van deze maand diende zich een individu in aanwezigheid van paard-en-wagen aan bij de stal van Mr. Haggerty in New Chambers Street, welks voornoemde paard-en-wagen nieuwe hoefijzers behoefde en welke voorzien was van dezelfde opvallende, spits toelopende koperen ringen die we ook na de explosie op dit plein hebben aangetroffen. Mr. Haggerty heeft hoefijzers maat vier bij dat paard aangebracht. Voornoemde ijzers werden met voornoemd paard verenigd met gebruikmaking van hoefnagels en hoefbeschermers van de Niagara Hoof Pad Co., hetgeen in alle opzichten de bewijsmaterie bevestigt die we verzameld hebben.'

'Zij hebben die bewijzen niet verzameld, chef,' fluisterde Stankiewicz naar Littlemore. 'Wij hebben die aan hen gegeven.'

Littlemore gebaarde dat hij stil moest zijn.

'Met andere woorden: het paard dat drie weken geleden door Mr. Haggerty beslagen is, was precies hetzelfde paard als dat door de anarchisten gebruikt is om hun ontbrandbaar explosief object op de zestiende hiernaartoe te vervoeren. Voornoemd individu, die het paard bij Mr. Haggerty afleverde, was ongeveer een meter vijfenzeventig lang, slank van postuur, slecht geschoren, smerig en lelijk van voorkomen. Zo was het toch, Mr. Haggerty?'

De hoefsmid knikte.

'En nu de crux, jongens,' vervolgde Flynn. 'Het individu was een Italiaan en maakte zich kenbaar als Trescati of Trescare of zoiets. Zo was het toch, Haggerty?'

'Zou kunnen,' zei Haggerty.

'Zou kunnen?' fluisterde Stankiewicz.

'Sst,' zei Littlemore.

'Met andere woorden,' ging Flynn verder, 'een treffende gelijkenis met Carlo Tresca, precies zoals ik al die tijd al gezegd heb. Vooruit, jongens, tijd voor de foto's.'

Flynn schudde Haggerty de hand. Camera's klikten. De verslaggevers vroegen Haggerty naar zijn leeftijd (vierenzestig), wat hij zich verder nog van Tresca herinnerde (heel weinig), enzovoort. Haggerty beperkte zich tot de kortst mogelijke antwoorden en sprak iedere journalist met 'mijnheer' aan. Onmiddellijk daarop sloot Flynn de bijeenkomst af en maakte aanstalten de hoefsmid weg te leiden.

'Mr. Haggerty,' riep Littlemore, 'bent u een vakbondsman?'

'De conferentie is voorbij,' riep Flynn, die de rechercheur herkende. 'Geen vragen meer.'

'Maar Mr. Haggerty moet wel lid van de vakbond zijn, Big Bill,' zei Littlemore op onschuldige toon. 'Iedereen weet dat er een HSIU-zegel op het hoefijzer van het paard zat. Dat stond zaterdag in alle kranten, nietwaar, heren?'

De leden van de pers beaamden het.

Flynn schraapte zijn keel. 'Een rechercheur van de NYPD die controleert of het Bureau zijn werk wel goed doet, hè? Je moet maar durven. Hoe staat het trouwens met het onderzoek naar Fischer, agent? Nog stemmen in de lucht gehoord de laatste tijd?'

Een paar verslaggevers lachten.

'Nou goed, Haggerty,' zei Flynn, 'die politieagent hier wil weten of uw zaak bij de vakbond is aangesloten. Is dat zo?'

'Ja meneer. HSIU,' antwoordde Haggerty.

'En jullie brengen het vakbondszegel op jullie ijzers aan, nietwaar?' vroeg Flynn.

'Ja, mijnheer. Bij allemaal.'

Flynn glimlachte breed. 'Nog meer van dat soort briljante vragen, NYPD?'

'Eentje maar,' zei Littlemore, die zich door de menigte een weg naar voren baande met in zijn hand een genummerde canvas-bewijszak die met bindtouw zat dichtgeknoopt. 'Ik zou Mr. Haggerty graag het betreffende hoefijzer willen laten zien, het ijzer dat we in de bomkrater hebben gevonden. Dan kan hij ons vertellen of het vakbondszegel overeenkomt met dat van zijn smidse.'

Het geroezemoes verstomde. Flynn aarzelde. Het was duidelijk dat hij Haggerty af wilde voeren, maar omdat hij zich niet publiekelijk onzeker wilde tonen over het verhaal van zijn eigen getuige bleef hij staan.

Littlemore knoopte de zak open en gaf het hoefijzer aan Haggerty. 'U ziet het vakbondszegel op het ijzer, nietwaar, Mr. Haggerty?' vroeg de rechercheur.

'Ja, mijnheer. HSIU. Hetzelfde als we in mijn smidse gebruiken.'

'Jullie horen het!' zei Flynn triomfantelijk. Hij nam het hoefijzer van de hoefsmid af. 'Dit is federaal bewijsmateriaal. Dat hou ik. Vooruit, laten we gaan. Ik heb honger.'

'Wat betekent,' zei Littlemore op een luide toon die iedereen kon horen, 'dat het hoefijzer dat directeur Flynn nu vasthoudt, het ijzer van de bomaanslag, niet van het paard afkomstig is dat u drie weken geleden in uw smidse heeft beslagen. Waar of niet?'

'Ja, mijnheer. Dat is waar,' zei Haggerty.

Er brak grote verwarring onder de journalisten uit. Flynn schreeuwde boven alles uit: 'Waar heeft-ie het over? Het zegel komt precies overeen.'

'Het hsiu-zegel wordt op het oppervlak van het hoefijzer aangebracht,' zei Littlemore. 'Het is binnen de kortste keren weggesleten. Al na een paar uur is het nog nauwelijks zichtbaar. Maar het zegel op dit ijzer is in perfecte staat. Het paard dat de bom naar Wall Street bracht is op de ochtend van de aanslag – hooguit de dag ervoor – nieuw beslagen. En geen drie weken tevoren. Klopt dat, Mr. Haggerty?'

'Ja, mijnheer.'

❧

De avond daarop vergezelde Younger Littlemore naar een groezelige bar op een vervallen pier vlak bij de haven, waar ratten zich doodgemoedereerd aan het afval tussen de palen te goed deden en de rechercheur een wachtwoord moest geven om binnen te mogen. De rook was er zo dik en de verlichting zo pover dat Younger de tapkast met moeite kon onderscheiden. 'Achter in de zaak hebben ze een valluik,' zei Littlemore, terwijl ze aan een tafeltje in een donkere hoek plaatsnamen. 'Komt direct uit op het water. Wanneer er een inval dreigt, gooien ze alle sterkedrank zo in een boot, die er dan vandoor gaat. Dienders vinden er nooit iets. En als het hoogwater is, flikkeren ze de drank gewoon in het water. Duikers vissen het dan later weer uit de haven op.'

'Ik geloof niet dat ik je ooit eerder de wet heb zien overtreden,' zei Younger.

'Ik overtreed hier geen enkele wet,' antwoordde Littlemore. 'Ik neem een sassafras.'

'Wat doen we hier dan?'

'Zorgen dat jij een borrel krijgt,' zei Littlemore. 'Je ziet eruit alsof je er wel eentje kunt gebruiken.'

Younger overwoog het voorstel en besloot dat Littlemores inschatting correct was. De hele dag had hij bij de receptie van het hotel navraag gedaan of er een brief of telegram van Colette was binnengekomen. Elke keer wanneer de man achter de balie hem berichtte dat er geen boodschappen waren, nam Younger het zichzelf ernstig kwalijk dat hij überhaupt iets om dat meisje gaf.

Littlemore bestelde zijn alcoholvrije drankje, Younger een whisky. De kelner bracht hem een kleine fles whisky – nog ongeopend – plus het non-alcoholische deel van de bestelling: een glas sodawater met ijs.

'Je mixt je eigen borrel,' instrueerde Littlemore hem. 'Dan stop je de fles in je jaszak. Als de politie binnenvalt zeggen ze dat ze alleen maar sodawater schenken en dat zij het ook niet kunnen helpen als klanten hun eigen whisky meebrengen.'

Younger schonk zich een dubbele whisky in. Hij en Littlemore proostten in stilte. Younger voelde zich vagelijk verdacht met de whisky in zijn zak – als het al whisky was, hetgeen Younger betwijfelde, want het smaakte eerder naar ontsmettingsalcohol. Hij dronk zijn glas leeg en schonk zich nog eens in. 'Fijne tent,' zei hij. 'De sfeer hier staat me wel aan.'

Aan de bar stonden mannen diep over hun drankjes gebogen en ze spraken op gedempte toon. Zelfs de barkeeper was uitgesproken zwijgzaam. Aan het eind van de toog lurkte een eenzame vrouw met een bontje om aan haar cocktail, zonder dat iemand haar aansprak. Vlak bij de deur zat de man die de wacht hield in zijn eentje aan een tafel met een stok kaarten te spelen – nou ja, niet te spelen, de kaarten alleen maar te schudden, en opnieuw te schudden.

'In de hele stad gaat het er hetzelfde toe,' zei Littlemore. 'Iedereen is nog steeds van de kook vanwege die aanslag. De enige plek waar ze onbekommerd zijn, is de Bankers and Brokers Club. Daar waren ze in opperbeste stemming toen ik er een paar avonden terug was. Het zal met opluchting te maken hebben, denk ik, dat zij niet degenen waren die getroffen zijn. Hé, moet je horen, vandaag kwam er een arts in het Bellevue naar tweehoofd vragen. Hij had over de schietpartij in de kerk gehoord en haar signalement herkend. Haar naam is Quinta McDonald. Nu weet ik wat er mis is met haar. De dokter zei dat het vertrouwelijk is, maar ik heb het uit hem gekregen. Ze heeft syfilis. Klaarblijkelijk kan syfilis tot gezwellen op je lichaam leiden.'

'In het geval van tertiaire syfilis,' beaamde Younger. Hij dacht na. 'Dat zou ook haar krankzinnigheid kunnen verklaren.'

'Dat zei haar arts ook. Dat het op haar hersenen was geslagen. Dat daar haar waanideeën vandaan kwamen.'

'Ik heb een paar jaar terug wat onderzoek gedaan naar syfilitische hersenverweking. Als ze dat heeft, dan is er geen weg terug meer en is genezing onmogelijk.'

'Dus ik zat zo te denken,' zei Littlemore, 'dat er voor de jongedame waarschijnlijk niets meer is om zich zorgen over te maken.'

'Hoezo?'

'Nou, om met Amelia te beginnen, dat meisje dat de kies in jullie hotel heeft achtergelaten. Amelia zit op een of andere manier in de nesten, en ze moet een kies bij iemand achterlaten van wie ze weet dat ze die zover kan krijgen haar te helpen. Iemand bij de receptie levert de kies per ongeluk bij Colette af. Ondertussen volgt Drobac Amelia. Hij probeert degene bij wie ze de kies achterlaat op te sporen. Wanneer de kies bij Colette terechtkomt, denkt Drobac dat zij zijn doelwit is. Dus hij en zijn twee maatjes ontvoeren haar. Intussen komt Amelia bij de bomaanslag om, leggen Drobacs maatjes het loodje wanneer wij Colette redden en zit Drobac zelf achter de tralies. Dus houden we alleen nog tweehoofd over, Miss McDonald. We weten niet waarom ze het op Colette gemunt had – waarschijnlijk is ze gewoon stapelmesjogge van de syfilis – maar dat maakt nu toch niet meer uit, want ze ligt in coma. Dus is iedereen ofwel dood, gevangengezet of anderszins uitgerangeerd. Zaak gesloten.'

'En hoe zit het met die andere roodharige vrouw?' vroeg Younger. 'Bij het politiebureau waren ze met zijn tweeën.'

'Een vriendin van dat meisje McDonald. Misschien haar zus. Niets om je zorgen over te maken.'

'Ik dacht dat je niet aan veronderstellingen deed,' zei Younger.

'Doe ik ook niet. Ik gooi alleen maar een balletje op om te horen hoe het klinkt.'

'En hoe klonk het?'

'Alsof het kant noch wal raakte,' zei Littlemore.

Beide mannen dronken lange tijd in stilte verder. Younger voelde hoe de goedkope alcohol vat op hem begon te krijgen.

'Dus Colette gaat terug naar Europa?' vroeg Littlemore.

'Je kunt me niet wijsmaken,' antwoordde Younger, 'dat het huwelijk mannen gelukkig maakt. Ken je één getrouwde man die daadwerkelijk gelukkig is?'

'Ik ben gelukkig.'

'Afgezien van jou.'

Littlemore dacht erover na. 'Nee. Ken jij ongetrouwde mannen die gelukkig zijn?'

'Nee.'

'Daar heb je je antwoord,' zei Littlemore.

De mannen dronken.

Aan een ander tafeltje probeerde een man overeind te komen. Hij slaagde daar niet in, zakte op de grond en trok zijn stoel met zich mee. Even dacht Younger dat het geluid een pistoolschot was. Toen hoorde hij meer schoten, maar hij wist dat het in zijn hoofd zat. Het beeld dat sinds de aanslag steeds weer terugkeerde en dat hij vergeten noch verklaren kon, kwam hem opnieuw voor de geest, maar deze keer met grotere helderheid. 'Ik weet wat ik op de zestiende heb gezien,' zei hij. 'Het was geen schoolbord. Het was iemand die schoot. Tussen alle rook en stof, toen iedereen in paniek rondrende, vuurde iemand een machinegeweer af.'

'Een wat?'

'Op een muur. Die moet nu vol gaten zitten.'

'Iemand schiet met een machinegeweer op een muur?' vroeg Littlemore. 'Tijdens een bomaanslag?'

'Had ik je al verteld dat ik de granaatscherven zo langzaam door de lucht zag zweven dat ik de afzonderlijke stukjes kon onderscheiden?'

'Nee, dat heb je niet, en begin er niet nog eens over. Dan sluiten ze je bij Eddie Fischer op.'

༄༅

Rechercheur Littlemore was één bonk rusteloosheid terwijl hij door het krappe kantoor ijsbeerde dat Moordzaken met de afdeling Bijzondere Misdrijven deelde. Afgeladen bureaus wedijverden met uitpuilende archiefkasten om de krap bemeten ruimte. Typemachines ratelden. Mannen riepen naar elkaar, hun grieven meestal schertsend bedoeld. De grappenmakerij irriteerde Littlemore. Er was een week voorbijgegaan sinds de aanslag in Wall Street en ze hadden geen vooruitgang geboekt. Overal bungelden losse eindjes.

Neem nou Fischer, weggestopt in een sanatorium, wiens vooruitziende blik onverklaard bleef. Neem nou Big Bill Flynn, die vastbesloten was het misdrijf aan Italiaanse anarchisten toe te schrijven, ook al was elk stukje bewijs waarmee Flynn op de proppen kwam net zo flinterdun als derderangs typepapier. Dan was er nog minister van Justitie Palmer – of beter: wáár was hij? Alles wat Littlemore over de minister wist, wees erop dat hij de regie over de zaak naar zich toe zou trekken, dat hij persconferenties zou geven, voortdurend in de schijnwerpers zou staan. In plaats daarvan had Palmer één nachtje op doortocht naar zijn vakantieadres in de stad doorgebracht. Waarom? Tot slot lag er het feit dat de aanslag elk motief leek te ontberen. Als er al een doelwit was geweest, dan leek de Morgan Bank de meest voor de hand liggende kandidaat, maar ook daar had Littlemore geen enkele persoon of organisatie kunnen achterhalen

met de juiste middelen en motieven om Morgan op zo'n knalfuif te trakteren.

'Hé, Spanky,' riep Littlemore.

'Ja, chef?' antwoordde Roederheusen.

'Ga naar het Mexicaanse consulaat,' zei Littlemore, 'en zorg dat je ene
Peski of zoiets te pakken krijgt. Peski-ère, dacht ik. Ik wil hem spreken.'

'Zeg, chef,' riep Stankiewicz vanachter zijn bureau vandaan. 'Ik heb de
kaartjes gevonden.'

'Welke kaartjes?'

'Die archiefkaartjes die we in Wall Street hadden aangelegd.' Stankiewicz hield een stapel handgeschreven systeemkaartjes vast die op de plaats
delict verzameld waren: één kaartje voor iedere dode. 'Weet u nog dat u
dacht dat er iemand was omgekomen die op de lijst had moeten staan,
maar er niet op stond? Toen vroeg u mij de kaartjes te zoeken.'

'Geef hier,' zei Littlemore geïrriteerd. Hij bladerde door de notitie-
kaartjes. 'De man was bewaker op het ministerie van Financiën. Zijn
naam begon met een r.' Littlemore vond waar hij naar zocht. 'Daar heb
je hem: "Riggs, ministerie van Financiën". En waar is die officiële lijst
met doden en gewonden?'

Stankiewicz zocht tussen de papieren die in hoge stapels lukraak over
zijn bureau verspreid lagen. 'Net had ik 'm nog.'

'Je gaat me toch niet vertellen dat je die lijst bent kwijtgeraakt, hè,' zei
Littlemore.

Stankiewicz reikte de rechercheur het vele pagina's tellende getypte document met een nietje erdoorheen aan.

Littlemore bladerde erdoorheen en controleerde zowel de alfabetische
opsomming als de pagina die speciaal aan omgekomen ambtenaren was
gewijd. 'Geen Riggs,' zei de rechercheur. 'Waar is "Riggs, ministerie van
Financiën" gebleven?'

'Die hebben ze zeker over het hoofd gezien.'

'Ze?' vroeg Littlemore. 'Wie zijn ze? Heb jij deze lijst niet getypt?'

'Niet echt.'

'Wie dan wel?'

'Eh, die federale jongens. De dag na de aanslag kwamen er een paar
van hun agenten langs die vroegen of wij een lijst van de doden en gewonden hadden. Nou en of, zei ik, en ik liet ze er een kijkje in nemen –
u weet wel, in de handgeschreven lijst die we op basis van de kaartjes gemaakt hadden. Toen boden ze aan om hem voor ons in het weekeinde
uit te laten typen. Ze zeiden dat ze een typist hadden die het zo voor elkaar kreeg. Dus ik...'

'Je hebt onze lijst aan die lui van het BOI meegegeven?' vroeg Littlemore vol ongeloof.

'Ik ben niet zo'n held met een typemachine, chef. Ik meende dat het er zo beter uit zou zien.'

'Je meende dat je te lui was,' zei Littlemore. 'Welke federale jongens? Die van Flynn?'

'Nee, chef. Het waren F-mannen,' zei Stankiewicz, die de afkorting gebruikte voor agenten van Financiën.

Op donderdag arriveerde er een tweede brief van Colette, maar het was duidelijk dat ze deze verzonden moest hebben voordat ze Youngers antwoord had gekregen. De brief lag opengevouwen op het bed in Youngers hotelkamer.

21/9/1920

Lieve Stratham,

Ik heb het gehad met jouw professor Boltwood. Hij wil voorkomen dat Yale University madame Curie een eredoctoraat toekent wanneer ze komt. Hij zegt dat ze dat zowel academisch als moreel gezien niet verdient. Hij verdient het nog niet haar schoenveters te strikken. De enige troost die ik aan het leiden van zijn laboratorium ontleen, is dat ik zijn theorieën weerleg. Hoe het verder ook loopt, hier kan ik niet blijven.

Maar ik heb ook geweldig nieuws! Ik heb de moed gevonden dr. Freud in Wenen aan te schrijven en hij heeft een telegram teruggestuurd. Hij zegt dat hij Luc graag opnieuw wil zien en ook dat hij ernaar uitkijkt jou weer te ontmoeten. Hij zegt dat hij je een hoop te vertellen heeft.

Kom alsjeblieft met me mee. Ik heb je daar aan mijn zij nodig.

Liefs,
Colette

Die avond keerde Younger alleen naar Littlemores verlopen havenkroeg terug. Een vrouw in een oranje jurk en met rode lipstick op kwam op hem af terwijl hij de smerige whisky dronk. 'Wat dacht je ervan, spetter?' vroeg ze.

'Nee, bedankt,' antwoordde hij.

11

De doorgaans welwillende commissaris van politie Enright mocht graag onverwacht binnenvallen bij de mannen die hij wilde spreken. Geschreven sommaties volgden uitsluitend in gevallen van extreem ongenoegen; ze vervulden zijn ondergeschikten met angst en beven. Vrijdagochtend op het hoofdbureau werd Littlemore op dergelijke wijze ontboden.

'Is het die Rembrandt in het bewijsdepot?' vroeg Littlemore, terwijl hij het kantoor van de commissaris binnenliep. 'Dat kan ik uitleggen.'

Gezeten achter zijn mahoniehouten bureau trok Enright zijn wenkbrauwen op. 'Je hebt een Rembrandt in het bewijsdepot liggen?'

'Was het het hoefijzer, Mr. Enright? Ik kon Flynn onmogelijk met dat verhaal over Haggerty laten wegkomen.'

'Ik heb je hier niet voor een potje hoefijzer werpen ontboden, Littlemore, of om de portretkunst te bespreken.' Enright stond op, zijn gouden horlogeketting bungelde glinsterend op een indrukwekkende taille, zijn weelderige, golvende grijze haar omlijstte een vlezig, goedhartig gezicht. Als verbijsterend veellezer, eloquent spreker en grotendeels autodidact had Enright de blik van iemand die graag uit zijn hoofd uit gedichten mag citeren. 'Ik neem aan dat je je burgemeester Hylan en Mr. McAdoo, de adviseur van de president, nog wel herinnert.'

Littlemore draaide zich om en zag de twee gewichtige heerschappen aan de andere kant van het vertrek. McAdoo zat in een leunstoel, met zijn benen over elkaar, en staarde de rechercheur onverstoorbaar aan, nam hem de maat. Hylan, staand en zenuwachtig in de weer met een glazen voorwerp dat hij uit Enrights boekenkast had gepakt, vermeed zorgvuldig elk oogcontact.

'Mr. Hylan heeft gisteren bezoek gehad van een advocaat, Littlemore,' ging Enright verder. 'Jij was het onderwerp van dat bezoek.'

'Ik, commissaris?'

'Ik wil dat hij ontslagen wordt, Enright,' verklaarde burgemeester Hylan.

'De advocaat,' vervolgde Enright, 'is een man van groot aanzien met nauwe banden met het politieke establishment van deze stad. Een cliënt van hem huist momenteel in een van onze penitentiaire inrichtingen.'

'Ik wil dat hij de laan uit wordt gestuurd, zei ik,' herhaalde de burgemeester, die beslist een heel wat minder poëtische inborst had dan de commissaris. Hylan was een man van geringe statuur, met vet haar dat in voortdurende behoefte aan een kam op zijn voorhoofd geplakt zat en met de schichtige blik van een eekhoorn. Een van de favoriete bezigheden van burgemeester Hylan was vanaf een podium tegen iedereen en alles uit te varen, iets wat hij vaak en weinig welsprekend deed. Hij had de houding van iemand die zich altijd en eeuwig belaagd voelt, alsof zijn vijanden zijn goede naam voortdurend met smaad en laster besmeurden. Voordat hij burgemeester van New York werd, was hij ingenieur bij de Brooklyn Elevated Railroad Company, die hem ontsloeg toen hij bijna met een locomotief over een opzichter heen was gereden. Hij was, politiek gesproken, vanuit het niets tot het ambt van burgemeester opgeklommen, uit de obscuriteit opgedregd door de Tammany Hall Society, waarvan de nestors terecht hadden ingeschat dat hij een man was die ze naar hun hand konden zetten. 'En ik wil dat die man wordt vrijgelaten, vandaag nog.'

'Meneer de burgemeester,' zei de commissaris, 'hoe graag ik uw bevelen ook klakkeloos zou willen opvolgen, helaas ben ik ook aan nog een andere, hogere macht gebonden: de wet.'

'Sla me niet met de wet om de oren,' pareerde Hylan. 'Ik ken de wet. Vergeet niet met wie je hier van doen hebt, Enright. Jou kan ik ook laten ontslaan.'

'Dat is uw voorrecht,' antwoordde Enright.

'Laten we onze kalmte bewaren,' zei McAdoo welwillend, 'en eerst de feiten horen.'

'Washington heeft hier niets mee te maken,' snauwde burgemeester Hylan. 'Dit is een stadsaangelegenheid.'

'Op 16 september,' antwoordde McAdoo zonder stemverheffing, 'zijn alle besognes van New York de besognes van Washington geworden. Ik heb de president vandaag niet kunnen bereiken, maar mijn vrouw denkt dat Wilson het niet op prijs stelt als de inspecteur wordt ontslagen.'

'Zijn vrouw?' vroeg de burgemeester vol ongeloof. 'Zijn vróúw? Hoe zit het met jouw vrouw, Enright, heeft die ook een mening? Neem me niet kwalijk, maar ik moet nu echt even aan mijn vrouw vragen wat de president denkt.'

'Allemachtig, Hylan,' zei de commissaris. 'McAdoo's vrouw is de dochter van de president.'

Er volgde een kortstondige stilte.

'Zijn dochter,' sputterde burgemeester Hylan, en hij veegde zijn voorhoofd met een vuile zakdoek af.

Littlemore schraapte zijn keel: 'Eh, ben ik soms de inspecteur over wiens ontslag iedereen het heeft?'

Commissaris Enright antwoordde. 'Klopt het, Littlemore, dat je vorige week een man uit het ziekenhuis hebt gehaald en hem achter de tralies hebt gezet, ondanks het feit dat hij net een reeks zware operaties had ondergaan voor gecompliceerde gezichtsbreuken?'

'Die kerel?' antwoordde Littlemore. 'Die kerel heeft een chique advocaat?'

'Ja. Zijn naam, zo begreep ik, is Mr. John Smith. Er is mij ook verteld dat degene die Mr. Smith zo heeft toegetakeld een zeer goede vriend van jou is. En dat je persoonlijk geregeld hebt dat deze vriend op borgtocht is vrijgekomen.'

'Hoe kon die advocaat dat nou weten?'

'Dan neem ik aan dat deze feiten correct zijn.'

'Ja, commissaris. Volgens mij is zijn echte naam Drobac, en ik denk dat hij wel eens de moordenaar op het dak van het Woolworth zou kunnen zijn.'

'Wel eens zóú kúnnen zijn?' herhaalde Hylan smalend. 'Iedereen zóú wel eens de moordenaar geweest kúnnen zijn.'

'Nee, meneer de burgemeester. Er zijn maar zo'n vijftig mensen die de moordenaar kunnen zijn. Dat is het aantal mensen dat zich op het moment van de moord op het uitzichtplatform bevond, en zeker tien van hen waren kinderen. Deze kerel was er, en een ooggetuige herkende hem als de kidnapper die we zoeken.'

'Beweert dat hij hem herkend heeft,' corrigeerde Enright. 'En dat is dezelfde man die hem heeft aangevallen. Die jij hebt vrijgelaten. Jouw vriend. Die zelf van poging tot moord in beschuldiging is gesteld.'

'Dr. Younger heeft de politie al eerder geholpen,' zei Littlemore. 'Hij heeft aan Harvard gestudeerd. En hij heeft in de oorlog gevochten.'

'De oorlog,' herhaalde Enright op duistere toon. 'Je weet net zo goed als ik, Littlemore, dat menig man die van het front is teruggekeerd onberekenbaar is geworden en zich aan mishandeling heeft schuldig gemaakt.'

'Niet deze man.'

'Enright,' interrumpeerde Hylan, 'vraag je inspecteur over welke bewijzen hij beschikt dat Smith de Woolworth-moordenaar is. Ik heb gehoord dat er geen spat bewijs is.'

'Littlemore?' vroeg Enright.

De rechercheur schoof ongemakkelijk heen en weer. 'Nu goed, ik heb geen bewijs, nog niet. Maar dr. Younger heeft hem herkend als Drobac, die de avond tevoren een ontvoering en een moord heeft gepleegd.'

'Larie. Het ontvoerde meisje zelf herkende de man niet eens,' voegde Hylan eraan toe. 'Om nog maar te zwijgen van het feit dat ze de staat verlaten heeft.'

'Het is Connecticut maar, hoor,' zei Littlemore.

'Ja, in New Haven, ik weet het,' zei de commissaris. 'Klopt het dat ze de man niet herkend heeft?'

'Ja, commissaris.'

'Kun jij hem identificeren, Littlemore?' vroeg Enright. 'Jij hebt het ontvoerde meisje gered. Kun jij onder ede verklaren dat de man in de gevangenis een van haar ontvoerders was?'

'Nee, commissaris,' gaf Littlemore zich gewonnen. 'Hij is op het moment nogal... eh... gehavend.'

'Zie je nou wel, Enright?' verklaarde Hylan. 'Zelfs je eigen man kan hem niet identificeren.'

'Zou je zeggen dat je een redelijk vermoeden van schuld hebt, Littlemore?' vroeg de commissaris.

'Een redelijk vermoeden? U bent toch niet van plan hem te laten lopen, Mr. Enright? Die kerel is gevaarlijk. Hij had het al twee keer op die Française voorzien. Als we hem vrijlaten, vermoordt hij haar misschien.'

Enright verzuchtte: 'Je kunt niet zomaar iemands schuld veronderstellen, Littlemore, en je kunt iemand niet vasthouden zonder een redelijk vermoeden van schuld. Dat weet je.'

'We hebben zat mensen voor heel wat minder vastgehouden,' wierp Littlemore tegen. 'En ze maanden achter slot en grendel gehouden.'

'Ja, maar in die gevallen beschikten de mannen die we in hechtenis hielden... tja, eh...' Enright maakte zijn zin niet af.

Littlemore deed het voor hem. 'Niet over een advocaat die zo belang-

rijk was dat hij een onderhoud met de burgemeester kon regelen.'
'Zo gaan die dingen nu eenmaal,' zei de commissaris.
'Geef me een paar weken, dan heb ik het bewijs.'
'Een paar weken?' zei Hylan. 'Een schandaal. Dat kan ik niet toestaan. Ik heb het altijd voor de gewone man opgenomen tegen de gevestigde machten. Onze republiek kent maar één echte bedreiging: de internationale bankiers, de financiers, die hun slijmerige tentakels als een gigantische octopus over al onze steden uitspreiden. Zolang ik burgemeester ben, wordt deze stad niet door de gevestigde belangen geregeerd. Ook de gewone man heeft zijn rechten en daar kom ik voor op.'

Met zijn rug naar Hylan toe sloeg commissaris Enright zijn ogen ten hemel. 'Het spijt me het te moeten zeggen, Littlemore,' zei Enright, 'maar je gedrag vraagt erom dat je met onmiddellijke ingang geschorst wordt. Een persoonlijke vriend uit de gevangenis vrijkopen die van poging tot moord wordt verdacht. Zijn slachtoffer opsluiten zonder een redelijk vermoeden van schuld. Kom op zeg, je zou beter moeten weten.' De commissaris was zo'n man die, als hij staat, graag met de handen op de rug op zijn tenen op en neer mag staan huppen. 'Het toeval wil echter dat toen burgemeester Hylan mijn kantoor binnenkwam, ik juist met Mr. McAdoo over jou zat te praten. Hij heeft me dit gegeven.' De commissaris pakte verschillende velletjes volgetypt briefpapier van zijn bureau op. 'Het is een kopie van een brief die vandaag bij president Wilson en alle leden van zijn kabinet in Washington is bezorgd. De brief is afkomstig van senator Fall uit New Mexico. Weet je wie senaatslid Fall is?'

'Nee, commissaris.'

'Een buitengewoon machtig man,' zei Enright. 'Hij is lid van de senaatscommissie voor Buitenlandse Relaties en zal onder Harding naar alle verwachting de nieuwe minister van Buitenlandse Zaken worden.'

'Wat heeft dat met mij te maken?' vroeg Littlemore.

'Wil jij zo vriendelijk zijn inspecteur Littlemore bij te praten, McAdoo?' vroeg Enright.

'Zeker,' zei McAdoo, die zijn vingertoppen tegen elkaar zette. Zijn kalme optreden, strak achterovergekamde haar, knappe gelaatstrekken en lange, elegante gezicht staken schril af bij de ongekamde, fronsende en schichtige burgemeester. McAdoo sprak met een duidelijk herkenbaar, beschaafd New England-accent, met slechts nu en dan een neusklank die zijn afkomst uit Tennessee verraadde. 'Fall is een havik, en een heel effectieve. Hij heeft ons de les gelezen – dat wil zeggen, de regering-Wilson – over onze slappe reactie op de infame aanslag in Wall Street. Fall stelt dat een aanslag van dit kaliber alleen maar georganiseerd en uitgevoerd kan zijn door een vreemde mogendheid die op onze vernietiging uit is – een verwijzing, zo neem ik aan, naar Lenin en zijn bolsjewieken. Hij beweert dat de aanslag een oorlogshandeling is, gericht tegen een van Amerika's belangrijkste financiële huizen, terwijl wij in de regering, in plaats van de oorlog te verklaren, slechts verkondigen dat het het werk van een handjevol slecht georganiseerde, verongelijkte Italianen was. En dan, inspecteur Littlemore, begint senator Falls over jou.'

'Over mij?'

'Over jou. Hij schrijft dat de inspecteur van de New Yorkse politie die het dichtst bij het onderzoek staat – en hier noemt hij jou met naam en toenaam – Mr. Thomas Lamont van J.P. Morgan and Company onder vier ogen ervan heeft verwittigd dat de bewijzen strijdig zijn met Flynns theorieën over de zaak en dat hij heeft aangetoond dat er sprake is van een doelbewuste aanslag op het huis Morgan.'

'Ik heb helemaal niets aangetoond. Ik heb alleen gezegd dat het mogelijk was.'

'Je verdient een felicitatie, inspecteur Littlemore,' zei McAdoo.

'Ik?'

'Ja. Ik ben het geheel met de zienswijze van senator Fall eens.'

'Neem me niet kwalijk, Mr. McAdoo,' zei Littlemore, 'maar dat begrijp ik niet. Ik dacht dat senator Fall president Wilson nu juist bekritiseerde, en ik dacht dat u er een van de president was.'

'Of ik er een van de president ben, weet ik nog zo net niet, inspecteur,' zei McAdoo, 'maar ik behoor zeker tot zijn kamp. De president wil dat de bomaanslag opgelost wordt. Meer niet. En eerlijk gezegd heeft hij bepaald geen blind vertrouwen in directeur Flynn. Flynn werkt voor minister Palmer van Justitie; die twee zien overal kliekjes Italiaanse en Hebreeuwse anarchisten achter, of dat willen ze onze burgers in elk geval doen geloven. Als jij, Littlemore, bereid bent nieuwe wegen in te slaan die Flynn niet ziet of wil zien, dan staat de president daar geheel achter. Velen van ons delen senator Falls mening dat deze aanslag een paar maten te groot is voor een stelletje anarchistische armoedzaaiers.'

'Wie dit ook op hun geweten hebben, zeker geen armoedzaaiers; daar ben ik behoorlijk zeker van,' zei Littlemore.

'Hoezo?' vroeg commissaris Enright.

'Het hoefijzer,' zei Littlemore. 'Dat was gloednieuw. Dat kon je aan het vakbondszegel zien. Een paard laten beslaan is niet goedkoop. Iemand die arm is, zou nooit een paard dat hij nog dezelfde dag de lucht in laat vliegen van gloednieuwe hoefijzers voorzien. Ik zou denken dat die jongens over behoorlijk diepe zakken moeten beschikken.'

'Voortreffelijk, inspecteur,' zei Enright. 'Zo behoort een rechercheur te werk te gaan.'

'Wat het nog waarschijnlijker maakt,' zei McAdoo, 'dat er een vreemde mogendheid achter deze schanddaad zit. Als dat waar is, dan moet dat naar buiten komen, en dan zal de vijand onder het volle gewicht van de Amerikaanse vuurkracht verpletterd worden. Commissaris, uw inspecteur kan onmogelijk ontslagen of geschorst worden. Dat zou de indruk wekken dat we de oorlog, en de waarheid, vrezen. Dan zouden ze zeggen dat we willens en wetens de enige man van de zaak hebben gehaald die de moed had zich af te vragen wie de vijand is die onze mensen heeft afgeslacht en onze financiële instellingen aan het wankelen heeft gebracht. Fall zou het ongetwijfeld in deze vorm gieten en elke krant in het land zou met het verhaal op de loop gaan.'

'Ik neem de besluiten in deze stad,' zei de burgemeester.

'Ongetwijfeld, Hylan, ongetwijfeld,' suste McAdoo. 'Het zou niet bij me opkomen om me daarin te mengen. Maar ik zou ook geen seconde twijfelen om er bij de minister van Justitie op aan te dringen je anti-oorlogsretoriek nog eens tegen het licht te houden. Ik meen dat de wetten tegen opruiing nog steeds van kracht zijn.'

Hylan maakte een verslagen indruk. 'Die Littlemore van jullie kan me niets schelen. Laat hem maar aanblijven. Geef me alleen Smith.'

'En die Smith van jullie is mij om het even,' zei McAdoo. 'Laat hem toch vrij.'

'Ik weet niet wat er mis is met me,' zei Enright. 'Ik schijn de enige hier te zijn die zich zowel om inspecteur Littlemore als om Mr. Smith druk maakt. Ik zet Littlemore niet op non-actief...'

'Mooi,' zei McAdoo.

'En ik laat Mr. Smith niet vrij,' zei Enright.

'Wat?' riep Hylan.

'Ik geef je tot maandag, inspecteur,' antwoordde Enright.

'Pardon?' zei Littlemore.

'Om voldoende bewijs tegen Smith te verzamelen, als dat zijn echte naam is.'

'Maar vandaag is het al vrijdag, Mr. Enright,' protesteerde Littlemore.

'En je hebt Mr. Smith al sinds vorige week vrijdag achter de tralies, toen hij eigenlijk in het ziekenhuis had moeten liggen. Op maandag heb je tien dagen de tijd gehad een redelijk vermoeden te onderbouwen, Littlemore, wat meer dan voldoende is. Je komt maandag of met harde bewijzen over de brug, of je laat hem gaan. Is dat acceptabel, Hylan?'

'Het moet maar,' bromde de burgemeester.

'Dat was alles, inspecteur,' zei Enright.

❧

Zittend achter het bureau in zijn hotelkamer trachtte Younger een brief aan Colette te schrijven. Hoe kon ze in hemelsnaam van een veroordeelde crimineel houden die zich zo met de Duitse zaak vereenzelvigd had dat hij daar vrijwillig dienst had genomen? Aan liefde moest toch op zijn minst iets van realiteit ten grondslag liggen. Als een meisje van een man hield die niet was wie ze dacht dat hij was, dan hield ze niet echt van hem. Toch?

Of misschien had nu net Younger Hans Gruber niet goed ingeschat. Waarom zou Hans Gruber niet de lieve, godvruchtige, geteisterde ziel zijn die hij in de herinnering van Colette was? Hij zat weliswaar vast voor mishandeling van een onschuldig slachtoffer, maar zijn gevangenisstraf kon een vergissing zijn. Younger was vorige week tenslotte zelf nog voor mishandeling opgesloten. En erger, veel erger nog: verdiende Hans Gruber Colette niet meer dan Younger? Gruber had ogenblikkelijk gezien wat Younger pas na een jaar had doorgekregen: dat een leven zonder haar leeg en saai en zinloos en deprimerend zou zijn.

De brief die hij probeerde te schijven, een opsomming van redenen waarom Colette niet naar Europa moest afreizen, wilde niet een-twee-drie uit zijn pen vloeien. Hij begon, stopte en begon opnieuw; om het hotelbriefpapier telkens tot een prop te verfrommelen en in de prullenbak te gooien. Steeds weer haalde hij ze eruit en verbrandde ze een voor een in een asbak. Hij was tot het inzicht gekomen dat, nu Freud toegestemd had Luc te behandelen, Colette zich nooit zou laten overhalen niet naar Wenen te gaan.

Younger pakte zijn biezen.

❧

Littlemore nam nogmaals het bewijsmateriaal onder de loep dat van de ontvoerders van Colette en Luc in beslag was genomen. Hij onderzocht elk voorwerp minutieus, keerde elk kledingstuk binnenstebuiten. Hij zocht naar wasserijetiketten, naar haren, naar alles wat de gevangengezette man, Drobac, met de kidnapping in verband kon brengen. Alles zonder resultaat.

Toen ging hij naar de politiegarage, waar hij de wagen van de criminelen zowel vanbinnen als vanbuiten, van de uitlaatpijpen tot het stuur en de asbakjes, persoonlijk opnieuw op vingerafdrukken onderzocht. Dit nauwgezette proces nam vele uren in beslag. En leverde een soortgelijk resultaat op: een karrenvracht aan afdrukken die geen van alle overeenkwamen met die van de man die Younger belaagd had. Gefrustreerd maar niet verslagen keerde Littlemore voor de nacht naar huis terug.

※

Zelfs toen de treinconducteur New Haven als de volgende halte omriep, had Younger nog niet besloten of hij er zou uitstappen of naar Boston zou doorreizen, de stad die het overgrote deel van zijn leven zijn thuis was geweest.

Het uitzicht aan de andere kant van het raampje vertoonde steeds meer kenmerkende New England-trekken. Bomen in felle kleurenpracht. Elke brug over elke rivier, elke inham in elke kuststrook kwam hem even vertrouwd voor. Hij had veel te vaak in de kustlijn van en naar Manhattan gezeten.

Toen de trein in New Haven tot stilstand kwam, stapte Younger het perron op. Hij snoof de herfstlucht op en deponeerde een brief voor Colette in een brievenbus. Onder zijn adres in Boston stond geschreven:

24 september 1920

Ik ga met je mee naar Wenen, maar alleen op één voorwaarde: dat je van je voornemen afziet Hans Gruber op te zoeken.

Stratham

De fluit klonk, de conducteur riep en Younger keerde naar zijn zitplaats terug.

※

Littlemore bracht de volgende dag – zaterdag – door met het opsporen en horen van de bewoners van het gebouw waar de criminelen zich hadden opgehouden. Geen van hen had iets waardevols te melden. Hij wist de eigenaar van het gebouw te achterhalen, maar de huisbaas leverde al even weinig op. Hij baande zich een weg door de politieafzetting en ging opnieuw de kamer binnen waar Colette en Luc waren vastgehouden. Op handen en knieën onderzocht hij met zijn vergrootglas elke vierkante centimeter van de kamer.

※

Op zaterdagmorgen werd Younger wakker in zijn oude slaapkamer in zijn oude huis in Black Bay. Het was niet het huis van zijn ouders, het huis waarin hij was opgegroeid, maar een herenhuis dat hij gekocht had toen hij na zijn scheiding in 1911 naar Boston was teruggekeerd. Het was een mooie woning met prachtige oude meubelen, hoge plafonds en fraai geproportioneerde kamers. Zonder de hoge stapel post aan te raken ging hij naar buiten.

Wat hem zo aanstond aan Boston was dat het zo'n kleine stad was. Dat was ook wat hem er zo aan tegenstond. Hij wandelde naar de Public Garden, langs rijen herenhuizen die min of meer hetzelfde waren als het zijne, en ging op een bankje bij het meer zitten. Het water was zo kalm dat hij er de omgekeerde schim van elke zwaan en roeiboot die door het water laveerde in weerspiegeld zag. Hij stak een sigaret tussen zijn lippen, maar kwam tot de ontdekking dat hij geen lucifers bij zich had. Het feit dat hij als ambteloos burger in Boston was, irriteerde hem.

Na zijn scheiding had Younger zich op zijn wetenschappelijke werk gestort en had dag en nacht in een laboratorium onder de medische faculteit van Harvard doorgebracht. Hij deed onderzoek naar ziekteverwekkers. Hij maakte naam in de wetenschap door in 1913 syfilitische spirocheten in de hersenen te isoleren bij patiënten die aan hersenverweking waren overleden, een aandoening waarvan tot dan werd aangenomen dat deze in aanleg psychiatrisch was. Hij sprak niemand. Hij ging met niemand om.

Toen gebeurde er iets onverwachts. Als gevolg van zijn scheiding, iets wat in Boston niet per se tot uitsluiting leidde maar wat ook niet in een gunstig licht werd bezien, was hij ervan uitgegaan dat hij een paria zou zijn. In plaats daarvan bleek zijn sociale status een hoge vlucht te hebben genomen. Of het nu aan zijn achtenswaardige positie aan Harvard moest worden toegeschreven of aan de publiciteit die zijn vermeende affaire in New York aankleefde, of – veel waarschijnlijker – aan de erfenis van de Schermerhorn-tak van zijn moeders familie die hem ten deel was gevallen, Younger bleek zowel in Boston als in New York uiterst gewild. Aanvankelijk wimpelde hij alle uitnodigingen af. Maar na twee jaar de teruggetrokken wetenschapper te hebben uitgehangen, begon hij uit te gaan.

Tijdens chique gala's had hij begeerlijke jongedames aan zijn arm. Hij kuste hun vingers en danste met ze alsof hij hun het hof maakte. Maar dat was nooit het geval; de meisjes uit de hogere kringen verveelden hem. Actrices genoten zijn voorkeur, en in New York werd hij – welk een schande – met ze gezien. In al die jaren waren er maar drie vrouwen met wie hij het bed had gedeeld, en zelfs die kon hij maar voor heel korte periodes velen. Op een zeker moment was hij in twee steden tegelijkertijd zowel de meest begeerde als de meest gehate man. Zelfs de actrices wist hij doorgaans uiteindelijk tot razernij te brengen. Elk jaar verwachtte hij dat de high society zich walgend van hem af zou keren en hem in de ban zou doen. Maar op de een of andere manier leek het aantal moeders dat meende dat hun dochter degene was die hem in de wacht zou slepen alleen maar toe te nemen. Tijdens een bal in het Waldorf in 1917 ter ere van het meerderjarig worden van de lieftallige Miss Denby, drong de charmante moeder van de debutante er zo volhardend bij hem op aan met haar dochter te dansen dat hij er een welbewuste vertoning van maakte met ieder meisje behalve Miss Denby gezien te worden. Hij dronk zo overmatig veel dat hij zich niet kon herinneren het bal te hebben verlaten en werd de volgende ochtend wakker naast een onbekende vrouw in een hotelkamer. Het bleek Mrs. Denby te zijn.

Een paar weken later verklaarde Amerika de oorlog. Hij nam onmiddellijk dienst.

⁕

Toen Younger naar zijn herenhuis terugkeerde, zat er bij de zojuist bezorgde middagpost een brief van Colette. Terwijl hij nog in de hal stond, maakte hij hem open.

25/9/1920

Liefste Stratham,
Ik kan niet doen wat je van me verlangt. Ik besef nu dat alles wat me in Amerika is overkomen een teken is om me duidelijk te maken dat ik terug moet naar Europa. Dat verlangt God kennelijk van me. Een gelofte is heilig. Hoe overhaast of verkeerd de mijne ook was, ik moet die nakomen. Misschien zie ik, als ik eenmaal daar ben, wel in dat hij niet de ware is. Maar God legt deze gevoelens in onze harten, daar ben ik zeker van. Ik smeek je dat te begrijpen, en met me mee te komen. Ik heb je nodig.

De jouwe,
Colette

Hij begreep het niet. Waarom schrijven dat ze hem 'nodig' had terwijl dat zo overduidelijk niet het geval was? Als het haar om geld te doen was, had hij liever dat ze hem er gewoon zonder omwegen om vroeg.

Rommelend door zijn post vond Younger een afschrift van zijn bank. Met ongeïnteresseerde blik stelde hij vast dat zijn saldo, ooit een bedrag van zes cijfers – voordat hij zijn huis had gekocht – tot vier cijfers was geslonken, en dat het eerste van die vier een één was. Vanaf het moment dat Younger zijn erfenis had gekregen, had hij zijn hoogleraarssalaris en later zijn soldij aan de een of andere onuitstaanbare Bostonse liefdadigheidsinstelling doorgesluisd. Hij had zonder gedachten aan geld geleefd. Het legaat dat hem in de schoot was geworpen, zo had hij besloten, mocht nooit een anker worden.

Hij wist dat hij het aan Colette zou geven – het geld voor haar overtocht – ook al maakte hij zich daarmee belachelijk. Ze hoefde het hem alleen maar te vragen. Hij schoot zijn avondkleding aan en ging naar buiten. Bij het postkantoor gaf hij het volgende, slordig geschreven antwoord af.

25 september 1920

Daar het Gods wil is, ga met Hem.

Stratham

Toen Littlemore die zaterdagavond laat en terneergeslagen thuiskwam, trof hij zijn vrouw in alle staten. Haar moeder, een kleine, stevig gebouwde vrouw die uitsluitend Italiaans sprak, zat naast haar. 'Ze hebben Joey opgepakt,' snikte Betty luidkeels, doelend op haar jongere broer.

'Wie heeft hem opgepakt?' vroeg Littlemore.

'Jullie. De politie,' antwoordde Betty.

Het bleek dat politieagenten op zoek naar Joey, een dokwerker die nog bij zijn moeder inwoonde, een bezoek hadden gebracht aan de woning van Betty's moeder in de Lower East Side. Mrs Longobardi had de politie naar waarheid verteld dat hij niet thuis was. Ze waren de woning binnengegaan en hadden het huis doorzocht, waarbij ze kranten, tijdschriften en brieven van familieleden uit Italië in beslag hadden genomen.

'Ze zeiden dat ze hem wilden arresteren,' ging Betty verder. 'Arresteren en uitzetten.'

'Wat voor politieagenten?' vroeg Littlemore. 'Wat hadden ze aan?'

Betty vertaalde de vraag. De agenten, antwoordde Mrs. Longobardi, hadden donkere jassen en dassen gedragen.

'Flynn,' zei Littlemore.

Op zondagmorgen was Younger niet uitgerust wakker geworden. Goed beschouwd was hij helemaal niet wakker geworden, aangezien hij niet was gaan slapen. Toen hij thuis was gekomen, ongeschoren, zijn das scheef om zijn nek, was de dag al lang en breed aangebroken. Terwijl hij koffiezette, besloot hij dat het de hoogste tijd was weer eens aan het werk te gaan.

Sinds 1917 had hij geen wetenschappelijk artikel meer geschreven. Hij had zelfs geen contact met Harvard opgenomen om zijn hoogleraarschap te hervatten. Maar hij had de aantekeningen nog van de experimenten die hij tijdens de oorlog had uitgevoerd; daar zat een artikel in over de medische toepassing van maden dat hij graag wilde schrijven, en er was nog een stel oud-patiënten dat hem vast weer graag als hun huisarts wilde. Het werd tijd tot bezinning te komen.

Hij ging naar zijn studeerkamer en begon zijn papieren en financiën op orde begon te brengen.

Het schemerde toen hij wakker schrok – na boven zijn bureau in slaap te zijn gevallen – zijn hart bonzend van een droom waarvan het slotbeeld hem nog helder voor ogen stond. Na haar Oostenrijkse rondreis was Colette linea recta naar Amerika teruggekomen. Ze had hem een telegram gestuurd: achteraf gezien had ze toch niet om Hans Gruber gegeven; het was hem, Younger, van wie ze hield. Hij wachtte haar in de haven van Boston op. Ze rende regelrecht van het schip op hem toe, maar toen ze bijna bij hem was verstijfde ze, vol afgrijzen wendde ze haar groene ogen af. Hij strompelde naar een spiegel. Daarin zag hij wat zij had gezien. Tijdens haar afwezigheid van vijf weken was hij vijftig jaar ouder geworden.

Die zondag sloeg Littlemore de kerk en het wekelijkse bezoek aan zijn vader op Staten Island over en keerde hij naar de politiegarage terug. Ook al was het voertuig al door andere agenten van onder tot boven doorzocht en geïnventariseerd, toch stapte hij in de wagen van de ontvoerders en onderwierp hem opnieuw aan een minutieus onderzoek. Zijn beloning bestond uit welgeteld één vondst. Diep weggestopt in een spleet tussen rug en zitting vond Littlemore een hoekje van een Western Union-afschrift. Het was geen telegram maar een ontvangstbewijs, waaruit hij alleen kon opmaken dat een of andere klant iemand een of andere boodschap had gestuurd.

Met een paar weken en een tiental mannen tot zijn beschikking die hij de stad kon laten uitkammen, hadden ze het reçuutje misschien tot het kantoor van herkomst kunnen herleiden. Maar Littlemore had de mankracht niet, hij beschikte niet over de tijd, en het versturen van een telegram kon moeilijk als bewijs van een misdaad worden opgevoerd.

⁂

Op zondagavond rinkelde de telefoon in Youngers huis. Hij nam op, zichzelf vervloekend om het feit dat hij hoopte dat het Colette was. Zij was het niet.

'Wat doe jij in Boston?' vroeg Littlemore.

'Ik woon hier,' antwoordde Younger.

'Ik heb het hele weekeinde de ene boodschap na de andere voor je in het Commodore achtergelaten. Je hebt me niet gezegd dat je naar Boston zou gaan.'

'Jij had me op het hart gedrukt dat ik het je niet moest zeggen als ik de stad uit ging.'

'O ja, daar zeg je zo wat,' zei Littlemore. De rechercheur beschreef de ongelukkige gang van zaken. 'Drobac komt morgenmiddag vrij. Het spijt me, doc. En ik maak me zorgen. Het blijkt dat Drobacs advocaat van alles over Colette weet, tot en met het feit dat ze in New Haven zit. En hoe kan hij dat weten? Omdat ik denk dat ze de jongedame door iemand laten volgen. Of anders is er misschien iemand die ze kent in New Haven die verslag aan ze uitbrengt. Maar één ding kan ik je wel vertellen: wanneer Drobac vrijkomt, weet ik niet waar Colette nog veilig is. Ik denk dat zij en haar broer ergens moeten onderduiken.'

Younger hing op, greep zijn jas en hoed en ging het huis uit om de nodige voorzorgsmaatregelen te treffen. Toen hij klaar was, stelde hij een telegram op dat hij per expresse bij Colette liet bezorgen.

```
JIJ EN LUC MOETEN ONMIDDELLIJK WEG STOP DROBAC KOMT MORGEN VRIJ STOP
GROOT GEVAAR STOP HIJ WEET WAAR JULLIE ZIJN STOP HEB HUT GEBOEKT OP DE
WELSHMAN STOP VAART MAANDAGMIDDAG HALFZES UIT HAVEN NEW YORK NAAR
HAMBURG STOP LITTLEMORE WACHT DAAR STOP NIEMAND IETS ZEGGEN HERHAAL
NIEMAND
```

Omdat het zondagavond was, moest Younger een klein fortuin neertellen om het telegram te laten verzenden en in New Haven per ijlbode bezorgd te krijgen. Helaas was de haastig door Western Union ingehuurde loopjongen niet bij machte de verschillende studentenvertrekken van Yale University uit elkaar te houden en werd het telegram onder de verkeerde deur door geschoven.

᠙᠙᠙

Bij thuiskomst, na tot zondagavond laat in het laboratorium te hebben gewerkt, stond Colette voor een open deur. Dit ontstelde haar. Ze had Luc keer op keer gewaarschuwd altijd de deur achter zich dicht te doen, maar wat ze ook zei, hij luisterde tegenwoordig toch niet naar haar. Colette stapte de verstilde duisternis van haar vertrek binnen. Het was er veel te donker, en stil. Lag Luc al te slapen? Hij ging nooit naar bed voordat zij hem zover wist te krijgen.

De lucht voelde vochtig. Ze tastte rond om een lamp aan te doen, maar kon de schakelaar niet vinden. Toen hoorde ze gedruppel – alsof het regende, maar dan binnen. Het geluid kwam uit haar slaapkamer.

'Luc?' riep ze. Er kwam geen antwoord. Op de tast schuifelde ze door de slaapkamer, vond een lamp en deed die aan.

De kamer was leeg. Het smalle bed van de jongen was onbeslapen. Op het plafond vormden zich waterdruppels die in een plas op de vloer vielen.

Een verdieping hoger woonde een doctoraal student in de theologie met zijn lieve vrouw, die vaak op Luc paste wanneer Colette aan het werk was. Sterker nog: Luc was te allen tijde bij deze buren welkom om melk en koekjes in hun keuken te komen bunkeren; een uitnodiging waarvan hij meer dan eens gebruik had gemaakt. De lekkage kwam duidelijk uit hun appartement. En ook Luc moest zich daar bevinden, zo meende Colette.

Ze snelde door de gang naar het onverlichte trappenhuis van het studentenhuis, greep in het duister om zich heen, vond de leuning en liep de trap op. Licht sijpelde onder de deur van haar vrienden door. Ze klopte, de deur zwaaide open. Het kleine appartement was licht, stil en sereen. Het raam van de huiskamer stond open, een gordijn wapperde ervoor. Colette riep haar vrienden; er volgde geen reactie.

Colettes hart begon sneller te kloppen. De theologiestudent en zijn vrouw konden niet uit zijn, die waren 's avonds altijd thuis. Colette ging naar de keuken, die leeg was. Maar de deur van de ijskast stond open, wat helemaal verkeerd was; de deur van de ijskast liet men niet openstaan. Toen hoorde ze het geluid van stromend water. Vanuit de keuken leidde een deur naar de badkamer. Colette keek omlaag; door de kier onder de deur sijpelde water de keuken in. Colette trok de badkamerdeur open. Er was niemand. De badkraan stond open, onbeheerd. Het bad was vol; water stroomde over de vloertegels. Colette draaide de kraan niet dicht. In plaats daarvan rende ze, om redenen die ze niet verklaren kon, terug naar de huiskamer, rukte het gordijn open en keek omlaag naar de binnentuin. Daar was Luc.

Hij stond onder een boom vlak bij een lantaarnpaal met een glas melk in zijn ene hand en een koekje in zijn andere een vrouwelijke gedaante aan te gapen die op haar knieën zat en in zijn ogen keek, met sprietig haar dat enigszins rood kleurde in het lantaarnlicht. Het gegroefde gelaat van het meisje stond strak en gespannen. Ze had bijna mooi kunnen zijn, als haar ogen niet zo angstaanjagend waren geweest; ogen die iets onzegbaar gruwelijks hadden gezien of iets gruwelijks overwogen. Het meisje knoopte haar jurk los, trok hem open en toonde de jongen haar hals en blote borst. Hoewel haar gezicht zo gespannen stond als dat van een krankzinnige, waren haar hals en borst smetteloos, blank, zacht – bijna alsof ze straalden. Het glas gleed uit Lucs hand. Het viel in het gras en dus brak het niet, maar even flonkerde er een cirkel van witte melk aan zijn voeten. De gedaante strekte haar armen uit, alsof ze hem wenkte.

Colette schreeuwde uit het raam. Ze rende de gang op, het trappenhuis in. Terwijl ze aan de zware voordeur rukte, klonken er andere gealarmeerde stemmen in de binnentuin; stemmen die naar haar riepen, niet naar Luc. Het meisje onder de boom was verdwenen.

Die andere stemmen behoorden aan Colettes bovenburen toe – de theologiestudent en zijn vrouw – die buiten adem verklaarden dat zij een telegram in hun bezit hadden dat Colette ogenblikkelijk moest lezen. Ze waren thuis geweest toen een student bij hen had aangeklopt met een boodschap van Western Union die per ongeluk bij hem was afgeleverd. Zodra het stel het spoedeisende telegram had gelezen, hadden ze zich naar Colettes laboratorium gespoed en Luc op het hart gedrukt achter te blijven en te wachten; ze waren zo overhaast de deur uit gerend dat de theologiestudent de badkraan open had laten staan. Maar toen ze bij het laboratorium aankwamen, was Colette al vertrokken.

Nadat Colette Luc mee naar hun appartementje had genomen, nadat Colette de boodschap had gelezen, nadat de buren naar boven waren verdwenen, keek ze haar broer aan. 'Heeft ze je aangeraakt?' vroeg Colette.

De jongen schudde zijn hoofd. Hij wees naar zijn hals en maakte gebaren met zijn handen die Colette begreep.

'Ja, ik heb het ook gezien,' antwoordde ze. 'Het aura.'

Maandag vroeg in de ochtend keerde rechercheur Littlemore terug naar de juridische bibliotheek. Het kostte hem een paar uur, maar uiteindelijk vond hij wat hij zocht. Gewapend met zijn kennis ging hij op weg naar het Astor Hotel, waar BOI-directeur Flynn zijn commandopost had ingericht. Onderweg graaide Littlemore een paar hotdogs mee.

Eenmaal in het Astor kuierde Littlemore, Oost-Indisch doof voor de protesten van een secretaresse, rechtstreeks naar de gesloten deur van Flynns kantoor, waarvoor twee vertrouwde secondanten op wacht stonden. Een van hen wreef over zijn kaak toen hij de rechercheur in het oog kreeg.

'Is Big Bill in de buurt?' vroeg Littlemore hun. Toen niemand antwoordde, zei Littlemore: 'Dan klop ik toch gewoon even aan, als jullie er niets op tegen hebben.'

Beide assistenten legden hun handen op Littlemores borst. 'Daar hebben we wel wat op tegen,' zei het hulpje dat bij het huis van de rechercheur was geweest.

'Ook goed,' zei Littlemore, terwijl hij een hap van zijn hotdog nam. 'Dan ben ik met een paar uur weer terug. Moet nu sowieso naar de rechtbank. Om een arrestatiebevel te laten opstellen. Zeg, weten jullie iets van die soldaten die Big Bill buiten het gebouw van Financiën heeft geposteerd? De reden dat ik het vraag is de Posse Comitatus A. Een van jullie zin in een dog? Ik heb er twee.'

De assistenten staarden Littlemore aan.

'De Posse Comitatus A, snap je,' ging de rechercheur verder, 'is een federale wet waarin staat dat iedereen die troepen van het nationale leger op Amerikaanse bodem inzet om de wet te handhaven, tja, eh, de wet overtreedt. Dat wil zeggen: iedereen behalve de president. Dus doe me een lol, wil je? Zeg tegen Big Bill dat inspecteur Littlemore van het New York Police Department om vijf uur terug is met een hele bende journalisten en een arrestatiebevel. En zeg hem dan ook gelijk even dat die journalisten zullen willen weten wat hij in het gebouw van Financiën verborgen houdt.'

Op de vierde verdieping van het enorme, grijze, burchtachtige gevangeniscomplex, beter bekend als de Tombs, de Grafkelder, werd op maandagmiddag halfdrie het bevel gegeven een arrestantencel voor tijdelijk inverzekeringgestelden te ontgrendelen. De huid rond Drobacs ogen was nog steeds blauw en gezwollen. Zijn mond was dichtgenaaid en er zat een rond metalen apparaat rond zijn kaak en wangen geklemd.

Zeer in zijn nopjes met de gang van zaken stapte een goed geklede advocaat samen met de chirurg van de moordenaar de cel binnen. Beiden grepen de gevangene bij een arm om hem van het bed overeind te helpen. Drobac wimpelde hun steun af en stond op eigen kracht op.

Littlemore stond helemaal aan het andere uiteinde van de lange gang achter een traliedeur, die hem van de cellen scheidde, op zijn tandenstoker te kauwen. Er hielden zich verscheidene cipiers en agenten in zijn buurt op, onder wie Roederheusen en Stankiewicz. Ook Younger was er, die die ochtend uit Boston was overgekomen.

'Weet je zeker dat je hier bij wilt blijven?' vroeg Littlemore.

Younger knikte.

Aan het einde van de gang kwam Drobac uit zijn cel tevoorschijn. Hij liep traag, zonder ondersteuning, zijn dichtgenaaide kin demonstratief omhoog. Druk in gesprek verwikkeld volgden de advocaat en de chirurg in zijn kielzog.

'In dat geval wil ik je revolver hebben, doc,' zei Littlemore op gedempte toon.

'Welke revolver?' antwoordde Younger op dezelfde fluistertoon.

'Nu,' zei Littlemore.

Younger bewoog niet. Het licht viel schuin op Drobac, terwijl hij en zijn coterie naderbij kwamen.

'Mannen,' zei Littlemore met lichte stemverheffing, 'hou dr. Younger in bedwang.'

Roederheusen en Stankiewicz stapten naar voren en grepen hem bij de armen.

Littlemore graaide in Youngers jasje, trok er een revolver uit en gaf die aan een cipier, die zich erover ontfermde. 'Het spijt me, doc. Sla hem in de boeien.'

Eindelijk bij de traliedeur aangekomen, zag Drobac dat Younger handboeien werden omgedaan. Ze keken elkaar strak aan. Als je van een man met een dichtgenaaide mond kunt zeggen dat hij glimlachte, dan glimlachte Drobac.

'Open de poort,' beval Littlemore.

'Laat hem niet vrij,' zei Younger, zijn handen op zijn rug geboeid, zijn armen in de stevige greep van Roederheusen en Stankiewicz.

'Doe die poort open,' herhaalde Littlemore.

Een cipier ontgrendelde de getraliede poort. Drobacs advocaat zei: 'Dank u, inspecteur. Ik ben blij dat mijn gesprekje met de burgemeester zoveel effect gesorteerd heeft, maar ik huiver bij de gedachte aan al die andere arme mannen die hier ongrondwettelijk worden vastgehouden. Schept u er soms genoegen in de wet te overtreden, inspecteur? Als u zo goed wilt zijn nu de invrijheidsstelling te tekenen.'

Een beambte reikte Littlemore een klembord aan. 'Als uw cliënt zo arm is,' vroeg de rechercheur, 'wie draait er dan voor de rekening op, Mr...?'

'Gleason,' antwoordde de advocaat. 'Voor zaken als deze reken ik niets, inspecteur. Die doe ik *pro bono publico*, voor de publieke zaak.'

'Vanzelf,' zei Littlemore.

'Laat hem niet vrij,' riep Younger.

'Geen keus,' antwoordde Littlemore terwijl hij het formulier aftekende. 'Wet is wet.'

Mr. Gleason pakte zijn kopie van het ontslagformulier vergenoegd aan. Hij wendde zich tot Younger. 'Dus jij bent degene die mijn cliënt half-dood heeft geslagen. Reken maar dat wij een aanklacht zullen indienen.'

Younger gaf geen antwoord.

'Wat een marteling moet het zijn,' ging Gleason verder, 'om daar te moeten staan toekijken met al die bizarre waanideeën van je: dat mijn cliënt een zeer geduchte moordenaar is; dat hij die Française achterna zal zitten, waar ze ook heen vlucht, of dat nu van New Haven naar Hamburg of naar de verste uithoek van de aarde is; dat hij haar op een nacht vindt en haar de strot afsnijdt.'

Youngers geruk aan zijn handboeien had slechts tot gevolg dat Roederheusen en Stankiewicz hem nog steviger vasthielden. 'Niet als ik hem eerst te pakken krijg,' zei hij.

'Heeft u dat gehoord, inspecteur!' kraaide Gleason. 'Hij bedreigt mijn cliënt. Ik eis dat u zijn invrijheidsstelling opheft. Die man hoort achter de tralies. Zo niet, inspecteur, dan zorg ik dat u de laan uit vliegt.'

'En nu wegwezen,' zei Littlemore.

'Tja, als u erop staat,' antwoordde de advocaat. Hij wendde zich opnieuw tot Younger. 'Mijn cliënt heeft tien dagen vastgezeten. Jij zult hier de komende twintig jaar doorbrengen.'

De woorden brachten Younger tot zwijgen. Niet het dreigement; het waren de 'tien dagen' die zijn aandacht trokken. 'Littlemore,' zei hij, terwijl Gleason Drobac meetroonde naar het trappenhuis dat naar zijn vrijheid leidde. 'Laat hem zijn hemd uittrekken.'

'Zijn hemd?' antwoordde de rechercheur.

'De ontvoerder heeft ergens onder zijn borstkast een herkenningsteken,' zei Younger. 'Een rode markering in de vorm van een reageerbuis.'

De cipier bij het trappenhuis keek Littlemore onzeker aan, in afwachting van het bevel om Drobac al dan niet door te laten.

'Bespottelijk,' zei Gleason.

De chirurg liet zich gelden. 'Is deze markering voor het blote oog zichtbaar?'

'Ja,' zei Younger.

'Ik heb Mr. Smith geopereerd,' ging de chirurg, op Drobac doelend, verder, 'en ik kan u verzekeren dat er op zijn bovenlichaam geen spoor van een dergelijk merkteken te vinden is.'

'Dan hoeft hij ook niet bang te zijn om zijn hemd uit te trekken,' zei Younger.

'Dit is volslagen belachelijk,' zei Gleason, terwijl hij zich langs de cipier wrong en de deur naar het trappenhuis zelf opentrok. 'U heeft de chirurg gehoord. Mijn cliënt is op vrije voeten gesteld. Als u ons nu wilt excuseren...'

Drobac maakte aanstalten door de deur te verdwijnen die zijn advocaat voor hem openhield.

'Halt,' riep de inspecteur. 'Trek zijn hemd uit.'

Een vijftal cipiers trok Drobac terug de gang in en ging in een kring om hem heen staan.

'U heeft het recht niet,' zei Gleason.

Drobac uitte zijn eerste woorden. 'Is goed,' zei hij met zijn Oost-Europese tongval; het metalen raamwerk rond zijn kaak glom zilverkleurig op. 'Ik doe het. Waarom niet? Ik verberg niets.'

Littlemore keek naar Younger, die een wenkbrauw optrok.

Drobac ontdeed zich bedaard van zijn jasje, gleed uit zijn bretels en begon zijn witte overhemd los te knopen. Toen zijn borstkast bloot was, kon iedereen het zien: onder zijn zwaarbehaarde borst en linkerribben bevond zich, net niet helemaal verticaal, een volmaakte gelijkenis met een reageerbuis die als een dieprode uitslag in zijn huid zat geëtst.

'Wel heb je ooit,' zei Littlemore.

Drobac keek niet-begrijpend omlaag. 'Wat... wat is dat?'

'Een soort brandwond veroorzaakt door radium,' zei Younger. 'Het duurt tien dagen voordat die zichtbaar wordt. De jouwe is het gevolg van een reageerbuis die je in het Commodore Hotel gestolen hebt en in je jaszak hebt gestopt.'

'Dit is een grof schandaal,' verklaarde Gleason. 'Daar zal de burgemeester van horen.'

'Stop Mr. Smith terug in zijn cel,' zei Littlemore tegen de cipiers.

Drobac, die nog steeds naar de rode uitslag op zijn bovenlijf keek, snoof op een manier die zowel knarsetandende acceptatie als minachting uit moest drukken. 'Is goed,' zei hij, terwijl hij zijn overhemd dichtknoopte. 'Jullie gevangenis? Net hotel.'

'Blij dat je het hier naar je zin hebt,' reageerde Littlemore, 'want je zult hier nog heel veel tijd doorbrengen.'

Drobac glimlachte slechts door het glimmende stalen draadwerk.

༄

Voor de Grafkelder gaf Littlemore Younger zijn revolver terug en vroeg hem of hij zin had mee te gaan naar het Astor Hotel, waar hij een clubje journalisten en directeur Flynn zou ontmoeten. 'Kan lachen worden,' zei de rechercheur. 'Als ik er niet voor ontslagen wordt.'

Younger sloeg de uitnodiging af met de mededeling dat hij een rendez-vous had dat hij niet mocht missen.

'Zeg, doc, geloof jij in voorgevoelens?'

'Nee.'

'Ik zat over die Eddie Fischer na te denken. Iedereen doet alsof hij geschift is, maar wat als hij echt abnormaal begaafd is?'

'Paranormaal begaafd.'

'Je hebt toch van die mensen die in voorgevoelens geloven? Wetenschappers? En hoe kan het dat jij al vóór de rest van ons wist dat die bom in Wall Street af zou gaan? Hoe verklaar je dat?'

'Er hing iets in de lucht,' antwoordde Younger.

'Dat is precies wat die Fischer ook zei. Dat hij het "uit de lucht" had.'

'Als je iemand wilt spreken die daar echt in gelooft,' zei Younger, 'dan kun je het allerbest bij het Amerikaanse Genootschap voor Parapsychologisch Onderzoek langsgaan. Vraag naar dr. Walter Prince.'

'Bedankt. Doe ik.'

Ze stonden een tijdje zwijgend naast elkaar.

'Het spijt me van die handboeien,' zei Littlemore. 'Gewoon standaardvoorschriften. Ik weet ook wel dat je niet echt van plan was die kerel dood te schieten.'

'Ik zou hem vermoord hebben,' zei Younger.

'Jezus, dat soort dingen kun je niet zomaar doen, doc. De oorlog is voorbij.'

Younger knikte. 'Misschien is het wel altijd oorlog. Misschien is het alleen zo dat sommigen van ons niet vechten.'

'Aha,' zei Littlemore. 'Of misschien wilde je alleen maar iemand omleggen.'

'Misschien.'

Ze drukten elkaar de hand en gingen uiteen. Nadat Youngers taxi was weggereden, kwam er een ander voertuig naast Littlemore tot stilstand; een zwart-gouden Packard. Tegelijkertijd liepen twee grote mannen in pakken vanaf de trappen van de Tombs op de rechercheur af. Het achterraampje van de Packard schoof omlaag. 'Zou u zo vriendelijk willen zijn in te stappen, inspecteur?' vroeg een stem vanaf de achterbank.

'Hangt ervan af wie het vraagt,' zei Littlemore.

De man die het dichtst bij de rechercheur stond, legde zijn hand tussen Littlemores schouderbladen om hem de wagen in te duwen. Hij liet zijn jasje net ver genoeg openhangen zodat Littlemore de kolf van zijn pistool uit een holster zag steken.

'Moet ik daar bang van worden?' vroeg Littlemore, terwijl hij met verbluffende snelheid in het jasje van de man greep, het pistool uit de holster trok en het tegen diens kin gedrukt hield – terwijl hij intussen met zijn andere hand zijn eigen wapen van onder zijn riem tevoorschijn trok en het op de andere man gericht hield. 'Waar worden jullie BOI-jongens eigenlijk opgeleid, zeg?'

'Alstublieft, alstublieft, doe die wapens weg,' sprak de stem vanuit de wagen. 'Ik verzeker u: er is geen enkele reden toe. Deze heren zijn niet van het Bureau of Investigation. Ze werken voor mij.'

'En wie mag u wel zijn?' vroeg Littlemore.

'Ik ben slechts een dienaar.'

'Een dienaar van wie?' vroeg Littlemore.

'Van president Wilson, neem ik aan. Mijn naam is David Houston. Ik ben minister van Financiën. Stapt u toch in, inspecteur. Er is iets wat we moeten bespreken.'

Littlemore stapte in.

❦

Younger trof Colette en Luc wachtend op een pier in de haven, vlak bij de aanlegplaats van het stoomschip *Welshman*. Naast hen stonden drie triest ogende, haveloze bruinleren koffers. De lucht begon al af te koelen; het zou een frisse herfstavond worden. Mensen gingen al aan boord.

Nadat ze elkaar begroet hadden, bracht Colette verslag uit van de gebeurtenissen van de vorige avond. 'Het is vreemd,' zei ze. 'Toen ik haar voor het eerst zag, was ik angstig, maar later kreeg ik het gevoel dat er niets was om bang voor te zijn.'

De lucht vulde zich met stilte.

'Ik verwachtte jou niet,' zei Colette, terwijl ze een lok haar uit haar gezicht streek.

'In je telegram was sprake van Jimmy.'

Younger knikte. Hij gaf haar de reisbiljetten.

'Hebben ze hem vrijgelaten?' vroeg ze. 'De moordenaar?'

'Nee, die zit weer vast,' zei Younger. 'En hij komt voorlopig niet meer vrij. Maar het maakt niet uit. Je wilt met dit schip mee.'

Ze keek omlaag naar haar handen. 'Jij...' zei ze.

'Het is al lang geleden ergens misgegaan, tussen jou en mij,' antwoordde Younger. 'Allemaal mijn schuld. Het is beter zo. Ik betwijfel of je soldaat je verdient, maar jij verdient het daar zelf achter te komen.'

Haar blik bleef rusten op de vervoersbewijzen. 'Deze zijn voor Bremen, niet voor Hamburg.'

Toen Younger een uur eerder bij de haven was aangekomen, had hij een tweede paar kaartjes gekocht voor een ander schip, de *George Washington*. Drobacs advocaat, Gleason, leek ervan op de hoogte dat Colette naar Hamburg af zou reizen. Als dat echt zo was, dan zouden haar achtervolgers verwachten dat Colette met de *Welshman* zou varen.

'Een eersteklashut,' vervolgde Colette, terwijl ze de reisbiljetten nog steeds bestudeerde. 'Dat is toch nergens voor nodig.'

Younger reikte haar twee witte enveloppen aan. 'In deze,' zei hij, 'zit geld voor de overtocht. De andere bevat een wissel op mijn rekening in Engeland die elke behoorlijke bank in Wenen zal verzilveren. Nee, pak aan, jullie kunnen niet van de wind leven.'

Ze schudde haar hoofd en probeerde hem de enveloppen terug te geven, maar Younger weigerde ze aan te pakken. Hij zakte door zijn knieën en stak zijn hand uit naar Luc. De jongen twijfelde even, maar bood hem toen zijn eigen hand.

'Hij heeft het 'm gelapt,' zei Younger. 'Babe Ruth heeft zijn vijftigste geslagen. En zijn eenenvijftigste.'

Luc knikte. Hij wist het al.

'Pas goed op je zus,' zei Younger. Hij knipoogde. 'Ieder meisje heeft een man nodig die voor haar zorgt.'

❧

Minister Houston ging Littlemore voor op de marmeren trappen, langs soldaten die in de houding sprongen, en voerde hem het gebouw van Financiën binnen. Houston was een minzame, knappe man van begin vijftig; de innemende kraaienpootjes rond zijn ogen duidden op een vriendelijke dispositie, die op gespannen voet stond met al het overige in zijn voorkomen, niet in de laatste plaats de koude, zachte intelligentie van zijn zangerige, zuidelijke stem. De rechercheur volgde de met een hoge hoed getooide Houston door de enorme koepelzaal, toen omlaag door een reeks van smalle trappenhuizen. Op elke verdieping, bij elke deur, stonden soldaten op wacht.

Ze kwamen in de onderste kelderverdieping uit, bij een smalle deur onder een stenen boog die zo laag was dat ze zich moesten bukken om eronderdoor te kunnen. Aan de andere kant van de deur zette Houston een schakelaar om: een zwak elektrisch schijnsel kwam flikkerend tot leven. Ze waren in een grote ruimte met een laag, gewelfd plafond, tot de nok gevuld met eindeloze stapels volmaakt gerangschikte, kruiselings gestapelde, rechthoekige blokken die donkergeel opglommen.

Houston loodste Littlemore tussen de stapels baren door, die net als de kasten in een overvolle bibliotheek net genoeg ruimte lieten om er in ganzenpas tussendoor te lopen. De stapels leken zich kilometers ver uit te strekken.

Het was goud, niets dan goud, zover het oog reikte.

'Pak er maar eentje, inspecteur,' zei Houston.

Littlemore nam een baar van de top van de dichtstbijzijnde stapel. In verhouding tot zijn formaat was hij buitensporig zwaar.

'Negen kilo,' zei Houston. 'Nergens ter wereld ligt een grotere goudvoorraad. Nu niet, vroeger niet. Niet in de Bank of England, niet in de paleizen van de Turken, niet in de grafkamers van de Inca's. U ziet hier de volledige goudreserve van de Verenigde Staten van Amerika, die de kredietruimte van onze overheid bepaalt, de waarde van de dollar in onze broekzakken en, in laatste instantie, de liquiditeit van elke bank in dit land. Heeft u enig idee hoeveel geld hier ligt, inspecteur?'

'Minder dan er op de ochtend van 16 september lag.'

'Hoe scherpzinnig. Hoe lang wist u dat al?'

'Ik zag een van jullie bewakers buiten het gebouw van Financiën dood in een steeg liggen met een goudstaaf in zijn hand,' zei Littlemore. 'Toen ik erachter kwam dat jullie geprobeerd hadden zijn naam van een slachtofferlijst te schrappen, wist ik dat jullie beroofd waren.'

'Ja, dat was nogal knullig,' zei Houston. Hij haalde diep adem. 'Het goud in deze kluizen is zo'n negenhonderd miljoen dollar waard. Denk je eens in. De bom, de doden, de onbeschrijfelijke ellende – allemaal voor een bankoverval.'

'Daarom heeft Flynn het leger ingezet.'

'Dat was Flynn niet,' zei Houston laatdunkend. 'Die man is een branieschopper. Ik heb de aanwezigheid van die soldaten bevolen, en ik ben me er zeer wel van bewust dat dat tegen de grondwet indruiste. Maar het zou een misdaad geweest zijn het niet te doen. Ik heb geprobeerd Wilsons toestemming te krijgen, maar hij is niet... die functioneert niet meer helemaal naar behoren, moet u weten.'

'Waarom ben ik hier, Mr. Houston?' vroeg de rechercheur.

'We konden toch onmogelijk toelaten dat u de pers vertelde dat Financiën beroofd is?'

'Hoeveel hebben ze buitgemaakt?'

'O, het gaat niet om de geldwaarde van wat we kwijt zijn. Goud heeft geen waarde omdat iemand bereid is er dollars voor neer te tellen, inspecteur. Dollars hebben waarde omdat de Amerikaanse overheid garandeert ze tegen goud in te wisselen. De echte waarde van goud is psychologisch. Het is waardevol omdat mensen geloven dat het waardevol is. En omdat ze dat geloven, geniet een overheid die het bezit, of waarvan men aanneemt dat die het bezit, het vertrouwen van haar burgers. We zouden elk grammetje goud in deze kluizen kwijt kunnen raken, maar zolang de mensen er niet van weten, blijven ze onze obligaties kopen, met onze dollars betalen, hun geld naar onze banken brengen, enzovoort. Omgekeerd geldt hetzelfde: we kunnen nog zo ons best doen te voorkomen dat er ook maar één baar de deur uit gaat, maar zodra mensen twijfels hebben over de goudreserve van dit land, kunnen we een bankenpaniek krijgen vergeleken waarbij die van 1907 babygejengel was.'

'Hoe hebben ze het gedaan?'

'U heeft het nieuwe gebouw hiernaast gezien, inspecteur? Het hoofdkantoor van Assay? Diep eronder hebben we nieuwe, veilige kluizen gebouwd die veel beter toegerust zijn dan deze muffe oude kelder. Het goud wordt momenteel overgebracht naar de nieuwe kluizen. We hebben een manier bedacht om het te verplaatsen zonder dat er ooit een klompje goud het pand hoeft te verlaten.'

'Een tunnel?' vroeg Littlemore.

'Nee, een brug. Een luchtbrug.'

Littlemore knikte. 'In de steeg tussen de gebouwen. Ik heb de deuren gezien.'

'Precies. De brug verbond de eerste verdiepingen. Hij was speciaal gebouwd om het goud erover te vervoeren. En drievoudig versterkt om het gewicht te dragen. Met een mobiele lopende band om het transport van een dergelijke hoeveelheid metaal doenlijk te maken. Dat alles zonder ooit een enkele baar aan de buitenwereld bloot te hoeven stellen. Althans, dat dachten we.'

'Jullie waren op de zestiende het goud aan het verhuizen?' vroeg Littlemore.

'Ja, inderdaad. Het was een uiterst zorgvuldig bewaard geheim. Althans, dat had het moeten zijn. Klaarblijkelijk heeft iemand er lucht van gekregen. De werkmannen die het karwei klaarden, reageerden overigens heel adequaat. Toen ze de explosie hoorden, sloten ze onmiddellijk de deuren aan weerszijden van de brug, precies zoals hun opgedragen was. Het enige wat we kwijtraakten, was het goud dat op dat moment op de brug lag, die in brand vloog en instortte. De bandieten moeten een vrachtwagen hebben gehad die in de steeg stond te wachten.'

'Hoeveel zijn jullie kwijt?'

'Dat weten we nog steeds niet precies,' antwoordde Houston. 'Het duurt even om 138.000 goudbaren na te tellen. Naast het goud op de brug hebben we ook een mensenleven verloren, de man die we uit uw lijst wilden schrappen. Het is mogelijk dat hij de brug op is geklommen om het goud te beschermen.'

'Riggs,' zei Littlemore. 'Dus als de bomaanslag een beroving was, waarom maakt Big Bill Flynn dan jacht op anarchisten?'

'Praktisch niemand weet van de beroving af, inspecteur,' zei Houston. 'Senator Fall weet er bijvoorbeeld niet van. En directeur Flynn evenmin.'

Littlemore liet dat bezinken. 'U bent bang dat er een lek zit in het Bureau.'

'Slechts een handjevol mensen was op de hoogte van de datum waarop we het goud verhuisden. Er zijn mensen binnen het Bureau die ervan wisten. Iemand moet ons verraden hebben.'

'Kan ook iemand van binnen Financiën zijn geweest,' zei Littlemore. 'Het kan ook Riggs zijn geweest.'

'Dan kan ik niet uitsluiten,' antwoordde Houston.

'U moet toch wel enig idee hebben van hoeveel ze hebben buitgemaakt?'

'O, een grove schatting, zeker,' antwoordde Houston. 'Een verwaarloosbaar bedrag. Als we het nooit meer terugkrijgen, zullen we het nauwelijks merken. Vijf- à zeshonderd baren, om en nabij.'

'En dat komt neer op?' vroeg de rechercheur.

'In dollars? Misschien vier.'

'Vierduizend?'

'Vier miljoen,' zei Houston.

Het bedrag galmde even in de lucht na. 'Wat wilt u precies van mij, meneer de minister?' vroeg Littlemore.

'Nou, dat u er gewoon van afziet de pers over de beroving in te lichten. We kunnen het eenvoudigweg niet hebben dat het grote publiek verneemt dat Financiën beroofd is – en al helemaal niet dat er mensen binnen de overheid rondlopen die bereid en in staat zijn om het goud van de natie te stelen. O nee, dat kunnen we absoluut niet hebben.'

'Te laat,' zei Littlemore. 'Ik heb tegen een paar verslaggevers al laten doorschemeren dat er mogelijk iets interessants bij Financiën speelt. Iets wat met goud te maken heeft.'

'Dat weet ik,' zei Houston. 'De eerste vragen zijn al binnengekomen. Dat is allemaal geen probleem. Ik heb er geen moeite mee om ze te vertellen dat het goud hier is. De financiële wereld is er al van op de hoogte. Ik heb er zelfs geen moeite mee de pers te vertellen dat we het goud naar de kluizen onder het Assay-gebouw hebben verplaatst. Ik ben van plan om me tussen neus en lippen te laten ontvallen dat mijn mannen pal voor de explosie juist waren gaan schaften. Gewoon een simpel verhaal. Het was twaalf uur, de mannen hadden de deuren dichtgedaan, ze hoorden de bom ontploffen, dat was alles. Een gelukkig toeval. Waar het allemaal om draait, is dat er nooit een beroving is geweest, dat er geen gat in de beveiliging zit, er geen goudbaren ontbreken. Gewoon schafttijd.'

'En u denkt dat iemand dat slikt?' vroeg Littlemore.

'De goedgelovigheid van Jan met de pet blijft me steeds weer verbazen, inspecteur. Als iedereen die journalisten hetzelfde vertelt, dan denk ik dat we er wel mee wegkomen. Vooral als u het ze vertelt. Daar bewijst u het land een grote dienst mee.'

Littlemore overdacht het verzoek van de minister. 'Ik wil deel uitmaken van uw onderzoek. Wie er wist dat het goud verplaatst werd, alles wat u over Riggs heeft, wie onbewerkt goud op de zwarte markt verkoopt.'

'Waarom niet?' zei Houston. 'U zou van pas kunnen komen. In tegenstelling tot mijn andere agenten bent u in elk geval geen verdachte.'

'En dan nog iets. Regelt u het dat Flynn me met rust laat. Als een van die jongens van Flynn zich ook maar in de buurt van de familie van mijn vrouw waagt, dan vertel ik het hele verhaal aan de pers.'

'Dat zal een stuk lastiger worden. Ik heb geen zeggenschap over het Bureau.'

'Dan gaat de deal niet door.' Littlemore zette zijn hoed weer op en klapte de rand omlaag.

Nu was het Houstons beurt zijn opties af te wegen. 'Ik zal er zorg voor dragen,' zei hij. 'Vanavond spreek ik met minister Palmer.'

❦

Colette bracht geen enkel woord uit. Ze keerde zich om en gebaarde naar een kruier, die de drie haveloze koffers snel op zijn handkar laadde. De kruier vertrok. Colette liep met Luc in haar kielzog langzaam de menigte in.

Younger, met een verse sigaret in zijn mond, tuurde langs de *Welshman* naar het enorme, zwarte ss *George Washington*. Herinneringen borrelden op. Het was ooit een groots schip geweest. Het had Freud naar Amerika gebracht. Het had Woodrow Wilson naar Europa vervoerd. Het had koningen en koninginnen en staatshoofden aan boord gehad. Nu was het weer tot gewone passagierslijndiensten veroordeeld. Alle grootsheid vervaagt.

Colette stopte. Ze draaide zich om, wrong zich los uit de menigte en rende naar hem terug. 'Wat ben ik toch een dwaas geweest,' zei ze. 'Ik ga niet.'

'Maak dat je aan boord komt,' zei Younger. 'Je zult er de rest van je leven spijt van houden – het jezelf eeuwig kwalijk nemen – als je het niet doet.'

Het stoomschip floot oorverdovend. Zeemeeuwen sloegen op de vlucht. De laatste oproep voor de passagiers klonk.

Colette begroef haar wang tegen zijn borst.

'Vooruit, ga,' zei Younger. 'Zo zwaar zal het niet zijn. Je kunt in Wenen op mijn schouder uithuilen wanneer we daar aankomen.'

Ze keek hem aan; hij keek terug. 'Dat meen je niet,' zei ze.

'Waarom zou ik niet met je meekomen?' vroeg hij. 'Je bent verliefd op mij, niet op die Oostenrijker van je.'

Ze ontkende het niet.

Younger vervolgde: 'Als ik jou er in je eentje op af laat gaan, trouw je straks nog met die bajesklant. Maar denk niet dat ik meega om jou ter wille te zijn. Het is die über-Germaan om wie ik me zorgen maak. Je bewijst een man bepaald geen dienst door met hem te trouwen wanneer je op iemand anders verliefd bent. Dat zou een langzame maar zekere dood voor hem betekenen. En trouwens' – uit zijn jasje trok hij nog een vervoersbewijs tevoorschijn – 'mijn koffers zijn al aan boord.'

Colettes hele lichaam leek van opluchting uit te ademen en ze lachte haar onweerstaanbaarste lach. Terwijl het schip opstoomde naar open zee ontkurkte het drietal een fles champagne. Zelfs Luc kreeg een slokje.

Deel drie

12

In de herfst van 1920 had Amerika een en al fanfares en optredens en een en al muziekkapellen en bliksembezoekjes moeten zijn. De Amerikanen kozen een nieuwe president en de opwinding waarmee dat altijd gepaard gaat, had in 1920 dubbel zo groot moeten zijn, want voor het eerst genoten vrouwen stemrecht. Een van de belangrijkste kandidaten, de Republikeinse senator Warren G. Harding, was wellicht zelfs met het schone geslacht in het achterhoofd voorgedragen.

Dat Harding aantrekkelijk was voor vrouwen behoefde geen betoog. Dat was een vaststaand feit. Hij had een toegewijde echtgenote van eenenzestig, al heel lang een maîtresse van zevenenveertig, een andere maîtresse van dertig en een vlam van vierentwintig die nog steeds stapelverliefd was. 'Het is maar goed dat ik geen vrouw ben,' mocht Harding graag schertsend opmerken. 'Ik kan geen nee zeggen.' Hardings politieke staat van dienst mocht dan magertjes zijn, met zijn zilveren haar en oogverblindende glimlach, zijn donkere wenkbrauwen, gebiedende ogen en wilskrachtige kin zag hij er in elk geval presidentieel uit.

En toch wilde de campagnelocomotief maar niet op stoom raken. Overal waar menigtes samendrongen hing een bijna tastbaar onbehagen in de lucht. Arrestaties en deportaties volgden elkaar op, maar de terroristische aanslag bleef onopgelost. De mannen die het voor het zeggen hadden – de rijken, de gouverneurs, de senatoren – eisten een hernieuwde mobilisatie van het leger. Kranten riepen op tot oorlog. De wolk van rook en brandend stof, die Wall Street op 16 september in duisternis gehuld had, was niet vervlogen. Zijn sluier had zich over het hele land verspreid.

Op 27 september, de dag dat Younger en Colette naar Europa afreisden, meldden kranten in het hele land dat Sovjetdictator V.I. Lenin de Verenigde Staten had geïnfiltreerd met spionnen die overal arbeidsonrust, terreur en revolutie moesten zaaien. In Boston staakten de taxichauffeurs en was er een run op de banken. De op twee na populairste presidentskandidaat, Eugene Debs, was een onverbloemde socialist, maar die zat tenminste nog in de gevangenis na in 1918 de euvele moed te hebben gehad vraagtekens te plaatsen bij de noodzaak van de oorlog. Daar dwars doorheen ontzegde de drooglegging de arbeiders hun neutje, en de nog immer nagalmende echo van de zestiende september noopte mensen ertoe zich haastig door de straten te spoeden wanneer ze zich in de grote steden buitenshuis waagden. Het land hield de adem in, en het wist niet eens waarvoor.

🙐🙐🙐

In Fourteenth Street in Manhattan, ingeklemd tussen Fifth en Sixth Avenue, beleefden de Littlemores op de late avond een echtelijke twist. Die was in de keuken begonnen en eindigde nu op straat. De locatie buitenshuis was in het voordeel van Mr. Littlemore; binnen was het steeds lastiger geworden om de – niet al te zware of accuraat gemikte – voorwerpen te ontwijken die Mrs. Littlemore naar zijn hoofd smeet.

In tegenstelling tot haar man was Betty heel wat minder opgetogen geweest over het vooruitzicht naar Washington D.C. te verhuizen, waar Littlemore net een baan bij het departement van Financiën had aanvaard. Hun kinderen zaten hier op school, bracht ze naar voren. Haar moeder en broer woonden in New York. Al hun vrienden woonden in New York. Die konden ze toch niet zomaar achterlaten?

Na een tijdje deed Littlemore geen pogingen meer om deze vragen te beantwoorden. Hij schraapte alleen maar met de punt van zijn schoen over de stoep totdat zijn vrouw een moment stilviel. 'Het spijt me, Betty,' zei hij uiteindelijk. 'Ik had het eerst met jou moeten overleggen.'

'Dit is wat je echt wilt, niet?' vroeg ze.

'Ik heb mijn hele leven op zo'n kans gehoopt,' zei hij.

Ze haalde een opgevouwen brief uit haar zak en gaf die aan hem. 'Dit kwam vandaag met de post,' zei ze. 'Er staat in hoeveel Lily's operatie kost.'

Lily, hun dochtertje van anderhalf, was met een kleine maar volledige atresie van haar gehoorgangen geboren. Met andere woorden: ergens binnen in haar piepkleine, schattige en op het eerste gezicht gezonde oortjes zat, op de plek waar de opening had moeten zitten, een vlies en daaronder waarschijnlijk een bot. De peuter reageerde goed op geluid, maar wilde ze ooit naar behoren kunnen horen en spreken, dan zou ze een operatie moeten ondergaan, en snel. De operatie vroeg om een specialist. De specialist vroeg geld.

'Tweeduizend dollar?' vroeg Littlemore. 'Om een piepklein gaatje te maken?'

'Tweeduizend per oor,' antwoordde Betty.

Littlemore nam de brief nogmaals door. Zijn vrouw had gelijk, zoals gewoonlijk. 'Dat verandert de zaak,' zei hij. 'Nu moet ik die baan bij het departement wel aannemen. Die betaalt bijna het dubbele van wat ik nu verdien.'

'Jimmy,' zei Betty. 'Het is precies het tegenovergestelde. We zullen nooit vierduizend dollar bij elkaar krijgen, waar je ook werkt. We zullen haar op een speciale school moeten doen. Ze zeggen dat we haar nu al meteen gebarentaal moeten leren. Daar is een school voor, in Tenth Street. Gratis. Het is de enige in het land.'

Littlemore trok zijn wenkbrauwen op. Hij tuurde zijn straat af, naar de grote, statige gebouwen op de hoeken van de avenues en naar de kleinere, bescheidener etagewoningen ertussenin, waarvan hij er eentje zelf bewoonde. 'Goed dan,' zei hij. 'Ik zal die baan afzeggen.'

Het winnen van een ruzie had steevast een verzachtende uitwerking op Betty Littlemore, die nu ogenblikkelijk de kant van haar man koos. 'Misschien hoeven we niet te verhuizen,' zei ze.

'Daar zeg je iets,' antwoordde Littlemore hoopvol. 'Een groot deel van het onderzoek zal zich hoe dan ook hier in New York afspelen.'

Uiteindelijk kwamen ze overeen dat Littlemore aan minister Houston zou voorleggen dat hij deels in New York, deels in Washington ging werken. Houston bleek buitengewoon inschikkelijk te zijn. In Washington zou Littlemore over een eigen kantoor op het departement beschikken. In Manhattan was het subdepartement in Wall Street zijn uitvalsbasis. De federale overheid zou zelfs zijn treinkaartjes vergoeden.

❧

Iemand die op een zondagmorgen in oktober 1920 het Union Station in Washington, het District of Columbia, uit liep – op het moment dat het geopend werd het grootste spoorwegstation ter wereld, met marmeren vloeren en bladgoud dat nog van het dertig meter hoge, gewelfde plafond drupte – bevond zich plots op een onafzienbaar, guur, onaf plein, met een fontein die lukraak in het midden was neergeplant en een handjevol auto's dat er, ongehinderd door iets als rijstroken of wettelijk afgedwongen verkeersregels, in stofwolken omheen laveerde. Op een aangrenzend stuk overwoekerd braakliggend land waren mannen aan het honkballen. Aan de andere kant van het plein stonden tijdelijke onderkomens die daar tijdens de oorlog in allerijl waren neergeplempt.

Het leverde het gevoel op de beschaving voor een buitenpost in de wildernis te verruilen. Drie huizenblokken verderop stond het Capitool, het parlement van de natie, de koepel een zweem van paars in de ondergaande zon – het zoveelste monumentale bouwwerk te midden van onafzienbare stukken braakliggend land.

Jimmy Littlemore blikte vol ontzag naar het Capitool, met een koffer in zijn ene hand en een aktetas in de andere. Het was zijn eerste bezoek aan Washington. Als doorgewinterde New Yorker had hij verwacht dat rijen taxi's zich voor de ingang van het station om klanten zouden verdringen. Er stond er niet een.

Terwijl Littlemore zich afvroeg hoe hij bij zijn hotel moest komen, kreeg hij een zwarte auto in het oog die een stukje verderop geparkeerd stond, met ernaast een rijzige blondine die met een lange sigarettenpijp tussen haar vingers tegen een van de portiers geleund stond. Ze was rond de dertig, zakelijk gekleed, compleet met strakke rok, en beeldschoon. Toen ze de rechercheur zag, zette ze zich in beweging, nagestaard door iedere man die ze passeerde.

'James Littlemore, naar ik aanneem?' vroeg ze. 'Uit New York?'

'Helemaal,' zei Littlemore.

'Je ziet er precies zo uit als ze me je beschreven hebben,' antwoordde de blondine.

'Hoe hebben ze me dan beschreven?'

'Nog nat achter de oren. Je bent laat. Je hebt me bijna een uur laten wachten.'

'En u bent?'

'Ik werk voor senator Fall. De senator verwacht je morgen in zijn kantoor. Om exact vier uur.'

'O, heus?'

'Ja, heus. Succes, New York.' Terwijl ze aan het praten waren, was haar auto naast hen gerold. De chauffeur repte zich naar buiten en hield een deur voor haar open. Ze stapte in, haar lange benen heel even zichtbaar voordat ze de wagen in zwiepten.

'Zeg, mevrouw,' zei Littlemore door het geopende raampje, 'kunt u me

geen lift naar mijn hotel geven?'
'In welk hotel zit je?'
'Het Willard.'
'Toe maar.'
'Op rekening van minister Houston.'
'Helemaal niet verkeerd.' Ze gebaarde naar de chauffeur, die de motor startte.
'Hoe zit het met die lift, mevrouw?' vroeg Littlemore.
'Het spijt me, dat behoort niet tot mijn takenpakket.'
De wagen scheurde weg en wierp een draaikolk op van oranjerood stof dat op Littlemores pak neerdwarrelde. Hij schudde het hoofd en vroeg een tweetal heren in de buurt of ze het Willard Hotel kenden. Een van hen wees in westelijke richting. Littlemore begaf zich in de richting van de ondergaande zon, die een lange schaduw in zijn kielzog wierp.

De volgende ochtend speldde minister Houston hem persoonlijk zijn penning op en hij nam de eed af die Littlemore tot speciaal agent van het Amerikaanse departement van Financiën maakte. Ze bevonden zich in het meest luxueuze kantoor dat Littlemore ooit gezien had: Houstons privékantoor op het ministerie. Vergulde spiegels torenden boven marmeren schouwen. Roodfluwelen draperieën omzoomden de ramen. Het plafond was met een hemels motief beschilderd.

'Waar wij nu staan, heeft ooit Lincoln gestaan,' zei Houston, 'terwijl hij zíjn minister van Financiën, Salmon P. Chase, raadpleegde.'

Toen hem werd gevraagd te zweren de wetten van de Verenigde Staten te handhaven, vroeg Littlemore of hij een uitzondering mocht maken voor de Volstead Act, waarin de drooglegging was geregeld. De minister kon er niet om lachen. Toen hij de eed aflegde om de Amerikaanse grondwet te eerbiedigen en te verdedigen, haperde Littlemores stem even. Hij wenste dat zijn vader erbij was geweest.

'Kom, ik geef je een rondleiding, speciaal agent Littlemore,' zei Houston.

※

De verschillende afdelingen van het ministerie van Financiën waren verbazend groot van opzet. Houston wees vol trots naar zijn gigantische bureau van de federale belastingdienst, zijn eenheid die valsemunterij moest tegengaan, zijn bureau dat voor het drukken van geld zorg droeg, zijn afdeling die de naleving van de alcoholwetten moest afdwingen en tot slot een ruime, smaakvolle marmeren hal met langs één wand een rij kasbediendes die ieder achter een eigen ijzeren traliewerk zaten. 'Dit is de plek waar het ministerie op verzoek geld uitkeert aan eenieder die een geldig biljet inlevert. We noemen dit de goudkamer. Laat me eens het geld zien dat je op zak hebt, Littlemore.'

'Eens kijken. Ik heb een muntje van drie cent, een paar dubbeltjes en een vijfje.'

'Alleen de munten zijn geld. Je bankbiljet van vijf dollar niet.'

'Is dat vals?'

'Niet vals, maar geen geld. Het is niet meer dan een stukje papier. Een toezegging. Je vindt die toezegging in de kleine lettertjes op de achterkant, tussen Columbus en de Pilgrim Fathers. Lees maar eens, vanaf waar het over "inwisselbaar" gaat.'

'"Dit biljet,"' zo las Littlemore, '"is op verzoek tegen goud inwisselbaar in het ministerie van Financiën in de stad Washington, District of Columbia, of tegen goud of enig ander wettig betaalmiddel bij elke afdeling van de Centrale Bank van Amerika."'

'Zonder die woorden,' zei Houston, 'was dat briefje een waardeloos stuk papier. Geen enkele winkelier zou het aannemen. Geen bank zou het op je rekening bijschrijven. Een bankbiljet van vijf dollar is een toezegging van de Verenigde Staten om vijf dollar aan goud te betalen aan eenieder die dat briefje hier op het ministerie in Washington D.C. inlevert. Vandaar de naam "goudkamer".'

'Er wordt kennelijk niet al te veel omgewisseld,' zei Littlemore. Slechts twee klanten stonden aan de balies zaken te doen.

'Dat is precies de bedoeling.' Houston liep weer verder en loodste Littlemore een lange gang in. 'Niemand heeft reden zijn bankbiljetten tegen goud in te wisselen, zolang iedereen maar gelooft dat het kan. Maar stel je eens voor wat er gebeurt wanneer mensen bang zijn dat we niet genoeg goud hebben om al onze bankbiljetten te dekken. Denk jij dat we genoeg hebben?'

'Is dat dan niet zo?'

'Als de Verenigde Staten gedwongen zouden zijn in één keer al hun financiële verplichtingen in te lossen, dan zou de regering net zo hulpeloos en geruïneerd zijn als welke bank ook tijdens een crisis. Het systeem functioneert op basis van vertrouwen. Stel je een stroompje bezorgde mensen voor dat hier aanklopt om hun biljetten tegen goud in te wisselen. Stel je voor dat dat stroompje tot een menigte uitgroeit. Stel je voor dat die menigte een heel land wordt, één grote stormloop om hun goud te bemachtigen voordat de nationale voorraad edelmetaal uitgeput is geraakt. Dan zou de regering zich failliet moeten verklaren. Dan kon er niet meer geleend worden. Fabrieken zouden de poorten moeten sluiten. De complete economie zou tot stilstand komen. Wat er daarna gebeurt weet geen mens. Misschien dat de staten hun voormalige autonomie zouden terugkrijgen.'

'Ik begrijp waarom u de beroving onder de pet wilt houden, Mr. Houston.'

'Ja, dat bedoel ik nou. Maar we zijn er al. Dit is jouw kantoor, Littlemore. Niet groot, maar met je eigen telefoon en uiteraard met toegang tot alle dossiers. Hier is de sleutel van je bureau. In de laden vind je de betreffende documenten over de verhuizing van het goud van het subdepartement in Manhattan naar het Assay-kantoor ernaast: over hoe de luchtbrug gebouwd is, wie erbij betrokken waren, de complete planning, enzovoort. Ze zijn uitsluitend voor jouw ogen bestemd. Begrepen?'

'Ja, minister,' zei Littlemore.

Houston dempte zijn stem. 'En ik wil een integraal verslag van je ontmoeting vanmiddag met senator Fall. Denk erom, Littlemore, je bent mijn agent in Washington, niet de zijne.'

Onderweg naar het kantoor van de Senaat trakteerde Littlemore zichzelf die middag op een kijkje bij het Washington Monument. Pal naast de enorme, indrukwekkende obelisk had de stad, zo zag hij tot zijn verbazing, een badhuis gevestigd. Vandaar liep Littlemore via de Mall – een kaarsrechte, zeer brede en met gras overdekte promenade, hier en daar omzoomd met kapitale, majestueus ogende gebouwen – naar het Capitool. Hij stelde zich chique dames en heren voor, op hun gemak kuierend, met hondjes die aangelijnd achter hen aan drentelden; in werkelijkheid was de Mall uitgestorven.

Op de hoek van First Street en B Street – het adres van het kantoor van de Senaat – vond Littlemore alleen een klein, onbeduidend hotel aan de met onkruid overwoekerde rand van de terreinen rond het Capitool. De rechercheur bleef kalm. Hij wist dat er in Washingtons paradoxale stratenplan vier verschillende kruisingen zijn waar First Street en B Street samenkomen, elk aan een andere kant van het Capitool. Littlemore liep zuidwaarts en kwam al snel bij een andere kruising van First en B. Hier trof hij slechts een rij aaneengesloten, bouwvallige houten huizen met een onverharde weg ervoor. De weg was met afval bezaaid; vliegen stortten zich op het vuil en de stank van ongezuiverd rioolwater drong zijn neusgaten binnen. Negers zaten op de veranda's. Afgezien van Littlemore was er geen enkele blanke te bekennen. Muggen waren er daarentegen in overvloed. Littlemore vermorzelde een van de kleine lastposten tussen zijn handen, vlak bij zijn gezicht. Toen hij zijn palmen van elkaar trok, vormden zijn handen een omlijsting voor de magnifieke koepel van het Amerikaanse parlement.

Het was maar goed dat Littlemore al om drie uur bij het departement vertrokken was. Uiteindelijk bereikte hij de koepelzaal – drie verdiepingen hoog, het geheel omrand met Korinthische zuilen, de wanden glimmend van wit marmer en kalksteen en alles overgoten met natuurlijk licht dat door de glazen oculus in het puntje van de rijkelijk met cassettes versierde koepel stroomde – om twee minuten voor vier, net op tijd.

⊱✦⊰

Albert B. Fall, de Amerikaanse senator voor New Mexico, was een lange, krasse man van zestig, een stevige innemer met een hangsnor die wit was van de ouderdom. In de openlucht mocht hij zich graag vertonen met een westernhoed op met enorme randen, die hevig detoneerde met zijn driedelig pak met vlinderdas dat aan de oostkust de *rigueur* was. Zijn ambtsvertrekken waren buitensporig groot. Toen Littlemore werd binnengelaten, schaafde de senator juist aan zijn puttslag en mikte hij golfballen op een lege melkfles die zeker tien meter verderop lag. Zijn slagen gingen hopeloos de mist in.

'Speciaal agent James Littlemore,' verklaarde senator Fall zonder zijn oefenrondje te onderbreken. Hij had een krachtige stem, zo een die vanaf een openluchtpodium tot aan de achterste rijen draagt of het complete Huis van Afgevaardigden kan vullen. 'Goed je te ontmoeten, kerel. Ik heb veel over je gehoord. Wat vind je van Washington?'

'Grote kantoren, senator.'

'Grote mannen hebben grote kantoren. Zo werkt dat. Waar loop je over te dubben, knul?'

Littlemore wilde net opmerken dat de senator hem uitgenodigd had in plaats van andersom, maar de vraag bleek retorisch bedoeld.

'Ik zal je zeggen waarover je loopt te dubben,' zei senator Fall. 'Je loopt te dubben over wat die senator in dat grote kantoor in godsnaam van je wil.'

'Zoiets.'

'Ik zal je zeggen wat ik van je wil. Ik wil dat je me van je onderzoek op de hoogte houdt.'

Littlemore opende zijn mond om te antwoorden.

'Zeg maar niks, knul,' onderbrak Fall hem. 'Ik heb je nog geen vraag gesteld. Ik weet trouwens toch al wat je zou antwoorden. Je zou zeggen: "Het spijt me, meneer de senator, maar het onderzoek is vertrouwelijk. Dat zult u met minister Schijtebroek – eh, ik bedoel Houston – op moeten nemen.'

Er viel een stilte in de vertrekken terwijl senator Fall een nieuwe golfbal klaarlegde.

'Zie ik het goed of niet?' zei Fall.

'Moet ik daar nu antwoord op geven?' vroeg Littlemore.

'Ik zie het goed,' zei Fall, die zijn golfbal zeker dertig centimeter langs de melkfles in de boekenkast keilde. 'Verdomme nog aan toe. Het is mooi geweest. Ik heb het gehad met dit achterlijke spelletje. Ik speel geen golf. Harding speelt golf, dus vond ik dat ik het ook maar eens moest proberen. Nou, hij zal voortaan in zijn eentje moeten spelen. Mrs. Cross? Wilt u uw lieftallige persoontje even hier vervoegen?'

Aan de andere kant van het kantoor ging een deur open. Er kwam een lange blondine binnen, dezelfde schoonheid die Littlemore daags tevoren bij Union Station had opgewacht.

'Neem dit vervloekte ding mee,' zei de senator, terwijl hij de vrouw zijn golfstok gaf, 'en schenk ons wat te drinken in.'

'Jawel, senator,' zei Mrs. Cross zonder Littlemore een blik waardig te keuren.

'Dus hoe voelt het nu een speciaal agent te zijn, speciaal agent Littlemore?' vroeg Fall, terwijl hij achter zijn bureau plaatsnam. 'Vast behoorlijk speciaal.'

Het was Littlemore niet duidelijk in hoeverre deze opmerking ironisch bedoeld was. 'Niet slecht,' zei hij.

'Weet je dat wel zeker?' Fall liet zich in zijn verstelbare bureaustoel achteroverzakken. 'Een man van jouw leeftijd en kwaliteiten zou zich niet met de functie van agent tevreden mogen stellen. Je moet groot denken. Neem nou dat uilskuiken van een Flynn. Je bent net zo goed als hij. Waarom zou jij niet het hoofd van het BOI zijn?'

'Whisky, Mr. Littlemore?' vroeg Mrs. Cross.

'Nee, dank u, mevrouw.'

Fall trok zijn wenkbrauwen op. 'Je staat toch niet droog, hè?'

'Nee, senator.'

'Blij dat te horen. Mrs. Cross, schenk die man een whisky in. Maar dit kan ik je wel vertellen, Littlemore: agent worden bij Financiën is niet bepaald de aangewezen weg om een oorlogshandeling te onderzoeken.'

'Ik geloof niet dat die bomaanslag een oorlogshandeling was, Mr. Fall.'

Fall schudde zijn hoofd. 'Misschien komt het wel doordat je terugkrabbelt, Littlemore. Misschien is dat de reden waarom je nooit hogerop bent gekomen. Mannen die terugkrabbelen schoppen het niet ver. Simpele regel. Gaat altijd op. Jij bent de enige die de waarheid over deze aanslag verteld heeft. Je hebt Tom Lamont gezegd dat de Morgan

Bank het doelwit van de terroristen was. Hij wilde het niet horen, maar jij hebt het 'm verteld. Lamont was onder de indruk. En Lamont is niet snel onder de indruk. Maar opeens heb je het licht gezien. Je hebt Lamont laten vallen en probeert je nu via minister Schijtebroek omhoog te werken. Ik vraag me af waarom je overstag bent gegaan.'

Mrs. Cross bood senator Fall een whiskytumbler aan en offreerde er op een zilveren dienblad ook een aan Littlemore. Hij weigerde. Ze goot een scheut melk rechtstreeks uit de fles in het glas van de senator.

'Voor de maag,' verduidelijkte Fall. 'Als ik iets haat, is het een goede kerel te zien terugkrabbelen. Dat die zwicht voor de mannen aan de top. Daar heb ik mijn hele leven tegen gevochten. In vredesnaam, ga toch zitten, man.'

Littlemore bleef staan. 'Heeft iedere senator een vuurwapen in zijn kantoor, Mr. Fall?'

'Waar heb je het over?'

'U heeft een pistool in de tweede la van boven liggen.'

Fall sloeg zijn armen over elkaar en lachte toen breed. 'Hoe kun je dat nu weten? Mrs. Cross, heb jij agent Littlemore over mijn pistool verteld?'

'Gelooft u nu echt dat ik zoiets zou doen, senator?' vroeg Mrs. Cross. 'Nou en of.'

'Nou, ik was het niet.'

'Hoe weet je dat dan, knul?'

'Naast de prullenbak ligt verpakkingsmateriaal voor patronen, waaruit ik afleid dat u pas een wapen heeft geladen. Op uw rechterduim zit nog een olievlek van het schoonmaken. U draagt hem niet bij u, dus moet hij ergens in uw kantoor liggen. Het bureau is de meest waarschijnlijke plek. De tweede la staat een fractie open.'

'Alle duivels op een houtvlot,' zei senator Fall. 'Dat is verdomde knap, Littlemore. Wat weet je verder nog?'

'Ik weet dat ik niet verzot ben op politici die de rest van het land voorhouden dat we niet mogen drinken, terwijl ze zelf gloednieuwe flessen van het spul op de plank hebben staan. En ik weet dat ik niet terugkrabbel. Dan nu graag die whisky, mevrouw, alstublieft.'

Littlemore dronk de tumbler in één teug leeg en gaf hem aan haar terug.

'Zo, zo,' zei Fall. 'Dan hebben we hier dus toch met een kerel van doen, Mrs. Cross. Nou, daar gaat-ie dan, ik leg mijn kaarten open en bloot op tafel. Houston heeft je ervan overtuigd dat we met een overval te maken hebben. Waar of niet?'

Littlemore zei niets.

'O, ik weet van het goud,' vervolgde Fall. 'Minister Palmer heeft me erover verteld. Laten we eens kijken of ik het bij het rechte eind heb. De aanslag was een beroving, dus is het land niet in oorlog. Zo zit het toch? Tja, dan zijn wij luitjes uit het Westen vast een beetje simpel, want die Washingtonse logica vat ik niet. We hebben een overval op de nationale schatkamer, daarbovenop een aanslag op onze grootste bank en daarbovenop een slachtpartij onder het Amerikaanse volk – en daar leiden jullie uit af dat we níét in oorlog zijn?'

'Zo te zien was die overval het werk van mensen binnen het departement, Mr. Fall. Dus nee, het ziet er niet naar uit dat we in oorlog zijn.'

'Ik zal je eens wat vertellen, agent Littlemore,' zei Fall. 'Het enige, het enige echt goede wat Washington voor ons betekent – behalve dat het me in mijn geval tijdelijk van moeder de vrouw verlost – is dat het ons tot Amerikaan maakt. Hier ben ik niet iemand uit New Mexico, en jij bent geen New Yorker. Hier zijn we Amerikaan. Jij kunt nu je ogen opendoen, de grote verbanden zien en echt iets voor je land betekenen.'

'Ik volg u niet helemaal, senator.'

'Kijk nu eens naar de wereld om je heen. Dan zie je een en al bolsjewistische terroristen. Ze hebben de tsaar uitgeschakeld. Ze hebben Duitsland overgenomen, en Hongarije, en Oostenrijk. Het wemelt ervan in Frankrijk, Spanje, Italië. Lenin zegt dat wij de volgende zijn. Niemand die het hoort. Mexico hebben ze al, onze eigen buren. En hoe gaan die rooien te werk? Dacht je dat ze een eerlijk gevecht met je aangaan? Nee. Dat ze je met argumenten proberen te overtuigen? Nee. Ze infiltreren. Ze plegen aanslagen. En ze kopen om. Dat zijn hun middelen. Dat is wat ze in Rusland gedaan hebben, en reken maar dat dat gewerkt heeft. En dat is wat ze hier doen.'

'U zegt dat de bommenleggers buitenlanders waren, maar dat ze mensen binnen onze eigen overheid betaald hebben om ze te helpen?'

'Dacht je soms dat die rijksambtenaren niet omgekocht kunnen worden?'

'Om buitenlanders te helpen een aanslag op ons te plegen? Dat zou verraad zijn, Mr. Fall.'

'Je hebt er geen idee van hoe het hier in deze stad toegaat, agent Littlemore. Aan de buitenkant een en al opzichtig vertoon van staatsmanschap, van binnen tot op het bot verrot. Voor tien mille heb je een Congreslid in je achterzak. Wij senatoren zijn wat duurder. Iedereen in deze stad is op eigen gewin uit. Iedereen wil een graantje meepikken. Zelfs Mrs. Cross hier wil er beter van worden. Nietwaar, liefje?'

Fall hield zijn lege borrelglas naar Mrs. Cross op. Ze schonk nog eens

in en goot er tot slot wat melk bij. Hij dronk het en trok een vies gezicht.
'Het is oorlog, Littlemore. We worden aangevallen. Ze hebben ons op
de zestiende september naar de verdoemenis geknald. Régelrécht náár de
verdóémenis!' Fall sloeg met zijn vuist op zijn bureau; het geluid weer-
galmde tussen de boekenkasten. Hij dempte zijn stem. 'En dat zullen ze
weer doen. Waarom niet?'

'U denkt dat Rusland achter de aanslag zit, senator?' vroeg Littlemore.

'Daar kun je donder op zeggen. Wie anders zou het lef hebben om het
tegen de Verenigde Staten op te nemen? Ze weten dat ons leger vorig
jaar Siberië is binnengevallen. Allemachtig, ze staan nog bijna in hun
recht ook om ons nu aan te vallen. Welk ander land heeft een motief?
Welk ander land is op onze ondergang uit?'

'Ik zou het niet weten, Mr. Fall.'

'Nou, ik wel,' zei Fall. 'Luister, dan zal ik je vertellen hoe de geschiedenis eruit zou moeten zien, knul, hoe de rest van deze eeuw zou moeten verlopen. We hebben een leger van dik een miljoen soldaten, goed
getraind en snel te mobiliseren. We kunnen die Sovjetdictatuur uitschakelen. Dit is het moment. Dit is het énige moment. Ze zijn met de staart
tussen de benen uit Polen afgedropen. Ze zijn in een burgeroorlog verwikkeld. Het Russische volk wil geen dictatuur. Verdomme, Lenin heeft
al zo'n vijftig-, zestigduizend mensen in het gevang gegooid, enkel en alleen omdat ze zich tegen het bolsjewisme hebben uitgesproken. Het Russische volk wil vrijheid. Wij kunnen ze helpen. En als we dat niet doen,
knul, dan zal niemand in staat zijn de rode beer een halt toe te roepen.
Die deur staat nu nog op een kier, maar zal zich snel sluiten. De communisten houden het echt niet bij Rusland. Let op mijn woorden: het
zijn vieze, vuile klootzakken, die op werelddominantie uit zijn. Ze haten
vrijheid. Ze haten Christus. Ze zullen de wereld de komende eeuw in de
duisternis storten. En in deze hele verdomde regering is er niemand die
ook maar een vinger uitsteekt. Wilson is vleugellam. Het enige waar hij
zich druk om maakte, was zijn Volkerenbond. Palmer ligt er bijna uit. Bill
Flynn is een idioot. Houston is een veredelde geldwisselaar. En wie behoedt dit land, godverdomme nog aan toe? Wie behoedt de wereld?'

De senator was weer in alle staten. Zijn vuist maalde driftig door de
lucht. Het geluid van applaus – één paar handen dat langzaam klapte –
verbaasde Littlemore. Het was Mrs. Cross.

'Hé, hou daarmee op,' zei Fall tegen haar, enigszins tot bedaren gekomen. 'Ze vindt dat ik mezelf te serieus neem. Misschien is dat ook zo.
Maar als je iets in deze stad wilt bereiken, dan moet je op het juiste paard

wedden. Over drie weken wordt Warren Harding tot president gekozen. Dan is Houston helemaal nergens meer minister van. Ik wel. Wil je iets voor je land betekenen? Houston bekommert zich alleen maar om zijn goud. Ik maak me druk om de vrijheid. Mij kan het wel wat schelen of onze burgers rustig over straat kunnen of door onze vijanden worden opgeblazen. Die imbeciel van een Flynn met zijn Italiaanse anarchisten! Het waren de Russen, dat schoftentuig, en als we dat kunnen bewijzen, dan zal dit land ten strijde trekken. Daarvoor heb ik jou nodig, Littlemore. Als je Houston bewijzen – harde bewijzen – van de Russische betrokkenheid voorlegt, weet je wat-ie dan zal doen? Niets. Hij zal die bewijzen ergens in een la begraven. Je hoeft me alleen maar te laten weten wat die bewijzen zijn, als je ze vindt. Dat is het enige wat ik van je vraag. Zul je dat doen?'

Littlemore had nog niet geantwoord, toen ze iemand op de toegangsdeur van het kantoor van de senator hoorden kloppen. De deur zwaaide open en onthulde een getergde secretaresse en achter haar een goed geklede man, die zich langs haar heen probeerde te wringen. De vrouw kon er nog net 'het spijt me, senator, ik heb hem gezegd dat u in bespreking was' uit persen, toen de man, compleet kaal met uitzondering van een plukje haar achter elk van zijn oren, haar onbeschaamd en ruw opzij duwde.

Het was Mr. Arnold Brighton, eigenaar van fabrieken, oliebronnen en mijnen, die vijfentwintigduizend dollar aan het Madame Curie Radium Fonds had geschonken.

'Mijn mensen worden uit Mexico verdreven,' verklaarde Brighton zonder introductie. 'Het zijn Amerikanen, Fall. Ze lopen gevaar.'

'En daar kom je nou mee,' zei Fall. 'Maak maar een afspraak. Gewoon achter in de rij aansluiten.'

'Ik heb geprobeerd een afspraak te maken,' klaagde Brighton, die oprecht gegriefd klonk. 'Ze zeiden dat u het druk had.'

'Ik heb het ook druk,' schreeuwde Fall. 'We zijn hier bezig een president verkozen te krijgen, voor het geval je dat niet opgevallen was.'

'Ik moest maar eens opstappen,' zei Littlemore.

'Heel even nog, Littlemore,' zei Fall. 'We zijn nog niet klaar.'

'Is dat niet inspecteur Littlemore?' vroeg Brighton. 'Ik wilde u steeds bedanken, inspecteur. Zonder uw hulp was ik... ik, eh... wat was het ook weer. Hè, verdikkie, nu ben ik het vergeten. Waar wilde ik rechercheur Littlemore ook weer voor bedanken?'

'Hoe moeten wij nou verdomme weten waar jij hem voor wilde bedanken?' bulderde Fall.

'Waar is Samuels?' vroeg Brighton op klagerige toon. 'Samuels is mijn assistent. Hij weet het vast nog. Weet iemand waar Samuels is?'

Fall moest zijn zelfbeheersing tot het uiterste op de proef stellen om zijn stem te bedwingen. 'Ik zit midden in een belangrijke bespreking, Brighton. Ga naar buiten en overleg met mijn secretaresse.'

'Maar die Obregón neemt mijn mijnen in Mexico over,' zei Brighton. 'En daarna zijn mijn oliebronnen aan de beurt. Die kerel pakt alles af. Hij stuurt er soldaten op af, met geweren en al, godbetert! Het gaat om Amerikaanse arbeiders. Ze zijn geslagen, met de dood bedreigd. U moet iets doen. Ik weet dat ik geen donatie aan Harding heb gedaan, maar dat was niet mijn schuld. Iedereen verzekerde me dat die andere vent, die Cox, zou gaan winnen. Maar ik kan nu geld geven. Zeg maar hoeveel en naar wie ik het moet overmaken. Als u dan een paar bommen op Mexico-Stad gooit – misschien op hun parlement en de betere wijken van de stad – dan komen ze vast tot inkeer.'

Fall wachtte lang met antwoorden. 'Ik word strontmisselijk van je, Brighton, wist je dat? Ik ben niet te koop. De Republikeinse Partij is niet te koop. Het Amerikaanse leger is niet te koop. Ik ga er echt niet voor zorgen dat Harding zich in dat wespennest in Mexico steekt, en ik ga echt niet het leger inzetten om jouw zakelijke geschillen op te lossen.'

'Dus u steekt geen vinger uit voor de Amerikanen in Mexico?'

'Het zijn jouw werknemers,' antwoordde Fall. 'Red jij ze maar.'

Brighton keek confuus en wist zich geen raad. 'Is dat alles?'

'Zeker weten. En nu opgedonderd.' Fall greep Brighton bij de arm en sleepte hem naar de andere kamer, vanwaaruit Littlemore Brighton kon horen vragen of iemand wist waar Samuels was.

'Ik moest maar eens opstappen, Mr. Fall,' zei Littlemore toen de senator terugkeerde.

'Zul je me de bewijzen laten zien als het je lukt de aanslag met de Russen in verband te brengen?'

'Dat kan ik niet beloven, Mr. Fall. Maar ik zal nadenken over wat u gezegd heeft.'

❧

Op de trappen van het kantoor van de Senaat zei Mrs. Cross, die Littlemore uitgeleide deed: 'Nou, jij hebt de senator voor je ingenomen, zeg.'

'Echt waar?'

'Echt waar. Je hebt hem tegengas geboden. Daar houdt hij van. Jij kunt het in deze stad nog ver schoppen. Mits je leert hoe je je moet kleden.'

'Is er dan iets mis met hoe ik me kleed?'

Ze strekte haar handen uit en trok de punten van de kraag van zijn jasje recht, waarvan er een niet plat lag maar in een saluut overeind stond. 'Van welke partij ben je, agent Littlemore?' vroeg ze. 'Ben je een Democraat, net als minister Houston? Of een Republikein, zoals senator Fall?'

'Ik hoor bij geen enkele partij.'

'Echt? Tja, wie staat je het meest aan: Cox of Harding?'

'Daar ben ik nog niet uit. Mijn vrouw ziet wel wat in Debs.'

'Interessant, zeg,' zei Mrs. Cross. 'Daar zou ik maar niet meer over beginnen als ik jou was.'

'Waarover? Dat ik een vrouw heb of dat ze voor Debs is?'

'Dat hangt ervan af of je met een vrouw of met een man praat. Tot ziens, New York.' De weelderige Mrs. Cross bewoog zich voort met wat als een zakelijke tred omschreven zou kunnen worden, maar waarvan de sierlijke bewegingen van achteren bezien het iedere man, zelfs de getrouwde, belette zich weg te draaien. Littlemore keek toe hoe ze met soepele pas in het kantoor van de Senaat verdween.

Mrs. Cross was nauwelijks uit het zicht geparadeerd, toen een mannenstem riep: 'Inspecteur Littlemore, bent u dat? Blijkt dat Samuels al die tijd hier op me heeft staan wachten.' Het was Brighton, die naast een luxeautomobiel stond, met een afgesloten cabine voor de passagiers en een overhangend dak boven het hoofd van de chauffeur. Brighton leek de wandel en handel van zijn secretaris als een zaak van algemeen belang te beschouwen. 'Waarom doet-ie nou zoiets?'

'Waarschijnlijk omdat u hem dat heeft opgedragen, Mr. Brighton,' zei Littlemore terwijl hij de trap af liep.

'Echt waar?' Brighton stak zijn hoofd onder het overhangende dak. Toen hij weer tevoorschijn kwam, zei hij: 'Goeie genade, u heeft gelijk. Hoe wist u dat?'

'Een blinde gok.'

'Wat een geluk dat ik u hier tref. Samuels heeft me eraan herinnerd waarvoor ik u ook weer wilde bedanken. Het was uit naam van Samuels zelf. Uw rapport heeft hem geheel van alle blaam gezuiverd na die ongelukkige schietpartij op dat krankzinnige meisje. U heeft me bergen ellende bespaard. Zonder Samuels zou ik het niet redden, nog niet één dag.'

'Ik heb gewoon mijn werk gedaan, Mr. Brighton,' zei Littlemore. 'Het meisje had een mes. De getuigen zeiden dat zij als eerste aanviel. Uw man heeft conform de wet gehandeld.'

'Hoe gaat het met haar?'

'Ze ligt nog in het ziekenhuis. Al sinds de dag dat ze werd neergeschoten.'

'Niet zij,' zei Brighton. 'Ik bedoelde Miss Rousseau. Zo'n liefallig ding.

Ik bleef er bijna in toen die doorgedraaide vrouw haar aanviel.'

'Met Miss Colette gaat het goed, voor zover ik weet.'

'Is ze arm?'

'Arm?' vroeg Littlemore.

'Ik ben niet zoals u, inspecteur. Er is geen vrouw die ooit om mijn persoonlijke eigenschappen op me verliefd zou worden. Dat heeft mijn vader me duidelijk gemaakt toen ik jaren geleden de zaak overnam. Ik ben op zoek naar een meisje dat me om mijn geld wil trouwen.'

'Daar ken ik er wel een paar honderd van.'

'Echt waar?' Brighton knipperde met zijn ogen alsof hij de mazzel van de rechercheur niet kon bevatten. 'Zou u me niet met ze in contact kunnen brengen?'

'Natuurlijk. Mijn vrouw is een geboren koppelaarster.'

'Heel vreemd,' zei Brighton bedachtzaam. 'Het enige meisje aan wie ik momenteel kan denken, is Miss Rousseau. Zo bevallig. Weet u waar ze is? Ze beloofde met me mee naar Washington te gaan, maar Mrs. Meloney zegt dat ze zomaar uit beeld verdwenen is.'

'Ik zou het u niet kunnen zeggen.' Dit was dubbel waar. Littlemore wist niet waar Colette was, maar zou het Brighton ook nooit verteld hebben als hij het wel wist.

'Dat gedrocht, die krankzinnige vrouw.' Brighton huiverde. 'Ik heb nog nooit zoiets afgrijselijks gezien. Heeft ze iemand verteld wat haar mankeert?'

'Nee, ze ligt al sinds de schietpartij in coma.'

'Hoe kan ik u voor Samuels bedanken? Wat zegt u van vijfduizend dollar?'

'Pardon?'

'Zijn vrijheid is me heel wat meer waard, dat verzeker ik u.'

'U kunt me geen geld geven omdat ik gewoon mijn werk heb gedaan,' zei Littlemore.

'Daar zie ik de logica niet van in,' antwoordde Brighton, terwijl hij een dikke portefeuille uit zijn borstzak trok en een groot formaat promesse van de Federal Reserve met een blauw zegel en een afbeelding van James Madison erop tevoorschijn haalde. 'Hoe kun je iemand nu stimuleren goed werk te leveren als je hem er niet voor kunt belonen? U zult toch vast wel vijfduizend dollar kunnen gebruiken?'

Littlemore ademde diep door zijn neusgaten in en dacht aan zijn dochtertje Lily. 'Dat kan ik niet aannemen, Mr. Brighton. Ik kan geen cent aannemen.'

'Hoe dwaas. Nou, hoe zit het met een lift? Ik kan u toch op zijn minst een lift aanbieden. Ik ben op weg naar het station. Kan ik u ergens afzetten?'

Littlemore moest zelf ook naar Union Station en accepteerde de rit. Toen Brighton erachter kwam dat ook Littlemore die avond naar New York ging, straalde hij en stond hij erop dat ze samen reisden.

❧

Samuels parkeerde de limousine op een laadplatform achter het station. Brighton legde uit dat dit de enige manier was om zijn auto op de trein te krijgen.

'U mag uw auto zomaar aan boord meenemen?' vroeg Littlemore terwijl ze uitstapten.

'Ik mag alles meenemen wat ik maar wil,' antwoordde Brighton. 'Het is mijn trein. Ik heb een saloncoupé, een slaapkamercoupé, een biljartcoupé, een keukencoupé en een coupécoupé – ha, ha – een coupécoupé, is dat geen goeie? We zullen het reuze naar ons zin hebben, inspecteur. Niemand wil ooit met me mee.'

'Het spijt me, maar het zal niet gaan, Mr. Brighton.'

'Hoezo? Waarom niet?'

'Als ik in uw privétrein meerij,' zei Littlemore, 'dan bewijst u mij een behoorlijk dure dienst. Het is alsof u iets voor me koopt.'

'Maar wat heb ik aan mijn geld als ik er niks mee mag kopen?'

'Sommige zaken zijn niet te koop.'

'Dat is bespottelijk,' zei Brighton. 'Commissaris van politie Mr. Enright heeft in mijn trein meegereden. De minister van Justitie heeft in mijn trein meegereden. Senator Harding heeft nog geen drie weken terug in mijn trein gezeten.'

'Dat ligt anders.'

'Waarom?'

'Omdat...' Begon Littlemore, waarna hij zichzelf onderbrak. 'Om u de waarheid te zeggen, weet ik het zelf ook niet. Maar zo zie ik het nu eenmaal.'

'Ik heb een idee. U kunt wat extra werk voor me doen, u weet wel, buiten diensttijd. Dat kan toch onmogelijk verboden zijn?'

'Nee,' gaf Littlemore zich met tegenzin gewonnen. 'Heel wat agenten klussen hier en daar wat bij.'

'Ziet u nu wel! U doet wat nuttigs voor mij en ik betaal u er vijfduizend dollar voor. Wat zegt u ervan? De rit naar New York is uw sollicitatiegesprek. Dan bedenken we onderweg wel wat voor dienst u me kunt verlenen. Al zou ik zo gauw niet weten wat; Samuels is overal zo goed in. Hij werkte vroeger voor detectivebureau Pinkerton, moet u weten. Maar er moet toch wel de een of andere waardevolle dienst te vinden zijn die u kunt verrichten.'

Littlemore keek toe hoe Samuels de limousine een brede oplegger op manoeuvreerde. 'Ik neem aan dat er wel iets is wat ik voor u kan doen,' zei de rechercheur.

'Misschien iets voor mijn mensen in Mexico,' zei Brighton. 'Er was geen woord gelogen van wat ik senator Fall net vertelde. Ik bezit tienduizenden hectares vruchtbaar land in Mexico, en de regering wil die allemaal van me afnemen.'

'Daar twijfel ik geen seconde aan, Mr. Brighton.'

'Hoorde ik senator Fall niet zeggen dat u tegenwoordig voor de rijksoverheid werkt? Misschien dat u me met Mexico kunt helpen. Nationalisatie is diefstal, weet u. Regelrechte diefstal. Kunt u er niet een paar federale agenten op afsturen?'

'Hoor eens, Mr. Brighton. Ten eerste valt Mexico buiten mijn jurisdictie. Ten tweede, wat ik ook voor u doe, het mag niets met mijn werk voor de overheid te maken hebben. En ten derde neem ik vandaag geen rooie cent van u aan. Ik rij alleen maar met u mee naar New York en onderweg zien we wel of we iets uit kunnen vogelen wat ik voor u kan doen. Afgesproken?'

'Ik weet wat: laten we biljarten,' verklaarde Brighton. 'Nu meteen. Het kan alleen maar zolang de trein stilstaat. Samuels is een waardeloze biljarter. Ik zou u kunnen betalen om mijn biljartpartner te worden!'

❧❀❧

Een half huizenblok verderop passeerde de metro luid ratelend over de luchtspoorweg door Sixth Avenue en liet de vloer trillen onder het bed waarin Littlemore en zijn vrouw lagen.

'Is er iets?' vroeg Betty, die de open ogen van haar man zag.

'Nee.'

'Het is al na tweeën, Jimmy.'

'Het voelt alsof ik mijn eerste steekpenningen heb aangenomen.'

'Omdat je met de trein van Mr. Brighton bent meegereden, bedoel je? Van alle politieagenten in New York ben jij de enige die daar iets verkeerds in kan zien.'

'Hij bood me vijfduizend dollar. Genoeg voor Lily. Hij duwde het zo in mijn hand.'

'Heb je het aangenomen?'

'Nee.'

Het lawaai van de trein stierf weg. De slaapkamer was volkomen stil.

'Wat wilde hij ervoor terug?' vroeg Betty ten slotte.

'Niets. Hij wilde me betalen voor iets wat ik al gedaan had.'

'Hij bood je zomaar om niets vijfduizend dollar aan?'

'Het was omdat ik gewoon mijn werk had gedaan,' zei Littlemore. 'Het spijt me, Betty. Ik kon het niet aannemen.'

'Nou moet je eens goed naar me luisteren, James Littlemore,' zei Betty, terwijl ze overeind kwam. 'Jij neemt geen smeergeld aan. Niet voor mij, niet voor Lily, voor niemand niet.'

Littlemore sloot zijn ogen. 'Dank je,' zei hij.

Betty ging weer liggen. Er ging een hele tijd voorbij.

'Vind je dat ik genoeg van mijn leven heb gemaakt, Betty?' vroeg Littlemore.

'Genoeg? Er is niemand die zo hard werkt als jij. Dankzij jou hebben we brood op de plank, elke dag weer. Dankzij jou wonen we in dit appartement in Fourteenth Street.'

'Mitchel was op zijn vierendertigste burgemeester van New York,' zei Littlemore. 'Teddy Roosevelt was hoofdcommissaris op zijn achtendertigste. En ik kan niet eens een ooroperatie voor mijn dochtertje betalen.'

'Die hadden beroemde vaders, Jimmy. Jouw vader...' Betty aarzelde '... tja, jij hebt alles op eigen kracht moeten doen.'

Littlemore zei niets.

'En moet je zien hoever je het geschopt hebt,' zei Betty. 'Neem nou die nieuwe baan van je. Geen van mijn vriendinnen heeft een man als jij. Je zou hun gezichten moeten zien. Je bent als een god voor ze. Inspecteur Littlemore van het New York Police Department. Speciaal agent Littlemore van het ministerie van Financiën.'

'Als een god,' zei Littlemore glimlachend, terwijl hij zijn ogen in het duister droogwreef. 'Ja hoor, dat ben ik, ten voeten uit.'

❧

De ochtendkranten bevestigden Brightons grieven. De nog niet beëdigde president van Mexico, generaal Álvaro Obregón, had zijn troepen de zilvermijnen in gestuurd die in Amerikaanse handen waren. Hij dreigde nu hetzelfde te doen met de veel lucratievere oliebronnen, met als rechtvaardiging dat de Amerikanen hun claims op de bodemschatten op illegale en corrupte wijze van het prerevolutionaire bewind hadden verworven.

❧

Het Amerikaanse Genootschap voor Parapsychologisch Onderzoek huisde in een allesbehalve spiritueel kantoor in East Twenty-third Street in Manhattan, de wanden tjokvol wetenschappelijke uitgaven, vooral die van henzelf. Nergens viel er een spoor van het occulte te bekennen. Dr. Walter Franklin Prince, de waarnemend directeur, maakte een al even aardse indruk. Hij was een innemende man van rond de zestig met een groot hoofd en een wijkende haargrens, die een pijp rookte met een ongebruikelijk grote kop.

'Bedankt dat u tijd voor me vrij wilde maken, dr. Prince,' zei Littlemore, terwijl hij de directeur de hand schudde. 'Een vriend van me zei dat ik bij u aan het juiste adres ben als het om bovennatuurlijke poespas gaat.'

'Een waar genoegen u van dienst te zijn,' antwoordde Prince. 'Mijn secretaresse, Miss Tubby, vertelde me dat u twijfelt of Mr. Edwin Fischer daadwerkelijk in de toekomst kan kijken.'

'Klopt, maar ik sta voor alles open.'

'Die mogelijkheid is er zeker. Voorgevoelens van rampen zijn heel gebruikelijk. In 1902 had ik zelf een uiterst gedetailleerde droom over een treinongeluk vier uur voordat het plaatsvond. In 1912 droomde Mr. J.C. Middleton, nadat hij kaartjes voor de eerste reis van de Titanic had gekocht, twee nachten achtereen dat het schip zou vergaan en de passagiers in het koude water zouden verdrinken. Hij weigerde aan boord te gaan en leeft nog.'

'Hij heeft vast niet toevallig iemand over zijn dromen verteld voordat het schip zonk?'

'Anders zou ik er geen melding van maken. Ik laat me niet in met helderzienden die alleen achteraf beweringen doen. Mr. Middleton was zo ontdaan dat hij het onmiddellijk aan zijn vrouw en enkele vrienden vertelde. Hun beëdigde verklaringen liggen in mijn archief. Ik heb persoonlijk onderzoek gedaan naar de zaak-Fischer, en op basis van de getuigenverklaringen ben ik ervan overtuigd dat zijn voorgevoel echt was.'

'Fischer zegt dat het "uit de lucht" tot hem kwam,' zei Littlemore. 'Kunt u daar chocola van maken?'

'Hij had het niet treffender kunnen uitdrukken. Wanneer we 's nachts iets aan het firmament zien fonkelen, inspecteur, wat zien we dan?'

'Eh, laat ik het maar op sterren houden.'

'Dan zien we het verleden. Het universum zoals het eeuwen geleden bestaan heeft. Het verleden omringt ons voortdurend, al kunnen we het zelden zien. Dat geldt ook voor de toekomst. Die is overal om ons heen, in de vorm van golven of verstoringen die voor het blote oog onzichtbaar zijn – eigenlijk zoiets als radiogolven. Velen van ons worden deze turbulenties heel kortstondig gewaar, bijvoorbeeld in onze nekharen. Op den duur zal de wetenschap hun moleculaire structuur ontrafelen. Maar over hun oorsprong bestaat nauwelijks twijfel.'

'Hun oorsprong?'

'De dood, inspecteur,' zei dr. Prince. 'De dood ontlaadt deze energie in de lucht. Wanneer er een catastrofe dreigt, wordt de verstoring zo heftig dat een sensitief persoon er ernstig door van slag kan raken. Hij kan dan aanvoelen waar en wanneer de ramp zich precies zal voltrekken. Hij kan een aura gewaarworden rond mensen die binnenkort zullen sterven. Of hij kan vooraf beelden zien van de ramp, zoals bij mij gebeurde en bij Mr. Middleton. En wat ook Edwin Fischer is overkomen.'

Littlemore knikte. Hij accepteerde het niet klakkeloos, maar velde ook geen oordeel. 'Kunnen ze ook nog andere dingen weten?' vroeg hij. 'Zoals wie erachter zit?'

'Daar heb ik nog nooit van gehoord. Wel bestaat er bewijs dat de zielen van mensen die vermoord zijn, wanneer ze in de geestenwereld worden opgeroepen, kunnen vertellen wie hun moordenaar is geweest, maar uit de literatuur is mij geen enkel geval bekend van een dergelijke voorwetenschap bij een levende persoon. Heeft u wellicht belangstelling voor het inschakelen van een medium? Ik ken een zeer begaafde.'

'Een andere keer misschien, dr. Prince.'

'Zou het u niet helpen te weten wanneer de aanslag beraamd werd?'

'Dat zou zeker nuttig kunnen zijn,' zei Littlemore. 'Denkt u dat Fischer dat misschien weet?'

'Bij doelbewust beraamde slachtpartijen treden deze voorgevoelens zelden op voordat de moordenaar bewust tot het besluit van de moord is gekomen. Vaak valt het eerste voorgevoel precies met dat moment samen. Vraag Mr. Fischer wanneer hij voor de eerste keer iets voorvoelde.'

'Bedankt, dr. Prince. Misschien doe ik dat wel.'

Half oktober belegde een steeds twistziekere directeur Flynn van het Bureau of Investigation zijn zoveelste persconferentie in het Astor Hotel. Flynns herhaalde beweringen over op handen zijnde arrestaties hadden niet in zijn voordeel uitgepakt. De zaak was niet opengebroken. Er was niemand aangeklaagd. Een sfeer van scepsis en niet-ingeloste verwachtingen had verscheidene heren journalisten in de greep gekregen.

In Flynns optiek was dat niet zijn schuld. Het probleem lag bij de kranten, omdat die over zijn mislukkingen berichtten. Elke keer wanneer een van zijn aanknopingspunten op niets uitdraaide, maakten de dagbladen daar een hele heisa van; niet het soort gedrag dat Flynn van loyale Amerikanen verwachtte. Het was een misdrijf om de inspanningen van de autoriteiten om de vijand klein te krijgen in diskrediet te brengen. Eugene Debs zat ervoor achter de tralies. Flynn had ieder van deze verslaggevers voor de rechter kunnen slepen. Hij wist wat ze tegen elkaar aan de telefoon zeiden; zijn agenten luisterden immers mee. Hij meende dat ze hun aanhoudende en onverdiende vrijheid volledig aan zijn edelmoedigheid te danken hadden.

'Jullie zouden me tot de laatste man op jullie knietjes moeten bedanken,' begon Flynn. 'Maar daar wou ik het vandaag niet over hebben. In plaats daarvan ga ik nog meer kranten voor jullie verkopen. Hier hebben jullie je verhaal: gistermiddag ontving mijn Bureau informatie aangaande de identiteit en de verblijfplaats van de politieke gevangenen, terwijl jullie uilskuikens het zo druk hadden met over gestoorde figuren te berichten dat jullie niet eens doorhadden dat jullie niet wisten wie ze waren.'

Pennen hingen roerloos in de lucht terwijl het bevattingsvermogen zich tevergeefs een weg door zijn verklaring trachtte te banen.

'Kunnen jullie dan niets onthouden, stelletje sukkels?' vroeg Flynn behulpzaam. '"Bevrijd de politieke gevangenen" – dat stond in de circulaire van de anarchisten te lezen. En wie denken jullie dat die politieke gevangenen precies zijn? Als je dat uitknobbelt, dan los je zo de hele zaak op.'

'Maar de laatste keer zei u nog dat Tresca het gedaan had, commissaris,' zei een verslaggever. 'Maar dan houdt Tresca een openbare redevoering in Brooklyn en u laat hem niet eens oppakken. Waar slaat dat op?'

'Ik zou je verdomme persoonlijk moeten laten voelen waar dat op slaat,' repliceerde Flynn, zijn opzwellende nek strak tegen het bovenste knoopje van zijn witte overhemd geperst. 'Ik heb nooit gezegd dat Tresca het gedaan heeft. Ik heb alleen maar gezegd dat hij een verdachte was. Gesnopen?'

'Commissaris Flynn,' zei een andere man die er minder slonzig uitzag dan de overigen, 'mijn lezers vragen mij u te laten weten dat u een eersteklas Amerikaan bent.'

'Dank je, Tommy. Dat stel ik nou op prijs. Je bent zelf een eersteklas Amerikaan.'

'Mijn lezers,' ging Tommy verder, 'voelen zich heel wat veiliger sinds u begonnen bent die buitenlanders op te pakken die onze stad willen overnemen.'

'Dat is nog eens een krantenman,' zei Flynn. 'En de rest van jullie: knoop dit in je oren. Zodra we die politieke gevangenen in handen hebben, en dat hebben we al, dan presenteer ik jullie die hele bomaanslag op een presenteerblaadje. Daar hebben jullie je verhaal. Van a tot z, in kannen en kruiken.'

Op vrijdag 15 oktober keerde Littlemore terug naar het hoofdbureau van politie aan Centre Street om wat spullen op te halen. Zijn mannen Roederheusen en Stankiewicz gingen bij hem langs. Ze hielden hun hoed in de hand, alsof ze op een begrafenis waren.

'Spanky,' zei Littlemore, terwijl hij hun de hand schudde. 'Stanky.'

'We zullen u missen, chef.'

'Hou toch op,' zei Littlemore. 'En onthou goed: de steeg is de sleutel, de steeg tussen Financiën en het Assay-kantoor. Zoek naar mensen die op 16 september de straat in zijn gerend of naar hun raam zijn gelopen en een grote vrachtwagen een zware vracht vanuit die steeg naar Pine Street hebben zien vervoeren. Zo zijn de bommenleggers weggekomen.'

'Waarom zouden die bommenleggers in een vrachtwagen zitten?' vroeg Stankiewicz.

'En een zware vracht van wat?' vroeg Roederheusen.

'Dat kan ik jullie nu niet vertellen, jongens,' zei Littlemore. 'Zoek uit hoe die vrachtwagen eruitzag en waar hij heen is gegaan, dan kunnen jullie de zaak oplossen. Je weet waar je me kunt vinden.'

Zonder veel geestdrift zetten de agenten hun hoeden weer op. 'Zeg, chef,' zei Roederheusen, terwijl hij het kantoor uit liep. 'U had me toch gevraagd die Mexicaan, die Pesqueira, op te sporen? Het consulaat zegt dat hij verleden week naar Washington is gegaan.'

'Dat zijn mijn zaken niet meer, maar evengoed bedankt.' Littlemore beende door de gang naar het kantoor van commissaris Enright in de wetenschap dat het wellicht voor het laatst was. Hij klopte op Enrights deur. Toen een stem in het kantoor toestemming gaf, ging hij naar binnen.

'Inspecteur Littlemore,' zei Enright vanachter zijn bureau. 'Maar niet lang meer, hè?'

'Ik ben in Washington al ingezworen, Mr. Enright. Kom alleen nog wat spullen ophalen.'

De commissaris knikte. 'Ik heb je vader gekend, Littlemore.'

'Ja, commissaris.'

'Een goede kerel. Niet volmaakt, zoals ieder van ons. Maar een goede vent.'

'Dank u, commissaris.'

'Je penning, inspecteur. En je wapen.'

Littlemore legde zijn penning op Enrights bureau. Het deed zo'n pijn dat hij hem bijna niet los kon laten. 'Het pistool is van mij,' zei hij.

'Tja, dit is een formaliteit waar ik helemaal geen zin in heb,' zei Enright, 'maar op basis van het ambt dat ik bekleed als commissaris van het New York Police Department onthef ik u, Mr. Littlemore, hierbij van uw post. U bent niet langer lid van het politiekorps.'

Littlemore zei niets.

'Zorg dat je ons tot eer strekt, jongen,' zei Enright.

13

Na een dag op zee wordt een oceaanstomer, vertrokken uit New York, het enige en eigen menselijke referentiepunt. Geen enkel ander vaartuig verstoort de onmetelijke wateren. Onder een wolkenloze ochtendlucht kuierden Colette en Younger over het bovendek. Er was voldoende deining om haar zijn uitgestoken arm te doen accepteren. Achter hen hieven de scheepsmotoren een monotoon geronk aan.

'Wat wilden ze toch van me?' vroeg ze.

'Die roodharigen of de ontvoerders?'

'Het hele stel.'

'Hoe meer ik erover nadenk,' zei Younger, 'hoe meer ik ervan overtuigd raak dat dat briefje in het hotel – dat briefje van Amelia – een valstrik was. We gingen ervan uit dat Amelia de volgende ochtend niet is teruggekeerd, maar wat als ze dat wel heeft gedaan, samen met de kidnappers?'

'Waarom?'

'Misschien omdat dat hun werk is, meisjes ontvoeren en verkopen.'

'Verkopen?'

'Wij hebben er een term voor: blanke slavinnen. Misschien dat ze van plan waren je ergens heen te lokken; Amelia zou op je gevoel werken, je smeken dat ze je hulp nodig had. Ze verwachtten dat je alleen was. Maar ik was bij je. Dus hebben ze hun plannen gewijzigd. Ze volgden ons naar Wall Street. Amelia kwam bij de bomaanslag om. Maar haar vrienden bleven ons in de gaten houden, en toen je naar het hotel terugging, hebben ze je ontvoerd.'

'Waarom mij?'

'Omdat je een vreemdelinge bent. Zonder familie of verwanten in Amerika. En jong en mooi, om twee andere motieven te noemen.'

'Ik ben niet mooi. Hoe konden ze weten dat ik een buitenlandse zonder familie ben?'

'Hoe wisten ze dat je in New Haven woonde? Of dat je naar Hamburg zou gaan? Eén ding is zeker: ze beschikken over geld. Genoeg om mensen in de gaten te houden.'

Onverwacht legde ze haar hoofd op zijn schouder. 'In elk geval zijn we op dit schip veilig. Ik voel het. Ik zou willen dat we nooit in Europa aankwamen.'

Younger had navraag gedaan bij de betaalmeester van het passagiersschip, die hem verteld had dat zij de laatsten waren geweest die vaarbewijzen kochten. Colette, zo leek het, had gelijk. Het schip was veilig, niemand was hen aan boord gevolgd. 'We hoeven niet af te monsteren wanneer het schip in Bremen aankomt,' stelde hij voor. 'We kunnen voor de terugreis aan boord blijven. En in New York weer, en dan voor eeuwig heen en weer varen.'

'Zeg maar niets meer,' antwoordde ze, haar ogen gesloten. 'Daar ga ik lekker van dromen.'

Hij keek naar haar lieftallige gezicht. 'Ja, als ik een handel in blanke slavinnen dreef, dan stond jij boven aan mijn lijst.'

❦

Later die ochtend ledigde Younger op het dek de inhoud van een grote zak die hij samen met zijn bagage had gekocht. Die leverde een honkbal, een knuppel, een warboel aan houten haringen, metalen platen en montage-instructies op. Een halfuur later had hij een slagstatief in elkaar gezet; een vrijstaande sokkel die tot zijn middel reikte en die bedoeld was om een honkbal op zijn plek te houden, zodat een honkballer zijn slagen kon oefenen. Younger stopte de bal in een netje en bond dat dicht met een lang stuk touw dat hij van een matroos had geleend. Het andere eind van het touw bevestigde Younger aan een lier. Toen plaatste hij de bal in het netje op de paal en leerde Luc hoe hij een knuppel moest hanteren. Na elke slag haalden ze de – kletsnatte – bal binnen door het touw op te winden.

Al snel wilde een fiks aantal mannelijke opvarenden een poging wagen en ze ontdeden zich van hun hoeden en jasjes om in hemdsmouwen de bal een zo hard mogelijke oplawaai te geven. Uiteraard wachtte het handjevol overige jongens aan boord begerig hun beurt af. Younger stond erop dat ze eerst Luc om toestemming moesten vragen, die deze plechtig verleende, waardoor hij, ondanks zijn stomheid, voor de rest van de reis een onmisbaar onderdeel van het clubje jongens uitmaakte.

Van alle mannen en jongens die zich die dag aan het slagstatief waagden, sloeg Younger het hardst en het verst. Maar de volgende ochtend meldden zich ook een paar matrozen. Een van hen was een gespierde zwabbergast, die tijdens de oorlog voor de Brooklyn Robins had gespeeld, en die zijn hemd maar meteen helemaal uittrok. Hij haalde bij zijn eerste slag al zo Babe Ruth-achtig uit dat het touw niet lang genoeg was. Het netje scheurde, de bal verdween. Younger probeerde nog een paar surrogaatoplossingen – een sinaasappel, een houten bol die door de scheepstimmerman gesneden was, een golfbal van een passagier – maar niets leende zich zo goed als een echte honkbal, dus dat was het einde van het slagstatief.

Terwijl de dagen op zee in elkaar overvloeiden, bemerkte Younger dat hij bij Colette geen enkele vooruitgang boekte. Hun relatie was wel degelijk intiem, maar uitsluitend op een vriendschappelijke basis. Ze was liefdevol, maar afstandelijk. En dat werd alleen maar erger naarmate Europa dichterbij kwam. Soms betrapte hij haar terwijl ze naar de zee staarde en in een toekomst tuurde waartoe hij niet door kon dringen. Of was het een verleden? De herinnering aan een verliefdheid op een lieve, gehavende soldaat in Parijs aan wie ze haar hart had verpand en die ze al meer dan twee jaar niet gezien had?

'Je bent zijn held, wist je dat?' zei ze op een dag tegen hem, terwijl ze zich van een dergelijke dagdroom losrukte.

'Wiens held?'

'Die van Luc.'

'Is dat zo?' zei Younger. 'En wie is jouw held?'

'Ik heb er twee: madame Curie en mijn vader. Daar bof ik mee. De Duitsers hebben mijn vader vermoord toen hij voor mij nog een held was – in alle opzichten onverschrokken, sterk, edelmoedig. Zelfs de Duitsers konden dat niet van me afnemen. Maar Luc kan hem zich nauwelijks nog voor de geest halen. Vroeger probeerde ik de herinnering aan vader en moeder levend te houden en vertelde hem verhalen over vaders kracht en dapperheid. Maar hij wilde ze niet horen. Hij is er niet eens nieuwsgierig naar. Dat is wat hij eigenlijk nodig heeft: een vader.'

'En jij doet je best er een voor hem te vinden?'

Ze gaf geen antwoord.

'Denk je echt dat hij van je houdt?' ging Younger verder. 'Je über-Germaan, bedoel ik.'

'Hans.'

'Meneer de über-Germaan heeft je in twee jaar tijd niet één keer geschreven. Dat klinkt mij niet bepaald als liefde in de oren.'

'Het maakt niet uit of hij me geschreven heeft of niet.'

'Je bedoelt dat je hoe dan ook van hem houdt? Dat is niet zo. Het spijt me, maar dat is gewoon niet waar. Als je van hem hield, dan had je nu maar één ding aan je hoofd: hoe hij zal reageren wanneer hij je ziet. Je zou je vertwijfeld afvragen of hij nog om je geeft. Je zou de hele tijd in de spiegel kijken. Ook zou je niet zomaar toegeven dat hij je nooit geschreven heeft. Je zou jezelf wijsmaken dat hij brieven naar het ziekenhuis in Parijs heeft gestuurd, maar dat jij ze nooit ontvangen hebt. In plaats daarvan zeg je dat het je niet kan schelen.'

Ze gaf geen antwoord.

'Is hij dan zo verschrikkelijk knap?' vroeg Younger. 'Of ben je met hem naar bed geweest en vind je nu dat je om die reden met hem moet trouwen?'

Colette keek weg. 'Alsjeblieft, ik wil niet over hem praten.'

'Wat ben je hem nu helemaal verschuldigd? Je verpleegde de man toen hij ziek was, maar je gedraagt je alsof hij jóú gered heeft. Alsof je voor het leven bij hem in het krijt staat.'

'Jij kunt onmogelijk begrijpen wat ik hem verschuldigd ben,' zei ze. Ze keek hem aan. 'Wil je soms van me horen dat ik meer van jou hou dan van hem? Dat ik hem voor jou laat zitten? Dat kan ik niet. Het spijt me. Je zou niet van me moeten houden. Je zou... zou me gewoon met rust moeten laten.' Ze stond op, ging naar haar hut en kwam niet meer terug.

☙❧

Terwijl hij op de laatste avond van hun reis nadacht over de ondoorgrondelijke kracht die Colette over een afstand van duizenden kilometers naar haar soldaat trok, probeerde Younger uit te maken welke illusie bedrieglijker was: de imaginaire loop van de sterren, die 's nachts langzaam langs de hemel lijken te trekken, of de fictieve onbeweeglijkheid van de aarde, die in werkelijkheid met onmetelijke snelheid rond de zon suist.

Hoe was het mogelijk dat een jongeman die Colette maar een paar maanden gekend had zo'n enorme aantrekkingkracht op haar uitoefende, of dat dit Franse meisje, tegen zijn wil en tegen beter weten in, zo'n enorme aantrekkingskracht op hem – Younger – kon uitoefenen? Hij leek in een baan om haar heen te cirkelen, soms aangetrokken, dan weer afgestoten, maar altijd met die onoverbrugbare afstand tussen hen in. Ziet de aarde haar baan rond de zon als een bron van oneindige kwelling?

❦

Het Amityville-sanatorium op Long Island was kraakhelder, wit en weldadig, maar Edwin Fischer, de nieuwste kuurgast, maakte geen opgetogen indruk. Verdwenen waren zijn zo opmerkelijk goede humeur, het vriendelijke woord voor iedereen toen hij een maand eerder in New York in hechtenis was genomen.

'Hoe behandelen ze je, Fischer?' vroeg Littlemore, terwijl hij in de bezoekersruimte op een stoel plaatsnam.

'De pausen hadden het altijd al op me gemunt,' antwoordde Fischer. 'Bent u rooms-katholiek, inspecteur?'

'Katholiek? Mijn vrouw wel.'

'Geen enkele paus is ooit een ware katholiek geweest. Ze deden wel alsof natuurlijk, maar het was altijd een leugen. Ze gebruiken hun krachten tegen me. Waarvoor bent u hier?'

'Grappig, dat vroeg ik mezelf ook net af.'

'Zal ik u de reden vertellen waarom de pausen willen dat ik hier opgesloten blijf?'

'Omdat u gek bent?'

'Omdat ze niet geloven dat ik een agent van de Amerikaanse geheime dienst ben.'

'Dat bent u ook niet.'

'Waarom zegt u dat nou?' Fischer zag er oprecht gekrenkt uit. 'Dat vind ik buitengewoon ergerlijk. Werkt u voor de geheime dienst?'

'Nee.'

'Bent u de minister van Financiën?'

'Hoezo?' vroeg Littlemore.

'Als u de minister was, dan was u de baas over de geheime dienst.'

'Ik dacht het niet.'

'U dacht niet dat u de minister van Financiën bent?' antwoordde Fischer. 'De meeste mensen weten zeker of ze dat wel of niet zijn.'

'Toevallig werk ik wel voor de minister van Financiën, en ik meen dat hij niet de baas is van de geheime dienst.'

'Dan is hij een bedrieger. Ik weet waarom u hier bent.'

'Is dat zo?'

'U bent hier om te zorgen dat ik hier wegkom.'

'Nee, dat is niet zo.'

'Jawel. En om me te vragen wanneer ik voor het eerst een voorgevoel van de aanslag in Wall Street had.'

Littlemore zat met een ruk recht overeind.

'Of niet soms?' vroeg Fischer.

'Blikskaters! Hoe wist u dat?'

'Was u erbij op het station toen de politie me uit Canada hierheen bracht, inspecteur?'

'Nee, maar wanneer was het, uw eerste voorgevoel?'

'Ik ben gek op stations. Elke keer als ik in een nieuwe stad kom, dwaal ik uren op het station rond. Dan voel ik me thuis. Grand Central Terminal is als een tweede thuis voor me.'

'Heel fijn. Wanneer had u uw eerste voorgevoel?'

'Doet u dan iets aan die pausen?'

'Ik zal zien wat ik kan doen.'

'Eind juli, geloof ik. Ik weet dat het voor de tweekamp tussen de oostelijke en de westelijke staten was. Het was kort nadat ik besloten had niet naar Washington te gaan. U weet vast dat ik adviseur van Mr. Wilson ben?'

'Dan heeft u het over president Wilson, neem ik aan?'

'In 1916 voorspelde ik Mr. Wilson dat als hij geen einde aan de oorlog maakte er vele slachtoffers zouden vallen. Zo ben ik geheim agent geworden. Hij wilde me ontmoeten, maar zijn ondergeschikten staken daar een stokje voor. Ongetwijfeld betreurt hij die beslissing nu ten zeerste.'

'Ongetwijfeld. En wie denkt u dat er achter de aanslag zat, Mr. Fischer? Wie heeft het gedaan?'

'De anarchisten natuurlijk. De bolsjewieken.'

'Weet u dat zeker?'

'Absoluut.'

'Hoe weet u dat?'

'Dat heb ik in de krant gelezen.'

Een verpleegster onderbrak hen en bracht Mr. Fischer terug naar zijn kamer.

❧

Op een avond ergens half oktober gleed hun trein voldaan piepend het Westbahnhof te Wenen binnen. De Oostenrijkse treinen, ooit de trots van de dubbelmonarchie, waren nog maar onttakelde schimmen van hun voormalige glorie. Ze reden op een gehalveerd kolenrantsoen – de andere helft verkocht door corrupte ambtenaren en noodlijdende conducteurs. Kroonluchters en bewerkte lambriseringen waren weggesnaaid, klaarblijkelijk door dieven.

Voor het station stond een enkele huurkoets – een elegant, door twee paarden voortgetrokken rijtuig – onder een heldere halvemaan te wachten. Ook al zat Colette naast Younger, toch hield ze enige afstand en keek ze nadrukkelijk de andere kant uit, Wenen in. Luc zat tegenover hen, met één koffer onder zijn benen en een andere naast zich. Het was een prachtige avond, in vooroorlogse sfeer gedompeld. In de verte, boven de daken van indrukwekkende gebouwen uit, beschreef de elektrische verlichting van het Riesenrad – het enorme reuzenrad van het Prater, het beroemde lunapark van Wenen – een hoge, trage boog door de lucht. De wind voerde flarden van verre walsen en aanstekelijk gelach aan.

'Wenen is vrolijk,' zei Colette, op weemoedige toon, zo meende Younger te horen.

Colette had Frans gesproken. De koetsier antwoordde in dezelfde taal: 'Ja, we zijn vrolijk, mademoiselle. Dat ligt in onze aard. Zelfs tijdens de oorlog waren we vrolijk. En anders dan de laatste keer dat u hier was, eten we niet langer onze honden op.'

De koetsier overhandigde hun zijn kaart. Het was dezelfde – Oktavian Ferdinand Graf Kinsky von Wchinitz und Tettau – als die hen tijdens hun eerste verblijf in Wenen naar het hotel had vervoerd. Maar op zijn kaartje waren de woorden 'Graf' en 'von', die duidden op zijn verheven afkomst, doorgestreept.

'Alle adellijke titels zijn afgeschaft,' legde hij uit. 'We mogen ze zelfs niet op onze visitekaartjes voeren. Ja, alles wordt beter. Alles wordt absoluut beter.'

Ver weg hoorden ze snerpende, snijdende geluiden, gevolgd door een donderend geraas.

'Wat was dat?' vroeg Colette, die van schrik bijna van haar bank was opgesprongen.

'Het heeft niets te betekenen, mademoiselle,' antwoordde de koetsier. 'Dat kwam uit het Wienerwald, het Weense woud, het mooiste bos van de hele wereld. Ze hakken er bomen om.'

'Op dit tijdstip?' vroeg Younger. 'Wie?'

'Iedereen, monsieur. Het is verboden, maar de mensen hebben geen keus. Er zijn geen kolen meer om te stoken. Alleen maar hout. Ze gaan 's avonds, om te vermijden dat ze gearresteerd worden. Wanneer het winter is, zullen velen over geen enkele verwarming beschikken. Komt u uit Parijs?'

'New York,' zei Younger.

'Monsieur is Amerikaan?'

Younger bevestigde dat dat het geval was.

'Excuseer, ik dacht dat u Fransman was. Dan zal ik u deze rit graag als blijk van erkentelijkheid aanbieden. Oostenrijk is uw land de grootst mogelijk dank verschuldigd.'

Younger verbaasde zich over deze geste en liet dat weten ook. 'Een verslagen land put zich doorgaans niet uit in dankbetuigingen jegens de vijand,' merkte de koetsier op. 'Maar ik dank u namens onze kinderen. Jullie noodhulppakketten vormen nog steeds hun voornaamste bron van voedsel. Kent u Mr. Stockton, uw *chargé d'affaires?* Vorige maand bracht ik hem naar het station. Hij had zojuist een brief van de president van ons hooggerechtshof ontvangen met het verzoek of ook de rechters voor noodpakketten in aanmerking konden komen.'

'Wat zal er met de kinderen gebeuren,' vroeg Colette, 'als ze deze winter geen verwarming hebben?'

'Die zullen sterven, neem ik aan, althans velen van hen. Maar we zijn er al. Berggasse 19. Ik hoop dat dr. Freud in goede gezondheid verkeert.'

Younger, die uit de koets was geklommen en zijn hand naar Colette uitstak, keek verbaasd op van hun buitengewoon goed geïnformeerde koetsier.

'Wanneer vreemdelingen naar de Berggasse vragen,' verduidelijkte de voerman, 'dan is daar slechts één reden voor.'

Younger vroeg hem zo vriendelijk te zijn te wachten, terwijl zij een bezoekje aan de familie Freud brachten. Oktavian verzekerde hem dat hij daar gaarne toe bereid was.

⸙

Minna Bernays, de schoonzuster van Freud, deed de deur van het appartement op de eerste verdieping open. Ondanks het feit dat ze verwacht werden, weigerde Frau Bernays hen binnen te laten omdat, zo deelde ze hun mede, dr. Freud en zijn vrouw Martha zich al te ruste hadden gelegd. Ze vroeg juist of ze de volgende dag terug konden komen, toen een diepe basstem tussenbeide kwam, die verklaarde dat het bericht van zijn vroegtijdig ter bedde gaan schromelijk overdreven was.

De begroeting was hartelijk. Luc werd omstandig geprezen vanwege het feit dat hij een hele kop gegroeid was. 'Tja, Minna,' merkte Freud op, 'Martha had het mis, zoals ik al voorspeld had.' Tegen Younger en Colette verduidelijkte hij: 'Mijn vrouw was er zeker van dat jullie voor het einde van het jaar getrouwd zouden zijn.'

'Het jaar is nog niet voorbij,' zei Younger.

'Ze bedoelde 1919,' antwoordde hij droog.

'Dan is alle hoop voor 1920 nog niet vervlogen,' zei Younger.

'Ik heb je geen enkele reden tot hoop gegeven, Stratham,' wees Colette hem terecht. 'Niet voor dit noch enig ander jaar.'

Uit het veld geslagen probeerde Younger zich er met een grapje van af te maken: 'In dat geval trouwen we toch op 31 december om precies 12 uur 's nachts,' zei hij. 'Dat tijdstip behoort aan geen enkel jaar toe.'

Colette wendde zich tot Minna Bernays. 'Hij is hopeloos.'

'Eerst verwijt ze je dat je hoopt,' zei Freud tegen Younger, 'dan dat je hopeloos bent. Nu ja: *Was will das Weib?*'

❦

De jaren waren aan Freud af te zien, terwijl hij diep in zijn leunstoel in zijn studeerkamer zat weggezakt. Een diepe rimpel trok zijn witte wenkbrauwen tot een norse frons samen. Zijn doorgaans zo hypernerveuze chowchow, Jofi, lag behaaglijk aan zijn voeten genesteld. Ze spraken over de bomaanslag in Wall Street, de ontvoering en de financiële ondergang van de psychoanalytische vereniging. Freuds zoon Martin was eindelijk uit de gevangenis ontslagen. 'Zijn eerste daad van vrijheid was deze gelijk weer op te geven. Hij is getrouwd.'

Colette bedankte Freud dat hij bereid was haar broer te behandelen.

'Ik heb er nog niet mee ingestemd hem te behandelen,' zei Freud. 'Ik heb u geschreven, Fräulein, en mijn enige eis gestipuleerd. U heeft nooit geantwoord.'

Colette zei niets.

'Voor half werk ben ik te oud en te drukbezet,' zei Freud. 'Ik neem nog maar heel weinig nieuwe patiënten aan; ik besteed mijn tijd nuttiger door anderen daartoe op te leiden. Elk uur dat ik aan behandelingen besteed, is verloren tijd voor mijn eigen werk. Een psychoanalyse, juffrouw Rousseau, is niet in een paar dagen voltooid. U moet bereid zijn een aanzienlijke tijd in Wenen door te brengen.'

'Maar ik... ik heb geen geld en geen werk,' zei Colette.

'Dat is uw probleem,' antwoordde Freud op zo'n bitse toon dat Younger verbaasd opkeek. 'Als ik uw broer in behandeling neem, dan moet u me uw woord geven dat u zolang als nodig is in Wenen blijft.'

'Het spijt me,' zei Colette. 'Ik weet het niet.'

Freud kwam langzaam overeind, liep naar het raam en deed het open. Een frisse avondbries woelde door zijn witte haar. Vanaf de kleine binnenplaats, waar het rijtuig van graaf Oktavian stond te wachten, klonk het geluid van trappelende en hinnikende paarden. Freud haalde diep adem. 'Vertel me eens, Fräulein,' zei hij met zijn rug naar Younger en Colette, 'heeft u wel eens gedroomd dat er een kind wordt geslagen?'

'Pardon?'

'Heeft u dat wel eens gedroomd?'

Colette weifelde. 'Hoe wist u dat?'

'Soms zonder te weten wie er slaat?'

'Ja,' zei Colette.

'Dat is een droom die opmerkelijk vaak voorkomt bij vrouwen die het gevoel hebben dat ze ergens voor gestraft moeten worden,' zei Freud. 'Nu ja, het is duidelijk dat u niet alleen naar Wenen bent gekomen om uw broer bij me te brengen. Derhalve moet ik concluderen dat u hier ook andere zaken af te handelen heeft. Uit uw opmerking tegen Younger in de hal kan ik slechts afleiden dat u hier bent om uw verloofde te vinden en met hem te trouwen, dezelfde die de laatste keer dat u hier was in de gevangenis zat. Dat verklaart uw onzekerheid over de vraag of en hoe lang u in Wenen zult blijven. Komt het wellicht omdat u niet weet waar hij momenteel verblijft, en of hij überhaupt nog in het land is?'

Colette was verbijsterd.

'Maak je niet druk,' zei Younger tegen haar. 'Dit soort dingen doet hij nou altijd.'

'Maar het echte mysterie,' zei Freud, 'is hoe u Younger, de rivaal van uw verloofde, heeft weten te strikken om u op een dergelijke reis te vergezellen. Ik moet bekennen dat ik die prestatie zowel indrukwekkend als bevreemdend vind.'

'U bent niet de enige.'

'Maar dit alles is niet van invloed op mijn standpunt,' zei Freud. 'Voor het geval u serieus overweegt hier een baan te zoeken, Fräulein, zal ik u het adres van het Weense Radiuminstituut geven. Mij is verteld dat het eersteklas is en dat ze er geen enkel probleem mee hebben vrouwen aan te nemen. Ik zal u ook de naam en het adres geven van een neuroloog, een oude vriend van me.' Heel even trok er een wrange glimlach over Freuds gezicht. 'Hij heeft een behandelwijze voor oorlogsneurosen die veel voortvarender is dan de mijne. Ik kan niet instaan voor hetgeen hij doet, maar velen geloven erin, en aangezien uw belangstelling naar een snelle genezing voor uw broer lijkt uit te gaan, zou het verkeerd van me zijn, Fräulein Rousseau, u niet op hem te wijzen. Wat jou betreft, Younger, is het hoog tijd dat wij onze onafgedane zaken afhandelen. Morgenochtend om elf uur heb ik een uur vrij. Ik zie je dan.'

✿

'Ik had je toch gezegd dat hij kortaf kan zijn,' zei Younger terwijl hun rijtuig over de kinderkopjes van de Berggasse naar het Donaukanaal hotste.

'Hij zag er zo vreselijk triest uit,' antwoordde Colette.

'Freud? Eerder moe, zou ik denken,' zei Younger. 'En kwaad, al weet ik niet waarom.'

'Ik zou het pragmatisch willen noemen,' zei Oktavian, hun koetsier, bedachtzaam. 'Professioneel.'

'Ik heb nog nooit zulke trieste ogen gezien,' zei Colette.

'Ik vond ze helemaal niet triest,' reageerde Younger.

'Ah, hier moet ik mij op u verlaten,' verklaarde Oktavian. 'Ik kon hem uit het raam horen, maar zijn ogen heb ik niet gezien.'

'Dat komt omdat jij nooit enig idee hebt van wat er in andere mensen omgaat,' zei Colette tegen Younger. 'Het is maar goed dat je de psychologie eraan hebt gegeven. Je lijkt wel blind.'

14

En van de indrukwekkendste bouwsels aan de Weense Ringstrasse was een vijf verdiepingen hoge, wit-roze suikertaart, waarvan
het elegante café Landtmann de begane grond innam. De volgende ochtend om elf uur trof Younger Freud in de grote salon van het
koffiehuis, onder een terugwijkende boulevard van kristallen kroonluchters. De ober had Freud begroet alsof hij hem persoonlijk kende en was
hun voorgegaan naar een tafeltje voor een met draperieën omzoomd
raam, dat uitzicht bood op het magnifieke staatstheater aan de overkant.

'En,' zei Freud, terwijl hij plaatsnam, 'weet je al waar ik het met je over
wil hebben?'

'Het oedipuscomplex?' vroeg Younger.

'Fräulein Rousseau.'

'Waarom?'

'Maar vertel eerst eens,' zei Freud, 'wat je van mijn oude vriend Jauregg, de neuroloog, vond.'

Younger, Colette en Luc hadden dr. Julius Wagner-Jauregg eerder die
ochtend in zijn kantoor op de universiteit bezocht. 'Hij behandelt oorlogsneurosen met elektrocunvulsie,' zei Younger.

'Juist. Zijn medewerkers maken gewag van aanzienlijke successen. Was
hij verbaasd dat ik jullie had doorverwezen?'

'Bijzonder. Hij zei dat u vorige week tijdens een of ander proces tegen
hem had getuigd.'

'Integendeel, ik heb juist mijn nek voor hem uitgestoken. Er lag een beschuldiging dat hij onze soldaten in wezen met marteltechnieken terug naar het front had gedwongen. De regering vroeg mij een en ander te onderzoeken. Ik heb gerapporteerd dat zijn gebruik van elektrotherapie ethisch gezien volkomen in de haak is. Uiteraard verklaarde ik dat alleen psychoanalyse de genese van shellshock kan blootleggen en de ziekte genezen kan, maar dat dit feit in 1914 nog niet bekend was. Mijn vriend – en zijn vele volgelingen – legden zich de rest van de hoorzitting toe op het afbranden van de reputatie van iedere psychoanalyticus in Wenen.'

Een kelner bracht hun twee goudgerande espressokopjes en een schaaltje met taartjes. 'Dom van me. Het was me even ontschoten welk een intense vijandigheid wij kennelijk nog steeds los blijken te maken. Maar het geeft niet. Heeft hij je ervan kunnen overtuigen de jongen aan elektrotherapie te onderwerpen?'

'Hij bepleitte een eenmalige behandeling met een laag voltage. Hij is van mening dat shellshock een soort kortsluiting in de hersenen is, en dat een korte, hevige stroomstoot de hersenen weer in de plooi trekt.'

'Dat is mij bekend. En omdat jij geen geloof hecht aan psychologie zou dat je moeten aanspreken.'

Younger zag de onthutste en gekwelde uitdrukkingen op de gezichten van de getroffen soldaten voor zich. De wetenschapper in hem wist dat de oorzaak van hun lijdensweg inderdaad in een kortsluiting in hun neurale schakelsysteem gelegen kon zijn. Maar iets in hem verzette zich tegen deze diagnose, of althans tegen de behandelwijze. Ten slotte zei hij: 'Ik denk niet dat er aan Lucs hersenen iets mankeert.'

'Ah, je gelooft dat zijn strottenhoofd het probleem is?'

'Dat betwijfel ik,' zei Younger.

'Nou ja, in elk geval heb je in één opzicht gelijk. Wat vond Fräulein Rousseau ervan? Nee, laat me raden. Ze was er niet helemaal met haar gedachten bij en had geen duidelijk omlijnde mening.'

'Hoe wist u dat?'

'Zou je haar als suïcidaal willen omschrijven?' vroeg Freud.

'In het geheel niet.'

'Echt waar? Ik had de indruk dat je voorkeur naar dergelijke vrouwen uitging.'

'Nu en dan maak ik een uitzondering,' zei Younger.

'Voelt ze zich aangetrokken tot mannen die haar mishandelen?'

'Als u mij bedoelt, dan is haar voorkeur voor mishandelende mannen betreurenswaardig zwak ontwikkeld.'

'Jou bedoel ik niet,' zei Freud.

'Haar verloofde misschien? Gruber?'

'De man is een veroordeelde crimineel.'

Younger keek uit het raam. 'Zij herinnert zich slechts de brave, gewonde, oprechte soldaat die ze uit het ziekenhuis kende.'

'Moederlijke genegenheid? Dat lijkt me sterk.' Freud roerde in zijn koffie. Er stond een norse frons op zijn toch al diepgegroefde voorhoofd. 'Was ik gisteravond te streng voor haar?'

'Dat kan ze best hebben. Waarom was u zo streng?'

Freud zette zijn bril af en wreef elk glas traag, talmend met een zakdoek schoon. 'Ze doet me aan Sophie denken, mijn op een na jongste,' zei hij. 'Mooi, koppig. Sophie verloofde zich toen ze negentien was. Met een dertigjarige fotograaf. Het was alsof ze niet snel genoeg het huis uit kon. Ik vrees dat ik de woede die ik jegens Sophie koester omdat ze ons zo snel verlaten heeft op Fräulein Rousseau heb afgereageerd.'

'Sophie? Is zij niet degene die in Duitsland woont?'

'Zij is degene die dood is.'

Freuds lepeltje tikte tegen de rand van zijn kopje, herhaaldelijk, ongelijkmatig.

'Dat wist ik niet,' zei Younger.

'Het is afgelopen januari gebeurd. De griep. Ze woonde in Berlijn, zij en haar twee zoontjes en haar man, die ik echt beter had moeten behandelen. Toen we vernamen dat ze ziek was, reden er geen treinen, zelfs niet voor noodgevallen. Het eerstvolgende bericht luidde dat ze dood was.' Hij haalde diep adem. 'Daarna verloor voor mij alles in diepste wezen zijn betekenis. Voor een ongelovige zoals ik bestaan er in een dergelijke situatie geen rationalisaties. Geen rechtvaardigingen. Er rest slechts sprakeloze berusting. Het onverbiddelijke lot. Maandenlang kon ik mijn eigen kinderen – mijn andere kinderen – en hun kinderen...' Freud stopte om zich te vermannen, '... niet luchten of zien.'

Buiten op de Ring stond het leven in volle bloei. Auto's en trams reden langs. Een elegante koets rolde voorbij. Een gouvernante kuierde achter een kinderwagen.

'Tja, de bedoeling dat de mens gelukkig is, komt in het plan van de schepping niet voor,' zei Freud. 'Jij noemt het vast bijgeloof, maar ik heb een akelig voorgevoel over Fräulein Rousseau. Met welk doel is ze naar Wenen gekomen?'

'Dat had u gisteravond al geraden. Die Gruber is zojuist uit de gevangenis ontslagen.'

'Kom op zeg, je kunt al je kennis van de psychologie toch niet zomaar vergeten zijn? Wat is haar oogmerk?'

'Te zien of hij nog steeds van haar houdt, lijkt me. Of misschien of zij nog steeds van hem houdt. Ze heeft hem een belofte gedaan. Ze heeft het gevoel dat ze die moet nakomen.'

'Onzin. Ik vertrouw haar motivatie niet. En dat zou jij ook niet moeten doen. Weet je waar haar soldaat precies voor gevangen heeft gezeten?'

'Nee.'

'Ik wel. Ze heeft het me zelf verteld, huilend. De dag nadat jij vorig jaar uit Wenen vertrokken bent. Hij heeft een oude man in elkaar geslagen. Dat beweert de politie tenminste. Ik heb haar duidelijk gemaakt dat een bruut die met de Antisemitische Liga marcheert geen geschikte echtgenoot voor haar is. Ik heb haar de raad gegeven hem niet meer te zien. Ik dacht dat ze mijn advies ter harte had genomen.'

'Klaarblijkelijk is ze ervan teruggekomen,' zei Younger.

'Er is een aandoening waar vele jonge vrouwen onder gebukt gaan. Ze hechten zich aan gewelddadige mannen. Ze vergeven die mannen alles wat die hun aandoen. Ze denken dat het liefde is; dat is het niet. Wat ze echt willen, is voor hun daadwerkelijke of denkbeeldige zonden, of voor andere zaken, bestraft worden. Er is iets ernstig mis met de toewijding van Fräulein Rousseau aan die Gruber. Ik voel het. Ik raad je aan haar geen moment uit het oog te verliezen. Ze levert zich met huid en haar aan een crimineel uit.'

'Misschien slaat hij haar wel en komt ze zo tot inkeer.'

Freud trok een wenkbrauw op. Younger vroeg zich af of hij zijn eigen gewoonte – om één wenkbrauw op te trekken – van Freud had overgenomen. 'Vind je zelf ook niet,' vroeg Freud, 'dat jij haar dwingt de gevolgen van haar keus voor deze man onder ogen te zien door haar zijn bed in te jagen?'

'Ik heb geen zeggenschap over met wie Miss Rousseau het bed deelt.'

'Je wilt dat ze gestraft wordt, omdat ze voor een andere man heeft gekozen. Je wilt het haar betaald zetten door haar te laten gaan.'

'Haar te laten gaan? Ik ben een oceaan overgestoken om haar zover te krijgen dat ze zich bedenkt.'

'Je kunt haar niet dwingen om van gedachte te veranderen. Maar je kunt haar misschien wel beschermen.'

'Tegen wat?' vroeg Younger.

'Tegen deze Gruber. Tegen een beslissing die ze de rest van haar leven zal betreuren.'

❧

Toen Younger terugkwam in Hotel Bristol lag er een briefje op hem te wachten.

Beste Stratham,
Ik moet me haasten om een trein te halen. Ik ben vandaag niet naar het Radiuminstituut geweest. Ik ben naar de gevangenis gegaan en heb daar te horen gekregen dat Hans uit Wenen vertrokken is en naar Brau-nau-am-Inn is gegaan. Ik geloof dat dat zijn geboortestad is. Er rijdt maar één trein per dag naar Braunau en die vertrekt over een halfuur. Ik verwacht morgen weer terug te zijn. Luc is boven op mijn kamer. Zorg alsjeblieft voor hem. Ik hoop dat je het ooit zult begrijpen.

Hartelijke groet,
Colette

Younger staarde geruime tijd naar het briefje. Hij streek met zijn handen door zijn haar. Toen stuurde hij een boodschapper om Oktavian Kinsky, de aristocratische koetsier, te halen.

༶⁕༶

Een uur later stonden Younger en Luc in de lobby te wachten toen Ok-tavian zijn opwachting maakte, chic gekleed in een leren jas en stoere pet die gewoonlijk door chauffeurs van open auto's worden gedragen. 'Ik weet dat u om een automobiel heeft gevraagd, monsieur,' zei Oktavian, 'maar dit was het beste wat ik op zo'n korte termijn kon bemachtigen. Meer dan toereikend echter, dat verzeker ik u. In zes uur heb ik u in Braunau.'

Hij wees naar buiten, waar voor het hotel een motorfiets stond met veel glimmend chroom en een zijspan met houten lambrisering.

'Dat gaat niet lukken,' zei Younger.

Oktavian zag het probleem. Ook Luc was op een reis gekleed, en de zijspan bood slechts ruimte aan één passagier. 'Komt de jongeheer ook mee? Dat wist ik niet.'

Younger liep naar buiten. Oktavian en Luc kwamen achter hem aan. 'De jongen en ik gaan op eigen houtje,' zei Younger.

'Maar de motor is niet van mij,' antwoordde Oktavian. 'Ik denk niet...'

'U heeft hem morgen terug. Daar sta ik voor in. Dit leen ik ook, als u er geen bezwaar tegen heeft.' Younger ontdeed Oktavian van zijn leren jas. 'En de pet.'

De bovenkant van de zijspan bevatte een gat voor het bovenlichaam van de passagier. Hij kon in tweeën worden opengeklapt; daaronder zaten een beklede zitting en een klein opbergvak. Younger stak Luc in de leren jas, trok de pet over zijn oren, duwde de beide bladen op hun plek en vergrendelde ze. Niet lang daarna bevonden ze zich op de open weg.

Terwijl ze voortsnelden, leerde Younger Luc hoe hij in de bochten moest gaan hangen om zo hun snelheid te verhogen. In zijn veel te grote jas en pet zag de jongen er potsierlijk uit, maar ze hielden hem warm. Younger liet niets los over het doel van hun missie en Luc vroeg er niet naar. Al met al verliep de rit voorspoedig – totdat het begon te regenen.

Zonder waarschuwing vooraf doorkliefde de eerste daverende bliksemslag pal voor hen de lucht. Onmiddellijk daarop reet een donderslag de lucht open, als een houwitser die recht boven hun hoofden tot ontploffing kwam. Geschrokken greep Luc naar Youngers arm. Heel even verloor Younger de macht over het stuur, de motor raakte uit balans en schoof bijna onder hen vandaan. Toen hij hem weer onder controle kreeg, blafte hij de jongen op scherpe toon af. 'Als je bang bent,' voegde hij eraan toe, 'beweeg dan langzamer, niet sneller.'

❦

Het ommuurde stadje aan de rivier de Inn was schilderachtig en, op slechts een steenworp afstand van Beieren, qua aanblik Duitser dan Duits. Bontgekleurde huizen met puntdaken stonden zij aan zij rond knusse pleintjes, het geheel gedomineerd door een kerk met hoge torenspits. Er was geen station, slechts een perron met een gebouwtje waar kaartjes werden verkocht.

In de aanzwellende duisternis parkeerde Younger zijn motor naast het perron. Hij veegde het stof uit zijn ogen en het water van zijn voorhoofd, en wenste dat hij een vliegeniersbril had. De reis zelf had nog geen zes uur in beslag genomen. Ze hadden er tien uur over gedaan; een combinatie van oponthoud door regen, de noodzaak dat Luc iets at en het feit dat ze onderweg drie keer verdwaald waren. Younger opende de bovenkant van de zijspan en trok Luc naar buiten; de binnenkant was doorweekt, evenals de jongen.

Younger vroeg de kaartjesverkoper of hij dekens bij de hand had. Die had hij. Younger gooide ze Luc toe en beval hem zijn natte plunje uit te trekken en zich af te drogen. 'De trein uit Wenen,' vroeg Younger aan de man, 'is die hier al gestopt?'

'Ja. Twee uur geleden,' antwoordde de burelist.

'Heeft u misschien een jongedame – alleen, donker haar – uit die trein zien stappen?'

'Frans?' vroeg de verkoper.

'Ja.'

'Een plaatje?'

'Dat is 'r.'

'Nein.'

Younger wachtte; er volgde geen verdere uitweiding. 'Hoezo "nein"?' vroeg hij.

'Ik was er nog niet toen de trein uit Wenen aankwam, mein Herr,' zei de man. 'Maar uw Fräulein moet erin hebben gezeten. Ik heb haar een kaartje verkocht.'

'Een kaartje waarheen?'

'Ze heeft een enkele reis voor de nachttrein naar Praag gekocht. Geen bagage. U bent haar net misgelopen, de trein is een klein uur geleden vertrokken. Hoogst ongebruikelijk. Stelt u zich voor, een jongedame die 's nachts in haar eentje reist.'

Younger streek met zijn hand door zijn haar. 'Ik ben op zoek naar Hans Gruber. Weet u waar hij woont? Of zijn familie?'

❦

Younger vond het huis dat de burelist hem beschreven had: een klein, rustiek, omheind optrekje, proper maar vervallen. Het dak zag eruit alsof het elk moment kon instorten. Een oude, zwaarlijvige vrouw met harde ogen deed open.

'Frau Gruber?' vroeg Younger.

'Ja,' zei ze. 'Wat mot je van me?'

'Ik ben een vriend van Hans.'

'Leugenaar.' De stem van de oude vrouw klonk zowel kien als kwaadaardig. De aanblik van de in dekens gehulde jongen vermurwde haar geenszins. 'Ga weg. Hij is er niet. Hij zit in Wenen.'

Ze probeerde de deur dicht te slaan, maar Younger was haar voor. 'Dat is niet wat u tegen de jongedame heeft gezegd,' zei hij. 'Tegen haar heeft u Praag genoemd.'

Ze kneep haar ogen achterdochtig tot spleetjes. De oude, gele tanden braken in een hatelijke lach uit. 'Denk je soms dat ik niet weet wat hij met haar van plan is? Ik ken zijn streken. Hij kleedt haar tot op de laatste cent uit. Dan dwingt hij haar de hoer voor hem te spelen, en als ze opgebruikt is, eindigt ze bij het oud vuil. Net als al die anderen.'

Youngers reactie op deze voorspellingen was opmerkelijk tweeslachtig. Aan de ene kant had hij het gevoel dat Colette daadwerkelijk gevaar liep als ze Gruber trouwde. Aan de andere kant kwam het hem voor dat de kans dat ze Gruber zou trouwen aanzienlijk was geslonken. 'Zeg me waar ik hem in Praag kan vinden.'

'Ik weet waarom je hier bent,' zei de oude vrouw. 'Je krijg nog geld van hem. Ik zie het in je ogen. Nou, ik ben eerst aan de beurt.' Ze schudde verbitterd haar hoofd. 'Al die jaren de familietoelage achteroverdrukken omdat de overheid de envelop toevallig aan hem geadresseerd had. Dan heeft-ie het lef hier terug te komen en onder mijn dak te slapen. En nu van mijn terrein of ik roep de politie. Jij verwacht dat ik jou ga helpen om je geld van Hans los te krijgen? Alles wat hij heeft, behoort mij toe.'

'Hoeveel?' vroeg Younger.

'Waar heb je het over?'

'Hoeveel is hij u schuldig?'

De oude vrouw was maar al te graag bereid de som te berekenen. Het was veel geld. Younger trok uit zijn portefeuille een aanzienlijk groter bedrag in kronen tevoorschijn. Haar ogen schitterden.

***

Younger verliet het huis van de vrouw met een adres in Praag en met Luc in een droog, zij het oeroud wollen jongenspak. Van de kaartjesverkoper wist hij min of meer hoe hij in Praag moest komen. 'Jij zorgt dat je wat slaap krijgt in dat ding,' zei hij tegen Luc terwijl de laatste in de zijspan klom. 'We hebben een lange tocht voor de boeg.'

Luc keek Younger met doordringende blik aan.

'Vooruit, zo geheim is het nu ook weer niet. Je zus is op zoek naar een man die ze tijdens de oorlog heeft leren kennen. Ze hadden eigenlijk zullen trouwen. We proberen haar nu te vinden.'

Luc bleef Younger aanstaren.

'Nee, ik heb geen idee wat ik ga doen als we haar vinden,' zei Younger. 'Het is waarschijnlijk hoe dan ook zinloos. Tegen de tijd dat wij in Praag aankomen, staan ze vast al ergens in een kerk elkaar het jawoord te geven. En dan sta ik daar mooi voor aap.'

De jongen tikte op Youngers arm. Hij zocht in het opbergvak naar iets om op te schrijven en vond een paar visitekaartjes van Oktavian. Hij pakte er een, schreef iets op de achterkant en gaf het aan Younger. Op het kaartje stond: MIJN ZUS WIL MET JOU TROUWEN.

'Dat is aantoonbaar onjuist,' antwoordde Younger, terwijl hij de motor besteeg en hem aantrapte.

Luc tikte op zijn mouw en gaf hem een ander kaartje. Daarop stond: IK MAG MIJN ZUS NIET.

'Jawel, je mag haar wel,' zei Younger.

Het was negen uur in de ochtend toen ze in de motregen over de met kasseien geplaveide straten van de Praagse Nové Město hotsten – de Nieuwe Stad, waarbij 'nieuw' naar de lang vervlogen dagen van het midden van de veertiende eeuw verwijst. Het ratjetoe aan architectonische tijdvakken waarvan de ontzagwekkende stad doortrokken was, maakte een ongerijmde indruk. Gotische kerken wedijverden met sierlijke neoclassicistische koepels, barokke paleizen waren getooid met kubusachtige torens uit de middeleeuwen, en de straten waren overal bezaaid met negentiende-eeuwse standbeelden van achttiende-eeuwse generaals die, met geheven zwaard, bijna van hun steigerende strijdrossen gleden. In de druilerige regen zag alles er even grijs uit; zelfs de gouden spitsen van de kerken en de zalmroze huizen maakten een kleurloze indruk.

Youngers ogen waren bloeddoorlopen. Hij had de hele nacht doorgereden. Naast hem, onderuitgezakt in zijn zijspan, lag Luc te slapen.

Op een brede laan langs de traag stromende en troebele rivier de Moldau hield Younger stil voor een café dat enig teken van leven vertoonde. Hij stapte van zijn motor, stak een sigaret op en liep naar een balustrade aan de overkant van de laan, vanwaar hij uitzicht over het water had. Stroomafwaarts verdwenen schepen in de tunnelachtige bogen onder een middeleeuwse stenen brug. Gapend kwam Luc – wakker geworden toen de motor tot stilstand was gekomen – naast hem staan. Aan de overkant van de rivier klom het land steil omhoog, met daarboven, gevangen in de fonkelende stralen van de ochtendzon, de in alle richtingen uitdijende Pražský hrad, de Praagse burcht.

'Dat is het grootste kasteel ter wereld,' zei Younger tegen Luc. 'Voor de oorlog woonden er koningen en keizers. Nu staat het leeg. Ze zijn het aan het opknappen, zeggen ze. Het wordt gerenoveerd om door de overheid gebruikt te worden. Ruik je dat? In dat café staat wat smakelijks op het fornuis. Laten we even kijken.'

Het kostte hun nog een uur om het adres te vinden dat de oude Frau Gruber in Braunau voor Younger had opgeschreven. De Tsjechische taal was voor Younger volstrekt onbegrijpelijk; zelfs als hij al mensen vond wier Duits toereikend was, dan nog trof hij niemand die de straatnaam thuis kon brengen. Dit kwam misschien omdat de straat in de oudste wijk van de stad lag, weggestopt in een wirwar van labyrintische steegjes, of gewoon omdat het Younger niet lukte de straatnaam enigszins begrijpelijk uit te spreken.

Uiteindelijk vonden ze het straatje, vlak bij een eeuwenoude buskruit-toren. Van de omliggende daken keek een tribunaal van levensgrote hei-ligenbeelden op hen neer, gehouwen uit marmer dat in de loop der eeuwen steeds donkerder was geworden en gemodelleerd in houdingen die opperste verrukking of folterende pijn moesten uitdrukken. Twee of drie verdiepingen hoge huizen van onbestemde leeftijd omzoomden de nauwe straat. De tegenoverliggende balkons waren zo dicht opeen gebouwd dat overburen elkaar over de balustrades bijna de hand konden schudden.

Younger klopte aan bij de woning met het huisnummer dat hij zocht. Hij wist niet goed wat hij zou doen als iemand opendeed, maar er kwam niemand naar de deur. Hij duwde ertegen; de deur zat op slot. Ook klampte hij voorbijgangers aan en vroeg hen naar Hans Gruber. Ze hadden geen idee waar hij het over had, en wanneer dat wel het geval was, zei de naam hun niets.

'We zullen gewoon moeten wachten,' zei hij tegen Luc. Een eindje verderop in de straat, in een smalle ruimte tussen twee oude gebouwen, stalde hij zijn motor en stak hij een sigaret op.

⁂

Het was al vroeg in de middag en er was nog steeds geen spoor van Co-lette, noch van iemand die aan Hans Grubers signalement beantwoord-de. Younger overwoog de mogelijkheid dat de oude Frau Gruber over het adres had gelogen. Dit leek hem onwaarschijnlijk. Ook was het mogelijk dat ze zich in het adres had vergist, maar als dat waar was, dan had Co-lette hetzelfde verkeerde adres als hij en moest ze hier uiteindelijk opda-gen, ervan uitgaande dat zij hem niet voor was geweest, hetgeen Youn-ger weinig waarschijnlijk achtte gegeven de neiging van Oostenrijkse treinen om voortdurend te stranden en met enorme vertragingen op hun bestemming aan te komen.

In een winkeltje vlak in de buurt kocht Younger een brood en enkele dikke plakken ham. Toen hij met de levensmiddelen terugkeerde, druk-te de jongen hem opnieuw een briefje in de hand. BEN IK EEN LAFAARD?

Younger maakte een sandwich voor de jongen en een voor zichzelf. 'Ik zal je met een cliché antwoorden,' zei Younger. 'Een cliché is een veel ge-bruikte gemeenplaats, een dooddoener, iets wat iedereen kent. Feitelijk is het ook een drukplaat voor een negatief, maar daar gaat het nu niet om. Bang zijn maakt je niet tot een lafaard. Dat is het cliché, maar het is toe-vallig nog waar ook.'

Luc schreef op een nieuw kaartje: JIJ BENT NOOIT BANG.

'O, jawel,' zei Younger. 'Ik zal je een geheimpje verklappen. Moed bestaat er alleen maar uit anderen niet te laten zien hoe bang je bent. Het spijt me dit te moeten zeggen, maar op jouw leeftijd hebben sommige jongens hun heldenmoed al bewezen. Ik zal je maar gewoon de harde waarheid vertellen. Ik heb ooit een jongen gekend – geen dag ouder dan jij – die zo ongeveer het dapperste deed wat ik ooit heb gezien. De jongen was ontvoerd. Hij was vastgebonden. En toch had hij de tegenwoordigheid van geest om mij op een reageerbuis met uraniumdioxide te wijzen die net op dat moment van een tafel dreigde te rollen. Dankzij hem werden we niet door een knap afstotelijke kerel vermoord. Goed beschouwd een bijzonder afstotelijke kerel. Zo lelijk dat hij er beter uitzag toen zijn haar in brand stond.'

⁕

De avond was al gevallen, toen Luc hem wakker maakte. De straat was inmiddels vol licht en rumoer uit verschillende ruige kroegen. De lucht was koud. Younger had een muffe smaak in zijn mond; zijn hele lichaam voelde stijf. Luc wees geagiteerd: een slank vrouwelijk silhouet in een lichte jas liep met vastberaden tred op het huis af. Het was Colette. Ze klopte op de deur. Deze keer deed er wel iemand open, en Colette verdween de trap op. Younger wachtte en hield de ramen van de bovenverdiepingen in het oog, speurend naar een teken van leven.

Hij dacht juist over zijn volgende stap na, toen Colette weer in de deuropening verscheen, zich in beweging zette en rakelings langs Younger en Luc liep. Een paar passen verder draaide ze uit het zicht en verdween ze onder een stenen doorgang.

Ze volgden haar, behoedzaam. De onderdoorgang voerde naar een opmerkelijk grote, drukbezochte *Biergarten* op de binnenplaats van wat eeuwen geleden wellicht een abdij was geweest. Een orkestje speelde vrolijke deuntjes. Lantaarns hingen aan takken. Mannen zongen, vals en irritant luid. Vrouwen waren er in overvloed, maar op Colette na was er niet een onvergezeld. Er was een hardstenen dansvloer waarop gezwierd werd. Het zag ernaar uit dat Colette naar Gruber op zoek was.

Younger kwam ernstig in de verleiding om haar aan te spreken. Maar hij vermoedde dat als hij zijn aanwezigheid nu al kenbaar maakte, voordat ze haar Oostenrijker überhaupt had ontmoet, Colette woest zou zijn en weinig genegen naar hem te luisteren. Zijn tussenkomst, zo bedacht Younger, zou haar koppigheid wel eens kunnen aanwakkeren. Het was veel beter Gruber zijn eigen graf te laten graven. Als Frau Gruber het bij het rechte eind had, dan was die held van haar een ploert en een vrouwenverslinder; het type dat Colette wellicht voor het lapje had kunnen houden toen hij ziek en gewond was, maar dat haar nu ongetwijfeld zou doen walgen. En als Colette zich daardoor niet liet afstoten, dan had Younger nog voldoende tijd om haar er later op aan te spreken en een laatste appel op haar te doen. Daarnaast moest Younger toegeven dat hij wel benieuwd was naar hoe Colette en Gruber zich zouden gedragen zodra ze elkaar ontmoetten.

Dus installeerde Younger zich samen met Luc in een donker hoekje van de drukbezochte biertuin, op een zo groot mogelijke afstand van Colette. Hij trok de veel te grote motorpet diep over Lucs hoofd, al was er in de duisternis en het gedrang weinig kans op dat Colette hen zou ontwaren. Ze leek hoe dan ook geheel door haar eigen besognes in beslag genomen. Haar eenzaamheid benadrukte slechts haar aanwezigheid, terwijl ze onder een van de lampionnen op een bank plaatsnam aan het uiteinde van een lange tafel. Bijna demonstratief, zo scheen het Younger toe, ontdeed ze zich van haar jas, waaronder een jurk tevoorschijn kwam van een soort dat hij haar nog nooit eerder had zien dragen.

Haar armen waren bloot, haar rug onbedekt. De hoge zoom, die bijna haar knieën etaleerde – nee, die haar knieën daadwerkelijk blootlegde toen ze, eenmaal zittend, haar ene been over het andere sloeg – spande met haar hooggehakte schoenen samen om vrijwel elk mannenoog in de biertuin op zich gevestigd te krijgen. Nooit drukte een rug zo helder uit dat ze geschapen was om bekeken te worden. Zo dachten de mannen aan de tafel achter haar er in elk geval over. Ze sloegen elkaar op de schouder, wezen naar de nieuwkomer en maakten de voorspelbare mannelijke geluiden en gebaren.

Onder deze mannen bevond zich iemand die Younger, hoewel hij hem nooit eerder had gezien, onmiddellijk als Hans Gruber herkende. Het was onmiskenbaar: de enige lange, blonde, stoere, blauwogige man in de biertuin. Hij zag er buitensporig goed uit; achter in de twintig, vlot gekleed, een zelfverzekerde manier van doen. Voor zichzelf en een kleine coterie van vrienden bestelde hij het ene drankje na het andere.

Vanaf de andere kant stommelde een vreemdeling met een vettige snor op Colettes tafel af, kennelijk met de bedoeling haar met een gevatte versierzin in zwijm te doen vallen, maar in zijn haast struikelde hij over de bank. Colette draaide zich behendig weg zodat de man, die het uitschreeuwde vanwege de knal tegen zijn scheenbeen, niet in haar schoot belandde maar op de tafel, waarbij hij een verzameling glazen en flessen omstootte. Colette, die niet de minste belangstelling toonde voor het daaropvolgende geruzie, haalde een sigarettenkoker uit haar tasje. Younger had haar nooit eerder zien roken.

Uit het niets doken twee mannenhanden op die beschermend rond een brandende lucifer werden gehouden. De handen behoorden, uiteraard, aan Hans Gruber toe. Ze keek naar hem op en zei iets, maar in de biertuin was het zo lawaaiig dat Younger alleen haar lippen zag bewegen. Younger kon er niet uit opmaken of Gruber haar thuis kon brengen. Maar misschien herkende hij haar nu pas, terwijl zijn handen bij haar lippen talmden en hun gezichten niet ver van elkaar verwijderd waren.

Ze onderhielden zich nog een poosje met elkaar, zij zuigend aan haar sigaret, hij mannen wegduwend die haar aandacht trachtten te trekken. Gruber bestelde een drankje voor haar, het werd gebracht; Gruber betaalde het, zij dronk het op. Kort daarop vergezelde hij haar naar de dansvloer. En dansen deden ze, met Hans' rechterarm liefkozend rond Colettes middel.

Younger kromp inwendig ineen.

༒

Ze dansten zeker een uur, afgewisseld met een onstuimige en grootschalige alcoholconsumptie, niet slechts door Gruber, maar ook door Colette en Grubers beide vrienden, twee gedrongen en stevig gebouwde mannen, die zelf niet in damesgezelschap verkeerden maar het bevorderen van Grubers veroveringspoging als hun taak leken op te vatten. Op een zeker ogenblik sloeg Gruber, onder luid gescandeer van zijn naam, een halve liter schuimend bier in één keer achterover. Toen de muziek even stopte, hielp Gruber Colette in haar jas en begeleidde hij haar jolig de biertuin uit, met zijn beide vrienden uitbundig lachend in hun kielzog.

Younger liet ze vertrekken, waarna hij de achtervolging inzette. Hij en Luc bereikten de straat net op tijd om te zien hoe Colette op de achterbank van een open vierzitter plaatsnam. Gruber ging naast haar zitten en de wagen reed weg. Gruber zong luidkeels – en lang niet onverdienstelijk, moest Younger toegeven – en legde zijn arm rond Colettes schouder. Younger haastte zich naar zijn motorfiets.

༒

Zespuntige sterren en Hebreeuwse opschriften op winkelpuien gaven aan dat ze de joodse wijk binnen waren gereden. Younger zou niet precies hebben kunnen aangeven waar hij mee bezig was – een beetje heimelijk Colette en haar beau schaduwen terwijl ze door Praag reden – maar kon er niet mee ophouden. Hij volgde hun kronkelende, benevelde spoor. Meer dan eens botste de wagen op de stoeprand waarna hij erin slaagde de straat weer te vinden.

Ze bevonden zich nu op een boulevard, de Mikulasska, omzoomd met bomen en art-nouveaugevels die grillig met gaslampen verlicht waren. Een oude vrouw met iets zwaars in haar armen stak gejaagd de straat over, alsof ze dekking zocht.

'Wat heeft ze hier op dit uur te zoeken?' vroeg Younger zich hardop af.

Uit de onzichtbare wijk klonk geschreeuw. Hele hordes jongens holden door de straten. Ergens voor hen was een opstootje. Grubers wagen stopte net voorbij het tumult. Ook Younger hield stil, naast een kring van zeker tien jongemannen op de brede stoep. In het midden van de kring werd een heer in avondkleding – een kleine, bebrilde man met wandelstok – heen en weer geduwd en uitgescholden. Iemand rukte de stok uit zijn handen en smeet die onder glasgerinkel door een etalageruit.

'Gezellig,' zei Younger.

Gruber sprong uit de auto en rende op de menigte af. Hij trok de ene toeschouwer na de andere opzij totdat hij in het midden van de kring stond, tegenover de beschimpte man in avondkledij. *'Jüdisch?'* vroeg Gruber.

De doodsbenauwde man gaf geen antwoord.

'Jüdisch?' herhaalde Gruber, niet op dreigende toon maar alsof het belangrijke informatie betrof.

Luc keek Younger aan, die het tafereel rustig van commentaar voorzag: 'Hij vraagt de man of hij joods is.'

De bebrilde heer in uitgaanskledij had het Duitse woord kennelijk begrepen, want hij knikte nauwelijks waarneembaar, wellicht in de stille hoop door de vreemdeling ontzet te worden. Voor de erkenning betaalde hij een hoge prijs. Gruber trok de bril van 's mans gezicht, gooide die op de grond en vermorzelde hem onder zijn voet. De menigte barstte in waarderend gejoel uit. De man week achteruit, maar Gruber greep hem bij zijn revers en gaf hem een vuistslag in het gezicht, waardoor hij achterwaarts door de gebroken etalageruit tuimelde. De meute juichte nog harder. Hans maakte een gebaar alsof hij zijn handen schoonveegde, baande zich een weg door de kring van toeschouwers en ging terug naar zijn auto.

Younger overwoog nog de man te hulp te schieten, maar op dat moment stapte Gruber juist in zijn auto. Colette had waarschijnlijk geen idee van wat Hans zojuist gedaan had. Younger zag haar op de achterbank zitten, waar ze zich liet welgevallen dat Gruber zijn arm weer om haar schouder legde. De wagen startte en trok op. Younger liet het slachtoffer aan zijn lot over.

Grubers wagen reed traag over de boulevard. Younger volgde op gepaste afstand. Een paar straten verder draaiden ze een oud plein op, waar in het midden een groot vuur brandde. Mensen klapten in hun handen en stonden er zingend omheen. Anderen sjouwden met stapels zware boekwerken die uit een oud en aanzienlijk pand aan de andere kant van het plein afkomstig waren. Eenmaal bij het vuur stookten deze mensen het vuur met hun boeken nog hoger op.

'Ach, een onvervalste, ouderwetse pogrom,' zei Younger.

Grubers wagen stak het plein over, reed met een boog om de feestnummers heen en stopte zo'n zevenhonderd meter verderop bij de toegangspoort van een klein, groen park. Younger kwam een straat of wat eerder tot stilstand. Het park wemelde van de gietijzeren lantaarnpalen en lukraak rondgestrooide bomen, waarvan de roodbruine bladeren zilverachtig in het maanlicht oplichtten. Gruber en Colette stapten uit. Zijn vrienden bleven drinkend en lallend achter.

'Wacht hier,' zei Younger tegen Luc.

Younger stapte af en glipte door de duisternis naar de rand van het park, waar hij op een hoog hek met ijzeren spijlen stuitte. Door de spijlen zag hij Colette en Gruber arm in arm aan de wandel. Younger sloop langs het hek, terwijl hij ze verder het park in zag verdwijnen. Gruber ratelde onafgebroken in rap Duits. Colette lachte flirterig, al vond Younger het moeilijk te geloven dat ze verstond wat hij te zeggen had. Tot Youngers afgrijzen liet Gruber haar nu en dan snel in zijn armen ronddraaien, alsof ze nog steeds in de biertuin aan het dansen waren.

Onder het zachte licht van een gaslamp bleven ze staan. Gruber hielp haar uit haar jas en liet die op de grond vallen. Hij draaide Colette rond zodat hij tegen haar rug aankeek. Hij legde zijn handen op haar buik en leek aan haar oor te sabbelen. Younger haalde zich de avond voor de geest dat hij zelf iets dergelijks had gedaan: Colette was toen heel wat minder bereidwillig geweest. Ruw draaide hij haar weer rond. Hun gezichten naar elkaar toe. Met zijn duim streelde hij haar mond. Colettes tasje viel op de grond. Gruber trok haar naar zich toe, boog zich om haar te kussen – en deinsde toen abrupt achteruit, zijn handpalmen in de lucht gestoken.

Colette hield een klein pistool vast. Er klonk geen schot, ze had hem niet neergeschoten. Maar ze hield het met beide handen recht op zijn hart gericht. Ze zei iets tegen hem in het Duits. Uit haar intonatie kreeg Younger de indruk dat ze woorden opzei die ze uit haar hoofd had geleerd, maar zo zacht dat Younger ze niet kon verstaan. Gruber zakte op zijn knieën, biddend, smekend. Colette ademde moeizaam; haar schouders schokten op en neer. Toen stond ze roerloos, haar wapen op Grubers ogen gericht, de afstand miniem.

Maar ze aarzelde. Dertig volle seconden lang aarzelde ze, met Gruber al die hele tijd smekend aan haar voeten. Uiteindelijk deed ze een stap naar achteren, toen nog een en nog een, totdat ze zich omdraaide en het duister in vluchtte.

Younger hoorde een botsing en een gedempte schreeuw. Even later stapten Hans' gedrongen kompanen de lichtkegel van de lantaarnpaal in. Tussen hen in bungelde een tegenstribbelende Colette, haar trappelende voeten net boven de grond. Ze moest regelrecht in hun armen zijn gerend. Een van de mannen hield een vlezige hand over haar mond, de andere porde met Colettes eigen pistool in haar ribben.

Gruber kwam overeind. Hij spuwde, veegde zijn neus aan zijn mouw af en nam het wapen van zijn vriend aan. Hij sloeg Colette met zijn vlakke hand in het gezicht, vloekte in het Duits en stak het pistool in haar mond.

'Hé, jij daar. Gruber!' brulde Younger, terwijl hij aan de spijlen van het hek trok. 'Laat haar gaan!'

Zijn stem overrompelde de mannen. Ze hoorden Younger, maar konden hem niet zien. Gruber tolde rond zijn as en zwaaide het pistool blindelings in Youngers richting.

'Je gaat eraan, Gruber,' schreeuwde Younger. 'We rukken je hart recht uit je lijf, stoppen het in je mond en laten het je opvreten.'

Younger loog uiteraard: er was geen 'we'. Althans, dat dacht Younger, totdat er een kleine gedaante naast hem opdook die zich tussen de spijlen van het hek door wrong, die voor een volwassen man te dicht opeenstonden, maar een jongen net genoeg ruimte lieten. Juist toen Luc zich ertussendoor had geperst, greep Younger hem bij zijn leren jack. Zijn benen maalden als een vliegwiel, zijn voeten trappelden op de grond, maar hij hing hulpeloos in Youngers greep.

Het kabaal van voetgetrappel had ogenblikkelijk resultaat. In de overtuiging dat hij werd nagezeten, stormde Gruber op de uitgang van het park af, terwijl hij zijn vrienden beval het meisje mee te nemen. De twee mannen gehoorzaamden onmiddellijk en sleepten Colette tussen hen in mee. Ook Younger, die Luc met een ruk tussen de spijlen door trok, zette het op een lopen, met Luc bungelend over zijn schouder. Hij moest een grotere afstand overbruggen, maar hij bereikte de motor op bijna hetzelfde moment dat Gruber en zijn vrienden bij hun auto aankwamen.

'Als ik zeg dat je hier moet blijven, doe dat dan verdomme ook,' beet Younger hem toe, terwijl hij Luc hardhandig in de zijspan perste, met de armen en schouders van de jongen deze keer onder de afdekking geklemd, zodat hij zich er niet uit kon wurmen. 'Dappere knul.'

Younger trapte de motor aan en zette een razende achtervolging in.

❧

Gruber was achter het stuur van zijn auto gekropen. Hij scheurde als een dolleman door de smalle straten. Hij remde niet af toen hij een geparkeerde auto schampte, zelfs niet toen voetgangers ternauwernood uit de weg konden springen. Eén keer gaf hij juist extra gas toen een man, midden op straat, geen kant uit kon; de smak joeg hem met gestrekte armen en benen hoog de lucht in. Op de achterbank zat Colette ingeklemd tussen Grubers vrienden, die haar stevig vasthielden.

Younger zat hem achterna maar wist geen terrein te winnen. Pas toen ze plotseling een avenue in schoten die parallel aan de rivier liep, kon Younger vol gas geven en op hen inlopen. Gruber zwenkte onder een gotische boog door een middeleeuwse brug op, slingerde langs spiralende barokke standbeelden en joeg nog meer voetgangers de stuipen op het lijf. Toen ze de overkant van de brug bereikten, zat Younger hen pal op de hielen.

Maar eenmaal over de brug maakte Gruber een scherpe bocht. Toen Younger hem probeerde te volgen, schoof de motor onder hem vandaan, wentelde honderdtachtig graden om zijn as en ramde een houten kraampje met gesloten luiken. Voor hij het wist, lag Younger weer op koers, maar hij had terrein verloren. Aan het eind van de straat maakte Gruber opnieuw een scherpe bocht en stoof hij met piepende banden een heuvel op. Vlak achter hem schoot Younger een buurt met zigzaggende straten in die steeds steiler omhoogklommen. Even was Grubers wagen volledig uit Youngers zicht verdwenen. Maar toen zag hij hem in de verte door een haarspeldbocht schuiven en in een steil oplopende steeg verdwijnen.

Younger jakkerde achter hem aan. De weg onder zijn wielen veranderde in een hellingbaan van kasseien, afgebakend met huizen aan de ene kant en een stenen muur aan de andere. Ze stegen tot grote hoogte, elke vijftig meter onderbroken door lage traptreden. Bij iedere tree die ze passeerden, schoot Younger de lucht in, met Luc naast hem in de zijspan stuiterend door de lucht. Ze vlogen langs een wegversperring die aan gruzelementen lag en nog natrilde: Grubers wagen was er kennelijk net doorheen gebroken.

Op de top stuitte Younger op een enorm plein. Hij stopte de motor. Aan één kant doemde de immense, gotische Sint-Vituskathedraal op, aan de andere, verzwolgen door schaduwen, de gigantische Praagse burcht. Het plein was uitgestorven en bezaaid met hopen steenpuin en bouwmaterialen. Op sommige plekken waren diepe gaten gegraven. Op andere lagen bergen aarde van vier meter hoog. De stilte was intens. Vreemde, langwerpige vormen doorsneden het maanlicht. Er was geen spoor van Gruber te bekennen.

Younger vond het niks. Grubers wagen kon zich overal bevinden. Maar als Younger het enorme plein opreed, was er voor hem en Luc nergens beschutting, dan waren ze rijdende schietschijven. Een zwerm vogels steeg krijsend in een verre uithoek van het plein op, tot hoog boven hun hoofden, om weer te verdwijnen, maar Younger hoorde geen motor, zag nergens koplampen. 'Misschien zijn ze hier wel niet,' zei hij zachtjes, zonder zijn eigen woorden één moment te geloven.

Hij zette zijn koplamp uit. Terwijl zijn hand de gashendel lichtjes beroerde, laveerde hij de motorfiets over het opgebroken terrein en ontweek hij de bergen bouwmaterialen en gevaarlijke kuilen. Nog steeds geen spoor van Gruber. Ze kwamen bij twee enorme, parallelle, taps toelopende bergen aarde. Younger manoeuvreerde de motor ertussendoor.

Pal voor zich had hij een weids, panoramisch uitzicht over heel Praag; de rivier, de bruggen, de vele wijken fonkelend in kunstlicht. Aan de rand van de steile rotswand had een steunmuur gestaan, maar die was afgebroken. Younger begon te vrezen dat zijn prooi deze keer echt was ontkomen.

Het antwoord op zijn innerlijke vermoedens klonk in de vorm van de brul van een motor, ergens achter hen, en een knal. Grubers auto was van achteren op ze in geramd en had ze een meter of wat dichter naar de afgrond gedreven. Gruber reed achteruit en ramde ze opnieuw. Younger had geen uitweg. Hij was gevangen tussen twee hopen aarde en de afgrond vóór zich. Inmiddels had Gruber zijn bumper tegen de achterkant van de motor met zijspan geplant; met gillende motor duwde hij ze voorwaarts. Youngers remmen waren machteloos. Hij zette de motor in zijn achteruit en gaf gas. Dit remde hun voortgang, maar bracht ze niet tot stilstand. Ze bereikten de uiterste rand van de afgrond, waar ze met een ruk tot stilstand kwamen. De resten van de steunmuur, hooguit vijftien, zestien centimeter hoog, hadden hen gered.

Gruber schakelde een laatste keer in zijn achteruit. Younger probeerde Luc aan zijn leren jas uit de zijspan te sjorren, maar de jongen zat te stevig ingesnoerd. Younger kreeg hem niet los. Hij hoorde het gebrul van Grubers auto; hij hoorde de versnelling schakelen. Younger sprong boven op de zijspan. Hij greep Luc onder zijn oksels en trok uit alle macht net toen de wagen een laatste maal op hen in ramde en de motor over de rand zeilde. Younger schoot de lucht in, de jongen stevig in zijn armen, terwijl de motor over de rand van de afgrond stortte en holderdebolder van de berghelling rolde, over de kop buitelde, een stuk rots raakte, opnieuw over de kop ging, om ten slotte beneden aan de heuvel tegen een stenen muur te knallen, waar hij in brand vloog.

Younger zag de explosie onder zich vanaf een plekje op een paar meter onder de top van de afgrond. Hij en Luc waren van de verraderlijke helling gerold, totdat Younger hun neergang met een briljante krijgslist had weten te stuiten door frontaal op een boomstronk te kwakken. De ontploffing stuwde stukjes motor hoog de lucht in, waarvan menig brokstuk Younger en Luc om de oren vloog. Er was iets mis met de jongen; zijn ogen stonden opengesperd, maar hij haalde geen adem. Youngers hart weigerde even. Toen begon Luc moeizaam naar adem te happen.

'Niets aan de hand,' zei Younger. 'Je bent alleen maar even buiten adem. Blijf hier.'

Younger klauterde tegen de helling op. Toen hij op het plein was, zag hij Grubers wagen aan de overzijde staan – net op het punt het plein te verlaten over dezelfde kasseienstroken waarlangs ze gekomen waren. Younger stak zijn vingers in zijn mond en floot snerpend in de nacht.

Grubers auto stopte. Younger floot nog eens. Het voertuig week achteruit, maakte een draai en hield Younger in het licht van de koplampen gevangen. Ze stonden op nog geen dertig meter van elkaar. Heel even bewoog er niets, afgezien van de wind die aan de panden van Youngers lange regenjas rukte. De enorme torens van het kasteel waren in duisternis gehuld; het maanlicht wierp een bleek schijnsel over de stenen tegels. Younger spreidde zijn armen breed uit en wenkte Gruber met zijn handen.

De motor brulde. Younger liep op hen af. Met een schok kwam de wagen in beweging; Younger versnelde zijn pas. Gruber trok op; Younger rende voluit. Toen de crash midden op het plein een voldongen feit was, sprong Younger hoog op. De motorkap schoof onder hem door. Met zijn schouder knalde hij tegen de voorruit, zijn gezicht verscholen achter een arm.

Het glas bezweek, messcherpe scherven sneden in Grubers gezicht en hij verloor de macht over het stuur. Toen Younger er met een knal tegenaan zeilde, schoot de voorbank los en ramde deze voluit op een van de mannen op de achterbank, die het met een bekneld of gebroken been uitschreeuwde van de pijn.

Midden op de achterbank, naast de beknelde en ongewapende man, zat Colette. 'Stratham?' vroeg ze.

'Beweeg je niet,' antwoordde hij.

Links van Colette hield Grubers tweede, gedrongen vriend haar pistool in zijn hand en probeerde het op Younger te richten, terwijl de wagen slingerend tot stilstand kwam. Younger pakte de hand beet, schoof zijn duim over de vinger die rond de trekker gekromd zat en dwong de man zijn eerste twee schoten zonder gevaar in de lucht af te vuren. Toen strekte hij de arm van de man over Colettes borst, zodat het wapen recht op de ribben van de andere man – de beklemde – gericht was. Younger haalde de trekker drie keer over, waarna hij de arm van de man met het wapen dubbel klapte, zodat het pistool tegen diens eigen slaap gedrukt zat. De laatste blik in zijn ogen was er een van onbegrip; hij leek niet te kunnen bevatten hoe een wapen dat hij zelf vasthield op zijn eigen hoofd gericht kon zijn. Younger wist de trekker over te halen.

Gruber zat op de voorbank en plukte wanhopig glas van zijn bebloede gezicht en ogen. Op het geluid van de schoten begon hij wild aan zijn portier te rukken, maar het lukte hem niet de deurkruk te vinden. Uiteindelijk probeerde hij over het portier naar buiten te klimmen.

Younger greep Gruber bij de enkels, ging op de voorbank staan en liet hem ondersteboven bungelen. Grubers handen schraapten over de tegels als de klauwen van een knaagdier dat een veilig heenkomen in de aarde zoekt. Younger tilde hem een meter of wat de lucht in en liet hem met zijn gezicht op de stenen vallen.

De smak verdoofde Gruber, maar had hem niet definitief uitgeschakeld. Op het dashboard zag Younger de stalen staaf die de beide vensters van de voorruit had gescheiden. Hij pakte hem beet, sprong over het portier, hees Gruber van de grond en hield hem tegen de auto gedrukt. Grubers gezicht zat onder het bloed, zijn ogen stonden vol angst. Ook Colette, die zich onder de beide dode mannen uit had gewurmd, klom de auto uit.

'Ik heb zo'n vermoeden dat de verloving is afgeblazen,' zei Younger tegen Colette zonder haar aan te kijken.

'Hij was mijn verloofde niet,' wierp ze tegen. 'Hij...'

'Ik weet wat hij is,' zei Younger.

'Nee,' zei Colette. 'Hij...'

'Ik weet het,' herhaalde Younger.

'Luc,' riep Colette. De jongen stond een kleine meter verderop, beschenen door het helle licht van de koplampen.

Younger keek Gruber aan, die plat tegen de auto gedrukt stond. 'Ik probeer een reden te bedenken,' zei Younger met een beheerste stem die voornamelijk uit adem bestond, 'om je te laten leven.'

'Ik was het niet alleen,' zei Gruber. 'We waren het allemaal. We hebben het allemaal gedaan.'

'Dat is geen reden,' zei Younger op dezelfde dreigende fluistertoon.

'We volgden alleen maar bevelen op,' zei Gruber smekend.

'Ik geloof je niet,' zei Younger.

'Stratham...' zei Colette.

'Het enige wat ik kan bedenken is je lafhartigheid,' merkte Younger op, terwijl hij Grubers smekende gezicht bestudeerde. Younger dacht even na. Toen zei hij: 'Maar ook dat is geen reden.'

Younger dreef de stalen voorruitstaaf dwars door de onderkant van Hans Grubers kaak, recht zijn schedel in. De blauwe ogen verstarden. Younger staarde nog een hele tijd in die ogen. Toen liet hij het ontzielde lichaam op de grond ineenzinken.

'We nemen zijn auto,' zei Younger.

Hij trok de beide andere lijken van de achterbank en liet de drie stoffelijke overschotten op een hoop achter. Luc staarde omlaag naar de drie dode mannen. Toen pakte hij de hand van zijn zus en samen stapten ze in de auto. Terwijl ze in hun voorruitloze auto een brug over de Moldau passeerden, begonnen er sirenes en waarschuwingssignalen te loeien.

❧

Een paar uur later opende Younger de deur van een slaapcoupé in een voortdenderende trein. Een enkele kaars verspreidde een flikkerend licht. Luc en Colette lagen uitgestrekt op de onderste couchette. De jongen sliep.

'Ben jij dat?' fluisterde Colette in het donker.

'Ja.' Younger trok zijn das los, liep naar het fonteintje en plensde water over zijn gezicht. Ze waren zojuist de Oostenrijkse grens gepasseerd. Hij was in het gangpad blijven wachten om te zien of er politieagenten aan boord kwamen. Dat was niet gebeurd.

'Je bent een kundige moordenaar,' zei ze onverwacht.

Hij nam Luc in zijn armen en legde hem in het bovenste bed. De jongen bewoog, maar werd niet wakker. Colette kwam gealarmeerd overeind en trok het laken zedig tot aan haar nek omhoog. Kennelijk was ze bang dat hij naast haar zou kruipen.

Hij wilde haar juist geruststellen, haar zeggen dat hij de jongen alleen maar verplaatst had omdat hij een lege coupé voor zichzelf had gevonden, zodat zij en Luc niet een bed hoefden te delen, maar de woorden weigerden zijn mond te verlaten. In plaats daarvan werd hij door woede overmand. Hij trok het laken van haar af. Slechts gekleed in haar onderjurk trok ze haar knieën op en sloeg haar beide armen eromheen, terwijl haar groene ogen timide en zenuwachtig in het kaarslicht fonkelden. Hij schudde zijn hoofd. 'Wat moet een man in godsnaam doen voordat jij hem eindelijk een keer vertrouwt?' vroeg hij. 'De pijp uit gaan?'

'Ik vertrouw je.'

'Dus daarom gedraag je je alsof ik op het punt sta je te verkrachten.'

Ze trok zich nog verder in de donkerste uithoek van de slaapbank terug, terwijl ze krampachtig de zilveren ketting vastgreep die ze altijd om haar nek droeg.

Hij zou zijn agressie niet hebben kunnen verklaren. Als het razernij was, dan van het soort dat hij maar een paar keer eerder, tijdens de oorlog, in zich op had voelen wellen. Hij graaide omlaag, greep haar bij haar polsen, trok haar overeind zodat ze voor hem stond en rukte de ketting van haar hals. Ze zei niets. Hij sprak rustig, zacht, zijn stem kwam nauwelijks boven het lawaai van de locomotief uit. 'Ik bewonder je... echt waar. Je hebt jarenlang tegen me gelogen. En je deed het zo goed, telkens weer de gekrenkte jongedame spelen die ik maar steeds dwarsboomde. En nu ben je weer helemaal de kleine, godvruchtige maagd, met een crucifix in je hand en je geloof dat Hij je zal beschermen. Heeft niemand je ooit verteld dat brave, christelijke meisjes niet geacht worden zes jaar lang op iemand jacht maken om hem te vermoorden?'

'Het is geen kruis.'

Hij opende zijn handpalm; aan het uiteinde van de zilveren ketting zat een medaillon.

'Zo wist ik zijn naam,' zei Colette. Ze nam het medaillon van hem over, wrikte de twee helften langs een minuscuul scharnier open en haalde uit het binnenste een klein, dun, metalen ovaal tevoorschijn. 'Toen we moeder vonden, was haar hand tot een vuist gebald. Ik moest die vinger voor vinger opentrekken. Dit hield ze in haar hand geklemd. Ze heeft het van de man af gerukt die haar... die haar vermoord heeft.'

Younger hield het kleine ovaal in zijn hand: het was het identificatieplaatje van een soldaat. Terwijl hij het schuin hield, las hij de gestanste letters die de naam HANS GRUBER vormden.

'Ik heb het elke dag om mijn nek gedragen,' zei ze, 'sinds 1914. Als ik je de waarheid had verteld, had je me dan ooit naar Wenen laten gaan om hem te zoeken?'

Hij gaf geen antwoord.

'Zou je niet geprobeerd hebben me tegen te houden?'

'Ja.'

Ze keerde zich naar het raam van hun coupé en draaide aan de hendel. Hij gaf niet mee. Ze trok er met beide handen aan. Uiteindelijk zakte het bovenste raam omlaag. Een hevige windvlaag blies het rijtuig binnen, samen met het geraas van de langsflitsende nacht. Ze liet zich achterwaarts in zijn armen vallen, haar lange, donkere haar danste wild rond en vloog in haar ogen, en de zijne. Hij zag de verfijnde contouren van haar wang en de verlangende schittering in haar ogen die, flikkerend in het kaarslicht, naar hem opkeken. Hij trok haar dicht tegen zich aan, zo dicht dat hij haar borst tegen zich aan voelde drukken, en legde zijn lippen op de hare. Heel even gaf haar hele lichaam zich aan hem over; toen duwde ze zich van hem af, griste het identiteitsplaatje uit zijn hand en smeet het door het open raam. Zonder spoor, zonder geluid verdween het in de nacht.

Ze draaide zich om en keek hem aan, huiverend in de koude luchtstroom die door de coupé wervelde, haar haar golvend, haar naakte schouders gevangen in het licht van de kaars. Hij zag aan haar dat ze zich niet zou verzetten. Als hij nu zijn handen op haar lichaam legde, zou ze hem eindelijk dulden: was het omdat ze vond dat ze hem dat verschuldigd was? Hij wierp een korte blik op de sluimerende gedaante van de jongen en schoof het raam dicht.

Op zijn beurt wachtte Luc – klaarwakker – op de onaangename slobbergeluiden van gezoen en andere dingen die volwassenen deden. Die zouden niet volgen. In plaats daarvan hoorde hij de deur open- en dichtgaan toen Younger de coupé verliet.

15

Onder Amerikanen, om van de bewoners van de hoofdstad maar
te zwijgen, is het een eeuwig twistpunt of de stad Washington
nu ín het District of Columbia ligt of het District of Columbia
ís. Het antwoord in 1920 luidde: geen van beide. De stad Washington bestond helemaal niet.

Toen de Verenigde Staten aan het eind van de achttiende eeuw besloten hun hoofdstad te bouwen aan de oevers van de rivier de Potomac,
tussen de staten Maryland en Virginia, bestond het land dat voor de onderneming werd aangewezen uit een volmaakt vierkant – of diamant –
waarvan elke zijde exact tien mijl lang was. De gehele diamant werd het
Columbia Territory gedoopt. In het territorium bevonden zich drie stads-
gemeentes: de vroege nederzetting Georgetown, de eerder bij Virginia
horende stad Alexandria en de nieuwe hoofdstad Washington.

Ruim een halve eeuw later, terwijl de Verenigde Staten het ene half-
bakken compromis na het andere tussen de noordelijke en de zuidelijke
staten sloten, werd er een overeenkomst over het Columbia Territory be-
klonken. Alexandria, arm en fel gekant tegen de afschaffing van de sla-
vernij, werd weer aan de slavenstaat Virginia teruggegeven, terwijl de
mensenhandel overal elders in het gebied werd afgeschaft. Hiermee verloor de hoofdstad haar perfect geometrische vorm alsmede grofweg een
derde van haar honderd vierkante mijl. Ondertussen ontwikkelden de steden Georgetown en Washington zich dusdanig dat ze aaneen begonnen

te groeien. Bijgevolg nam het Congres in 1871 een wet aan waarin de stadsrechten van beide gemeentes werden ingetrokken en de twee steden samen met de rest van het territorium tot het District of Columbia werden samengevoegd.

Vanaf dat moment was er, formeel gesproken, hoe dan ook geen sprake meer van de stad Washington. Maar niemand lijkt zich ooit veel aan deze kleinigheid gelegen te laten liggen, en iedereen blijft geloven dat – en over Washington spreken alsof – het een echte stad betreft.

⁕⁂⁕

'De stand van zaken graag, Littlemore,' zei minister van Financiën Houston met zijn beminnelijke zuidelijke accent op een ochtend ergens eind oktober, nadat hij de rechercheur ontboden had in zijn weelderig ingerichte kantoor, dat groter was dan menig New Yorks appartement dat Littlemore kende. 'Het zou mij heel goed uitkomen als ik op dit moment enige vooruitgang kon melden.'

'Met het oog op de verkiezingen?' vroeg Littlemore.

'Juist.'

'Ik zou willen dat ik meer voor u had, Mr. Houston.' Littlemore was gefrustreerd: geen van zijn aanwijzingen was op iets uitgelopen. 'Mijn mannen hebben nog niemand gevonden die de vrachtwagen van de bandieten na de aanslag uit de steeg heeft zien wegrijden. Maar dat kan niet lang meer duren. Iemand moet het gezien hebben. Ondertussen heb ik iedereen nagetrokken die bij de verhuizing van het goud betrokken is geweest. De enige die eruit springt, is Riggs en die is niet meer.'

'Riggs?' vroeg Houston. 'Wie is dat?'

'Uw bewaker die op 16 september is omgekomen.'

'O ja. Wat is er met hem?'

'Riggs heeft afgelopen juli een paspoort aangevraagd,' zei Littlemore. 'Hij plande een uitstapje naar het buitenland.'

'Dus hij was een van die misdadigers!' stelde Houston.

'Daar ziet het wel naar uit,' zei Littlemore. 'Jammer genoeg kan ik niemand vinden die hem gekend heeft. Geen vrouw. Geen familie. Hij is in 1917 hier in Washington door Financiën aangenomen. En vorig jaar naar New York overgeplaatst. Wie kan daarvoor verantwoordelijk zijn geweest?'

'Ik heb geen idee. Ik ben pas sinds dit jaar minister.'

'Kunt u erachter komen?'

'Ik zou niet weten waarom niet.'

Littlemore wreef over zijn kin. 'Ik vraag me af of ze het goud soms per schip het land uit hebben gesmokkeld. Wall Street ligt vlak bij de haven. Hebben we de schepen gecontroleerd die vanuit New York zijn afgevaren?'

'En of!' zei Houston. 'De douane controleert elke vrachtcontainer aan boord van vertrekkende schepen. Goud is behoorlijk zwaar, Littlemore. Het is onmogelijk om vijfenvijftighonderd kilo goud aan boord van een schip te laden zonder dat wij daarachter komen.'

'Juist ja. Laten we aannemen dat het niet per schip is gegaan. Ze hebben het op hun vrachtwagen geladen. En wat dan? U bent de deskundige, Mr. Houston. Als u met een vermogen aan edelmetaal zat opgescheept, wat zou u ermee doen?'

'Omsmelten tot nieuwe baren.'

'Waarom?'

'Op elke goudbaar in onze kluizen staan onze merktekens gegraveerd. Om het goud te kunnen verkopen, moeten de dieven die merktekens zien uit te wissen, en de enige manier om dat te doen is door het om te smelten. Zodra het is omgesmolten en tot nieuwe baren verwerkt, is de herkomst van het goud niet meer te traceren. Dat is wat ze met het Sovjetgoud doen.'

'Hebben de Russen dan goud?'

'Enorme hoeveelheden. Uit de schatkamers van de tsaren. Het is gestolen waar. Ze kunnen het nergens in de beschaafde wereld slijten. Zelfs ik mag het niet kopen. Dus wat doen de Russen? Ze smokkelen het per schip hierheen, smelten het om, maken er nieuwe broodjes van en verkopen die dan aan ons.'

'Ons? Bedoelt u Financiën?'

'O zeker. Het ministerie van Financiën koopt al het goud dat het aangeboden krijgt, waar het ook vandaan komt, wat de hoeveelheid ook is, en van alle landen ter wereld betalen wij er de beste prijs voor. Met uitzondering van Russisch goud, dat raken we niet aan, tenzij we het als Russisch kunnen identificeren. Pasgeleden nog hebben we een goudlading onderschept. Heb je er niet over gelezen? Voor dik twee miljoen dollar aan Russisch edelmetaal verborgen op een Zweedse oceaanstomer. De douane vond het. Ik heb die Zweden onmiddellijk teruggestuurd. Ze zitten nu op volle zee en nemen dat Russische goud weer mee naar huis.'

'Mr. Houston, u kunt dat schip maar beter terughalen.'

'Hoezo?'

'Een klassieke afleidingsmanoeuvre,' zei Littlemore. 'Dat Zweedse schip is met uw toestemming met een lading goud uit New York vertrokken. Maar misschien bestond alleen de bovenste laag uit Russisch goud en was de rest helemaal niet Russisch. Misschien was het uw goud, het gestolen goud.'

'Daar geloof ik niets van.'

'Laat dat schip opbrengen, Mr. Houston. Dan weten we het zeker.'

'Ik kan niet zomaar een schip in internationale wateren enteren en het naar New York laten verslepen.'

'Waarom niet? Stuur er een paar kruisers op af. Tijdens de oorlog deden we niet anders.'

'We zijn niet langer in oorlog, Littlemore. Dat ligt allemaal erg gevoelig tegenwoordig. De verhoudingen zijn toch al zo gespannen. In godsnaam, een internationaal incident is wel het laatste wat we kunnen gebruiken.'

'Laat ze dan alleen maar aan boord gaan, Mr. Houston. Maak de kratten met goud open en controleer of de goudbaren Russisch zijn. Meer niet.'

'Vertel me niet hoe ik mijn werk moet doen,' zei Houston. 'We hebben het over een passagiersschip met duizend mensen aan boord. Als we ernaast zitten, staat het morgen in alle kranten over de hele wereld. En wat moet ik zeggen waar we naar op zoek zijn? Goud dat van Financiën gestolen is? En zo iedereen laten weten dat er een diefstal is gepleegd?'

'U hoeft niks te zeggen. Mensen zullen denken dat u naar wapens of iets dergelijks zoekt.'

'Dit is puur giswerk. Ik ga de Amerikaanse marine echt niet op een of andere zinloze jacht uitsturen.' Hij trommelde met zijn vingers op zijn bureau. 'Wat wilde Fall van je?'

'Dat ik het hem liet weten als ik bewijs vond dat de Russen bij de overval betrokken zijn.'

'Dat zou-ie wel willen,' gromde Houston minachtend. 'De oorlogshitser.'

⚜

Het was een privilege van beambten van de federale overheid om bij interlokale telefoongesprekken voorrang te krijgen boven gewone burgers. Een agent die bijvoorbeeld vanuit Financiën in Washington met iemand in New York wilde spreken, had de beoogde persoon doorgaans in minder dan een kwartier aan de lijn. En belangrijker nog: sinds de federale overheid in 1918 de controle over de telefoonmaatschappijen had verworven en begonnen was de tarieven voor te schrijven, waren dergelijke belletjes in feite gratis.

Littlemore buitte dit voordeeltje uit door met het Amerikaanse Genootschap voor Parapsychologisch Onderzoek te bellen. Even later werd hij door een telefonist teruggebeld en had hij dr. Walter Prince aan de lijn. 'Even een korte vraag, doc,' zei Littlemore. 'Heeft u Ed Fischer toevallig nog gesproken nadat ik bij u op kantoor ben geweest?'

'Zeker,' zei dr. Prince, zijn stem ver en vaag door de opgehoopte atmosferische ruis van driehonderd kilometer telefoonkabel. 'Ik heb hem later diezelfde dag nog in het sanatorium opgezocht.'

'Heeft u laten doorschemeren dat ik hem zou vragen wanneer hij voor het eerst lucht had gekregen van de aanslag?'

'Ik heb hem verteld dat iemand van de politie belangstelling had voor die informatie, ja.'

'Ik had het kunnen weten,' verzuchtte Littlemore. 'En ik maar denken dat hij weer een van zijn trucjes uit de hoge hoed had getoverd. Bedankt, dr. Prince. Dat is alles wat ik wilde weten.'

'Ik heb het gevoel dat u enigermate sceptisch staat tegenover Mr. Fischers gave, inspecteur.'

'Waarom zou ik sceptisch staan tegenover iemand die beweert dat hij voor de geheime dienst werkt en meent dat de pausen het op hem gemunt hebben?'

'De begenadigden hebben vaak het gevoel dat ze achtervolgd worden. Ze zijn vaak labiel. Maar dat maakt hun voorgevoelens er niet minder valide op.'

'Sorry, dr. Prince, maar daar trap ik niet in.'

'Hoe verklaart u dan zijn voorkennis van de aanslag?'

Littlemore antwoordde met een bruuskheid die hem zelf verbaasde. 'Die kan ik niet verklaren,' blafte hij. 'Maar hoor eens. Ook al is-ie de Geest van "Toekomstig Kerstmis", dan nog wil ik niets met die kerel te schaften hebben.'

⚜

Het Willard Hotel aan Pennsylvania Avenue, even verderop in dezelfde straat als het Witte Huis, was eens het favoriete dranklokaal van president Ulysses S. Grant geweest, wanneer hij na een lange dag op kantoor aan een cognacje toe was. In de luxueuze lobby lagen zakenmensen of hun ondergeschikten voor de president op de loer en stortten zich op hem om hun zaak te bepleiten, hem van sterkedrank te voorzien en hem te laten weten wat ze allemaal voor zijn regering konden betekenen, zodra hij ze aan deze of gene onmisbare vergunning kon helpen of een of ander lucratief contract zou ondertekenen. Grant doopte ze 'lobbyisten'.

Littlemore beende onder het hoge plafond van de lobby door, toen hij door een hem welbekende rijzige vrouw in een scherp gesneden dames-versie van een herenkostuum werd aangesproken.

'Vermaak je je een beetje in Washington, agent Littlemore?' vroeg ze vanonder een fonkelende kroonluchter.

'Goedenavond, Mrs. Cross,' antwoordde Littlemore.

'Nieuwe das?'

Littlemore keek omlaag. Normaal gesproken was hij een strikjesman, maar tijdens zijn eerste weken op het ministerie had hij geen enkele andere employé van Financiën er een zien dragen. Hij zei er iets over tegen Betty, die hem prompt een stropdas cadeau deed. 'Nu gaat u me vast vertellen dat hij niet goed geknoopt is,' zei hij.

'Niks mis met die knoop. Hooguit een beetje strak.' Ze maakte de knoop wat losser; hij kon opeens makkelijker ademhalen. 'Dat is beter. Senator Fall wil je spreken. Ik ben hier om je naar hem toe te brengen.'

Zonder op een antwoord te wachten, draaide Mrs. Cross zich op haar hielen om en liep ze naar de voordeur van het hotel. Littlemore volgde haar parmantig paraderende figuur, eerst met zijn ogen, toen met zijn benen. Buiten kroop ze achter het stuur van een auto die klaarstond.

'U rijdt?' vroeg Littlemore, terwijl hij naast haar plaatsnam.

'Ik rij.' Ze startte de wagen. 'Word je daar zenuwachtig van?'

'Ik word niet zenuwachtig.'

Mrs. Cross reed Littlemore over de Mall. Vlak voor het Capitool sloeg ze rechts af en reed ze een arme buurt in, gelijkend op die waar hij op zijn eerste dag in Washington per ongeluk verzeild was geraakt. Ze bracht de wagen achter een andere auto tot stilstand in een nauwe, onverlichte straat die claustrofobisch ingeklemd zat tussen twee tegenover elkaar liggende muren van roodbakstenen woningen. Achter sommige ramen brandde licht, maar gordijnen verhinderden dat je naar binnen kon kijken. 'Maine Avenue,' zei Mrs. Cross, 'werd ooit Armory Place genoemd. Ook bekend als de Luizensteeg. Succes.'

De chauffeur in de auto voor hen stapte uit, opende de passagiersdeur en gaf senator Fall, uitgedost met een bovenmaatse cowboyhoed boven zijn witte druipsnor, de gelegenheid zich midden op straat uit te rekken. Littlemore volgde hem de steeg in. Mrs. Cross bleef met zacht grommende motor in de auto zitten.

'Heb je ze graag zwart, Littlemore?' vroeg Fall. 'De beste zwarte meiden van de stad zitten in deze straat. Zo ben ik van deze stad gaan houden. Op maar drie straten van het Capitool.'

'Waarom treffen we elkaar hier, senator?'

'Het schijnt dat je baas, minister Schijtebroek, vandaag bij Wilson zijn beklag heeft gedaan over het feit dat ik me met het onderzoek bemoei. Ik dacht dat we maar beter een wat meer afgelegen plekje moesten opzoeken om wat bij te kletsen.' Fall zette zich in beweging, met Littlemore aan zijn zij en de auto van de senator die langzaam achter hen aan reed. 'Wat weet jij over die twee kerels op wie Flynn zijn zinnen heeft gezet?'

'Welke twee kerels?'

'Twee Italiaanse knapen uit Boston. Jezus, hoe heten ze ook weer? Het enige wat me te binnen wil schieten is iets met een zak spaghetti.'

'Sacco en Vanzetti?'

'Die, ja,' zei Fall.

'Die zijn opgepakt voor de moord op een loonadministrateur,' zei Littlemore. 'Wat moet Flynn met die kerels?'

'Hij denkt dat zij de politieke gevangenen zijn uit de vlugschriften van de anarchisten.'

'Dat is waanzin,' zei Littlemore. 'Wanneer de rooien het over politieke gevangenen hebben, dan bedoelen ze Debs en die andere antioorlogsgasten die Palmer en Big Bill achter de tralies hebben gezet. Dat weet toch iedereen. Je moet wel een heel achterlijke anarchist zijn om "laat de politieke gevangenen vrij" te schrijven en dan twee jongens te bedoelen die opgepakt zijn voor de moord op een Bostonse loonadministrateur. Niemand zou weten over wie je het hebt.'

'Nou ja, Flynn denkt ze te kunnen pakken,' zei Fall. 'Hij heeft een informant in hun cel geplaatst.'

'Waar haalt die kerel zijn ideeën vandaan? Hij is niet slim genoeg om helemaal in zijn eentje zulke onzin te bedenken.'

'Ik hoopte dat jij er meer van wist. Neem nu dit huis hier' – Fall wees naar een groot maar vervallen hoekhuis – 'het was ooit van een wilde griet, ene Hall. Die schonk Piper-Heidsieck-champagne in kristallen glazen. Net zo rijk als wij senatoren. Over haar meisjes doen nog steeds verhalen de ronde. Tja, het is allemaal precies zo gelopen als ik gezegd had, nietwaar? Jij bent erachter gekomen dat de Russen bij de aanslag betrokken waren, en minister Schijtebroek probeert de bewijzen te verdoezelen.'

'Ik heb niets over een Russische betrokkenheid gevonden, senator.'

'Als die bommenleggers ook maar een paar Russische goudstaven hebben gebruikt om de douane te beduvelen, dan is dat Russische betrokkenheid. Hoe dacht je anders dat die terroristen de hand op dat Sovjetgoud hebben weten te leggen? Ik durf te wedden dat de complete bemanning van dat Zweedse schip Russisch is.'

'Bent u op de hoogte van alles wat ik tegen Mr. Houston zeg?' vroeg Littlemore.

'Zo goed als. In deze stad hebben de muren oren, Littlemore. Je moet weten wat de concurrentie weet als je die een stap voor wilt blijven.'

'We weten niet zeker of dat Zweedse schip het gestolen goud aan boord heeft,' zei Littlemore.

'Maar Houston steekt geen vinger uit om daarachter te komen, toch? Nou, ik wel. Ik heb al met Baker gesproken, de minister van Oorlog. En die heeft weer een onderhoud met zijn oude maatje Daniels, de minister van Marine. Binnen achtenveertig uur heeft die Zweedse oceaanstomer een paar oorlogsschepen op zijn dak. We zullen er snel genoeg achter komen wat die schuit vervoert.'

Littlemore kauwde op zijn tandenstoker. 'Dat is een knap staaltje werk.'

'Wij zijn goddomme de Verenigde Staten van Amerika. Wat had je anders gedacht, nu zij ons verrot hebben gebombardeerd. Een beetje wanhopig onze handen zitten wringen? Ze de andere wang toekeren? Hopen dat ze vanzelf weer weggaan?' Fall gebaarde naar zijn chauffeur, spuugde op de stoep en veegde zijn mond met een zakdoek af. 'Die klerezooi in Mexico loopt steeds verder uit de hand. Ze zijn veel te inhalig, die Mexicanen. Waarom moeten ze zo nodig al onze olie hebben? We zullen er heel wat ambassadeurs tegenaan moeten gooien om Harding uit de problemen te houden.'

'Wat zal Harding eraan doen, senator?'

'Wat ik zeg dat-ie moet doen.' De senator stapte zijn auto in. 'Ik hou je op de hoogte over wat we bij die Zweden vinden. Mrs. Cross geeft je een rit naar je hotel. Je zou haar wat beter moeten leren kennen. Ze is lang niet zo ongenaakbaar als ze zich voordoet.'

❧

'Hoe lang werkt u al voor senator Fall?' vroeg Littlemore aan Mrs. Cross, terwijl ze de ene na de andere rij betonnen, bunkerachtige, 'tijdelijke' onderkomens van het leger en de marine passeerden die langs de Mall waren neergeplempt: tijdelijk qua bestemmingsplan, permanent qua voorkomen.

'Een paar jaar. Ik werk voor verschillende senatoren. Voor Mr. Harding, om er een te noemen.'

'Voor Harding? Toe maar.'

'Ik doe het nodige voor Mr. Harding. Uitgeleend door senator Fall, uiteraard.'

'Dan eindigt u misschien nog in het Witte Huis.'

'Daar ben ik al heel wat keren geëindigd.'

Littlemore dacht daarover na. 'Heeft u een voornaam, Mrs. Cross?'

'Grace.'

'Mooie naam.'

'Niet dat ik hem veel eer heb aangedaan. Met gratie kom je in Washington niet ver. We zijn er. Het Willard Hotel. Slaap lekker, New York.'

❧

De volgende ochtend kreeg Littlemore een telefoontje in de gangkast die bij Financiën voor zijn kantoor doorging. De telefonist liet hem weten dat New York aan de lijn was. Het bleek agent Stankiewicz van het hoofdbureau te zijn.

'Zeg het eens, Stanky,' zei Littlemore.

'Het gaat om Fischer, chef,' zei Stankiewicz. 'Hij blijft maar naar u vragen en telegrammen sturen. Hij beweert dat u beloofd heeft hem uit het sanatorium te halen.'

'O heremetijd,' verzuchtte Littlemore.

'Hij zegt dat u met zijn zwager zou praten, ene, wat was het ook weer, ene Bishop of zoiets. Wilt u dat ik er iets aan doe?'

'Gewoon negeren. Dan houdt hij vanzelf op.'

'Juist. Hoe gaat het in Washington?'

'Wacht even,' zei Littlemore. 'Bishop of zoiets? Klonk de naam als Bishop of deed die je aan Bishop denken?'

'Ja, Bishop of zoiets.'

'Nee, ik bedoel... Doe me een lol, wil je. Pak Fischers dossier er even bij. Ik blijf hangen.'

Een paar minuten later was Stankiewicz weer aan de lijn. 'Hebbes.'

'Mooi, zoek nu de naam van Fischers zwager op,' zei Littlemore. 'Hij is die man die naar Canada is gegaan om Fischer krankzinnig te laten verklaren. Zijn naam moet ergens in de Canadese documenten te vinden zijn.'

'Ah, hier heb ik 'm: Pope. Robert Pope. Daarom moest ik aan Bishop denken.'

'Wel heb je ooit,' zei Littlemore. 'De popes – de pausen.'

❧

De afdeling Personeelszaken van Financiën was op de eerste verdieping gevestigd. Die was inmiddels bekend terrein voor Littlemore, hij had hier drie weken lang over personeelsdossiers gebogen gezeten. 'Zeg, Molly?' vroeg hij aan een van de dames op het kantoor. 'Gaat Financiën over de geheime dienst?'

'Nou en of,' zei Molly. 'Hoezo?'

'Dat vertelde iemand me een paar weken terug, maar ik geloofde hem niet,' antwoordde Littlemore. 'Lijkt erop dat dat niet het enige was waar hij gelijk in had.'

Een paar minuten later zat Littlemore, in een archiefkamer op de volgende verdieping, het personeelsarchief van de geheime dienst uit te pluizen, dat tientallen jaren terugging. Hij wist van tevoren dat hij, hoe onwaarschijnlijk dat ook mocht klinken, uiteindelijk de naam zou opdiepen waarnaar hij op zoek was. Wat bleek te kloppen.

De map was zo goed als leeg, met slechts een summiere indicatie van het jaar waarin hij in dienst was getreden en de plek waar hij gestationeerd was. Het jaar was 1916, de plek New York City. Naast deze vermelding waren nog wat data neergekrabbeld, die ergens eind 1917 stopten.

❧

Littlemore liet de manilla map op het bureau van minister Houston ploffen. 'Misschien dat het geholpen zou hebben, minister,' zei Littlemore, 'als u me had laten weten dat de enige man die geprobeerd heeft mensen voor de aanslag te waarschuwen bij u in dienst is.'

Houston keek hem verbaasd aan.

'U wist niet dat Ed Fischer een geheim agent was?' vroeg Littlemore.

'Daar had ik geen idee van. Ik had je al gezegd dat ik pas sinds februari dit jaar minister ben.'

'Hoe wordt iemand geheim agent?'

'Daar gaat het hoofd van de geheime dienst over.'

'Wie is het hoofd?'

'Bill Moran.'

'Kan ik hem spreken?'

Houston riep zijn secretaris en gaf hem opdracht Mr. Moran te halen. In de stilte die daarop volgde, stond Houston met de handen op zijn rug voor het raam het terrein van het Witte Huis te inspecteren. 'Ik zal deze baan niet missen, Littlemore. Hoe wordt een mens geacht een begroting van acht miljard dollar met vier miljard aan inkomsten in evenwicht te brengen? We leven op te grote voet. "Wees noch een borger noch een lener ook", dat is wat mijn vader me geleerd heeft. Nu doe ik niet anders: borgen en lenen.'

'Zult u het niet missen om in het kabinet te zitten? Dat moet toch fantastisch zijn, Mr. Houston.'

'Hoezo? Omdat ik gisteravond een dinertje aan de Britse ambassadeur heb aangeboden? Mijn vrouw is dol op dat soort dingen. Ik haat ze. Elk woord dat uit je mond komt, is een leugen. Nou ja, met vijf maanden is het allemaal voorbij, wanneer Harding zijn ambt aanvaardt. Misschien dat ik het al eerder voor gezien hou. Een tijdje naar het buitenland. Ja, dat is misschien niet zo'n gek idee.'

Houstons secretaris kwam het kantoor binnen met William Moran, het hoofd van de Amerikaanse geheime dienst. Mr. Moran ontkende stellig dan hij Edwin Fischer had aangenomen. 'Daar, ziet u wel,' zei Moran, terwijl hij het dossier bestudeerde. 'Fischer is in 1916 in dienst getreden. Ik kreeg de leiding pas een jaar later.'

'Wie was uw voorganger?' vroeg Houston.

'Dat was Flynn.'

'Flynn?' herhaalde Littlemore. 'Toch niet Big Bill Flynn?'

'Zeker wel,' zei Moran. 'Voordat hij de baas van het Bureau of Investigation werd, was Bill Flynn hoofd van de geheime dienst.'

ᘛᘚ

Op 2 november 1920 liet Littlemore zich nog nahijgend op zijn bank ploffen, nadat hij in volle vaart door het onafzienbare, echoënde Union Station was gerend om zijn trein te halen, en besefte hij dat die dag de verkiezingen waren. Ook besefte hij dat hij niet zou gaan stemmen. Zijn trein zou lang nadat de stembureaus gesloten waren in Manhattan aankomen. Dit besef resulteerde in een steek van teleurstelling die zo heftig was dat hij zich erover verbaasde.

Terwijl de trein het ene stadje na het andere passeerde, voelde Littlemore een onverklaarbare genegenheid in zich opwellen: voor de kleine houten huizen, voor de rook die uit de schoorstenen opkringelde, voor de stapels brandhout die buiten lagen, het resultaat van menselijke inspanning; genegenheid voor al die ontelbare stille, zware levens waarover nooit een woord geschreven werd. Toen stelde Littlemore zich de burgers in elk van deze stadjes voor, in lange rijen opgesteld om de leiders van hun land te kiezen. Het vervulde hem van trots, en van een gevoel van vervreemding omdat hij er voor het eerst niet bij was. Maar aan de andere kant wist Littlemore niet eens zeker of hij wel mocht stemmen. Technisch gezien was hij nu wellicht een inwoner van het District of Columbia, en de ingezetenen van Washington stemden niet voor de president van hun land.

Niet dat zijn stem veel uitmaakte. Dat was het eigenaardige van de democratie: niets was belangrijker dan stemmen en stemmen maakte niets uit. Warren Harding, de Republikein, was hoe dan ook verzekerd van de overwinning; de kandidaat van de Democraten, James Cox, maakte ongeveer evenveel kans als Eugene Debs, de socialistische kandidaat, die nog in het gevang zat. Hetgeen betekende dat minister Houston, een Democraat, niet veel langer meer minister zou zijn, terwijl de Republikeinse senator Fall binnenkort minister van Buitenlandse Zaken zou worden.

❦

Vrouwen in heel Amerika hadden op die dinsdag in november iets te vieren: voor het eerst mochten ze het stemrecht uitoefenen. Op menig stembureau maakten mannen hoffelijk plaats voor het vrouwvolk, maar de vrouwen wilden daar niets van weten en stonden erop achter in de rij aan te sluiten en net zo lang te wachten als de mannen. Eenmaal thuis in hun keukens, huiskamers en salons kwamen ze in kleine groepjes bijeen om zichzelf op sprankelende cider te trakteren, een wettig gesanctioneerd surrogaat voor de niet langer toegestane champagne.

Zwarten werden bij de stembureaus bij lange na niet zo ridderlijk onthaald, noch waren de feestelijkheden na het uitbrengen van hun stem van eenzelfde verfijnd karakter. Toen bijvoorbeeld twee zwarte mannen in Ocoee, Florida, zo onbezonnen waren van hun stemrecht gebruik te maken, besloot de Ku-Klux-Klan een voorbeeld te stellen. Twee zwarte kerken werden geplunderd, een zwarte woonwijk platgebrand en iets van dertig of zestig zwarte mensen gedood, van wie één opgeknoopt aan een telegraafpaal.

Maar de natie had haar nieuwe president gekozen, en overal in het land heersten feestvreugde en hernieuwde energie.

❦

De volgende dag in New York bracht Littlemore opnieuw een bezoek aan het tijdelijke commandocentrum van het Bureau of Investigation in het Astor Hotel.

'Kijk eens aan, wie hebben we daar?' zei Bill Flynn, het hoofd van het Bureau. 'Als dat Littleboy niet is.'

'Ik moet je een paar vragen stellen, Flynn. Over Ed Fischer.'

Flynn richtte zich tot de twee grote, in donkere pakken gestoken mannen die als altijd aan weerszijden van zijn bureau stonden. 'Een New Yorkse diender die míj vragen wil stellen? Wil die rukker soms in mekaar getremd worden?'

'Hé, rukker,' informeerde een van Flynns ondergeschikten. 'Wil je soms in mekaar getremd worden?'

Littlemore toonde hun zijn penning van het ministerie van Financiën.

'Laat eens zien,' zei Flynn. Hij bestudeerde het insigne. 'Hier heb ik maar één ding op te zeggen: dat de wereld naar de ratsmodee gaat.' Hij smeet de penning op de grond, pal voor Littlemores schoenen. 'Pech, Littlemore, maar ik beantwoord geen vragen van Financiën.'

'Je zult me antwoord geven, Flynn.' Littlemore overhandigde hem een door minister Houston ondertekende brief die Flynn opdroeg alle vragen die speciaal agent Littlemore hem aangaande Flynns ambtstermijn als hoogste baas van de geheime dienst te stellen had, volledig te beantwoorden. Flynn las de brief en liet ook deze op de vloer vallen.

'Ik heb nieuws voor je, omhooggevallen straatsmeris,' zei hij. 'Ook van minister Houston neem ik geen bevelen aan. De enige naar wie ik luister, is Palmer. En nu opgedonderd.'

Littlemore haalde nog een brief uit zijn zak. Deze was ondertekend door minister van Justitie A. Mitchell Palmer.

'Klootzak,' zei Flynn. Hij sprak zijn assistenten weer aan. 'Vooruit, jongens, wegwezen.'

'Niet voordat een van hen mijn penning oppakt,' antwoordde Littlemore.

'Wat staan jullie imbecielen hier te dralen?' zei Flynn tegen zijn hulpjes. 'Pak de penning van die man op.'

⁂

'Ja, ik heb hem aangenomen,' gaf Flynn een paar minuten later toe. 'Nou en? Die kerel was een halvegare.'

'Hoe heb je hem leren kennen?'

Big Bill Flynn, wiens gezwollen borstkas en navenante buik geen extra versterking behoefden, pakte een rood-wit gestreept zuurtje uit de bak met snoepgoed die op zijn bureau stond. 'Fischer begon in 1916 brieven aan Wilson te sturen, zie je. De gebruikelijke antioorlogsflauwekul. Maar er was iets vreemds aan, alsof hij de president persoonlijk kende. Dus stuur ik een paar jongens op hem af om hem na te trekken en zeg ik hem dat-ie ermee moet kappen als hij niet in de bajes wil eindigen. Je kent het wel.'

'Tuurlijk.'

'Nou ja, mijn jongens vertellen me dat er een schroefje bij hem loszit, maar dat hij wel voor een of andere Franse club werkt.'

'De Franse Hoge Commissie.'

'Dat is 'm. Echt iets voor die knoflookvreters om een halvegare aan te nemen, wat jij?' Flynns bovenlijf schokte uitbundig op en neer om deze gevatheid.

'Alleen een imbeciel neemt een halvegare aan,' beaamde Littlemore.

'Hé, dat is een goeie, alleen een imbeciel...' Flynn kapte zichzelf af, terwijl het hem begon te dagen. 'Verdomme nog aan toe, ik zou je...'

'Hoe kwam hij bij de dienst terecht?'

Flynn sputterde, maar ging verder: 'Toen ik hoorde waar Fischer werkte, meende ik dat het geen kwaad kon om een mannetje binnen de kringen van de Franse overheid te hebben. Dus begon ik met hem aan te pappen, een beetje te slijmen, en ik vertelde hem dat hij geheim agent kon worden. Ik maakte hem wijs dat hij spion was. Toen ik de leiding over het Bureau kreeg, hield ik hem aan het lijntje. Maar die kerel was knetter. Hij heeft me nooit iets opgeleverd. Ik heb hem hooguit een keer of vijf, zes gezien. Totale tijdsverspilling.'

'Waar ontmoetten jullie elkaar?'

'Hoezo?'

'Beantwoord nou maar gewoon mijn vraag, Flynn.'

'Hier in New York. Op het station.'

'Wanneer heb je hem voor het laatst gesproken?'

'Afgelopen zomer. Ergens in juni, juli. Na het partijcongres. Minister Palmer had McAdoo naar het Grand Central gestuurd om daar met wat Republikeinen bijeen te komen en te zien of ze wat konden regelen. Fischer ging helemaal door het lint. Daarna heb ik hem niet meer gezien.'

'Heeft Fischer iets tegen je over Wall Street gezegd?'

'Je maakt een geintje zeker?'

'Ik maak geen geintje.'

'Nee, hij heeft nooit iets over Wall Street gezegd. Dacht je nou echt dat ik Fischer aan de NYPD zou overlaten als hij iets wist? Ik zal je wat grappigs vertellen. Na de bomaanslag wordt het Bureau door Fischers zwager gebeld, ene Pope. Die zegt dat Fischer beweert dat hij een undercoveragent van de overheid is. Dan wil-ie weten of dat waar is. Ik neem de telefoon over en zeg dat het allemaal onzin is. Dan bedankt die Pope me, zegt dat-ie het alleen maar even zeker wilde weten en laat die Fischer de volgende dag opnemen. Sindsdien is-ie het gekkenhuis niet meer uit geweest. Lachen toch.'

꧁꧂

Toen hij terugkeerde in zijn kantoor in het subdepartement van Financiën in New York, lag er een briefje op Littlemore te wachten waarin stond dat senator Fall hem uit Washington gebeld had. Littlemore belde de telefonist.

'Ben jij dat, Littlemore?' vroeg Fall een paar minuten later door het statische geknetter op de lijn heen.

'Ja, meneer de senator.'

'We hebben dat Zweedse schip geënterd. Geen goud.'

'U bedoelt geen goud van Financiën?' vroeg Littlemore.

'Niet van Financiën, niet van de Russen, van niemand niet,' antwoordde Fall. 'Er was nul komma nul goud aan boord. De kapitein beweerde dat de havenautoriteiten in New York hadden gezegd dat hij het op de kade moest achterlaten.'

'Dat liegt-ie. Minister Houston heeft hem opgedragen het goud mee terug te nemen. Heeft de marine het schip doorzocht?'

'Natuurlijk hebben ze het schip doorzocht. Van onder tot boven.'

'Maar...'

'Ik heb het veel te druk,' zei Fall. 'Zoek jij het maar uit. En bel me als je eruit bent.'

Fall hing op. Dit slaat nergens op, dacht Littlemore. Waarom zouden ze het goud, waar het ook vandaan kwam, op de kade achterlaten? Kon iemand van de douane met de dieven samenspannen? Littlemore trok zijn jas aan. Er zat maar één ding op: persoonlijk in de haven poolshoogte nemen. Terwijl hij op het punt stond weg te gaan, ging zijn telefoon weer over. Een zekere Mr. James Speyer stond beneden op hem te wachten.

❧

'Wat kan ik voor u betekenen?' vroeg Littlemore in de koepelzaal van het subdepartement.

'U kunt me mijn schilderij teruggeven,' antwoordde Speyer met zijn Duitse tongval. 'Op het politiebureau hadden ze geen idee waar ik het over had. Ze zeiden dat u tegenwoordig voor Financiën werkt.'

Littlemore verontschuldigde zich en legde uit dat hij de Rembrandt in veilige bewaring had gegeven om er zeker van te zijn dat die niet beschadigd zou worden. 'Als u wilt, kunnen we er nu heen gaan om hem op te halen,' zei hij.

'Uitstekend. Mijn chauffeur kan ons brengen.'

In Speyers auto vroeg Littlemore: 'Hoe gaat het met uw vrouw?'

'Beter. Dank u.'

'Hebben de zaken in Hamburg goed uitgepakt?'

'Kon niet beter,' zei Speyer. 'De fondsen zijn allemaal naar Mexico overgebracht, ondanks de tegenwerking van de jongens van de Morgan Bank.'

'Ik hoor dat het er in Mexico nogal heftig aan toe gaat.'

'Nou en of,' beaamde Speyer. 'Slecht voor Arnold Brighton, goed voor mij.'

'U kent Brighton?'

'Ik weet dat zijn olievelden in Mexico honderden miljoenen waard zijn. Ik ben toevallig net terug uit Mexico-Stad. Apart om ergens te zijn waar Amerika zo gehaat wordt. Meer nog dan in Duitsland. Maar wij zouden hen waarschijnlijk net zozeer haten als zij onze hoofdstad en ons halve land hadden ingepikt.'

'Hebben wij dat dan met Mexico gedaan?' vroeg Littlemore.

'De Mexicaans-Amerikaanse Oorlog, inspecteur, of de Amerikaanse Invasie, zoals ze het ten zuiden van de grens noemen. Mijn Rembrandt kan maar beter tiptop in orde zijn.'

Op het hoofdbureau van politie in Centre Street ging Littlemore Speyer voor naar een speciaal beveiligde ruimte binnen het bewijsdepot. Toen de lagen verpakkingsmateriaal eenmaal verwijderd waren, zag het schilderij zelf er klein en kwetsbaar uit. 'Onbeschadigd, Mr. Speyer?'

'Onbeschadigd,' beaamde Speyer.

De mannen staarden naar het zelfportret. Het was uit de latere periode van de kunstenaar; hij stond er gerimpeld op, met rode wangen en wallen onder zijn wijze, wazige ogen.

'Hoe heeft-ie dat voor elkaar gekregen?' vroeg Littlemore.

'Wat?'

'Hij ziet eruit alsof hij weet dat hij het niet lang meer maakt,' zei Littlemore. 'Alsof hij... alsof hij...'

'Zich erbij heeft neergelegd?'

'Ja, maar tegelijkertijd ook alsof hij nog niet klaar is om het loodje te leggen. Als ze de Amerikanen zo verschrikkelijk haten, waarom haten ze u dan niet in Mexico, Speyer?'

'Omdat ze geloven dat ik een Duitser ben, denk ik,' antwoordde Speyer glimlachend, terwijl hij 'geloven' met een extra harde g-klank uitsprak.

✦

In de haven sprak Littlemore met een douanier die ontkende dat het Zweedse schip het gesmokkelde goud op de kade had achtergelaten. 'Weet je het zeker?' vroeg Littlemore. 'Is dat Zweedse schip hier met al het goud aan boord vertrokken?'

'Dat kan ik zo niet zeggen,' zei de douanebeambte. 'Wanneer we gerausde spullen vinden, waarschuwen we de departementen. Soms worden ze in beslag genomen, soms vernietigd, soms gaan ze terug aan boord. Dat is aan het departement.'

'Welk departement?'

'Bij wapens het ministerie van Oorlog. Bij sterkedrank de Belastingdienst. Dit was goud, dus Financiën.'

'Bij wie van Financiën meld je dat?'

'Hoor 's, ik stuur ze alleen het papierwerk. Als je meer wilt weten, moet je bij Financiën zijn.'

⁕

Later die dag in Wall Street tikte een loopjongen van de Morgan Bank Littlemore op de schouder, terwijl hij de trappen naar de Griekse voorgevel van het gebouw van Financiën beklom.

'Inspecteur Littlemore?' vroeg de knaap.

'Ja,' zei Littlemore.

'Mr. Lamont wil u onmiddellijk op zijn kantoor spreken,' zei het joch.

'Het is de bedoeling dat u met me meegaat.'

'Zeg Lamont maar dat hij naar mijn kantoor kan komen,' antwoordde Littlemore.

Toen hij boven kwam, ging de telefoon al over.

'Laat me raden, Lamont,' zei Littlemore in de hoorn. 'Dat mannetje van u dat Speyer in de gaten houdt, heeft u verteld dat ik hem vandaag ontmoet heb.'

'Beseft u wel,' vroeg Lamont, 'hoezeer James Speyer van de nationalisatie van Amerikaanse eigendommen in Mexico profiteert?'

'Dat is niet mijn probleem,' zei Littlemore.

'Maar de man is anti-Amerikaans. Dat moet u nu toch wel doorhebben. Waarom heeft u hem niet opgepakt in verband met de bomaanslag?'

'Hou toch op. Ik ga iemand echt niet arresteren omdat u het toevallig in Mexico met hem aan de stok heeft.'

'We hebben dit nu uitentreuren besproken, Littlemore,' zei Lamont. 'Speyer heeft me bedreigd. Hij heeft gedreigd wraak te nemen op de Morgan Bank. Twee weken voor de aanslag.'

'Dat was Speyer niet,' zei Littlemore. 'Dat heb ik toch al gezegd. Het was ene Pesqueira, en dat had niets met de bomaanslag te maken.'

'Het wás Speyer. Heeft u die Pesqueira ooit gesproken? Moet u doen. Dan zult u zien dat Speyer liegt. James Speyer is een landverrader. Het maakt hem niet uit hoeveel Amerikaanse levens verloren gaan. Een jaar geleden kreeg ik een telegram uit Mexico. Rond half september 1919. Speyer was in Mexico-Stad om hun Onafhankelijkheidsdag te vieren. Daar drong hij er bij de Mexicaanse regering op aan om Amerikaanse mijnen en oliebronnen te confisqueren en bezwoer ze dat hij de fondsen zou fourneren om ze draaiende te houden.'

'Mr. Lamont,' zei Littlemore. 'Voor de allerlaatste keer: dat is niet mijn probleem. Tot ziens.'

16

Hun trein had ten noorden van Wenen panne en strandde ergens midden in de bossen. De uren verstreken. Uiteindelijk stopte er een andere trein naast hen, met elke zitplaats al bezet; de rest van de reis vervolgden ze staand en opeengepakt. Toen ze uiteindelijk aankwamen, was het avond. In de gemotoriseerde taxi die ze op het station namen, vroeg Younger de chauffeur voor het operagebouw te stoppen, op een huizenblok van Hotel Bristol.

'Wat is er?' vroeg Colette. Toen zag ze het: voor het hotel had zich een kluitje politieagenten verzameld dat iedereen monsterde die er binnenging of naar buiten kwam. Younger verzocht de chauffeur bij de agenten poolshoogte te nemen, waarbij hij naar waarheid aanvoerde dat hij niet van plan was in een hotel te verblijven waar ze mogelijkerwijs gevaar liepen.

Vanuit hun taxi aan de overkant van de avenue zagen ze een agent met hun chauffeur overleggen, die begrijpend knikte terwijl de politieman hem verslag deed van wat ze er aan het doen waren.

'Ze kunnen onmogelijk naar ons op zoek zijn,' zei Colette.

'O nee?' zei Younger.

Hun taxichauffeur wees nu met een beschuldigende vinger naar zijn eigen automobiel. De agent tuurde door het duister in de aangewezen richting. Toen begonnen hij en een collega langzaam hun kant op te lopen.

'Wat wordt het? Zullen we ons overgeven?' vroeg Younger.

'Maar we hebben niets misdaan,' zei Colette.

'Helemaal niks, nee,' zei Younger. 'Een stapeltje lijken naast de Praagse burcht achterlaten, het land ontvluchten, dat kunnen we allemaal zo uitleggen. En als ze ons niet geloven, laten we ze gewoon Hans Grubers identiteitsplaatje als bewijs zien.'

Colettes hand schoot naar haar hals, waar Hans Grubers legerplaatje zes jaar lang omheen had gehangen. De agenten waren vlakbij. 'De motor loopt nog,' zei ze.

Younger schoof achter het stuur, zette de auto in zijn achteruit en stampte op het gaspedaal. De politiemannen zetten hollend de achtervolging in.

'Waar moeten we heen?' vroeg Colette, terwijl ze zich aan Luc op de achterbank vastklampte.

'Eén ramp tegelijk,' antwoordde Younger terwijl hij een bocht maakte. Met piepende banden denderden ze door de Ringstrasse. Naar adem snakkend gaven de agenten de achtervolging op.

❦

Nadat hij de deur van zijn appartement aan de Berggasse 19 had opengedaan, nam Sigmund Freud een lange trek van zijn sigaar alvorens iets te zeggen. Youngers gezicht was met diepe schrammen overdekt en zijn jas zag eruit alsof hij ermee van een berg was gerold en op de koop toe door de vooruit van een auto was gedonderd. Colette had blauwe plekken op haar wang. Alleen Luc, die door zijn zus in de trein grondig met washand en kam onder handen was genomen, zag er ongehavend uit, al waren zijn knieën geschaafd en bood hij in zijn bruine wollen pak, met korte broek, een vreemde, boerse aanblik.

Freud wendde zich tot Younger. 'Ik mag aannemen dat jij en Fräulein Rousseau elkaar deze verwondingen niet hebben toegebracht?'

'De politie...' begon Younger.

'Is naar jullie op zoek. Dat weet ik,' zei Freud. 'Jullie vriend graaf Kinsky is langs geweest om me te waarschuwen. Hij beweert dat de politie denkt dat jullie in Praag een man hebben gedood.'

'Drie,' zei Younger.

'Pardon?'

'Ik heb drie mannen gedood.'

'Juist ja,' zei Freud. 'Fräulein Rousseau, zeg me alstublieft dat Younger uw verloofde niet in een vlaag van jaloezie om zeep heeft gebracht.'

'Hij was mijn verloofde niet,' zei Colette.

Freud trok beide wenkbrauwen op. 'Younger heeft de verkeerde mannen omgebracht?'

'Nee,' antwoordde ze. 'Hij heeft de juiste mannen omgebracht.'

'Juist ja,' zei Freud opnieuw.

'Mijn beste Freud,' begon Younger, 'ik moet u waarschuwen dat het onverstandig kan zijn om ons binnen te laten. Ik weet niet hoe het hier werkt, maar in Amerika is het een misdrijf om een moordenaar onderdak te verlenen.'

'Heb je dan een moord gepleegd?' vroeg Freud.

'Dat zou best eens kunnen,' zei Younger. 'Ik geloof van wel, ja.'

'Het was geen moord,' antwoordde Colette op scherpe toon. 'En als het dat wel was, zou ik alleen maar willen dat je het nog eens duizend keer over kon doen.'

'Ah,' zei Freud. 'Nou, blijf daar niet staan. Kom binnen.'

In Freuds huiskamer stond een ouderwetse porseleinen kachel te snorren. Younger en Freud dronken cognac. Voor Colette was thee geserveerd, maar ook zij koos uiteindelijk voor een paar slokken uit Youngers cognacglas. Ze hadden Freud van a tot z hun verhaal gedaan, en er was een stilte gevallen.

'Wat een prachtig tafellaken,' zei Colette.

'Vindt u?' vroeg Freud.

'Het kantwerk,' antwoordde ze. 'Schitterend gewoon.'

'Dat zal ik Minna laten weten, zij heeft het geklost,' antwoordde Freud. 'Wilt u een deken, mijn lieve kind?'

Colette hield haar armen om zich heen geslagen alsof ze op een frisse avond buiten was. 'Waarom heb ik hem niet gedood?' vroeg ze met plotselinge animo. 'Waarom was ik zo'n zwakkeling?'

'Weet u dat niet?' vroeg Freud.

'Nee.'

Freud knipte de punt van een sigaar af, terwijl hij Colette vanuit zijn ooghoeken bestudeerde. Hij bood er een aan Younger aan, die hem afsloeg. 'Het gangbare antwoord,' zei Freud, 'luidt dat uw geweten op het laatste moment opspeelde en u overtuigde dat wraak zondig is.'

'Wraak is ook zondig.'

'Iedereen wil wraak,' antwoordde Freud. 'Het probleem is alleen dat we die wraakgevoelens meestal op de verkeerde persoon projecteren. Jij richtte ze tenminste op de juiste. Maar je religieuze gewetensbezwaren waren niet de reden dat je hem niet gedood hebt.'

'Dat weet ik,' beaamde ze. 'Ik was er met heel mijn hart van overtuigd dat ik het juiste deed. Dat ben ik nog steeds. Misschien verkeerd van me, maar het is niet anders. Maar waarom kon ik de trekker dan niet overhalen?'

'Om dezelfde reden, zo vermoed ik, als waarom uw broer niet praat.'

Colette staarde Freud verbouwereerd aan.

'Heeft u ons niet nog iets anders te zeggen, Fräulein?' vroeg Freud.

'Hoe bedoelt u?'

'Uw broer heeft iets te zeggen,' zei Freud. 'Met als gevolg dat hij niets zegt.'

'Ik... u weet wat er aan mijn broer schort?'

'Ik weet precies wat er aan hem schort,' zei Freud, terwijl hij aan zijn sigaar pufte. 'Maar alles op zijn tijd. Voor zover ik kan overzien, hebben jullie maar twee opties: jezelf aangeven of het land verlaten.'

'We kunnen onszelf niet aangeven,' zei Younger. 'Dan worden we aan de politie in Praag uitgeleverd en verdwijnen we voor god weet hoe lang achter de tralies. Uiteindelijk zullen ze Grubers moeder opsporen en erachter komen dat we naar hem op zoek waren. Dan willen ze vast weten waarom. Als we daar naar waarheid op antwoorden, komen ze tot de conclusie dat Colette hem uit wraak wilde doden, wat ook zo is en wat – zelfs in het geval dat we zouden kunnen bewijzen wat Gruber in de oorlog heeft gedaan, wat we niet kunnen – op moord neerkomt. Als we hun zouden weigeren te vertellen waarom we naar hem op zoek waren, weten ze dat we iets te verbergen hebben en dan geloven ze vast geen woord meer van wat we verder nog te zeggen hebben. In beide gevallen staat ons waarschijnlijk een veroordeling te wachten.'

'Dan moeten jullie hier verdwijnen,' zei Freud. Op dat moment begonnen de lampen in de kamer te flikkeren. 'Verdikkeme, straks zitten we weer zonder stroom. Dat gebeurt zeker eens in de week.'

Freud wachtte, zijn sigaar in gereedheid opgeheven. Het geflikker kwam tot bedaren; de lampen bleven aan.

'Misschien dat we ermee wegkomen,' ging hij verder.

'Alstublieft, dr. Freud,' zei Colette. 'Kunt u me uitleggen wat er mis is met mijn broer?'

'Ik zal u zeggen wat ik weet, Fräulein, maar de denkbeelden zullen nieuw voor u zijn en u vreemd in de oren klinken. Cognac?' Freud nam de tijd en schonk zijn eigen glas en dat van Younger nog eens vol.

❦

'Tja, waar te beginnen?' zei Freud. Hij was weer gaan zitten, had zijn ene been over het andere geslagen en hield een sigaar in zijn ene hand en zijn cognac in de andere. 'Vijfentwintig jaar geleden ontdekte ik een pad naar de onzichtbare uithoeken van ons geestelijke leven, die ik wellicht als eerste sterveling ooit heb betreden. Daar trof ik een inferno van onverwoordbare angsten en verlangens aan, waarvoor mannen en vrouwen in vroeger tijden mogelijk op de brandstapel waren beland. Een dergelijk baanbrekend inzicht mag je hooguit eens in je leven verwachten. Maar vorig jaar deed ik een nieuwe ontdekking, waarvan ik in mijn meer ijdele momenten geloof dat deze de eerste nog overtreft. Niemand zal het geloven, maar dat is niets nieuws. De doorbraak was het gevolg van mijn bestudering van oorlogsneurosen; gedeeltelijk zelfs van het bestuderen van uw broer, Fräulein Rousseau. Niet dat uw broer strikt gesproken een neurose heeft, maar zijn toestand valt daar wel mee te vergelijken. Over één ding wil ik volstrekt duidelijk zijn: hij moet behandeld worden. Waar u straks ook heen gaat, u kunt hem niet zo laten als hij nu is. Zijn stoornis is niet al te gecompliceerd. Ik zou hem zelf in, tja, ik zou denken... ik weet niet... een week of acht kunnen genezen.'

'Hem genezen?' herhaalde Colette. 'Voor honderd procent?'

'Dat zou ik wel denken.'

Colette was met stomheid geslagen.

'Maar waarom heeft u ons dan naar Jauregg gestuurd?' vroeg Younger.

'Velen verkiezen het hun psychologische stoornissen op basis van een mechanistisch mensbeeld te behandelen. Fräulein Rousseau zal moeten besluiten of ze echt wil dat haar broer in analyse gaat. En daar ben ik niet zeker van. Tot tweemaal toe heeft ze haar broer naar Wenen gebracht en geweigerd de tijd te investeren die een analyse vergt. En misschien heeft ze daar wel gelijk in; het kan tenslotte wel eens onplezierig voor haar uitpakken.'

'Voor mij?' vroeg Colette. 'Hoezo?'

'Dat heb ik u vorig jaar al verteld,' zei Freud. 'De waarheden die een psychoanalyse aan het licht brengt, zijn nooit zonder repercussies voor de overige gezinsleden. Ook uw broer is bezig wraak te nemen − door niet te praten.'

'Op wie?' vroeg Colette.

'Misschien op u.'

'Waarom in godsnaam?'

'Kunt u ons dat niet vertellen?'

'Ik heb geen idee waar u het over heeft,' antwoordde Colette.

'Het was maar een veronderstelling, mijn lieve kind. Ik weet het antwoord ook niet.'

'Maar u zei dat u wist wat er aan hem scheelt,' zei Colette.

'Dat klopt. Vorige zomer, zo'n twee maanden na jullie vertrek, zag ik het. Om de waarheid te zeggen was het kinderspel. Younger, wat is het opvallendste symptoom van de jongen?'

'Ik heb geen idee,' zei Younger.

'Kom op, ik heb het je juist zo goed als voorgekauwd.'

Inwendig vervloekte Younger Freuds gewoonte om hem met analytische raadsels uit de tent te lokken, vooral onder de huidige omstandigheden, maar desalniettemin hapte hij toe. Kinderspel? 'Lucs spel,' zei Younger. 'Iets met dat visspel dat hij speelt.'

'Precies,' zei Freud. 'Fräulein Rousseau heeft me verteld dat toen haar broer klein was haar grootmoeder een Duitse variant op verstoppertje met hem speelde. Hij zegt "fort" en "da" waneer hij de vislijn uitwerpt en weer inhaalt; "weg" en "hier". Wat betekent dat?'

Younger dacht erover na. 'Wanneer is hij ermee begonnen?'

'In 1914,' zei Freud.

'Hij herbeleeft de dood van zijn ouders,' zei Younger.

'Uiteraard. Steeds weer opnieuw. Maar waarom?'

'Om het gevoel van verlies ongedaan te maken?'

'Nee. Hij maakt helemaal niets ongedaan. Hij dwingt zichzelf de verschrikkelijkste ervaring van zijn leven voortdurend opnieuw te beleven.'

Sigarenrook vulde de met kaarslicht verlichte kamer met zijn zware, bedwelmende aroma.

'Dat is de sleutel tot het raadsel,' zei Freud. 'Alle oorlogsneurotici herhalen. Ze doen dat dwangmatig, een soort compulsief herhaalgedrag, een diepe behoefte om het trauma, dat de oorzaak van hun stoornis is, steeds weer te re-ensceneren, te herbeleven. En allemaal herhalen ze hetzelfde: de dood, of het moment waarop ze daar het dichtst bij zijn geweest. Normaal beschikken we over afweermechanismen – fysiologische en psychische verdedigingslinies – die onze sterfelijkheid op afstand houden, uit ons bewustzijn weren. Als er een bres in deze linies wordt geslagen, als de sterfelijkheid ze op een moment van onverwacht trauma lek prikt, dan breekt haar verschrikking door de linies heen en sticht ze een soort geestelijke brandhaard, een vuur dat bijna niet te doven valt; een brandhaard waar diegene steeds weer naar terug wil keren. Een shellshockpatiënt zal zijn trauma in zijn slaap herbeleven, op klaarlichte dag in het geluid van een dichtslaande deur een bomexplosie horen of de traumatische gebeurtenis soms zelfs in lichamelijke symptomen veruiterlijken.'

'Waarom?' vroeg Younger. 'Om zijn angst te ontladen?'

'Lange tijd heb ik het ook zo getracht te begrijpen,' antwoordde Freud.

'De angstontlading zou genot moeten verschaffen. Of tenminste de weerzin moeten verminderen. Elk psychisch fenomeen, zo dacht ik althans, wordt ten diepste gemotiveerd door de drift om het genot te maximaliseren, of de weerzin te minimaliseren. Maar ik probeerde de feiten in overeenstemming te brengen met mijn theorie, terwijl ik mijn theorie met de feiten in overeenstemming had moeten brengen. De oorlog leerde me iets wat ik lang geleden al had moeten inzien: naast het genotsprincipe beschikken we over nog een instinct. Een andere drift, even fundamenteel als honger, even onweerstaanbaar als liefde.'

'Welke drift bedoelt u?' vroeg Colette.

'De doodsdrift. Nog een kopje thee, Fräulein Rousseau?'

'Nee, dank u.'

'Dat is één kant ervan,' zei Freud. 'Maar in essentie komt het neer op een verlangen naar de dood. Naar vernietiging. Niet alleen die van de ander, ook die van onszelf.'

'Gelooft u echt dat mensen dood willen?' vroeg Colette.

'Inderdaad,' zei Freud. 'Dat zit in onze cellen, in onze atomen ingebouwd. In het universum zijn er twee elementaire krachten. De eerste zorgt ervoor dat materie andere materie aantrekt. Dat is hoe leven ontstaat en zich voortplant. In de natuurwetenschap heet dit zwaartekracht, in de psychologie liefde. De andere kracht trekt materie uiteen. Het is de kracht van entropie, desintegratie, verval, vernietiging. Als ik het bij het rechte eind heb, wordt elke planeet, elke ster in het universum niet alleen middels de zwaartekracht door andere hemellichamen aangetrokken, maar er ook van weggeduwd door een afstotingskracht die we niet kunnen waarnemen. Binnen een organisme is het deze kracht die een dier ertoe aanzet zich op de dood te storten, zoals een mot zich op een vlam stort.'

'Maar is die te genezen, die doodsdrift?' vroeg Colette.

'Een drift kan men niet genezen, Fräulein Rousseau,' zei Freud. 'Die kan men niet uitschakelen. Men kan hem echter wel naar de oppervlakte halen, iemand zich ervan bewust maken en op deze wijze de pathologische uitwerking verlichten. Wanneer een drift in ons een impuls teweegbrengt waaraan we geen gehoor geven, dan gaat die impuls daarmee niet weg. Die kan een sluimerend bestaan leiden. Die kan heviger worden. Die kan zich, ten goede of ten kwade, op andere objecten richten. Of die kan pathologische symptomen veroorzaken. Dergelijke symptomen kunnen genezen worden.'

'Het lijkt mij niet,' zei Younger, 'dat Lucs stomheid met een doodswens van doen heeft.'

'Nee, zijn stomheid heeft een andere functie. Daarvoor zou hij in analyse genomen moeten worden, om achter die functie te komen. Die houdt zonder twijfel verband met de dood van zijn ouders, maar er speelt nog iets anders. Het is mogelijk dat hun dood hem een tafereel in herinnering heeft gebracht waarvan hij zelfs nog eerder getuige is geweest. Bent u door uw vader misbruikt, Fräulein Rousseau?'

'Ik? Misbruikt? Op welke manier?'

'Op welke manier dan ook.'

'Nooit,' zei Colette.

'Nee? Trok hij u voor?'

'Luc was zijn lieveling,' zei Colette. 'Ik was een meisje.'

Freud knikte. 'Tja, het is zonde dat u niet in Wenen kunt blijven, maar ik zie niet hoe dat mogelijk zou zijn. Wenen is een veel kleinere stad dan New York. Jullie zullen hier in het oog lopen. De politie zal iedereen oproepen jullie te zoeken, iemand zal jullie aangeven.'

'Mag ik u een vraag stellen, dr. Freud?' vroeg Colette.

'Natuurlijk.'

'Die twee krachten die u beschrijft,' zei ze. 'Dat zijn goed en kwaad, niet? De liefdesdrift is het goede, de doodsdrift het kwade.'

Freud glimlachte. 'In de wetenschap, mijn lieve kind, bestaat er niet zoiets als goed en kwaad. De doodsdrift maakt deel uit van onze biologie. Je bent bekend met het begrip chromatolyse – het natuurlijke proces van het afsterven van cellen? Elk van onze cellen brengt op het aangewezen tijdstip zijn eigen vernietiging teweeg. Daar ziet u de doodsdrift in werking. En als een cel verzuimt te sterven, wat gebeurt er dan? Dan blijft hij zich delen, reproduceren, eindeloos, tegen de natuur in. Hij wordt een kankergezwel. Dat is per slot van rekening wat kanker is: cellen die lijden aan het verlies van de wil om te sterven. De doodsdrift is niet het kwaad, Fräulein Rousseau. Op de juiste plek is hij even onontbeerlijk voor ons welzijn als zijn tegenhanger.'

※

Later die avond, nadat Freud zich had teruggetrokken, Colette en Luc in een van de oude slaapkamers van de kinderen waren ondergebracht en de woning in rust was verzonken, stond Younger op de veranda een sigaret te roken. Binnen voelde hij zich opgesloten; buiten op het kleine balkon dat op de binnenplaats uitkeek voelde het al even claustrofobisch. Binnen in de woning ging een deur open; hij dacht dat het wel eens Colette kon zijn die zich bij hem kwam voegen.

'Nee. Ik ben het maar,' sprak Freuds stem achter hem. De oudere man liep het balkon op. 'Nou, wat vind je van mijn doodsdrift?'

'Ik zie die wel zitten,' zei Younger.

Freud glimlachte. 'Je bent nog steeds in oorlog, mijn jongen. In je hoofd ben je nooit afgezwaaid. Tien jaar terug had ik je nooit als het instinctieve type ingeschat. Toen... verdrong je ze nog.'

'Ik heb ooit eens ergens gelezen dat verdringing ongezond is. Een wereldberoemde psycholoog heeft dat aangetoond.'

'Wiens ideeën je niet accepteert.'

'Tien jaar geleden,' zei Younger bedachtzaam, 'zag ik uw ideeën als morele anarchie. Als een bom onder alles wat fatsoenlijk is. Maar u had gelijk. Ik denk dat ik niet meer in de moraal geloof.'

'Ach ja, dat is wat mijn criticasters altijd beweren: Freud de libertijn, Freud die elk zedelijk besef ontbeert.' Hij ademde de late avondlucht in, een diepe ademtocht vol ouderdom en inzicht. 'Het klopt, ik geloof niet in de zondagsschoolmoraal. Je naaste liefhebben als jezelf is een absurd principe, volstrekt onmogelijk, behalve als je een zeer buitengewone buur hebt. Maar als het om een rechtvaardigheidsgevoel gaat, dan meen ik dat ik me kan meten met de beste mensen die ik gekend heb. Mijn hele leven heb ik getracht eerbaar te zijn – anderen geen kwaad te doen, geen misbruik van ze te maken – in de volle wetenschap dat ik mezelf daarmee tot een aambeeld zou maken waarop anderen hun wreedheid, hun trouweloosheid en hun ambities naar believen kunnen botvieren.'

'Maar waarom dan?' vroeg Younger. 'Waarom blijft u het dan doen?'

'Ik zou je een plausibele psychologische verklaring kunnen geven,' zei Freud. 'Maar de waarheid is dat ik geen idee heb. Waarom ik – en mijn kinderen niet te vergeten – zo nodig zulke door en door fatsoenlijke mensen moeten zijn, is iets wat mijn begrip te boven gaat. Het is slechts een feit. Een levensanker.'

Er volgde een korte stilte, waarna Younger vroeg: 'Denkt u dat ik ook zo'n levensanker nodig heb?'

'Nee. Dat heb je al.'

'U bedoelt een besef van rechtvaardigheid?'

'Ik bedoel liefde,' zei Freud. 'Daarom vind ik die bomaanslag van je zo verontrustend.'

'De aanslag in Wall Street?'

'Ja. Die zou wel eens een voorbode van iets nieuws kunnen zijn. Niet het geweld, dat valt te verwachten. Laatst nog las ik zo'n verslag over een van die gelukkige uithoekjes op aarde waar primitieve samenlevingen in vrede en tevredenheid gedijen, waar agressie onbekend is. Ik geloofde er geen snars van. Waar mensen zijn, is geweld. Gelukkig opereert de doodsdrift zelden alleen. Onze twee driften vormen bijna altijd een gedwongen symbiose – wat de seksualiteit haar gewelddadige karakter verschaft, maar wat tevens de doodsdrift tempert. Dat maakt je bomaanslag zo zorgwekkend.'

'Omdat het onversneden agressie was?'

'Precies,' zei Freud. 'De ontketende doodsdrift. Bevrijd van de levensdriften, bevrijd van de idealen waarmee het *Ich* zijn daden beoordeelt: het geweten. Misschien dat hij door de oorlog ontteugeld is, misschien door een ideologie. De mens heeft de dood altijd aanbeden. Elke oude religie kent haar doodsgoden. En schikgodinnen, van wie sommigen beeldschoon, zoals Atropos, die de levensdraad van mensen doorknipte wanneer hun tijd gekomen was – wat tussen twee haakjes eens te meer bewijst hoezeer de mens zich tot de dood aangetrokken voelt. Ze hebben de daders nog niet opgepakt, wel?'

'Van de aanslag?' vroeg Younger. 'Nog niet.'

'Misschien omdat ze dood zijn.'

Het duurde even voordat Younger het begreep. 'Denkt u dat ze bij de aanslag omgekomen zijn? Opzettelijk omgekomen?'

'Misschien wel, misschien niet,' zei Freud. 'Misschien dat ze anderen op ideeën zullen brengen. Maar, inderdaad, dat is wat me zorgen baart.'

❦

Terwijl Freud de volgende morgen vroeg zijn dagelijkse wandelingetje maakte, kwam Oktavian Kinsky langs. 'Ik kom u mijn diensten aanbieden, mademoiselle,' zei hij in Freuds zitkamer tegen Colette. 'Ik hoorde wat zich gisteren voor Hotel Bristol heeft afgespeeld. Ik dacht wel u hier te zullen treffen, ook dacht ik dat u misschien discreet vervoer naar het station wilde.'

'Dat is ontzettend aardig van u, graaf Oktavian,' zei Colette. 'Ik weet niet hoe ik u moet bedanken.'

'Geen dank, mademoiselle,' antwoordde hij. 'De primaire verplichting van een edelman is niet jegens de politie, maar jegens de schone dame die door de politie wordt vervolgd.'

'In het bijzonder voor de edelman die die dame om te beginnen zelf bij de politie heeft aangegeven,' zei Younger.

'Stratham,' berispte Colette Younger. 'Hoe kun je zoiets zeggen?'

Oktavian staarde beteuterd voor zich uit. 'Ik ben bang dat hij gelijk heeft.'

'Ze hebben je visitekaartjes gevonden,' zei Younger.

'Dat was het hem nu juist,' antwoordde Oktavian terneergeslagen. 'Een aantal van mijn kaartjes is op de plek van het onfortuinlijke... onfortuinlijke incident aangetroffen. De Tsjechische autoriteiten hebben de Weense politie ingelicht, die me in een cel hebben opgesloten alsof ik een misdaad had gepleegd. Ze zeiden dat ene Hans Gruber in Praag vermoord is. Ze vroegen me of ik hem kende. Wat kon ik zeggen? Ik moest hun wel vertellen dat u, mademoiselle Rousseau, naar Braunau was afgereisd op een romantische queeste naar Herr Gruber, en dat dr. Younger, samen met uw broer op een motorfiets die ik voor hen gehuurd had, naar Braunau is gereden op een romantische queeste naar u. Vanzelfsprekend zit de politie er helemaal naast, zoals altijd. Ik heb hun duidelijk gemaakt dat u beiden onmogelijk iets met een moord van doen kunt hebben. Het spijt me, het is allemaal mijn schuld.'

'Nee,' zei Colette. 'Het is onze schuld dat de politie u heeft opgepakt.'

'Heeft u hun verteld,' vroeg Younger, 'dat we de familie Freud kennen?'

'Zeer zeker niet,' zei Oktavian. 'Dergelijke confidenties deelt men niet met de politie. A propos, waar is mijn motor? Ik begreep dat jullie gisteravond per taxi bij het hotel zijn aangekomen. Hebben jullie de motorfiets op het station achtergelaten?'

'Heeft de politie u dat niet verteld?'

'Wat verteld?'

Younger wenkte Luc. 'Graaf Kinsky wil weten waar zijn motor is gebleven,' zei Younger tegen de jongen.

Luc trok een kleine ronde spiegel uit zijn broekzak, waar nog een afgebroken stuk metaal aan bevestigd zat. Oktavian nam de gift met knipperende ogen aan. Uit zijn andere broekzak haalde Luc een verwrongen spaak tevoorschijn.

'Lieve hemel,' zei Oktavian.

'Een genot om op te rijden,' zei Younger. 'Een lekker kwiek karretje.'

'Lieve hemel,' herhaalde Oktavian, terwijl hij moeizaam slikte. 'Nou ja, ik heb gehoord dat de gevangenis voor schuldenaren tegenwoordig heel wat minder onplezierig is dan vroeger.'

'Wacht, nog één ding,' zei Younger, terwijl hij uit zijn binnenzak een bankcheque opdiepte die hij op naam van Oktavian Kinsky uitschreef.

Oktavian staarde naar de cheque. 'Dit is niet genoeg voor een motorfiets,' zei hij. 'Dit is genoeg voor een motorfiets en voor drie nieuwe automobielen.'

'Dat weet ik,' zei Younger. 'Maar nog altijd niet genoeg om onze schuld aan u te vereffenen.'

᷇᷇᷇᷇

Er viel niets in te pakken. Hun bezittingen lagen allemaal in het hotel en waren dus niet meer te redden. Op de binnenplaats waren ze afscheid van Minna aan het nemen, toen Freud samen met zijn vrouw Martha van zijn ochtendwandeling terugkwam.

'Gaan jullie al?' vroeg Freud aan Younger en Colette.

'Ja,' zei Younger. 'Oktavian brengt ons naar het station. Hoe langer we blijven, hoe meer we u in gevaar brengen.'

'Mijn eega en ik hebben het net besproken, Fräulein Rousseau,' zei Freud. 'Laat de jongen bij ons achter.'

'Dat kan ik niet,' zei Colette.

'Waarom niet? Martha zou het heerlijk vinden. We hebben al zo lang geen kinderen meer in huis gehad.'

'Dat kan ik echt niet,' herhaalde Colette.

'Dat zou jullie vlucht er gemakkelijker op kunnen maken,' kwam Oktavian tussenbeide. 'De politie is op zoek naar een stel met een jonge jongen. Ze houden vast alle spoorwegstations in de gaten.'

'Ik ben nog nooit van Luc gescheiden geweest,' zei Colette.

'Nog nooit?' herhaalde Freud. 'U heeft hem pas nog alleen achtergelaten om naar Braunau te gaan zonder garantie dat u ooit zou terugkomen.'

Colette fronste. 'Er was welgeteld één reden waarom ik zoiets ooit zou doen. En nu ik...'

'Fräulein,' zei Freud vriendelijk doch beslist, 'u heeft zes jaar voor uw broer gezorgd en hem in al die jaren nooit onder behandeling gesteld. Dat was waarschijnlijk alleen maar verstandig van u, want de verzorging die hem bijna overal ter wereld ten deel was gevallen, zou nutteloos of zelfs schadelijk zijn geweest. Maar u bewijst hem een zeer slechte dienst als u hem nu de behandeling ontzegt die hij nodig heeft. Hij is op een gevoelige leeftijd. Als hij nog veel langer blijft zoals hij is, zal dat in zijn volwassenheid tot permanente schadelijke gevolgen kunnen leiden.' Freud zweeg even. 'Ik heb nog een bijkomende medische reden voor mijn voorstel. In uw afwezigheid maakt uw broer een betere kans op genezing.'

'In mijn afwezigheid?' vroeg Colette. 'Hoezo?'

'Het gaat beter met hem als u niet bij hem bent,' antwoordde Freud. 'Younger, communiceerde Luc met je terwijl jullie samen onderweg waren?'

'Ja. Hij schreef me briefjes.'

'Daar heb je me niets over gezegd,' zei Colette tegen Younger.

'Het is volstrekt natuurlijk, Fräulein Rousseau, dat de jongen buiten zijn directe familie beter functioneert, en volstrekt natuurlijk dat u zich daaraan stoort.'

'Ik stoor me daar niet aan.'

'Nee? Tja, ik kan er op dit moment niets specifieks over zeggen, maar u speelt bijna zeker een rol in zijn symptomen. Jullie gedragingen zijn de afgelopen zes jaar op de een of andere manier verstrengeld geraakt. Misschien dat u zelfs de oorzaak van zijn toestand bent.'

Younger zag aan Colette dat ze geagiteerd was. 'Kan ik even alleen met Stratham spreken?' vroeg ze.

'Natuurlijk,' zei Freud.

Ze trokken zich in het trappenhuis terug. 'Zeg me dat ik niet de oorzaak ben,' fluisterde ze wanhopig. 'Ben ik de oorzaak?'

'Dat weet ik niet.'

'Wat moet ik doen?'

'Hem zonder mitsen of maren hier achterlaten,' zei Younger. 'Misschien lukt het ons niet uit Oostenrijk weg te komen. Als we opgepakt worden en hij is bij ons, dat stoppen ze hem in een of andere Tsjechische inrichting; een kindertehuis of erger. Daar moet hij dan misschien jaren blijven.'

'Maar hoe krijgen we hem terug?'

'Als we hier wegkomen?' vroeg Younger. 'Dat is het makkelijke deel. We sturen gewoon iemand om hem op te halen.'

Colette bereidde zich op het ergste voor, en samen keerden ze naar de binnenplaats terug. Ze weifelde, legde de vraag aan haar broer voor en vroeg hem wat hij wilde. De jongen keek Younger aan.

'Wil je weten wat ik ervan vind?' vroeg Younger.

De jongen knikte.

'Blijf hier.' Younger besloot het in termen van de moed te gieten die Luc nodig zou hebben: 'Voor jou zal het het zwaarst zijn, maar je zou je zus en mij er enorm mee helpen. Zodra wij in veiligheid zijn, reis jij ons na.'

Luc dacht erover na. Zijn blik was vorsend, doordringend – doordringend genoeg, zo vermoedde Younger, om dwars door zijn tactiek heen te kijken. Toen deed de jongen een paar stappen naar voren totdat hij tussen Freud en zijn vrouw in stond. Luc keek naar Colette. Zijn uitdrukkingsloze gelaat gaf aan dat hij zijn besluit had genomen.

'Stuur ons een telegram zodra je de kans krijgt,' zei Freud.

❧

Voor het Westbahnhof hielden politiemannen de wacht en bestudeerden de papieren van iedereen die naar binnen ging.

'Dit wordt lastiger dan ik dacht,' zei Oktavian. 'Ik zie niet hoe jullie daardoorheen komen.'

'De Tsjechen veroorzaken antisemitische opstootjes, maar wij zijn degenen die ze willen arresteren,' zei Younger vol afkeer. Ze zaten nog steeds in Oktavians koets. 'Is er nog een ander spoorwegstation?'

'Verscheidene,' zei Oktavian, 'Maar daar wemelt het vast ook van de politie. Er is een andere oplossing, doctor, als jullie daartoe bereid zijn. Per vliegtuig. Vorige maand is een Frans bedrijf een luchtdienst begonnen. De landingsbaan is klein en bijna altijd uitgestorven. Misschien dat de politie daar niet aan gedacht heeft. Vliegtuigen zijn heel veilig, zeggen ze, maar wel erg duur.'

'Wat dacht je van vliegen?' vroeg Younger aan Colette.

'Luc leek het helemaal niet erg te vinden om achter te blijven, vond je niet?' antwoordde ze. 'Bijna alsof hij blij was om van me verlost te zijn.'

✧❦✧

Het vliegveld van Wenen – het enige in Oostenrijk – bestond uit een onverharde landingsbaan met een enkel vliegtuig erop: een eendekker met twee vleugels en op de neus de grootste propeller die Younger ooit had gezien. Oktavian had gelijk: er was geen politie. Ook was er niemand anders, voor zover ze konden uitmaken. Geen passagiers, niemand om vervoerbewijzen te verkopen, geen bemanning. Het enige gebouw zat op slot.

Toen ze zich aan de achterkant van het gebouw waagden, vonden ze twee mannen die aan de koffie en de schnaps zaten. Een van hen bleek de piloot te zijn, die gretig opsprong toen Oktavian naar de mogelijkheid informeerde om twee passagiers ogenblikkelijk naar het dichtstbijzijnde vliegveld te vervoeren.

'We zouden eigenlijk naar Parijs vliegen,' zei de piloot met typisch Franse onverschilligheid, 'maar zo precies zijn we hier niet. Ik kan jullie naar Bremen vliegen.'

'Bremen is prima,' antwoordde Younger.

Ze werden het eens over de prijs. De piloot dronk zijn schnaps op en klapte in zijn handen. 'Daar gaan we dan,' zei hij.

Het vliegtuig telde acht passagiersstoelen. Toen de piloot in de cockpit had plaatsgenomen, nam hij nog een extra teug uit een heupfles en stak hij zijn duimen naar zijn partner op, die een enorme zwieper aan de propeller gaf. De motor kwam heftig schokkend tot leven. Oktavian, die op slag een stuk minder enthousiast was over het plan waarvan hij de aanstichter was, nam afscheid van Younger en Colette aan de voet van een kleine ladder die naar de passagiersruimte leidde.

'Het is vreemd, mademoiselle,' zei Oktavian, 'maar de hele tijd heb ik het gevoel dat ik u ergens van ken. Van lang geleden. U heeft geen familie in Oostenrijk?'

'Misschien dat u mijn grootmoeder heeft gekend,' zei Colette. 'Die was Weense.'

'Dat moet het zijn,' riep Oktavian. 'Ik moet haar ontmoet hebben. Ja, ik kan het nu bijna voor me zien. Ik wist dat ik uw gezicht eerder had gezien. Ze was van adellijke komaf, nietwaar, uw grootmoeder?'

'O nee, ze was straatarm.'

'Ik zou gezworen hebben dat het op een of ander chic bal was, en met een voornaam heerschap.'

'Dan kan het mijn grootmoeder niet geweest zijn, graaf Oktavian.'

'Nou ja, het schiet me nog wel te binnen. Maar u moet me geen graaf noemen. Ik graaf alleen mijn eigen graf.'

✿❦✿

Bij het opstijgen slingerde het vliegtuig verontrustend heen en weer, maar op hoogte verkreeg de machine al snel een schijn van stabiliteit. Ze tuurden omlaag naar de deken van sneeuw onder hen, wat geen sneeuw bleek, maar wolken.

'Ik heb nog nooit de bovenkant van een wolk gezien,' zei Colette. 'Denk je dat God het erg vindt?'

'Ik betwijfel of Hij ons een blik op Zijn handwerk zou misgunnen,' antwoordde Younger. 'Ik maak me meer zorgen over jouw gestoei met Zijn atomen.'

'Waarom doe je zo wantrouwig over radium?' vroeg ze. 'Je dwong me die belachelijke uitdossing in professor Boltwoods laboratorium te dragen. Ze vonden allemaal dat ik er als een diepzeeduiker uitzag.'

'Ze zouden zelf ook allemaal zo'n pak moeten dragen.'

'Ik vraag me af of je er radioactiviteit mee zou kunnen verklaren,' peinsde Colette. 'Met Freuds doodsdrift. We hebben geen idee waarom radiumatomen splitsen, maar we hebben evenmin een idee waarom andere atomen dat niet doen. Misschien dat er een kracht is die de deeltjes bijeenhoudt en een andere kracht die ze uiteendrijft. Precies zoals dr. Freud het beschreef: twee elementaire krachten, een die aantrekt en een die afstoot.'

'Welke is sterker?' vroeg Younger.

'De kracht die ze bijeenhoudt, lijkt me,' zei Colette. 'Dat zou verklaren waarom er bij radioactiviteit zoveel energie vrijkomt.' Er schoot haar iets te binnen. 'Maar energie zou, zodra ze vrijkomt... zou wel eens de doodskracht kunnen zijn. Misschien dat het splitsen van atomen wel de dood zelf is, de dood in zijn pure vorm. Het brengt de doodskracht op de andere atomen over, waardoor ook zij zich gaan splitsen.'

'En jij vraagt je af waarom ik wantrouwig doe,' zei Younger.

'Dat zou ook het effect van radium op kanker verklaren,' ging Colette met stijgende opwinding verder. 'Niemand heeft ooit kunnen verklaren hoe radium kanker geneest. Zelfs madame weet het niet. Maar dr. Freud had gelijk: kankercellen zijn cellen die weigeren af te sterven. Wanneer radium in een tumor wordt geplaatst, ontlaadt het daarmee misschien de doodskracht, die zich dan over de hele tumor verspreidt en de kracht aan de kankercellen doorgeeft, waardoor ze weer afsterven. Hé, wat doe jij nou?'

Terwijl Colette aan het woord was, was Younger door een eigen gedachtegang afgeleid geraakt. 'Piloot,' riep hij. 'U zei toch dat dit vliegtuig eigenlijk naar Parijs zou vliegen?'

'*Oui, monsieur*,' zei de piloot.

'Breng ons daarnaartoe.'

'Naar Parijs?' vroeg Colette. 'Waarom?'

'Om er een van je helden te ontmoeten.'

17

Onder het kopje 'Invitatie voor Mexico' las Littlemore het volgende bericht op de voorpagina.

Bij een topontmoeting tussen senator A.B. Fall van New Mexico en Elias L. Torres, speciaal gezant van de nog niet beëdigde president Obregón van Mexico, werd een invitatie aan de nog niet beëdigde president Harding verstrekt om een bezoek aan Mexico af te leggen. De invitatie verzoekt senator Harding zijn aanwezigheid in overweging te nemen bij de inauguratie van de aanstaande president Obregón in Mexico-Stad op de vijfentwintigste van deze maand. Of hij deze invitatie aanvaardt, is vooralsnog onzeker. Hedenavond volgde er geen officiële verklaring van de verkozen president. Senator Harding is er bijzonder op gebrand de vriendschappelijke betrekkingen tussen Mexico en de Verenigde Staten te herstellen, maar zijn naaste adviseurs betwijfelen of een bezoek aan buitenlandse bodem voor de verkozen president op dit moment een juiste keus is.

Littlemore zat in de trein terug naar Washington. Hij staarde een hele tijd uit het raam.

Bij aankomst in Washington ging Littlemore rechtstreeks per taxi naar de Library of Congress, even verderop in dezelfde straat als het Capitool. In de bibliotheek vroeg hij om wat basale gegevens omtrent Mexico en zijn geschiedenis. Een bibliothecaris verwees hem naar het *World Book of Organized Knowledge*. Een halfuur later liep Littlemore met versnelde tred naar het kantoor van de Senaat.

'Wat is er aan de hand?' vroeg Fall toen Littlemore in zijn kantoor werd binnengelaten.

'Ik heb dat stuk over Mexico in de krant gelezen, senator.'

'Daar ben ik nog eens trots op,' zei de senator, terwijl hij zich uitrekte en in zijn stoel onderuitzakte. 'De twee aanstaande presidenten van de twee grootste democratieën ter wereld. Dat is nog niet eerder vertoond. Harding wil er niets van weten, maar ik overtuig hem wel. Obregón zal zijn troepen uit de mijnen terugtrekken, hij zal zorgen dat we onze oliebronnen kunnen houden, en dan is de wereld weer zoals ze behoort te zijn.'

'Ik denk dat Mr. Harding beter niet kan gaan.'

'Jij geeft míj advies over ons buitenlands beleid?'

'En wat als het nou 'ns Mexico was, Mr. Fall?'

'Als Mexico wat was?'

'Als het Mexico was en niet Rusland?'

Er volgde een lange stilte.

'Weet u nog wat u me bij onze eerste ontmoeting gevraagd heeft?' vroeg Littlemore. 'Welk land heeft het meest bij de bomaanslag te winnen, welk land heeft het sterkste motief, welk land heeft het gevoel het recht te hebben om ons aan te vallen?'

'Natuurlijk weet ik dat nog.'

'Niemand had een sterker motief om een aanslag op J.P. Morgan te plegen dan de Mexicanen,' zei Littlemore. 'Morgan laat ze financieel doodbloeden, hij zorgt er al zes jaar lang voor dat er op de hele wereld geen bankier is die een cent aan de Mexicanen leent. En dat is niet eens hun enige motief. Naar ik heb vernomen, hebben ze daar een flinke hekel aan ons. Zijn ze al een hele tijd eropuit het ons betaald te zetten.'

'Wat betaald te zetten?'

'De Mexicaans-Amerikaanse Oorlog.'

'De wat...? Maar dat is ouwe koek, man. Niemand herinnert zich die oorlog nog.'

'Zij herinneren het zich, senator. Wij zijn bij ze binnengevallen. Hebben bijna hun halve land ingepikt. Mexico-Stad bezet. Hopen mensen vermoord. Er zijn daar aardig wat wreedheden begaan. Ik denk dat zij denken dat we op ze neerkijken, Mr. Fall. En dan geloven ze ook nog eens dat wij op al hun zilver en olie uit zijn, dat wij rijk worden terwijl zij straatarm zijn.'

Fall dacht na. 'Ik wilde net zeggen dat dat het achterlijkste is wat ik ooit gehoord heb, maar misschien zit er wat in. Die Torres, die nieuwe speciaal gezant, ik zal er geen doekjes om winden, ik vond hem ronduit verdacht. Alsof hij iets te verbergen had.'

'Stel nou dat ze aanstalten maken om onze oliebronnen te nationaliseren,' ging Littlemore verder. 'Dan zullen ze ons duidelijk moeten maken dat, ook al is hun leger geen partij voor het onze, zij ons op een andere manier kunnen treffen, op een nieuwe manier, een manier waar een leger niets tegen kan beginnen. Ons zo hard raken dat wij ons wel drie keer bedenken voordat we hun land binnenvallen.'

'Wil je beweren dat de aanslag bedoeld was om ons te laten zien hoe ze ons zullen bevechten als wij hun land binnenvallen?'

'Ik beweer dat als je het vanuit Mexicaans oogpunt bekijkt een hoop dingen opeens op hun plek vallen. Een aanslag op Morgan. Vergelding voor onze invasie. En een waarschuwing dat zij ons keihard zullen treffen als wij ons leger op ze afsturen nadat zij hun olie hebben teruggenomen. Drie vliegen in één klap.'

'In dat geval moeten ze eersteklas idioten zijn,' zei Fall, 'want ze zijn mooi wel vergeten ons te vertellen dat zij het gedaan hebben.'

'Ze zullen het nooit hardop toegeven,' antwoordde Littlemore. 'Want dan moeten wij het leger wel op ze afsturen, en dat is nou net wat ze niet willen. Dus moesten ze een aanwijzing achterlaten om ons te laten zien dat zij het gedaan hebben, zonder ons bewijs te geven.'

'Maar ze hebben helemaal geen aanwijzing achtergelaten.'

'Jawel,' zei Littlemore. 'Weet u wanneer de Mexicaanse Onafhankelijkheidsdag is?'

'Nee.'

'16 september.'

Fall zweeg een paar tellen. 'Weet je dat zeker? Niet de vijftiende? Niet de zeventiende?'

'De zestiende september, Mr. Fall. En het is echt een grote dag voor ze, net als voor ons.'

'Tja, ik neem het woord ironie niet snel in de mond, maar is dit niet ironisch? Ze probeerden ons te bewijzen dat ze niet zo nietig zijn, maar ze zijn zo nietig dat wij die boodschap niet eens doorhadden.'

'Er is nog iets, Mr. Fall. Twee weken voor de aanslag werd Mr. Lamont van de Morgan Bank bedreigd. Maar Lamont heeft de boel een beetje door elkaar gehaald. Hij dacht dat een bankier, ene Speyer, degene was die de dreigementen uitte, maar het was niet Speyer. Het was een Mexicaanse consul – een kerel genaamd Pesqueira – die tegen Morgan heeft gezegd dat als hij niet snel weer geld naar Mexico zou laten vloeien, de poppen aan het dansen zouden zijn.'

Aan Falls blik viel een plots besef af te lezen. 'Verdomme, die gezant Torres, die moet me vast voor een totale idioot hebben versleten. En ik begin nu zelf ook te geloven dat ik een idioot ben geweest. Zij blazen onze mensen op en ik probeer de president van de Verenigde Staten zover te krijgen vrede met ze te sluiten – nadat zij onze mijnen geconfisqueerd hebben. Misschien dat onze oliebronnen inderdaad de volgende op hun lijstje zijn. Wat een blinde oliebol ben ik geweest.'

'We hebben geen enkel bewijs, Mr. Fall. Nog niet. En we zitten nog steeds met de ontbrekende schakel: het goud.'

'Dat klopt, ja. Hoe zit het met dat goud?' Falls ogen bewogen heen en weer. 'Dat is onmogelijk, Littlemore. Je wilt zeggen dat ons goud heel toevallig op de Mexicaanse Onafhankelijkheidsdag verhuisd werd?'

'Ik denk niet dat het toeval was, senator. Zoals u al zei, hebben de Mexicanen misschien iemand binnen de overheid omgekocht; iemand die in de positie was om de datum te bepalen waarop het goud verhuisd werd. Ik ga nu naar de Mexicaanse ambassade, Mr. Fall. Ik zal die Torres aan de tand voelen. En Pesqueira.'

'Mijn god, man, als het je lukt dit tot op de bodem uit te zoeken, dan mag je je eigen ambassade uitzoeken. Van welk land zou je graag ambassadeur zijn?'

'Dat is niet mijn stiel, Mr. Fall.'

'Hoe klinkt directeur van het Bureau of Investigation je in de oren?'

❦

In de foyer van de Mexicaanse ambassade, een fors gebouw van vier verdiepingen op First Street, hing een muffe, vochtige geur, de wanden vol met van kleur verschoten strepen.

'Er zit schimmel in dit pand, mevrouw,' zei Littlemore tegen de receptioniste.

'Dat weet ik,' antwoordde ze. 'Dat zegt iedereen. Kan ik u helpen?'

De rechercheur vernam dat Elias Torres, de nieuwe gezant, zijn geloofsbrieven nog niet aan de ambassade had aangeboden, maar de volgende dag werd verwacht. Señor Pesqueira bevond zich daarentegen boven.

❧❧❧

Roberto Pesqueira was een kleine man met zorgvuldig gepommadeerd zwart haar, een streepdunne snor en kleine, maar smetteloos witte tanden. Hij leek zich geheel op zijn gemak te voelen toen Littlemore zich als agent van het ministerie van Financiën voorstelde. Als er al iets aan hem viel af te lezen, dan eerder dat hij het bezoek verwacht leek te hebben.

'Ik heb redenen om aan te nemen dat u twee maanden geleden in New York City een man heeft bedreigd, Mr. Pesqueira,' zei Littlemore.

'Welke man?'

'Thomas Lamont. Twee weken voor de aanslag in Wall Street.'

Op een van de hoeken van Pesqueira's bureau lag een stapeltje keurig opgevouwen witte zakdoeken. Hij pakte er een van af en veegde ermee over zijn tanden. 'Uw keizer,' zei Pesqueira.

'Pardon?'

'Señor Lamont is de koning op jullie troon. En alle anderen zijn zijn lakeien. Wilson, jullie zogenaamde president, is zijn lakei.'

'U ontkent de dreigementen niet?'

'De Morgan Bank heeft mijn volk zes jaar in een wurggreep gehouden,' zei Pesqueira. 'Uw regering heeft in mijn land twintig jaar lang een corrupte dictator in het zadel gehouden. Jullie houden mijn land bezet. Jullie stelen Californië van ons. Jullie dreigen dat jullie weer een oorlog beginnen als wij onze constitutionele wetten niet veranderen. En u beschuldigt mij ervan dreigementen te hebben geuit?'

'Ik doe gewoon mijn werk, Mr. Pesqueira.'

'Is dat zo? Dan bent u vast de eerste twee woorden van het volkerenrecht vergeten.'

'En die luiden?'

'Diplomatieke onschendbaarheid. Jullie wetten zijn niet op mij van toepassing. U kunt me niet arresteren. U kunt mijn huis niet doorzoeken. U kunt mij zelfs niet ondervragen.'

'Dacht het niet. U bent consulair medewerker, net als Juan Burns was,' zei Littlemore, verwijzend naar een Mexicaanse consul die in 1917 wegens illegale wapentransacties achter de tralies was verdwenen. 'U heeft geen diplomatieke onschendbaarheid.'

'Mijn excuses, u bent niet zo onnozel als ik had aangenomen; daar raak je bij Amerikanen zo aan gewend. Maar ik ben niet langer consulair medewerker. Zoals u ziet, bevindt mijn kantoor zich nu in de ambassade en, zoals u ongetwijfeld weet, geniet iedere ambassadefunctionaris de onschendbaarheid van een diplomaat. Formeel gezien bevindt u zich nu op Mexicaanse bodem. Zonder mijn toestemming mag u zich hier niet ophouden. Zal ik de politie bellen, agent Littlemore?'

⁂

Littlemore haastte zich terug naar het kantoor van Mr. Fall, klopte bij hem aan en stapte, zonder op de protesten van een van de assistenten van de senator te letten, bij hem binnen.

'Je kunt hier niet zomaar binnenvallen, kerel,' zei Fall vanachter zijn bureau, zijn witte krulsnor een scherp contrast met zijn blozende gelaat.

'Neemt u mij niet kwalijk, Mr. Fall,' zei Littlemore. 'Maar ik moet weten waar ik die Mexicaanse gezant kan vinden, die Torres over wie u het had. Nu. Onmiddellijk.'

'Hoezo?'

'Hij behoort nog niet tot het ambassadepersoneel. Hij kan zich niet op diplomatieke onschendbaarheid beroepen. Kunnen we er niet achter komen waar hij woont?'

'Dat is precies waar ik goed in ben,' zei Fall. 'Maak het je gemakkelijk in mijn wachtruimte. Dit kan even duren.'

Littlemore ging naar de wachtkamer van de senator, maar in plaats van het zich gemakkelijk te maken ijsbeerde hij continu op en neer en blikte steeds weer op zijn horloge. Hij besloot een kop koffie te halen. Ruim twee uur later daagde eindelijk de zakelijke doch buitensporig mooie Mrs. Cross op met een adres en een autosleutel. 'Mr. Torres heeft een appartement in Crescent Place gehuurd,' zei ze. 'Senator Fall zei dat je een van zijn automobielen kunt gebruiken, als je wilt. Ik wijs je wel waar ze staan.'

⁂

In de kelder van het kantoor van de Senaat vervoerde een elektrische monorail mensen via een ondergrondse tunnel van en naar het Capitool. Mrs. Cross ging Littlemore voor naar een garage, waar ze op de bestuurdersstoel van een open sedan plaatsnam.

'Neem me niet kwalijk, Mrs. Cross,' zei Littlemore. 'Maar dit kan ik beter in mijn eentje afhandelen.'

'Omdat het wel eens gevaarlijk kan worden?'

'Inderdaad.'

'Ik hou wel van gevaarlijk,' antwoordde ze. 'En trouwens, je hebt haast;

heb je enig idee waar Crescent Place is?'

'Nee.'

'Dan wil je daar geen tijd aan verspillen. Stap in.'

⁕

Toen ze bij een smalle laan in een chique wijk aankwamen, minderde Mrs. Cross vaart. Ze waren in Sixteenth Street. In de achteruitkijkspiegel waren in de verte nog net de hekken van het Witte Huis zichtbaar. Mrs. Cross draaide de kronkelende laan in en parkeerde voor een kleine appartementenwoning. Het begon al te schemeren.

Littlemore vond de naam, ELIAS TORRES, met relatief verse inkt met de hand naast de brievenbus van appartement 3B geschreven. Op de derde verdieping aangekomen, belde Littlemore aan. Mrs. Cross stond achter hem.

'Wie ies daar?' vroeg een stem met Spaans accent vanuit de woning.

'Federaal agent James Littlemore,' zei Littlemore. 'Bent u Elias Torres?'

'Si.'

'Wat zei u?'

'Ik Elias Torres.'

'Ik wil u een paar vragen stellen, Mr. Torres.'

'*Que?*'

'Over de bomaanslag in Wall Street,' antwoordde Littlemore.

Er volgde een stilte. 'Goed. Wacht even, ik mijn overhemd aantrekken.'

'Ik geef u dertig seconden,' zei de rechercheur. Littlemore legde zijn oor op de deur. Hij hoorde gehaaste voetstappen en een raam dat hardhandig geopend werd.

'Hij gaat ervandoor,' zei Mrs. Cross.

'Dat weet ik,' antwoordde Littlemore.

'Moet je niet iets doen?' vroeg ze.

'Ja. Wachten totdat ik zeker weet dat hij weg is.' Littlemore bonsde op de deur. Toen er geen reactie volgde, haalde de rechercheur een loper en een metalen vijl tevoorschijn. Hij ging met het slot aan de slag. 'Het is niet Torres die we willen, Mrs. Cross.'

'Waarom niet?'

'Hij is hier net uit Mexico aangekomen,' antwoordde Littlemore, terwijl hij zijn vijl tussen de deurlijst en de grendel op en neer bewoog. 'Hij heeft zijn kantoor op de ambassade nog niet betrokken. Dus heeft hij geen diplomatieke onschendbaarheid. En mogen we alle dozen en overheidspapieren doorzoeken die hij heeft meegebracht; dat is wat we willen. Maar zonder huiszoekingsbevel kun je niet zomaar bij iemand inbreken en door zijn spullen snuffelen – behalve natuurlijk wanneer een verdachte de benen probeert te nemen.'

De grendel begaf het.

'Jij doet ook alles volgens het boekje, New York.'

'Iemand moet zich toch aan de regels houden.' Een bries deed de gordijnen in de huiskamer wapperen. Littlemore keek naar buiten: het raam gaf toegang tot een brandtrap. 'Dus zo is hij weggekomen.'

Het appartement was met goedkope nieuwe spullen ingericht, met hier en daar een aquarel van clowns en stieren aan de wand en een vaas bloemen op een prullerige tafel. Littlemore doorzocht de kamers, de kasten, de laden. Hij vond niets – slechts een handjevol kledingstukken en persoonlijke bezittingen. Mrs. Cross stond in de huiskamer een sigaret te roken. 'Slimme zet,' zei ze, 'om hem te laten lopen.'

'Dat was niet zo snugger van me, hè?' vroeg Littlemore.

'Een pietje-precies, die Mexicaan van ons,' zei Mrs. Cross, terwijl ze een schone asbak op de eettafel gebruikte. 'Maar hij had zijn vloer wel een beetje beter mogen aanvegen.'

Littlemore volgde haar blikrichting. Bij de plint onder aan de muur lag een hoopje zaagsel. Anderhalve meter boven het zaagsel hing een aquarel van een stierengevecht.

'Hebbes,' zei Littlemore.

Hij tilde het schilderij van het haakje. Erachter was een gat geboord; een gat dat groot genoeg was om een hand doorheen te wringen. Hetgeen Littlemore prompt deed. Hij trok er een kartonnen koker uit tevoorschijn. Aan weerszijden van de koker staken de hoeken van opgerolde documenten uit. Littlemore trok de papieren eruit, spreidde ze op de tafel uit en hield ze met beide handen plat zodat ze niet terugrolden.

Een deel van de documenten bestond uit foto's. Er was ook een brief bij, in het Spaans, met het zegel en briefhoofd van een Mexicaans ministerie erop, en een schets.

'Christene zielen,' zei Littlemore. 'Christene zielen nog aan toe.'

⁂

'Waarom gaan we langs de brandtrap omlaag?' vroeg Mrs. Cross, een paar treden hoger op de metalen trap dan Littlemore.

'Als ze ons staan op te wachten, staan ze geheid bij de ingang.'

'Wie zou ons willen opwachten?'

'Als ik Elias Torres was en ik had die documenten achtergelaten, dan zou ik daar vast en zeker voor terugkomen. Met wat vrienden. Bewapende vrienden. Hou 'm even vast.'

Terwijl hij Mrs. Cross de kartonnen koker met de documenten erin aanreikte, klom Littlemore langs een korte ladder omlaag. Onder aan de ladder moest hij de laatste twee meter naar de grond met een sprong overbruggen. Hij bevond zich op een uitgestorven plaatsje aan de achterkant van het gebouw.

'Laat de koker vallen,' zei hij rustig, 'en kom dan omlaag.'

Ze volgde zijn aanwijzing op, maar toen ze bij de laatste sport van de ladder aankwam, op een kleine twee meter boven de grond, keek ze hem aan en zei: 'Wat nu?'

'Gewoon loslaten,' zei hij. 'Ik vang u wel.'

Ze aarzelde.

'Spring dan toch, jezus nog aan toe,' fluisterde hij.

Ze sprong; hij ving haar op. Ze hield een hand tegen zijn borst gedrukt. 'Je bent sterker dan je eruitziet.'

'Is dat als compliment bedoeld?' vroeg hij. 'Geef maar geen antwoord. Houd u zich gedeisd.'

Hij loodste Mrs. Cross langs de achterkant van de appartementenwoning, zij een paar passen achter hem, en drukte zich tegen de muur toen ze bij de straat aankwamen. Voorzichtig tuurde Littlemore om de hoek en zag vier mannen bij de voorkant van de woning, de hoeden diep over hun hoofden getrokken. Eentje zat op de motorkap van de sedan waarin Mrs. Cross en hij waren aangekomen; de man zat achteloos zijn schoen te poetsen. Littlemore trok zijn wapen.

'Wacht,' fluisterde Mrs. Cross. 'Ik ga wel. Ze weten niet dat je een vrouw bij je hebt. Op de Avenue of the Presidents pik ik je op.'

'Waar is die?'

'Dat is Sixteenth Street.' Ze wees in die richting. Zonder ook maar een spoor van zenuwen, paradeerde ze vervolgens onverschrokken de straat in. Terwijl ze naar haar auto slenterde, stootten de mannen elkaar aan. De een floot, de ander stelde haar een vraag van persoonlijke aard, waarop Mrs. Cross geen antwoord gaf. Toen ze achter het stuur klom en de motor startte, leunde de man op de motorkap over de voorruit.

'Waar moet jij zo nodig heen, schatje?' vroeg hij. Misschien dat hij dacht dat ze niet weg durfde te rijden met een man op haar motorkap. Als dat zo was, zat hij er pijnlijk naast.

'Als je er niet af dondert, kom je daar vanzelf achter,' antwoordde Mrs. Cross. Ze schakelde de wagen in de eerste versnelling en schoot bij de stoeprand vandaan zodat de man op het trottoir smakte. Zonder om te kijken, maakte ze een wuivend gebaar naar de vier mannen en schoot ze de eerste de beste hoek om. Littlemore had intussen van de afleiding gebruikgemaakt om ongemerkt in de andere richting weg te lopen.

❦

Vanuit tegenovergestelde richting troffen Mrs. Cross en Littlemore elkaar in Sixteenth Street, door de ambitieuze bewoners inmiddels omgedoopt tot Avenue of the Presidents. Littlemore keek snel over zijn schouder voordat hij instapte: niemand volgde hen.

'Waarheen?' vroeg ze.

'Je senator? Waar hangt die op dit moment uit?'

'Mr. Fall? Die is thuis. In het Wardham Park Hotel. Niet ver van hier.'

'Laten we gaan.' Hij keek opnieuw achterom. 'Goed werk, Mrs. Cross.'

'Waarom heb je naar mijn voornaam gevraagd als je die toch niet gebruikt?' antwoordde ze.

❦

De centrale lobby van het duizend kamers tellende Wardham Park aan Connecticut Avenue, dat op een pastorale heuvel van ruim zes hectare lag en verschillende vleugels telde, was licht en luchtig, en niet alleen volgestouwd met gloednieuwe automobielen maar, ondanks het late uur, ook met een grote schare kijkers die zich aan de wagens vergaapten. 'Een autoshow,' zei Littlemore misprijzend. 'De hele wereld is een beestenbende en het enige waar deze mensen aan kunnen denken is een nieuwe auto.'

'Agent Littlemore toch,' zei Mrs. Cross, 'op zo'n duistere toon had ik je nog niet eerder horen praten. Ik dacht dat jij altijd alles van de positieve kant bekeek.'

'Ze hebben hier wel honderd liften. Welke kant moeten we op?'

'Volg mij maar.'

Op de zevende verdieping opende senator Fall, gekleed in een donkerrood smokingjasje, persoonlijk de deur van zijn vertrekken. Mrs. Cross liep zonder dralen naar binnen en deed alsof ze thuis was. Littlemore stond in de deuropening. 'Heb je iets gevonden?' vroeg Fall.

Littlemore knikte.

'Heb je het Houston laten zien?'

'Dat kan ik niet,' zei Littlemore.

❦

Littlemore spreidde de documenten op de eettafel van senator Fall uit en Mrs. Cross zette twee tumblers whisky met ijs voor de mannen neer. Voor zichzelf schonk ze er ook een in. 'Waar zijn die foto's van?' vroeg ze.

'Zo te zien een militair trainingskamp ergens in Mexico,' zei Littlemore. 'Dat daar is een schietterrein. En dat zijn machinegeweren. Op deze zie je mensen met lonten en ontstekers in de weer.'

'Wat is deze lijst met namen?' vroeg Fall.

'Dat lijken me mensen die in het kamp zijn geweest. Ziet u wel, hier staat hoe lang ze er gezeten hebben, op welke data en welke wapentraining ze hebben gehad. Ze komen uit de hele wereld. Ze hebben Italianen, Russen... noem maar op.'

'Het is goddomme een opleidingskamp voor terroristen,' zei Fall, 'pal onder onze neuzen.'

'Ziet u deze twee namen hier, Mr. Fall?' vroeg Littlemore.

'Sacco en Vanzetti,' zei Fall.

'Het ziet ernaar uit dat Flynn het niet helemaal bij het verkeerde eind had,' zei Littlemore. Toen legde hij een ander, dikker vel papier boven op de andere. Hierop stond een zorgvuldig geschetste pentekening, compleet met pijlen en Spaanse bijschriften.

'Mijn god,' zei Fall.

'Wat is dit?' vroeg Mrs. Cross, nippend aan haar whisky.

'Een schematische weergave voor het plaatsen van granaatscherven rond een bom die op een wagen is geladen, een paard-en-wagen.'

Niemand sprak.

'En dat is nog lang niet alles, senator. Moet u dit zien.'

Littlemore wees naar een document met het briefhoofd van de thesaurier-generaal van Mexico met, helemaal onderaan, de handtekening van het heerschap. Tussen beide formele indicaties stonden verschillende paragrafen in bloemrijk Spaans. De senator las ze.

'Begrijp je wel wat deze brief betekent, kerel?'

'Ja, Mr. Fall. Het is een machtiging om 1.115.000 dollar over te maken naar de rekening van drie Amerikaanse senatoren en een kabinetslid.'

'Bent u een van die drie, senatorlief?' vroeg Mrs. Cross onschuldig.

Fall petste Mrs. Cross op de zijkant van haar bil. 'Nee, ik niet. Maar wel Borah, Cotton Tom Heflin en Norris, de drie grootste vrienden in het Congres van die bandieten die het in Mexico voor het zeggen hebben.'

'Senator Borah, is dat niet die van die verhouding met Alice Roosevelt?'

'Is dat het enige waar jullie vrouwen aan kunnen denken?' vroeg Fall.

'Dat kan verklaren waarom Mr. Borah extra geld nodig had,' antwoordde Mrs. Cross. 'Welk kabinetslid verrijkte zich?'

'Mr. Houston van Financiën,' antwoordde Littlemore.

⁘

Tegen middernacht begonnen belangrijke mannen in senator Falls kamers in het Wardman Park Hotel binnen te stromen. Teruggetrokken in Falls privéstudeervertrek zetten ze zich aan een discussie waarvan Littlemore was buitengesloten, al werd de rechercheur nu en dan binnengevraagd om de omstandigheden te herhalen waaronder hij de documenten had gevonden. De bijeenkomst nam uren in beslag. Naar de scherpte van de stemverheffingen te oordelen, verliep de bespreking polemisch, soms zelf venijnig. Op zeker moment hoorde Littlemore senator Fall beweren dat president Taft voor Wilson in 1912 'niet minder' had gedaan.

Ten behoeve van Littlemore voorzag Mrs. Cross enkelen van de mannen van een naam: Mr. Colby, de minister van Buitenlandse Zaken; Mr. Baker, minister van Oorlog; Mr. Daniels, minister van Marine; Mr. McAdoo, die Littlemore in het bijzijn van commissaris Enright en de burgemeester had ontmoet; en Mr. Daugherty, de gedoodverfde nieuwe minister van Justitie. 'Senator Harding zou er zelf ook bij zijn geweest,' zei ze, 'maar hij is op vakantie, de bofkont. Niet dat hij ook maar één beslissing genomen zou hebben. Dit zijn de mannen die de besluiten nemen.'

'Dus die McAdoo, dat is de schoonzoon van de president? Die moet toch zeker even oud zijn als Wilson zelf.'

'In deze stad vallen meisjes op oudere mannen,' antwoordde Mrs. Cross. 'Eleanor moet rond de twintig zijn geweest toen ze zich met hem verloofde. Hij was vijftigplus. Maar wel een hele knappe vijftigplusser. Je vindt het maar niets als meisjes belangstelling hebben voor oudere heren?'

'Ik vraag me af wat de president ervan vond,' zei Littlemore, denkend aan zijn eigen dochters.

'Ze zeggen dat hij er kapot van was. Indertijd was Mr. McAdoo lid van Mr. Wilsons kabinet. Maar de president liet hem gaan en vervolgens torpedeerde hij afgelopen juni zijn Democratische nominatie. Ik denk dat McAdoo anders een goede kans had gemaakt onze volgende president te worden. Arme Eleanor. Ik vraag me af hoe ze er nu onder is.'

'Wilson heeft de echtgenoot van zijn eigen dochter uit het kabinet gezet?'

'O, Mr. McAdoo is er wel weer bovenop gekomen. Hij is een zeer vooraanstaande advocaat. Hij is hier omdat hij de locaties kent van de grootste oliebronnen in Mexico, die aan een van zijn cliënten toebehoren. Ik geloof dat Mr. Brighton een kennis van je is. Je bent met zijn trein naar New York gereisd. Een prachtding, vind je niet?'

'Hoe weet iedereen toch wat ik doe?' vroeg Littlemore.

'Waren er ook meisjes in Mr. Brightons trein?'

'Nee.'

'Zonde. Die ene keer dat ik was uitgenodigd waren die er wel. Nou ja, ik hou het voor gezien.' Het was na tweeën. Aan de voet van de trap draaide ze zich om. 'Zou je even met me mee naar boven willen komen, agent Littlemore? Ik moet je iets vragen.'

Het appartement van senator Fall telde twee verdiepingen. Klaarblijkelijk waren de slaapkamers boven. De bewegingen van haar lichaamsvormen bij het bestijgen van de trap waren nog moeilijker te weerstaan dan op een egale ondergrond. Hij volgde haar en trof haar in het gastenvertrek, waar ze bezig was haar oorbellen af te doen. 'Doe de deur dicht,' zei ze.

'Waarom?' vroeg Littlemore.

'Dat zei ik toch; omdat ik je iets wil vragen.'

Hij deed de deur dicht. Ze bevrijdde haar blonde lokken en schudde ze los. 'Wat wilde u me vragen, Mrs. Cross?'

Ze ging dicht tegen hem aan staan. Op haar hoge hakken was ze precies even groot als hij. 'Heeft Mrs. Littlemore er enig besef van hoe belangrijk haar man zal worden?'

'Weet Mr. Cross hoe zijn vrouw haar nachten doorbrengt?'

'Er is geen Mr. Cross meer. Hij is tijdens de oorlog omgekomen.'

'Het spijt me dat te horen, en ik voel me vereerd, heel erg, maar het kan niet. Er zijn regels voor dit soort dingen.'

'Regels?' Ze deed haar schoenen uit, eerst de ene, toen de andere, en keek naar hem op, terwijl ze haar handen op zijn borst legde. 'Dit is Washington, agent Littlemore. Hier gelden de regels niet.'

'Misschien niet,' zei hij, terwijl hij haar handen wegschoof. 'Maar ik ben van het boekje, weet je nog.'

⁂

Om halfzes de volgende morgen was de bijeenkomst afgelopen. Er werd niet veel gezegd, en de gezichten stonden ernstig terwijl de lange, donkere overjassen een voor een uit senator Falls appartement vertrokken.

'Ik word hier te oud voor,' zei Fall tegen Littlemore nadat iedereen was weggegaan en hij zich nog een whisky inschonk, waarna hij zich in een gemakkelijke stoel installeerde. 'Het bevel tot oorlog wordt morgen uitgevaardigd. Het zal even duren om de troepen bij de grens te krijgen. Ik heb ze gezegd dat we een half miljoen soldaten nodig hebben.'

'Een half miljoen?'

'Baker denkt dat we het ook met een vijfde van dat aantal afkunnen, maar dat is omdat hij niet heeft nagedacht over wat ons te wachten staat nadat we gewonnen hebben. We zullen jezus nog aan toe een heel land moeten besturen.' Fall nam een slok en trok een vies gezicht. 'Waar is Grace? Ik moet mijn melk hebben. Wilsons mensen willen het nog niet openbaar maken dat Mexico achter de aanslag in Wall Street zat. Dat is waar ik met ze over geknokt heb. Ze zijn bang dat mensen in paniek zullen raken als ze beseffen dat de vijand onze steden aan gruzelementen kan bombarderen. Ik heb ze gezegd dat het Amerikaanse volk niet uit watjes bestaat. Ze zullen een oorlog eisen als ze erachter komen. Hoe dan ook, vooralsnog houdt Baker de lippen op elkaar over de aanslag. In de kranten zullen ze het afdoen als een vergelding voor het feit dat Obregón onze mijnen heeft ingepikt.'

'Wat gaan ze aan Mr. Houston en de drie senatoren doen?'

'Voorlopig niets.'

'Dat dacht ik al. Het enige wat we hebben, is een machtiging van de Mexicanen om het geld over te maken. Dat is geen bewijs dat ze het geld ook daadwerkelijk hebben aangenomen. Het is überhaupt geen bewijs van wat voor misdrijf dan ook. Daarvoor hebben we meer nodig.'

'Je hebt je land een geweldige dienst bewezen, Littlemore.'

'Dank u, Mr. Fall,' zei Littlemore.

Toen Littlemore wegging kwam de zon al op. De novemberlucht was koud en zuiver; overal hing de geur van brandende bladeren. Littlemore liep de drie kilometer terug naar zijn hotel. Toen hij daar aankwam, nam hij een douche, terwijl hij erover nadacht hoe zich tegenover minister Houston te gedragen en hoe hij het op het ministerie moest aanpakken. Hij bleef nog een hele tijd onder het stomende water staan.

18

'Je vindt het vast leuk om me in het ongewisse te laten,' zei Colette tegen Younger in hun slingerende vliegtuig. Ze moest schreeuwen om boven het geraas van de propeller uit te komen.

Het enige wat Younger tegenover Colette over hun nieuwe bestemming, Parijs in plaats van Bremen, had willen loslaten, was dat hij een paar vragen had die wellicht alleen Marie Curie kon beantwoorden. Ver onder zich zag hij de kronkelende loop van de Donau, die de piloot kennelijk volgde. 'Ja, dat moet knap frustrerend zijn,' antwoordde hij Colette, 'vooral daar je zelf zo'n toonbeeld van openheid bent.'

Toen ze Parijs eindelijk hadden bereikt, vlogen ze zo rakelings langs M. Eiffels toren dat ze die bijna leken te schampen. Op de landingsstrook koesterden een paar andere, lukraak opgestelde toestellen zich in de warme middagzon en er was zelfs een loket om vliegbiljetten te kopen, maar verder was het er uitgestorven. Uiteindelijk nam de piloot, zelf een Parijzenaar, ze in zijn gammele auto mee naar het centrum.

Colette wees een paar van haar lievelingsplekjes aan terwijl ze de brug overstaken naar het Trocadéro en zijn spectaculaire, krabvormige oosterse paleis, waar mannen met hoge hoeden en vrouwen met parasols rond de zonnestralen weerkaatsende vijvers flaneerden. Ze wees de piloot de weg naar het Radiuminstituut. 'Vergeet niet,' zei ze tegen Younger, 'dat de gezondheid van madame te wensen overlaat en haar gezichtsvermogen achteruitgaat.' Colette schudde haar hoofd. 'Een paar jaar terug hebben ze haar bijna haar graf in geroddeld. En nu is ze de ster van Parijs en doen ze allemaal net alsof het nooit gebeurd is.'

❧

Gezien vanaf de Rue Pierre Curie zag het Radiuminstituut er meer als een gerieflijke burgerwoning uit dan als een wetenschappelijk laboratorium. 'Toen ik voor het eerst door deze deur kwam en de apparatuur van madame zag,' zei Colette, 'dacht ik dat dit het grootste en beste laboratorium ter wereld moest zijn. Totdat ik in Amerika jullie marmeren paleizen der wetenschap zag. In jouw ogen stelt het vast niks voor.'

Binnen was de uitrusting inderdaad van zeer hoge kwaliteit: rijen elektrometers, bunsenbranders, retorten met gedraaide hals, stuk voor stuk fonkelend van een angstvallig gehandhaafde steriliteit. Nadat ze wat oude vrienden had begroet, leidde Colette Younger uiteindelijk naar de geopende deur van een kamer met een hoog plafond, groot raam en een bureau in plaats van een laboratoriumtafel. Een vrouw met grijs haar stond in de kamer aanwijzingen te geven aan een assistente die met grote zorg apparatuur in een doos stopte.

Colette klopte op de open deur en zei: 'Madame?'

Marie Curie draaide zich om en tuurde. 'Wie is daar?'

'Ik ben het, madame, Colette,' zei Colette.

'Mijn lieve kind,' riep madame Curie stralend van vreugde. 'Kom hier. Kom onmiddellijk hier.'

Marie Curie zag er ouder uit dan haar tweeënvijftig jaar. Haar bovenlip was doorgroefd met verticale plooitjes, haar handen waren gevlekt, haar vingertoppen rood. Ze droeg haar grijze haar in een strakke knot. Een eenvoudige, zwarte jurk bedekte haar hele gestalte, van de hooggesloten kraag tot aan de lange mouwen en de zoom, die tot op de vloer reikte. Maar haar houding was kaarsrecht en trots, en ze had een nobel voorhoofd dat een sereniteit uitdrukte die ongevoelig leek voor de woelingen van het menselijk lot.

'Die verdraaide staar ook,' ging madame Curie verder. 'Volgende maand word ik geopereerd. De artsen hebben me een volledig herstel beloofd. Laat me je van dichtbij bekijken – wel allemachtig, je bent nog mooier geworden.'

Colette stelde Younger voor en legde aan madame Curie uit dat hij haar, als het uitkwam, een paar vragen wilde stellen.

'Dr. Stratham Younger,' zei madame Curie, terwijl ze hem de hand schudde. 'Ik ken die naam. Was u een van de soldaten die hier vorig jaar een opleiding hebben gevolgd?'

'Nee, madame, maar in Frankrijk heb ik velen met uw röntgenapparatuur behandeld. Amerika is u zoveel dank verschuldigd dat we die schuld onmogelijk ooit kunnen inlossen.'

'Nu weet ik het weer,' zei ze. 'U was degene die de aanzet tot het hele programma heeft gegeven. Uw naam dook in de correspondentie op. Ik kan u niet genoeg bedanken. Dankzij uw leger konden we het hoofd boven water houden toen al onze andere fondsen waren opgedroogd.'

Colette keek Younger verbaasd aan.

'Wij hadden er de meeste baat bij,' antwoordde Younger. 'Uw mobiele röntgenapparatuur is veel beter dan alles wat wij ooit gehad hebben. Hetgeen ik alleen maar kon weten doordat Miss Rousseau zo vriendelijk was haar expertise belangeloos aan onze mannen ten dienste te stellen.'

'Je hebt me nooit verteld dat je met de Amerikanen hebt samengewerkt,' zei madame Curie tegen Colette. 'Maar we hebben allemaal zo onze geheimpjes, nietwaar? Laat ik even thee voor je zetten. Wat vind je van Amerika, mijn kind?'

'Alles is daar mogelijk,' antwoordde Colette. 'Ten goede en ten kwade – zo voelt het daar. U zou de fabriek moeten zien waar het radium wordt verwerkt. Er stijgt continu zwarte rook uit de schoorstenen. Vrachtwagens rijden af en aan om de erts af te leveren die per trein van drieduizend kilometer verderop uit Colorado wordt aangevoerd. De fabriek draait dag en nacht door, en ze gebruiken uw isolatiemethode, madame. Ze werken niet met pekblende, maar met een erts dat carnotiet heet. Ze zeggen dat er genoeg carnotiet in Amerika is om negenhonderd gram radium te maken.'

Madame Curie zweeg even. 'Negenhonderd gram,' zei ze ten slotte. 'Wat ik al niet met tien gram zou kunnen doen. Vergeef me. Ik wil niet bitter klinken. Maar je weet dat Pierre en ik onze ontdekkingen lang geleden hadden kunnen patenteren, toen er op de hele wereld nog niemand had gehoord van radium of van de mogelijkheid van radioactiviteit gedroomd had. Iedereen raadde ons aan patent aan te vragen op onze methoden voor het isoleren van radium, maar dat hebben we geweigerd. Daar mag het niet om draaien in de wetenschap. Radium behoort aan de hele mensheid toe. Maar toch, hadden we een tikkeltje zelfzuchtiger gehandeld, dan zat ik nu niet zonder radium, en met een heel klein beetje radium zouden we al zoveel kunnen bereiken – zovelen kunnen genezen – het kind kunnen redden dat misschien wel tot de nieuwe Newton zou zijn uigegroeid. Nu heb ik geen milligram over. Alleen maar radongas. Er liggen nog zoveel experimenten te wachten. En al die patiënten die we dag in dag uit moeten wegsturen.'

Niemand zei iets.

'En hoe gaat het met de onstuitbare Mrs. Meloney?' vroeg madame Curie aan Colette, en ze hervatte haar gebruikelijke energieke en opgewekte toon. 'Zij is nou zo'n echte niets-is-onmogelijk-Amerikaan. Bestaat er enige kans op dat ze genoeg geld bijeenkrijgt om een gram radium voor ons te kopen?'

'Ik ben bang dat het fonds nog niet toereikend is, madame,' antwoordde Colette bedroefd. 'Bij lange na niet.'

'Nou ja, ik heb er ook nooit in geloofd,' zei madame Curie. 'Ze heeft een goed hart, Mrs. Meloney, maar haar manier van denken is niet erg wetenschappelijk. Maak je geen zorgen. Als er geen gram Amerikaans radium voor ons is, zal ik er niet om treuren. Dan hoef ik de oceaan niet over te steken om overal toespraken te houden. Je weet wat een hekel ik daaraan heb. Ik ben er veel te moe voor. Maar wat kan ik voor u betekenen, dr. Younger?'

'Met uw permissie, madame,' zei Younger, 'zou ik graag een tekening voor u willen maken. Onlangs heb ik een aantal röntgenfoto's van de hals van een jonge vrouw gemaakt. De foto's toonden een patroon dat ik nog nooit eerder had gezien. Maar ik kan het wel tekenen, en nu hoop ik dat u mij misschien kunt vertellen of het u iets zegt.'

'Madame is geen röntgenoloog, Stratham,' wees Colette hem terecht. 'Ze is in radium gespecialiseerd, niet in röntgenstralen.'

'Maar natuurlijk,' antwoordde madame Curie. 'Laat hij zijn tekening maar maken. Ik ben benieuwd.'

Younger kreeg pen en papier toegeschoven en begon te tekenen. Hij vulde het blad met het vreemde, pulserende, kruislings gearceerde schaduwpatroon dat hij op de röntgenfoto's van dat meisje McDonald had gezien. Toen hij klaar was, hield madame Curie het vel vlak voor haar ogen, toen van zich af, toen weer vlak voor zich. 'De röntgenstralen,' zei ze, 'hebben de hals van de vrouw niet gepenetreerd.'

'Precies,' antwoordde Younger. 'Iets hield de stralen tegen.'

'Of er was sprake van interferentie,' antwoordde madame Curie. 'Je weet zeker dat wat je gezien hebt röntgenfoto's van een persoon waren en niet van een of ander ding?'

'Ik heb ze zelf gemaakt. De jonge vrouw had een gezwel aan haar hals en kaak. Korrelig. Groter dan elk abces dat ik ooit eerder heb gezien.'

'Ik ken dit patroon. Ik ken het maar al te goed.'

'Het is radium, nietwaar?'

'Radium?' herhaalde Colette.

'Zonder twijfel,' zei madame Curie.

'Maar hoe...?' vroeg Colette.

'Radium is röntgenopaak, bestand tegen röntgenstralen,' legde madame Curie uit. 'En daar komt nog bij dat de gammastralen die door radiumatomen worden uitgezonden fysische eigenschappen hebben die praktisch identiek zijn aan die van röntgenstralen. Met als gevolg dat de beide sets van golven met elkaar interfereren. Wanneer een object dat radium bevat met röntgenstralen wordt doorgelicht, houden we een interferentiepatroon over: dit patroon.'

'Wat gebeurt er met iemand,' vroeg Younger, 'die langere tijd radium in haar lichaam heeft?'

Madame Curie legde de tekening neer. 'Over radium moet je één ding goed begrijpen,' zei ze, 'namelijk hoe weinig we ervan begrijpen. De natuur heeft het zo lang verborgen gehouden. Binnen de radiumatomen bevindt zich een heksenketel aan krachten die we niet kunnen zien, een bron van bijna onmetelijke kracht. Op de een of andere manier heeft de ontlading van deze atomaire krachten een heftige uitwerking op levende dingen. Radioactiviteit heeft nauwelijks impact op levenloze zaken als lood of een vel papier. Maar op alles wat leeft, is het effect enorm en onvoorspelbaar. Vakkundig toegediend beschikt radium over ongekende medische mogelijkheden. Ikzelf heb de radiumbehandeling voor kanker ontdekt; als we in Frankrijk radium met een naald in een kankergezwel inbrengen, wordt dat Curietherapie genoemd.'

'In Amerika ook,' zei Colette.

'Sommigen denken dat radioactiviteit de zo lang gezochte bron van eeuwige jeugd is,' ging madame Curie verder. 'Zonder twijfel heeft het een geneeskrachtige werking. Maar radium is tegelijkertijd ook een van de gevaarlijkste elementen op aarde. De straling ervan lijkt in de moleculaire structuur van het leven zelf in te grijpen. Hoe dat kan, is niet bekend. Het is een angstaanjagend gif. Als iemand daar ook maar iets van binnenkrijgt, is hij niet meer te redden. Zodra het in het menselijk lichaam zit, kan de stof op geen enkele manier meer onschadelijk worden gemaakt.'

※

Voor het Radiuminstituut zei Colette: 'Maar hoe kan Miss McDonald radium hebben binnengekregen?'

'Waar was je op 16 september,' vroeg Younger, 'voordat je Littlemore en mij trof, voordat we met z'n allen naar Wall Street gingen?'

'Toen had ik net een bezoek aan de radiumkliniek gebracht,' zei Colette, 'in het Post-Graduate Hospital.'

'Waar ze de Curietherapie toepassen,' zei hij. 'Je hebt Littlemore en mij er die ochtend over verteld. Ik wist wel dat dat meisje McDonald geen syfilis had.'

'Wat bedoel je?'

'Ze heeft kanker. Hals- of kaakkanker.'

'Wacht even... denk je dat ze een patiënt van de radiumkliniek is geweest?'

'Laten we eens aannemen dat Miss McDonald kanker heeft. Als haar artsen een knip voor de neus waard zijn, dan hebben ze haar voor behandeling naar het academisch ziekenhuis gestuurd; dat is de beste radiumkliniek van de stad. Maar misschien dat er daar iets fout is gegaan. Misschien dat ze de behandeling verknoeid hebben en de naald met radium die bij haar was ingebracht niet meer konden terugvinden. Las ik laatst niet dat het Post-Graduate Hospital voor tienduizend dollar aan radium is kwijtgeraakt? Misschien dat die in de hals van het meisje is achtergebleven. Na een paar weken is de pijn ondraaglijk. Ze gaat terug naar de kliniek en smeekt hen om hulp. Daar ontkennen ze hun miskleun, daar weigeren ze hun fout toe te geven. Opeens ziet ze jou. Op de een of andere manier heeft ze het zich in haar hoofd gehaald dat jij haar kunt helpen. Ze besluit je te volgen.'

'Hoe had ik haar dan kunnen helpen?'

'Geen idee, maar weet jij iets beters?'

Er schoot Colette iets te binnen. 'Maar de avond tevoren heeft Amelia dat briefje in het hotel voor ons achtergelaten; namens die bende van kidnappers, zoals jij ze noemt. Wil je daarmee zeggen dat Miss McDonald niets met Amelia te maken had?'

'Dat weet ik niet. Maar iemand moet dat radium uit de hals van Miss McDonald verwijderen. God weet wat het daar allemaal aanricht. Ik zal Littlemore een telegram sturen.'

<hr/>

Op het Place de la Concorde vonden ze een kantoor dat telegrammen naar het buitenland verstuurde. Younger stelde er gelijk een voor Littlemore op.

```
MACDONALD-MEISJE HEEFT NAALD MET RADIUM IN HALS STOP GA NA BIJ
ACADEMISCH ZIEKENHUIS IN TWENTIETH STREET OF ZE ER PATIENT WAS STOP
ZIJ WETEN MISSCHIEN WAAR IN HALS RADIUM IS STOP RADIUM MOET
ONMIDDELLIJK WORDEN VERWIJDERD STOP HERHAAL ONMIDDELLIJK
```

'De straling brandt haar keel weg,' zei Younger, terwijl ze in de rij voor de telegrafist stonden te wachten. 'Misschien dat het inmiddels haar hersenen heeft bereikt. Dat kan de reden zijn waarom ze niet tot bewustzijn komt.'

'Er is geen bewijs dat radium de hersenen aantast,' wierp Colette tegen. 'Jij overdrijft de gevaren van radium altijd. Madame wordt aan meer straling blootgesteld dan wie ook, en ze draagt nooit zo'n duikerspak.'

'Madame Curie maakte op mij geen al te gezonde indruk. Ze ziet zo wit als een doek. Afgemat. Je vertelde me dat ze een lage bloeddruk heeft.'

'Ze is wetenschapper. Ze zit de hele dag binnen.'

'Of ze heeft bleekzucht,' zei Younger. 'Na al die jaren heeft ze waarschijnlijk straling in haar bloedbaan.'

'Straks beweer je nog dat radium de oorzaak van haar staar is.'

'Hoe weet je zo zeker dat dat niet zo is?'

Younger verstuurde het telegram. Eenmaal buiten het kantoor zag Colette een hotel aan de overkant van het Place de la Concorde. 'Kunnen we daar geen kamers nemen?' vroeg ze.

'Het Crillon?' zei Younger, die inwendig ineenkromp. 'Waarom niet?'

⚜

Op uitnodiging van Marie Curie woonden ze die avond een drukbezocht diner bij ter ere van de hernieuwde onafhankelijkheid van Polen en de wonderbaarlijke overwinning op de bolsjewieken. Het etentje vond in een kleine woning plaats – van wie, zou Younger nooit achterhalen – waar de gasten staande aten. Er werd getoost, er werd veel Pools gesproken en nog veel meer wodka met uitheemse smaakjes achterovergeslagen.

Madame Curie nam Colette de hele avond onder haar hoede alsof het meisje haar eigen dochter was. Colette droeg dezelfde elegante avondjurk met de laag uitgesneden rug die ze ook in Praag had aangehad. Ze mocht dan niets anders hebben om aan te trekken, Younger vond de jurk veel te bloot. Opgedofte en gepommadeerde Poolse mannen klitten voortdurend rond madame Curie samen, ongetwijfeld aangespoord door de kans zich met een van 's werelds grootste wetenschappers te onderhouden. Wanneer ze aan Colette werden voorgesteld maakten de mannen diepe buigingen, draaiden aan de punten van hun snor en kusten haar hand. Elke keer wendde Colette haar ogen af en wierp ze een tersluikse blik naar Younger, alsof ze wist dat hij naar haar keek, wat ook zo was.

⚜

Na middernacht lag Younger in zijn hemelbed in Hôtel de Crillon te roken. Zijn jasje had hij op de vloer gegooid, maar verder was hij geheel gekleed. Zelfs zijn schoenen had hij nog aan.

Hij had Colette naar haar kamer gebracht. In de gang was ze schichtig geweest, nerveus, niet in staat de sleutel in het slot te krijgen. Hij dacht dat de drank misschien naar haar hoofd was gestegen, al wist hij behoorlijk zeker dat ze er alleen aan genipt had. Toen hij de sleutel ten slotte uit haar hand had gegrist en de deur had geopend, vluchtte ze praktisch de kamer in, en liet ze Younger, met de deur nog op een kier, op de gang achter. Hij deed de deur voor haar dicht en ging naar zijn eigen kamer.

Younger staarde naar het vergulde plafond en de dansende rookdeeltjes die door de lampen verlicht werden. Toen kwam hij overeind, drukte zijn sigaret uit en keerde terug naar de hal.

Hij maakte Colettes deur open. Haar zitkamer was leeg. Hij liep langs de stijve, plechtstatige empiremeubels. Op de drempel van de slaapkamer zag hij de deur naar haar badkamer een stukje openstaan. Door de spleet ving hij een glimp van haar op, gehuld in twee witte handdoeken: een rond haar haar, een rond haar lichaam. Ze had zojuist een bad genomen. Kennelijk had ze hem niet gehoord.

Ze trok de deur van de badkamer open, zag hem en versteende. Haar lange hals was naakt, haar schouders waren naakt, haar ranke armen en benen naakt, haar huid nat.

Hij liep op haar af. Zij week achteruit, de badkamer in, tegen een wand, de schouders angstig opgetrokken. Er was geen uitweg meer. De lucht was verzadigd van vocht, van damp van het hete water, de spiegel beslagen. Hij pakte haar bij de armen. Ze verzette zich; hij moest meer kracht zetten dan hij verwacht had, maar hij was daartoe bereid en deed dat ook. Hun kus duurde lang. En na afloop was haar lichaam zachter geworden, haar ogen gesloten en de handdoek van haar hoofd op de vloer gevallen. Hij tilde haar op in zijn armen, droeg haar naar het bed en vlijde haar neer op de kraakverse lakens.

Colettes donkere haar lag over de kussens uitgespreid. Door het raam kleurde het maanlicht haar nog vochtige, glimmende huid zilver. Haar ene hand lag op haar borst, de andere over haar middel, waarmee ze de witte badhanddoek op zijn plek hield. Hij kuste haar hals. Hij hoorde haar murmelen. 'Alsjeblieft,' hoorde hij. 'Nee.'

Younger vroeg: 'Wil je dat ik ophou?'

Haar antwoord was een fluistering. 'Vraag me dat niet.'

Hij streek met zijn hand door haar lange haar. Hij hield haar kin omhoog en kuste haar mond. Later riep ze God aan en beet ze op haar lip om het niet uit te schreeuwen, zo vaak dat hij de tel kwijtraakte.

❧

Nog weer later, terwijl ze naast elkaar in het maanlicht lagen, haar wang op zijn borst, vroeg ze: 'Vergeet je het?'

'Vergeet je wat?'

'Dit. Vervaagt het?'

Haar hoofd bewoog op en neer op het ritme van zijn ademhaling.

'Ik herinner me dit al van voordat het gebeurde,' zei hij. 'Ik heb het eerder gezien.'

'Ik ook,' zei Colette, glimlachend. 'Heel vaak.'

❧

De volgende ochtend trof ze Younger beneden, terwijl hij zat te ontbijten aan een tafel met wit linnen in een indrukwekkende zaal met rococozuilen en een vloer in ruitpatroon van zwart en wit marmer. Cherubijnen in bevallige gewaden dartelden over het plafond. Colette zag er zowel gelukkig als verschrikt uit.

'Heb je al die agenten gezien?' vroeg ze op gedempte toon. 'Ze zijn overal.'

'Niets om je zorgen over te maken,' antwoordde Younger. 'Gewoon de zoveelste Amerikaan die voor moord wordt gezocht. Een filmster, zo hoorde ik. Zijn vrouw, eveneens een filmster, is dood aangetroffen op hun bed boven op honderd bontstola's. Naakt. Het was hun huwelijksreis. Heb je trek?'

'Madame heeft me gisteravond voordat we weggingen apart genomen,' zei Colette bezorgd, terwijl ze tegenover hem ging zitten. 'Zo had ik haar nog nooit gezien. Ze is iemand die nooit met haar gevoelens te koop loopt.'

'Wat gebeurde er?'

'Ze barstte in tranen uit. Ze zei dat monsieur Langevin niet meer van haar houdt omdat ze oud is. Dat ze haar reputatie voor hem te grabbel heeft gegooid. Dat ze zich door de hele wereld heeft laten veroordelen. Het enige wat ze nu nog wil, is haar wetenschapelijk werk. Maar zonder radium is ze niets, zei ze. Ze zei dat ze klaar is om te sterven.'

Een ober schoot hun blikveld in, dekte de tafel voor Colette en vouwde met een sierlijk gebaar een linnen servet voor haar open. Ze merkte het nauwelijks op. Toen zag ze het vel papier naast Youngers bord.

'Heb je een telegram gekregen?' vroeg ze. 'Is het van dr. Freud?'

'Nee. Van Littlemore. Ik ben vanochtend naar het telegraafkantoor gegaan om te zien of hij geantwoord had.' Younger liet haar het telegram zien.

WAAR BLIJF JE VERDORIE STOP TWINTIG NOVEMBER IS JE ZITTINGSDAG STOP OM

TWEE UUR STOP ZORG DAT JE ER BENT

'Je zittingsdag?' vroeg Colette. 'Waarvoor?'

'Mishandeling van Drobac.'

'Mishandeling van hém?' protesteerde ze. 'Hij heeft mij ontvoerd. Hij heeft die vrouw op het dak van dat gebouw vermoord.'

'Ja, maar daar is hij nog niet voor veroordeeld. In de zin van de wet is hij onschuldig.'

'Bedoel je dat je misschien naar de gevangenis moet?'

'Littlemore zegt dat het zo'n vaart niet zal lopen,' antwoordde hij.

'Wat ga je doen?'

'Terug naar New York. Ik moet wel.'

'Waarom?' vroeg ze. 'Blijf gewoon weg totdat ze hem veroordeeld hebben.'

'Littlemore heeft me uit de gevangenis weten te houden nadat ik gearresteerd werd. Als ik niet in de rechtbank kom opdagen, zal dat slecht voor hem uitpakken. Heel erg slecht. Ik moet wel terug.'

'Ik ga met je mee.'

'Nee,' zei hij. 'Het kan nog steeds gevaarlijk voor je zijn.'

'Hoe dan? Zelfs al is er iemand die naar me zoekt, dan kan die onmogelijk weten dat ik weer in het land ben.'

'Iemand heeft je in New Haven in de gaten gehouden. Diegene is daar misschien nog steeds.'

'Dan ga ik toch niet naar New Haven.' Colette zat een hele tijd stil voor zich uit te staren. Uiteindelijk zei ze: 'Ik moet wel met je meegaan. Ik zal het geld bij elkaar krijgen voor het radium van madame. Mrs. Meloney zei dat ik het kon. Ze zei dat ik alleen maar wat aardiger tegen een rijke man hoef te doen en we zo het hele tekort in één keer kunnen opheffen. Trouwens, Luc blijft nog zeker twee maanden bij dr. Freud. Ik ga hier niet in mijn eentje om hem zitten kniezen.'

Vanaf station Saint-Lazare namen ze die middag een trein naar Rouen. De volgende dag reisden ze verder naar Le Havre, waar ze op een oceaanstomer naar New York inscheepten.

Met haar hand door zijn arm gestoken liet Colette zich door Younger gewillig op een ontdekkingstocht over hun passagiersschip meevoeren. Ze dwaalden door een zaal met glazen koepel, keken naar de dames en heren die in de Louis xiv-zaal *belote* speelden en dronken thee in een blauwbetegeld Moors café. In een lege rooksalon kusten ze elkaar onder een zachtjes slingerende kroonluchter. Toen begon de regen neer te kletteren en zagen ze hoe een duizendtal mensen zich vele verdiepingen lager naar hun onderkomens spoedde, die weinig luxe bevatten maar wel veel ratten.

'Je verwent me,' zei Colette, terwijl ze de trappen naar het bovendek – het eersteklasdek – bestegen. Een steward liet ze opnieuw tot de Louis xiv-zaal toe.

'Dat vind je helemaal niet erg.'

'Ik voel me net Dante,' zei ze, 'die uit de hel verrijst, met jou als mijn Vergilius.'

'Nee. Jij bent Beatrice. Jij stijgt naar de hemel op terwijl ik in het vagevuur beland. Maar,' zo overwoog hij, 'die prijs wil ik best nog eens betalen. Die prijs wil ik altijd betalen.'

'Welke prijs?'

'Eeuwige verdoemenis,' antwoordde hij, 'voor een nacht in jouw armen.'

'Eén nachtje maar?'

Ondanks de hevige storm buiten barstten er op de oceaanstomer die avond feestvreugde en heildronken en veel geblaas op rolfluitjes uit. Terwijl de regen tegen de patrijspoorten striemde, brachten bandjes en orkesten in elke eetzaal en lounge van alle klassen Amerikaanse deuntjes ten gehore.

'Wat is er aan de hand?' vroeg Colette. Ze daalden de magnifieke, met rood tapijt beklede trap naar een edwardiaanse balzaal af. Dansparen wervelden over de vloer.

'Amerika heeft een nieuwe president gekozen,' zei Younger.

'Wie heeft er gewonnen?'

'Ene Harding.'

Zwijgend namen ze aan een tafeltje plaats.

'Wat is er?' vroeg ze.

'Niets.'

'Mij best,' zei ze, 'maar vraag me dan tenminste ten dans.'
Dat deed hij.

❧❦❧

Ver na middernacht keerden ze naar hun luxepassagiershut terug. 'Maar één kamer voor ons beiden?' vroeg ze, de wangen rood. 'Monsieur heeft het nogal hoog in de bol. Komt er dan nooit een eind aan mijn zedelijk bederf?'

❧❦❧

De volgende ochtend was ze vrolijker dan hij haar ooit had gezien. Terwijl ze op hun rug in bed lagen, vroeg ze hem zijn been uit te steken en hield het hare ernaast. Ze probeerde hem ervan te overtuigen dat haar been ondanks hun lengteverschil bijna even lang was als het zijne. En in elk geval gladder en heel wat appetijtelijker van vorm.

Terwijl ze 's middags door de exotische palmentuin van het schip wandelden – uitsluitend toegankelijk voor eersteklaspassagiers – raakte ze echter in een bedachtzame stemming. 'Wat bedoelde dr. Freud,' vroeg ze, 'toen hij zei dat ik misschien de oorzaak ben van Lucs aandoening?'

'Dat weet ik niet,' zei Younger naar waarheid.

'Ik heb altijd gedacht dat ik voor hem kon zorgen.'

'Je hebt ook voor hem gezorgd.'

'Wat nu als het verkeerd van me was om hem al die jaren bij me te houden?' vroeg ze. 'Wat nu als ik eigenlijk wilde dat hij anders was? Wat nu als ik juist wilde dat hij stom was?'

'Hoezo?'

'Zodat ik niet alleen hoefde te zijn.'

'Ach, hou toch op,' antwoordde Younger. 'Dit is je reinste zelfbeklag.'

'Jij was anders degene die beweerde dat ik niet van hem hield.'

'Dat heb ik nooit gezegd,' antwoordde Younger.

'Je zei het met je ogen,' antwoordde ze. 'Omdat ik Luc had achtergelaten toen ik de trein naar Braunau nam. Je dacht dat ik het doden van Hans Gruber belangrijker vond dan de zorg voor mijn eigen broertje.'

Younger gaf geen antwoord. Hij had dit in het geheel niet gedacht, maar zij kennelijk wel.

'Als ik was omgekomen,' zei ze, 'dan had jij hem grootgebracht, niet?'

'Daarom wilde je dat ik met je meekwam naar Wenen.'

Ze verhevigde de greep op zijn arm. 'Je zou het gedaan hebben – hem grootbrengen – is het niet?'

'Als jij bij de jacht op je Oostenrijker was omgekomen?'

'Ja.'

'Nee. Ik had hem in een tehuis voor doofstommen gestopt. Waar hij thuishoort. Zodat hij me niet aan jou zou herinneren. Maar hij had me nooit aan je kunnen herinneren, want ik zou mezelf het leven hebben benomen. Trouwens, je zou helemaal niet gewild hebben dat ik hem opvoedde, want ik ben compleet aan lagerwal geraakt. Had ik je al gezegd hoeveel ik nog op mijn bankrekening heb staan?'

'Nee.'

'Niets. Die luxehut van ons heeft me mijn laatste beetje geld gekost. Gelukkig zijn maaltijden voor twee inbegrepen, dus zullen we niet van de honger omkomen voordat we in Amerika arriveren.' Hij stond stil, maakte zich van haar arm los en stak zijn handen in zijn zakken. 'Serieus. Ik schaam me voor mijn armoede. Ik had het je eerder moeten zeggen. Nou ja, ik ben niet helemaal blut. Ik heb nog steeds mijn huis in Boston en ik verwacht dat Harvard me mijn aanstelling als professor wel terug zal geven. Maar ik heb je onder valse voorwendselen verleid. Nee, echt waar. De ergste ploert had niet dieper kunnen zinken. Al deze luxe – de eersteklashutten, de grootse balzalen – die zul je nooit meer terugzien. Je hebt het volste recht me de bons te geven nu je weet hoe de zaken er echt voor staan.'

'Wat een lange speech,' zei ze, terwijl ze hem weer bij zijn arm pakte. 'En wat een onzin ook. Arm vind ik je veel leuker.'

Deel vier

19

O p 18 november 1920 – de dag nadat Littlemore de geheime berg-
plaats van de Mexicaanse documenten had gevonden – vlogen
getelegrafeerde instructies in westelijke richting, van station
naar telegraafstation, het hele land door. De locatie van herkomst was het
ministerie van Oorlog in Washington D.C. De belangrijkste van deze telegrammen was gericht aan Fort Houston in San Antonio, Texas. Daarin werd generaal-majoor James G. Harbord, commandant van de Tweede Divisie van het Amerikaanse leger, opgedragen zijn strijdkrachten voor
onmiddellijke uitzending naar de Mexicaanse grens te mobiliseren.

Diezelfde ochtend legde Colette Rousseau op de reling van het schip haar
hand op die van Younger, terwijl de oceaanstomer de haven van New York
binnenvoer. Overal om hen heen keken passagiers fluisterend van ontzag
naar de fantastische, door de opkomende zon verlichte skyline van Manhattan. 'Deze keer moet ik zelfs toegeven dat jullie wolkenkrabbers prachtig zijn,' zei Colette.

In de loop van hun reis hadden ze bepaalde intimiteiten over elkaar
ontdekt. Zij stond erop dat hij 's nachts elke lamp, elke kaars uitdeed
voordat zij zich in haar onderjurk uit de kleedkamer waagde en het bed
in schoot, waar ze de dekens tot onder haar kin optrok. Haar schroom-
valligheid stelde nog een andere eis: dat hij niet naakt was in haar aan-

wezigheid. Een ontbloot bovenlijf leek ze wel op prijs te stellen, maar dat was dan ook de maximale staat van ontkleding die ze van hem veelde.

'Vreemd,' zei Younger. 'Ik wilde juist zeggen dat ze deze keer zelfs mij van mijn stuk brengen.'

❦

Van kust tot kust stonden de kranten die ochtend vol met vreemde berichten over Mexico. Er klonken geruchten – niet herleidbaar tot een officiële bron – van een militaire mobilisatie en het op handen zijnde gevaar dat oliebronnen in Amerikaans bezit genationaliseerd dreigden te worden. Uit Washington werd het volgende gemeld.

De Mexicaanse ambassade heeft gisteravond een verklaring uitgebracht die luidt dat zij door generaal Obregón, de verkozen president van Mexico, gemachtigd is te ontkennen dat Elias L. Torres, die afgelopen dinsdag een invitatie aan senator Harding verstrekte om een bezoek aan Mexico af te leggen, namens de Mexicaanse overheid heeft gehandeld. 'De Mexicaanse ambassade,' zo luidde de verklaring, 'is in het bezit van een telegram van generaal Obregón, waarin hij ten stelligste ontkent dat Elias Torres zijn afgevaardigde is.'

Er volgden geen verdere bijzonderheden ter duiding van dit merkwaardige bericht.

❦

Op precies diezelfde ochtend opende een meisje met lang rood haar de ogen in een volkomen steriele kamer in New York City, een zaaltje met volmaakt witte wanden en in het midden één enkel ziekenhuisbed. Ze probeerde iets te zeggen, maar een obstakel in haar mond belette haar dat. Ze zou het verwijderd hebben, ware het niet dat haar polsen met leren riemen aan de reling van het bed waren gebonden.

'Zal ze schoon zijn?' vroeg een mannenstem. Degene aan wie die toebehoorde, wie dat ook mocht zijn, bevond zich buiten haar blikveld. Ze probeerde haar hoofd te draaien, maar dat ging niet.

'Ja,' antwoordde een man die ze wel kon zien, gekleed in een witte doktersjas.

'De vorige was niet schoon.'

'Het is zuurhoudend. Dat werkt reinigend.'

'Zal het pijn doen?' vroeg de man die nog steeds buiten haar gezichtsveld was.

'Waarschijnlijk wel,' zei de man in de witte jas.

'Kun je haar iets geven?'

'Tegen de pijn? Nu?'

'Alsjeblieft.'

De man in de witte jas kwam aan de rand van haar bed staan. Ze voelde zijn handen op haar arm en toen het prikken van een naald. Ogenblikkelijk ebden haar angst en misère weg. Een warme gloed verspreidde zich door haar lichaam. Die voelde aangenaam, troostend. Daar wilde ze meer van.

De man die ze eerder kon zien – en die ze, nu de kamer voor haar ogen begon te dansen, nog steeds niet helder kon waarnemen – kwam eveneens aan haar bed staan. Zachtjes trok hij haar lippen van elkaar. Tussen die lippen drukte een strak vastgebonden prop tegen haar wangen.

De man stak iets stugs in haar mond. Het was een tandenborstel. Onder en boven de prop poetste hij haar tanden. Hij ging methodisch, grondig en minutieus te werk. Hij maakte kleine, ronddraaiende poetsbewegingen, eerst over haar snijtanden, toen de hoektanden, toen de kiezen; van boven, van onderen, van achteren, van voren.

De arts had het mis: het deed helemaal geen pijn. Het was niet eens onaangenaam. Althans, in het begin niet. Toen voelde ze iets branden op haar tong en in haar keel. De prop dreigde haar te verstikken. Tranen biggelden over haar wangen. De man streek de tranen teder uit haar ogen. Hij trok haar operatieschort open en keek naar haar zachte, witte hals en boezem.

'Deze bevalt me wel,' zei hij. 'Geen onvolkomenheden. Kun je haar niet meer geven?'

'Dan verliest ze haar bewustzijn,' zei de man in de witte jas.

'Ik wil haar niet bewusteloos. Kun je er niet voor zorgen dat ze bijna... buiten westen is?'

Ze voelde een tweede prik in haar arm. Al snel toog de man met de tandenborstel weer aan het werk, hij sloeg geen spleet of kroon van haar gebit over, en reinigde haar, reinigde... De pasta zette haar hele mond in brand, maar dat stoorde haar niet langer. De weldadige, overvloedige warmte verspreidde zich dieper door haar ledematen, haar borst en de rest van haar lichaam. Toen werd alles chaotisch, verward en was ze niet langer bij machte te begrijpen wat er gebeurde. Lichamelijk en geestelijk werd ze twee verschillende richtingen uit getrokken; iemand schrobde nu haar hals en schouders met dezelfde bloedstelpende pasta die in haar huid beet en waarvan ze wilde dat het ophield, maar ook was er meer van de hemelse warmte die haar overspoelde en waarvan ze wilde dat er nooit een eind aan kwam.

⁂

Littlemore begon zijn dag met een bezoek aan minister Houstons kantoor. Nadat hem de toegang ontzegd was, bleef hij in de gang wachten en de kranten lezen totdat Houston een uur later alsnog verscheen.

'Zie je niet dat ik het druk heb, Littlemore?' vroeg Houston, terwijl hij door de gang snelde, met de rechercheur in zijn kielzog.

'Is het dat gedoe in Mexico, minister?'

'Gedoe in Mexico?' Houston bleef staan. 'Weet jij daar iets van?'

'Ik heb de krant gelezen.'

De minister zette zich weer in beweging, op de voet gevolgd door Littlemore. 'Nou, wat is er zo belangrijk?'

'Ik vroeg me alleen maar af wie de datum voor de verhuizing van het goud heeft vastgesteld.'

'Wat? Hoezo?'

'Volgens mij zou dat wel eens de sleutel tot de hele puzzel kunnen zijn.'

'De datum? Ik zou niet weten waarom?' vroeg Houston. 'Iedereen op het departement wist wanneer het goud zou worden overgebracht. En het was hoe dan ook vóór mijn tijd. De beslissing over de verhuizing was al jaren geleden genomen. Het nieuwe Assay-kantoor was speciaal voor dit doel ontworpen. Ver voor mijn tijd.'

'Er was niemand die u een bepaalde datum heeft aangeraden, Mr. Houston, niemand die met voorstellen op de proppen kwam, die de planning wilde herzien?'

'Mij een datum heeft aangeraden? Ik had er niets mee te maken.'

⁂

Bij het inchecken liet Younger de telefonist van het hotel onmiddellijk contact zoeken met het hoofdbureau van politie. Nadat hij te horen had gekregen dat inspecteur Littlemore er niet langer werkte, slaagde hij erin het nummer van de rechercheur in Washington te bemachtigen. Een paar minuten later werd hij doorverbonden met Littlemore in zijn kantoor op het ministerie.

'Wat heb jij in Washington te zoeken?' vroeg Younger.

'Lang verhaal,' zei Littlemore. 'Wat had jij in Frankrijk te zoeken?'

'Lang verhaal. Hebben ze het radium nog uit dat meisje McDonald weten te krijgen?'

'Niet echt. Ik heb haar arts verteld wat jij gezegd had; hij keek me aan alsof ik geschift was. Hij zei dat ze syfilis heeft, niet radium. En ik heb het bij het academisch ziekenhuis nagevraagd. Daar is niets van haar bekend.'

'Ze heeft geen syfilis. Wat is de naam van haar arts?'

'Lyme,' zei Littlemore. 'Dokter Frederick Lyme van het Sloane-vrouwenhospitaal. Moet je horen, doc, Drobac is vrijgelaten.'

De lijn kraakte; Younger zei niets.

'Ben je daar nog?' vroeg Littlemore.

'Ik ben er nog,' zei Younger. 'Wat moet dit voorstellen, een of ander goedkoop feuilleton? Hoezo is hij vrijgelaten?'

'Omdat jij godbetert je borgtocht verbeurd hebt,' zei Littlemore, 'en de jongedame en de jongen hebt meegenomen. Zijn advocaat vertelde de rechtbank dat je het land was ontvlucht. Met onbekende bestemming. De jongedame was de reclamant. Hoe kunnen wij ooit een kidnapper vervolgen als zijn slachtoffers zomaar onze jurisdictie verlaten? Ik heb ze verteld dat je wel weer terugkomt, maar de rechter oordeelde dat we hem moesten laten gaan.'

'Dus de moordenaar loopt vrij rond terwijl ik terecht moet staan?'

'Het is geen kwestie van "terechtstaan". Het is gewoon een hoorzitting over de herroeping van je borgtocht. Op bevel van de rechter, toen hij hoorde dat je in het buitenland was. Als je niet op komt dagen, wordt je borgtocht ingetrokken, krijg je een arrestatiebevel aan je broek en mag ik voor je borgstelling dokken. Dus je moet opdraven, doc.'

'Ik kom, heus.'

'Zeg, ik neem de middagtrein terug naar New York. Waarom komen jij en Colette vanavond niet bij ons eten?'

꧁✿꧂

Er belde een piccolo aan om een stapeltje telegrammen af te leveren dat de week tevoren voor hen was binnengekomen. 'Van Freud,' zei Younger. 'Ik heb hem laten weten waar we zouden verblijven.'

'Maak open,' zei Colette ongeduldig.

Het eerste telegram dateerde van een paar dagen nadat ze op hun oceaanstomer naar New York waren ingescheept.

7 NOV. 1920

JONGEN PRIMA STOP TWEE BRITSE LEERLINGEN OP HEM GESTELD GERAAKT STOP
DIERENTUIN BEZOCHT STOP STERK VERMOEDEN BETROKKENHEID VADER BIJ

'Misbruik?' vroeg Colette. 'Dit is de tweede keer dat hij het vraagt. Wat bedoelt hij daarmee?'

Younger, die precies wist wat Freud ermee bedoelde, gaf geen antwoord op die vraag. 'Hoe zat het met Luc? Heeft je vader hem – ik zeg maar wat – ooit geslagen?'

'Vader was dol op Luc. Hij was de liefste man ter wereld. Wat staat er in het volgende?'

Younger maakte het tweede telegram open.

11 NOV. 1920
NEGEER VORIG TELEGRAM STOP JONGEN SPREEKT TEGEN ME STOP NU NOG
FLUISTEREND MAAR IK VERWACHT VOLLEDIG HERSTEL STOP WEKEN GEEN MAANDEN
STOP BINNENKORT MEER
FREUD

'*Mon Dieu,*' zei Colette opgewonden. 'Maak het volgende open.'
Dat deed Younger.

13 NOV. 1920
JONGEN HEEFT TERUGKERENDE DROOM STOP HIJ IS TERUG IN SLAAPKAMER
GEBOORTEHUIS STOP HET IS MIDDERNACHT HIJ GAAT NAAR RAAM ZIET WOLVEN
VERSCHOLEN IN BOOM DIE HEM AANSTAREN STOP DROOM IS OMKERING VAN
LATENTE INHOUD STOP JONGEN DROOMT VAN BEKEKEN WORDEN OMDAT HIJ IETS
HEEFT GEZIEN WAT HIJ NIET MOCHT ZIEN STOP VADER ZONDER TWIJFEL
BETROKKEN ZUS HOOGSTWAARSCHIJNLIJK OOK
FREUD

Colette stond perplex. 'Waarom zou ik erbij betrokken zijn?' vroeg ze.
'Er is er nog een,' zei Younger. Hij las het voor.

17 NOV. 1920

TERUGSLAG STOP LUC PRAAT NIET MEER STOP WEIGERT MET IEMAND TE

COMMUNICEREN STOP NIET FLUISTEREND NIET SCHRIFTELIJK NIET MET GEBAREN

STOP OVERTUIG S.V.P. JUFFROUW ROUSSEAU DAT ZE ZICH GEEN ZORGEN MOET

MAKEN STOP TIJDELIJKE TERUGVAL BIJ ANALYSE NIET ONGEBRUIKELIJK STOP

WELLICHT GUNSTIG TEKEN

FREUD

'Hoe kan dit nu een gunstig teken zijn?' vroeg Colette.

'Als het inhoudt dat ze de oorsprong van het probleem dicht genaderd zijn.'

'Wat betekent dat?'

Younger streek met een hand door zijn haar. 'Ik geloof niet in psychoanalyse. Dat heb ik je al gezegd.'

'Maar als je er wel in geloofde, wat zou het dan betekenen?'

'Zoals Freud het zou zien,' zei hij, 'herinnert Luc zich iets uit zijn vroegste kindertijd, uit een periode dat hij iets verbodens heeft gezien, of iets zo verkeerds heeft verlangd dat hij het bewuste besef ervan volledig heeft verdrongen. Maar deze herinnering laat zich niet makkelijk wegdrukken, die probeert aan de verdringing te ontkomen, zich met geweld een weg naar het bewuste te banen. Dat is wat de symptomen bij de patiënt veroorzaakt.'

'Welk deel hiervan geloof je niet?' vroeg ze.

'Ik geloof niet in de verlangens die Freud aan kinderen toedicht. En ik geloof niet in verdrongen kinderherinneringen die jaren later aan het licht komen. Dat is als... als het einde van een roman waarin de losse eindjes te netjes samenkomen.'

Colette overdacht het even en verkondigde dat ze dr. Freud vertrouwde.

⁕

Verslaggevers stonden zo dicht opeengeperst in het kantoor van senator Albert Fall dat Littlemore zich er nauwelijks tussen kon wringen. De voornaamste vraag van de journalisten was of de senator kon bevestigen dat Amerikaanse troepen naar de Mexicaanse grens waren uitgezonden.

'Dat is correct, heren,' zei Fall. 'De Tweede Divisie is al onderweg.'

'Hoe luiden hun instructies, senator?'

'Dat kan ik niet zeggen,' antwoordde Fall. 'Maar laten we de zaak niet uit zijn verband trekken. Ik ga persoonlijk naar Mexico. Om de inauguratie van señor Obregón bij te wonen. Ik weet zeker dat alle partijen de onenigheden het liefst op vreedzame wijze oplossen.'

'Is dat uw boodschap aan generaal Obregón?'

'Ik zal hem zeggen dat hij met zijn tengels van onze olie moet afblijven. En dat het heel wat slimmer is om Amerika te vriend te houden dan het als vijand te hebben.'

Na de persconferentie uitte Littlemore zijn verbazing over senator Falls voorgenomen reis naar Mexico-Stad. 'Denkt u niet dat dat gevaarlijk kan worden, Mr. Fall?'

'Dat zou best eens kunnen,' antwoordde de senator. 'Voor deze of gene.'

ᘒᕼᕩᕼᘒ

In de sneltrein naar New York nam Littlemore een stapel middagkranten door. Omdat hij meer wist dan de journalisten, bezorgden de kranten hem een onwezenlijke sensatie, maar ook een akelig voorgevoel, alsof hij met de vooruitziende blik van een helderziende een dreigende ramp in het verschiet zag die niet meer afgewend kon worden. In Washington, zo stond in de kranten te lezen, had Roberto Pesqueira, een Mexicaanse ambassade-employé met toegang tot vertrouwelijke kennis, tijdens een bijeenkomst van Amerikaanse zakenlieden met geweld in bedwang gehouden moeten worden, nadat hij vurig de rechten van zijn land op zijn eigen natuurlijke bronnen had bepleit. In Los Angeles schaften Mexicanen griezelige hoeveelheden munitie aan. In Mexico zelf maakten Amerikaanse burgers aanstalten het land te ontvluchten.

Vervolgens haalde Littlemore de bouwplannen voor het Assay-kantoor in zuidelijk Manhattan uit zijn aktetas. Meer dan bij welke bank die hij ooit had gezien, waren de nieuwe kluizen in het Assay-gebouw nagenoeg onneembaar. Ze lagen vijfentwintig meter onder de grond, beschermd door drie afzonderlijke lagen staal en beton, slechts toegankelijk door één enkele deur aan het eind van één een meter twintig brede tunnel, en ze waren volgestouwd met alarmsystemen, wapenvoorraden en zelfs ruime hoeveelheden water en voedsel voor het geval van een belegering. De plannen waren in 1917 goedgekeurd door de toenmalige minister van Financiën William G. McAdoo. Onder aan het tweede document dat Littlemore op zijn schoot had liggen stond de handtekening van een andere minister van Financiën.

Het betrof een werkopdracht die toestemming verleende voor de verhuizing van de nationale goudvoorraad van het subdepartement van Financiën in New York naar het naastgelegen Assay-gebouw via een luchtbrug, te beginnen in de nacht van 15 september 1920. De rechercheur had de opdracht verfrommeld ergens achter in een archiefkast gevonden. Hij was, zoals Littlemore eigenlijk al wist, ondertekend door minister David Houston.

❧

Younger en Colette gingen die avond bij de familie Littlemore eten. 'Wat doe je daar in Washington, Jimmy?' vroeg Colette. 'Vast iets heel belangrijks.'

'Niet veel. Alleen maar een oorlog beginnen,' antwoordde hij. Ze wachtten op een nadere toelichting, maar die kwam niet.

❧

Na het eten, terwijl de vrouwen de afwas deden, zaten Younger en Littlemore zonder iets te zeggen aan tafel. De rechercheur schraapte met zijn vork over zijn dessertbord. 'Littlemore,' zei Younger.

'Huh?'

'Je bent nog zwijgzamer dan ik.'

'Oorlogen verlopen niet altijd volgens plan, hè?' vroeg Littlemore.

'Ze verlopen nooit volgens plan,' zei Younger.

'Weet je nog dat je zei dat de bomaanslag in Wall Street een manier was om het volk te raken? Wat willen ze toch, die moordenaars? Hoe zat het met die Serviërs die in 1914 die Oostenrijkse hertog afknalden? Wat wilden die?'

'Oorlog.'

'En die hebben ze gekregen ook, niet?'

'Erger dan ze ooit hadden kunnen dromen.'

❧

De volgende ochtend meldden de kranten dat ene Roberto Pesqueira van de Mexicaanse ambassade senator Fall, die de vorige dag nog had aangekondigd van plan te zijn de inauguratie van generaal Obregón bij te wonen, een visum voor Mexico had geweigerd. In antwoord op vragen van journalisten wilde señor Pesqueira alleen maar kwijt dat de senator een vijand van het Mexicaanse volk was.

Ondertussen trok het Amerikaanse leger langs de Mexicaanse grens samen. Officiële verklaringen uit Mexico-Stad meldden dat de verkozen president Obregón aan een plotselinge en niet nader verklaarde ziekte ten prooi was gevallen, waardoor hij niet bij de geplande pre-inaugurele plechtigheden aanwezig kon zijn.

Colette had voor die ochtend een ontmoeting met Mrs. William B. Meloney geregeld, de voorzitster van het Marie Curie Radium Fonds. Voor ze weggingen, had Younger haar gevraagd haar spullen te pakken.

'Waarom?' wilde Colette weten.

'We gaan naar een ander hotel.' Gedeeltelijk was de verhuizing als voorzorgsmaatregel bedoeld. Behalve aan Freud had hij niemand verteld waar hij en Colette zouden verblijven, maar het was niet ondenkbaar dat iemand die de haven in het oog hield ze gezien had. Of anders kon iemand die het trans-Atlantische telegraafverkeer in de gaten hield Freuds telegrammen onder ogen hebben gekregen. Youngers belangrijkste reden was echter financieel van aard. Het was simpelweg noodzakelijk een goedkoper onderkomen te vinden.

Ze namen de metro naar het huis van Mrs. Meloney in West Twelfth Street. Younger stond erop Colette te vergezellen. Hij reisde pas verder nadat Colette had gezworen niet weg te gaan alvorens hij terug was.

Toen Littlemore diezelfde ochtend met de metro naar zijn werk ging, was hij zo diep in gedachten verzonken dat hij abusievelijk op zijn oude station in Grand Street uitstapte. Hij was al halverwege het hoofdbureau van politie toen hij zijn vergissing bemerkte. Er was iets wat de rechercheur niet aanstond, maar wat kon hij maar niet bedenken.

Younger meldde zich in het Sloane-vrouwenhospitaal aan Fifty-ninth Street en vroeg naar dokter Frederick Lyme. Korte tijd later werd hij begroet door een man van rond de veertig, vroeg grijs, met een dik gerande bril, een klembord in de hand en een stethoscoop die over zijn witte jas hing.

'Wat kan ik voor u doen, dr. Younger?' vroeg Lyme, terwijl hij zijn bril afzette en die in zijn borstzak wegborg.

'Ik ben hier voor Miss McDonald. U heeft met inspecteur Littlemore gesproken. Ik was degene die hem gestuurd heeft. Het meisje heeft radium in haar hals. Ze moet onmiddellijk geopereerd worden.'

'Radium,' zei Lyme luchtig. 'Hoe zou dat radium bij Miss McDonald in haar lichaam terechtgekomen moeten zijn? Ik heb die agent al gezegd dat alleen al het idee volstrekt belachelijk is. Daar heb ik verder niets aan toe te voegen. Goedendag.'

'Kanker,' zei Younger, 'is de meest waarschijnlijke oorzaak van het gezwel in haar hals. Wanneer er kanker bij haar was vastgesteld, is het heel goed mogelijk dat ze een radiumbehandeling heeft gekregen. Ik denk dat de naald met radium in haar hals is achtergebleven.'

Lyme hield het klembord tegen zijn borst gedrukt. 'Miss McDonald heeft nooit een radiumbehandeling ondergaan, en kanker was niet de oorzaak van haar tumor. Dat was syfilis. Het zal u vast bekend zijn dat syfilis in het derde stadium gumma's – gezwellen, abcessen – tot gevolg heeft, die zich overal op het lichaam kunnen manifesteren. Syfilis was tevens de oorzaak van haar geestelijke aftakeling. Ze was al begonnen te raaskallen. Ze had achtervolgingswanen. Misschien dat ze iets gezegd heeft?'

'Nee.'

'In 1913 is al vastgesteld dat syfilis de oorzaak van progressieve paralyse is,' zei Lyme. 'Of houdt u de literatuur soms niet bij?'

'Deze ontdekking is mij bekend,' zei Younger. 'Dokter Lyme, ik heb röntgenfoto's van het meisje gemaakt.'

'Hoe? Wanneer?'

'Toen ze in het Bellevue lag. De foto's wezen zonder meer op de aanwezigheid van radium in haar lichaam.'

'Onzin. Of uw röntgenapparaat was defect of u weet niet hoe zo'n apparaat bediend moet worden.'

'Madame Curie in Parijs heeft de diagnose persoonlijk bevestigd. Er was geen defect; radium veroorzaakt exact het specifieke fluorescerende patroon dat ik op haar röntgenfoto's heb aangetroffen. Laten we dan tenminste de tumor opensnijden en een kijkje nemen. Dat kan toch geen kwaad?'

'Veel goed zal het haar ook niet doen,' zei Lyme. 'Ze is dood. Als u me nu wilt excuseren.'

❦

Toen hij eindelijk in zijn kantoor in Wall Street aankwam, vroeg Littlemore de telefonist senator Falls kantoor in Washington te bellen. Het duurde ruim een uur voordat hij de senator aan de lijn kreeg. 'Stel dat de Mexicaanse regering nooit het bevel tot de aanslag heeft gegeven, Mr. Fall?' vroeg de rechercheur. 'Dat het enkel een of twee hoge Mexicaanse officieren waren die op eigen houtje hebben gehandeld?'

'Je begint toch niet terug te krabbelen, hè? Die oorlog wordt een makkie. Voor de kerst zijn onze jongens weer thuis.'

'Obregón zegt dat Torres niet in opdracht van de Mexicaanse regering handelde,' zei Littlemore.

'Wat had hij anders moeten zeggen na wat jij in zijn woning hebt gevonden?' antwoordde de senator.

'Er is geen bewijs.'

'Dat is gezever voor in de rechtszaal. Oorlogen worden niet in rechtbanken gevoerd. Altijd bij de les blijven, jongen. We hebben de handtekening van de Mexicaanse minister van Financiën op een dienstbericht met zijn briefhoofd erboven en goddomme een opleidingskamp voor terroristen dat door hun leger geleid wordt. Dat is meer bewijs dan we nodig hebben.'

'Wat nu als het alleen een paar rotte appels waren, niet de hele regering?'

'Ik zal je eerlijk zeggen waar het op staat,' zei Fall. 'Het kan me niet schelen of de aanslag door El presidente de la Republico of door El ministerio de la Financio verordonneerd is. Uiteindelijk maakt dat niets uit. We zullen Mexico-Stad hoe dan ook moeten uitmesten. Dat tuig uitroken dat die aanslag gepleegd heeft. Het trainingskamp met de grond gelijkmaken. Als Obregón er niet achter zit, betekent het dat hij zijn rotte appels niet in de hand heeft, dus moeten wij er iemand neerzetten die dat wel kan – voordat ze de hele vermaledijde mand aantasten.'

Er ontstond storing op de lijn.

'Weet je wat, kerel?' zei Fall. 'Zaterdag kom ik jouw kant op om Bill McAdoo te spreken. We moeten nog bedenken wat we aan Houston gaan doen. Verduveld lastig om een oorlog te financieren als je minister van Financiën bij je vijand op de loonlijst staat. We gaan altijd een hapje eten in de Oyster Bar. Waarom schuif je niet aan?'

'De Oyster Bar?' vroeg Littlemore.

'Je weet wel, de Oyster Bar, op het Grand Central.'

'Natuurlijk. Die ken ik. Klinkt aanlokkelijk, Mr. Fall.'

Een tijdje later stond Littlemore nog steeds naast de telefoon.

❧

Younger klopte aan bij het herenhuis van Mrs. William Meloney in West Twelfth Street, dat met spinnende katten en eerbewijzen aan Marie Curie was gevuld.

'Dit zijn brieven,' legde Mrs. Meloney aan Younger uit, 'van kankerpatiënten die met de radiumtherapie zijn genezen. Ik verzamel ze voor wanneer madame Curie hierheen komt. Een is afkomstig van een botanicus die madame Curie een complete broeikas met bloemen wil sturen. We moeten de rest van het geld bijeen zien te krijgen. Dat moet gewoon.'

'Het is allemaal in kannen en kruiken,' zei Colette opgewonden. 'We gaan morgen een bezoekje brengen aan Mr. Brightons fabrieken voor fluorescerende verf; een in New Jersey, een in Manhattan. Mrs. Meloney zegt dat we een goede kans maken op een grote donatie.'

'Mr. Brighton,' zei dc oudere vrouw veelbetekenend, 'staat zo goed als op het punt een nog grotere som bij te dragen dan hij al gedaan heeft. Maar liefst vijfenzeventigduizend dollar. Dat heeft hij me zelf gezegd. Er is alleen wat vrouwelijke overredingskracht voor nodig om hem over de streep te trekken.'

'Vijfenzeventigduizend dollar... niet te geloven toch, Stratham. Dat is meer dan we nodig hebben. Daarmee kunnen we het radium kopen.'

Onderweg terug naar Noord-Manhattan vertelde Younger Colette over zijn bezoek aan het Sloane-ziekenhuis. 'Lyme bleef volhouden dat het syfilis was,' sputterde hij. 'Ik had hem moeten vragen of ik de Wassermanntest kon zien. Ik heb nog nooit gehoord van tertiaire syfilis bij een meisje van die leeftijd.'

※

Littlemore daalde de trappen van het subdepartement af en liep Wall Street in. Er stonden nog steeds soldaten geposteerd voor het naastgelegen Assay-gebouw, waar in kluizen diep onder de grond de nationale goudvoorraad lag opgeslagen. Hij stak de straat over naar de Morgan Bank.

Als altijd gonsde het van de bedrijvigheid in Wall Street. Al hinderde hij de gehaaste voetgangers, toch liep Littlemore langzaam over de lengte van de stoep voor de bank heen en weer en inspecteerde hij de plekken op de buitenmuur waar het beton door de aanslag gebutst en gegroefd was geraakt.

Iedereen nam voetstoots aan dat deze beschadigingen door de bom en de granaatscherven waren veroorzaakt. Littlemore bestudeerde de gaten van dichtbij. Het viel hem op dat ze onder en rond een raam op dc begane grond waren gegroepeerd. Een paar van de ongelijkmatige groeven – in het bijzonder de grotere – konden heel goed het resultaat van inslagen van granaatscherven zijn, maar de meeste gaten waren klein en rond, alsof het beton herhaaldelijk door kogels was getroffen.

Littlemore ging vervolgens naar het stadhuis. In het kadaster in de kelder bestudeerde hij de kaarten van het ondergrondse rioleringsstelsel en het gas-, water- en metronet. Dat kostte hem een paar uur. Hij wist vrijwel zeker dat hij niets zou vinden, wat ook zo was. Onder Wall Street liepen de gewone afvoer-, gas- en elektriciteitsbuizen. Er was geen rioolbuis die Wall Strect en Pine Street kruiste. In 1913 was een metrolijn voor

Nassau Street aangekondigd, met een halte op de hoek van Broadway en Wall, vlak bij de plek waar de bom ontploft was. Maar in tegenstelling tot de tachtig andere metrolijnen waar in 1913 toe werd besloten, was de Nassaulijn nooit aangelegd.

⁂

Het hotel waar Younger heen was verhuisd, was er zo een waar elke kamer was voorzien van een allegaartje aan gehavend keukengerei en een elektrische kookplaat. Toen ze de spullen zag, kondigde Colette aan dat zij zou koken. Ze nam Younger mee om boodschappen te doen – bij een groenteboer, een slager, een bakker. Het leek wel of ze terug in Parijs was, zei ze. Althans, dat zou zo geweest zijn als ze ergens een fles wijn hadden kunnen bemachtigen.

⁂

De complete familie Littlemore zat aan de dis in hun woning in Fourteenth Street: ouders, grootmoeder en de talloze kinderen. Littlemores gedachten waren niet bij de maaltijd. Tot twee keer toe sprak hij James jr. aan met Samuel, hun jongste zoon, en noemde hij Samuel Peter, ook al leek Peter, dubbel zo oud als zijn broertje, in niets op Samuel. Betty, die Lily in de kinderstoel te eten gaf, had haar man nog nooit zo afwezig gezien.

⁂

'Weet je,' zei Younger tegen Colette, terwijl ze tegenover elkaar aan hun piepkleine eettafel bij kaarslicht zaten te eten, 'er is nog een andere mogelijkheid.'

'Hoe bedoel je?'

'Voor hoe radium kanker geneest.' Hij zette zijn mes in de karbonade die ze voor hem had klaargemaakt. 'Stel dat er in elk van onze cellen een soort schakelaar zit die het sterfproces van de cel aan- of uitzet, en stel nu eens dat radioactiviteit die schakelaar omzet. In kankercellen staat de schakelaar uit; de cellen weigeren te sterven, waardoor ze zich maar blijven voortplanten, tot in het oneindige. Wanneer radioactiviteit met deze cellen in contact komt, zet die de schakelaar om, zodat de cellen weer afsterven. Dat geneest de kanker.'

'Maar dan zou radioactiviteit ook in gezonde cellen de... de...'

'De schakelaar omzetten,' zei Younger. 'Ervoor zorgen dat de cellen niet meer sterven. Kanker veroorzaken.'

'Radium veroorzaakt geen kanker.'

'Hoe weet je dat?'

'Een medicijn kan een ziekte niet tegelijkertijd genezen en veroorzaken. Dat is onmogelijk.'

'Waarom?'

'Weet je waarom je zo wantrouwig over radioactiviteit doet?' vroeg Colette. 'Volgens mij omdat je het niet zelf hebt ontdekt. Als jij als eerste aan God had gedacht, dan zou je vast ook in Hem geloven.'

❦

In haar steriele kamer wist het meisje met het lange rode haar wat het betekende wanneer de man in de witte jas de kamer binnenkwam. Ze rukte aan de leren riemen; ze probeerde te schreeuwen, maar de prop in haar mond smoorde het geluid.

Door de aanwezigheid van de man wist ze ook dat ze al snel de prik van een naald in haar arm zou voelen, en daarna de behaaglijke warmte die zich zo aangenaam door haar lichaam verspreidde.

Al snel was de andere man haar tanden weer aan het poetsen – van achteren naar voren, van onderen naar boven, op zijn dooie akkertje.

❦

Ver na middernacht gleed er een opgevouwen briefje onder Youngers deur door. Younger las het, schoot zijn kleren aan en ging naar beneden naar de balie van het hotel. 'Je bent laat,' zei hij.

'Wat is het sterkste zuur ter wereld?' vroeg Jimmy Littlemore kauwend op zijn tandenstoker.

'Om wat te doen?' vroeg Younger.

'Om door metaal te branden.'

'Koningswater. Dat is een mengsel van zout- en salpeterzuur.'

'Kun je het meenemen?' wilde Littlemore weten. 'Ik bedoel, is het te vervoeren?'

'In glas is dat geen probleem. Hoezo?'

'Misschien dat ik wat hulp kan gebruiken,' zei Littlemore. 'Het kon wel eens gevaarlijk worden. Ben je morgenavond beschikbaar?'

Younger keek hem aan.

'Het is belangrijk, doc.'

'Voor wie?' vroeg Younger.

'Voor ons land. Voor twee landen.'

Younger gaf nog steeds geen antwoord.

'De oorlog,' voegde Littlemore eraan toe.

'De machtsverhoudingen zijn volkomen scheef,' zei Younger. 'Een enkele divisie van ons is groter dan het complete Mexicaanse leger. Onze generaals kunnen die hele oorlog geblinddoekt voeren en dan nog zouden wij winnen.'

'Niet om hem te winnen,' zei Littlemore. 'Om hem te voorkomen.'

⁘

De voorpagina's van de kranten waren de volgende ochtend van boven tot onder gevuld met de escalerende crisis in Mexico. De aanstaande president Obregón was al twee dagen niet meer in het openbaar gesignaleerd. Aan de grens stond de Tweede Divisie van het Amerikaanse leger op volle oorlogssterkte paraat. Amerikaanse gevechtsvliegtuigen doorkruisten het Mexicaanse luchtruim en voerden helemaal tot aan Mexico-Stad patrouillevluchten uit.

The Wall Street Journal eiste een onmiddellijke invasie om de Amerikaanse belangen te beschermen. Zo ook de gouverneur van de staat Texas. In Washington vaardigden hooggeplaatste heren in de regering-Wilson, samen met mannen die onder Harding navenant verheven ambten zouden bekleden, een gezamenlijke verklaring uit die aan generaal Obregón, de verkozen president van Mexico, was gericht. De verklaring bevatte de noodzakelijke voorwaarden voor een vreedzame oplossing van de crisis, waaronder een amendement op de Mexicaanse grondwet die de nationalisatie van bodemschatten in Amerikaanse handen verbood.

Volgens geruchten die aan weerszijden van de grens de ronde deden, zou de Amerikaanse invasie de volgende dag een aanvang nemen, met als doel Mexico-Stad voor 25 november, de dag van generaal Obregóns inauguratie, in te nemen. In brede kring werd aangenomen dat de Amerikanen de inauguratie gewoon door zouden laten gaan, maar dan wel met een kandidaat van eigen keus die het hoogste ambt zou aanvaarden.

⁘

Younger vergezelde Colette opnieuw naar de woning van Mrs. Meloney in Twelfth Street, waar een auto stond te wachten om de dames naar Mr. Brightons fabriek voor lichtgevende verf in Orange, New Jersey, te brengen. Hun chauffeur was de geduchte Samuels. Younger nam afscheid en bleef op de stoep staan wachten totdat hij zeker wist dat niemand hen volgde. Toen nam hij de metro naar noordelijk Manhattan. Het was een koele, bewolkte dag.

Langs rijen pakhuizen en abattoirs liep hij naar de faculteit van Artsen en Chirurgen van de Columbia University op Tenth Avenue, de medische opleiding die aan het Sloane-vrouwenhospitaal was verbonden.

Younger kende daar twee onderzoekers. Een van hen, Joseph Johanson, trof hij in zijn laboratorium. Younger vroeg hem het hospitaal te bellen om te zien of hij de medische gegevens kon achterhalen van een patiënte met de naam McDonald die onder behandeling was geweest bij dokter Frederick Lyme.

'In het Sloane is geen dokter Lyme,' antwoordde Johanson.

'Gisteren anders wel,' zei Younger. 'Ik heb met hem gesproken.'

Ondanks zijn bedenkingen belde Johanson. Weldra vernamen ze dat er inderdaad een patiëntendossier op naam van Quinta McDonald was, maar dat dit geen medische gegevens bevatte omdat die op verzoek van de familie waren verwijderd. Het enige wat er in het dossier zat, was een overlijdensakte die aangaf dat de patiënte vijf dagen eerder aan syfilis was overleden.

'Wie heeft die overlijdensakte getekend?' vroeg Younger.

Johanson gaf de vraag aan de verpleegster door, die berichtte dat de handtekening van een advocaat, ene Gleason, afkomstig leek. Ook zei ze dat ze in het ziekenhuis nog nooit van een dokter Lyme had gehoord.

'Wacht eens even: Frederick Lyme, die naam heb ik eerder gehoord,' zei Johanson nadat hij de hoorn had neergelegd. Uit de boekenkast trok hij een omvangrijk losbladig werk: een faculteitsgids van de Columbia University. 'Eens even kijken... daar heb je 'm. Hij is geen arts. Hij valt onder fysiologie. Zelfs geen doctor.'

'Waarom zou een fysioloog een patiënte in jullie ziekenhuis behandelen?' vroeg Younger.

⟿❀⟾

In zijn fabriek voor fluorescerende verf in New Jersey haalde Mr. Arnold Brighton Colette en Mrs. Meloney als hoogwaardigheidsbekleders binnen en kregen ze beiden een diamanten broche aangeboden – een bescheiden blijk van zijn waardering, zo liet Brighton weten. Mrs. Meloney was verrukt. Colette deed haar best eenzelfde indruk te wekken.

De fabriek waarin Brighton hen trots rondleidde, stond onder strikte supervisie van laboranten, die erop toezagen dat exact afgemeten microgrammen radium op de juiste manier in de blikken blauwe en gele verf werden gemengd, die ze vervolgens afsloten en machinaal lieten ronddraaien om zo een gelijkmatige kleur en verdunning te bereiken. Loden schermen scheidden de radiumverf van de rest van de fabrieksvloer. Op verschillende plekken stonden stralingsdetectoren opgesteld die onmiddellijk alarm sloegen in het geval er ergens een stralingslek was.

Mrs. Meloney bracht het Marie Curie Radium Fonds ter sprake.

'Ach ja, Marie Curie,' zei Brighton eerbiedig. 'Wat de wereld aan die vrouw te danken heeft, valt niet in geld uit te drukken. Zelfs Samuels zou het lastig vinden daar een prijskaartje op te plakken, en mijn Samuels is toch een begenadigd accountant. Dat zou je niet zeggen als je hem zo zag. Wat eens te meer bewijst dat je nooit op het uiterlijk alleen mag afgaan, nietwaar, dames?'

Colette en Mrs. Meloney beaamden eenstemmig dat dat inderdaad het geval was.

'Waar had ik het ook weer over?' vroeg Brighton.

'Over wat we aan madame Curie verschuldigd zijn,' drong Mrs. Meloney aan.

'Ja, natuurlijk. De winsten van mijn radiummijnen in Colorado, de winsten van de verkoop van mijn fluorescerende verf, die heb ik allemaal aan Marie Curie te danken. Natuurlijk bezit ik daarnaast nog wat kleinigheidjes hier en daar.'

'Mr. Brighton,' legde Mrs. Meloney aan Colette uit, 'is een van de grote oliebaronnen van ons land.'

'Zo hebben we het radium in Colorado ontdekt,' ging Brighton opgewekt verder. 'Bij een proefboring die we daar deden.'

Mrs. Meloney bracht het Fonds voorzichtig bij hem in herinnering.

'Het Fonds?' vroeg hij. 'Welk Fonds?'

'Het Radium Fonds, Mr. Brighton.'

'Het Fonds, ach natuurlijk, het Fonds,' zei hij. 'Voortreffelijk idee, ja. Ik sta te popelen om madame Curie te ontmoeten. En ik sta te popelen om jullie ook mijn fabriek in Manhattan te laten zien, waar we de verf op de wijzerplaten aanbrengen. Ik ben een van de grootste werkgevers aan vrouwen in New York, Miss Rousseau, wist u dat?'

Colette ontkende beleefd over deze kennis te beschikken. Met een theatrale zucht verklaarde Mrs. Meloney: 'Wat betreurenswaardig dat madame Curie bij nader inzien toch niet naar Amerika zal komen. Het Fonds heeft zijn doel helaas bij lange na niet bereikt. Wij komen nog vijfenzestigduizend dollar tekort, ondanks de onbaatzuchtige donatie waarmee u ons op weg heeft geholpen, Mr. Brighton.'

'Een tekort van vijfenzestigduizend dollar,' herhaalde Brighton op merkwaardig opgewekte toon. 'Het zou een pak van jullie hart zijn om te weten of ik nog een donatie doe, is het niet, dames?'

'Dat willen we inderdaad heel graag weten, Mr. Brighton,' antwoordde Mrs. Meloney.

'En ik niet minder dan u, Mrs. Meloney,' zei Brighton. 'Ik niet minder dan u.'

Bij deze mysterieuze opmerking wisselden Colette en Mrs. Meloney een snelle, vragende blik.

❧

Younger belde vervolgens naar de fysiologische faculteit van de Columbia University, gesitueerd op de indrukwekkende nieuwe campus op de noordpunt van Manhattan, waar een van de gebouwen de meisjesnaam van zijn moeder droeg. De secretaresse van de kleine fysiologische sectie bevestigde dat Frederick Lyme lid van de faculteit was.

'Wat is zijn specialiteit?' vroeg Younger.

'Toxicologie,' zei de secretaresse. 'Industriële toxicologie.'

'Is hij aanwezig?'

'Mr. Lyme is de hele dag met cliënten op stap.'

'Cliënten?' herhaalde Younger.

'Ja, met de mensen voor wie hij als consulent optreedt.'

'Wat voor mensen zijn dat?'

'Het spijt me,' zei de secretaresse. 'Dat moet u aan Mr. Lyme zelf vragen.'

❧

In zijn kantoor in het subdepartement in Wall Street verwelkomde Littlemore een lange, slanke, vlasblonde man met een aanstekelijke lach. Het ging, naar diens eigen inschatting, voortreffelijk met de vent. Hij bedankte Littlemore voor het feit dat hij het probleem van de pausen had afgehandeld en zijn ontslag uit het Amityville-sanatorium geregeld had. 'Wat kan ik voor u terugdoen, inspecteur?' vroeg Edwin Fischer.

'Je kunt me vanavond in het noorden van de stad ontmoeten,' zei Littlemore.

20

Tegen het einde van november verandert er 's avonds iets in de lucht boven zuidelijk Manhattan. Snijdende winden jagen vanaf de Atlantische Oceaan de haven en de zuidpunt van Manhattan binnen. Daar fungeren de enorme wolkenkrabbers als windtunnels die de kolkende luchtstromen kanaliseren en samenpersen, totdat hun kracht zo groot is dat ze een volwassen man tot stilstand dwingen en hem, als hij er niet diep genoeg met zijn schouders in gaat hangen, van de sokken blazen.

Littlemore, die door de slagschaduwen van Wall Street beende en zich langs het subdepartement van Financiën worstelde, was aan deze wind gewend: hij tornde in een hoek van zestig graden tegen de wind op en liet geen moment zijn hoed los. Minister Houston, die per auto voor het naburige, uitbundig verlichte en nog immer door een bataljon federale manschappen bewaakte Assay-gebouw werd afgezet, was er niet aan gewend; het feit dat hij onmiddellijk zijn hoge hoed verloor toen hij uit zijn lange zwart-gouden Packard stapte, verraadde zijn onwennigheid.

Uit de automobiel kwam nog een goed gekleed heerschap tevoorschijn. Ook al voltrok hun gesprek zich op fluistertoon, de wind dreef flarden ervan naar Littlemore, die Houston de man kon horen verzekeren dat de betaling niet lang meer op zich zou laten wachten. De heer schudde Houston de hand en stak de straat over naar de Morgan Bank.

Minister Houston monsterde het bataljon infanteristen dat, in het licht van de militaire jupiterlampen, strak in het gelid stond. Zijn hoge hoed lag maar een centimeter of dertig bij een van de soldaten vandaan, die stijf in de houding bleef staan en geen aanstalten maakte de minister bij zijn hoofddekselcrisis te hulp te schieten. Houston beende met grote passen naar de trap voor het gebouw om zijn hoed te bemachtigen, maar alsof hij een aangever in een komische variétéact was, zwiepte een boosaardige wind de hoed, net toen de minister zich bukte, hoog op en rolde hem de schaduwen van de straat in. Toevalligerwijs eindigde hij voor de voeten van een rechercheur, die de hoed afstofte, het licht in stapte en hem aan de minister van Financiën overhandigde.

'Agent Littlemore,' zei Houston. 'Stiekem voor me op de loer liggen lijkt een gewoonte van je te worden. Ik geloof niet dat ik daar gelukkig mee ben. Hoe wist je dat ik hier zou zijn?'

'Uit uw agenda,' antwoordde Littlemore.

'Je hebt in mijn privéagenda gekeken?'

'Uw secretaris had hem open op uw bureau laten liggen. Was dat niet Mr. Lamont, minister?'

'Ja. De bankiers komen vanavond in groten getale bijeen. Dat is nooit een goed teken.'

'De oorlog tegen Mexico?'

'Uiteraard.'

'Baart die u geen zorgen, Mr. Houston?'

'Verdikkeme. Waarom vraagt iedereen dat toch steeds maar aan me? Ik maak me in zoverre zorgen dat er een beroep op de schatkist van de natie zal worden gedaan. Wat weet jij van die hele toestand met Mexico? Volgens mij meer dan wat je in de kranten leest. Waar haal jij je informatie vandaan, Littlemore? En wat heb je hier te zoeken?'

'Ik wilde alleen maar even in het Assay-gebouw rondkijken, Mr. Houston.'

'Waarom?'

'Misschien dat het gestolen goud daar ergens verborgen is. Dat zou verklaren waarom niemand een vrachtwagen heeft zien wegrijden. Misschien heeft niemand hem gezien omdat er nooit een vluchtwagen is geweest.'

'Onzin. Sinds 16 september ben ik zeker tien keer in het Assay-kantoor geweest. Daar ligt dat goud niet.'

De rechercheur krabde achter op zijn hoofd. 'Met voor bijna een miljard dollar aan goud in dit pand kunt u zomaar zien dat de vier miljoen waar wij naar op zoek zijn er niet ligt?'

'Ja. En ik kan ook zien dat de periode dat je nuttig voor me bent geweest ten einde is gekomen. Maar dat zal jou niet deren, want je werkt al een tijdje niet meer voor mij. Je bent nu een mannetje van senator Fall, nietwaar? Welke toezeggingen heeft hij je gedaan?'

'Heeft u toevallig ook naar het goud gezocht in die verborgen kluis op de eerste verdieping, Mr. Houston? Die ene achter de muur van het kantoor van de hoofdopzichter?'

Een nieuwe uitdrukking flikkerde kortstondig in Houstons ogen. Littlemores geoefende blik herkende die onmiddellijk: schuldbesef. Houston fluisterde nijdig: 'Hoe weet jij van die ruimte?'

'Uit de bouwtekeningen, minister. Die heeft u aan me gegeven. Ook vond ik de werkopdracht die u getekend heeft en die Riggs en de rest van uw mannen machtigde het goud in de nacht van de vijftiende september te verhuizen.'

'Wat dacht je daarmee te bewijzen?'

'Niets. Heeft u er bezwaar tegen als ik samen met u het gebouw binnenga?'

Houston keerde Littlemore zijn rug toe, worstelde tegen de wind in de trap op en riep naar de twee soldaten die het dichtst bij de ontzagwekkende deur geposteerd waren: 'Niemand gaat dit gebouw binnen, is dat duidelijk? Niemand.'

De stem van de minister klonk wonderlijk iel in de geselende wind. De soldaten wierpen elkaar een korte blik toe. Terwijl Houston op de voordeur af stommelde, deden ze een stap naar voren en belemmerden hem de toegang.

'Moet dit soms een grap voorstellen?' vroeg Houston. 'Ik bedoelde dat niemand anders het gebouw binnengaat. Opzij.'

De soldaten gaven geen krimp.

'Opzij, zei ik,' herhaalde Houston.

'Het spijt me,' zei een van de infanteristen. 'We hebben onze bevelen.'

'Bevelen van wie?'

'Van Mr. Baker.'

Zelfs van achteren, en ondanks Houstons overjas, kon Littlemore zien hoe het hele lichaam van de minister van houding veranderde. 'Mr. Baker, de minister van Oorlog?'

'Ja, excellentie.'

'Je moet je vergissen.'

'Nee, excellentie.'

'Het is een grof schandaal. Dit is mijn gebouw. De minister van Oorlog heeft het recht niet om de minister van Financiën de toegang tot het Assay-kantoor te ontzeggen.'

'Wij staan onder zijn gezag, excellentie.'

Houston schreed met grote passen langs hen heen en daagde de soldaten uit hem tegen te houden. Dat deden ze. Houston probeerde zich langs hen te wringen; zij duwden hem met geweld naar achteren – twee geüniformeerde jongemannen die een zestigjarige minister met hoge hoed en in jacquet hardhandig de deur wezen. Houston tuimelde op de grond. Zijn hoge hoed tolde over de trappen, werd opnieuw door de wind gegrepen en verdween in de nacht. Toen hij overeind kwam, had hij een gezicht als een donderwolk. Houston liep onvast de trap af en verdween naar zijn auto. De chauffeur haastte zich naar buiten en trok het achterportier open. Zonder iets te zeggen stapte Houston in. Toen de chauffeur het portier dicht wilde slaan, legde Littlemore zijn hand erop.

'Ik weet waaraan u zich schuldig heeft gemaakt, Mr. Houston,' zei de rechercheur.

'Je bent ontslagen,' zei de minister. 'Geef me je penning. Dat is een bevel.'

Littlemore gaf hem zijn penning. Van deze kon hij heel wat makkelijker afstand doen dan van de vorige.

'Scheer je bij mijn auto weg,' beval Houston.

'En ik weet waaraan u zich niet schuldig heeft gemaakt,' voegde Littlemore eraan toe, terwijl hij Houston een groot, opgevouwen vel papier in de hand drukte. 'Zorg dat u er bent, minister. En breng wat mannen mee.'

⁂

Toen Houstons auto uit het zicht was verdwenen, liep Littlemore van het Assay-kantoor naar de hoek van Broadway en Wall Street. Hij stopte toen hij Younger trof, die zonder hoed tegen een muur van het Equitable-gebouw geleund stond, zijn sigaret opgloeiend in de snijdende wind.

'Wat had dat te betekenen?' vroeg Younger. Hij hield twee kartonnen bekertjes koffie met deksel vast, die hij aan de rechercheur gaf.

'Alleen maar net de laan uit gestuurd,' zei Littlemore. 'Misschien maar beter ook. Nu zet ik de federale overheid niet te schande als jij en ik gearresteerd worden.'

'Gaan we een misdrijf plegen?'

'Als je liever afhaakt kan dat, hoor.'

'Eén vraag,' zei Younger. 'Dalen we per lift af in een caisson dat elk moment onder water gezet kan worden en waaruit geen andere uitweg is dan onszelf in menselijke geisers te veranderen?'

'Nee.'

'Dan ben ik van de partij.'

'Bedankt.' Vooroverhangend tegen de wind liepen de mannen door Wall Street terug naar het subdepartement. 'Ik moet zeggen,' zei Littlemore, 'dat ik op deze stad gesteld ben.'

'Waar gaan we heen?' vroeg Younger.

'Zie je dat steegje tussen Financiën en het Assay-kantoor? Daar gaan we heen.'

'Zullen de soldaten ons doorlaten?'

'Van zijn levensdagen niet,' zei Littlemore. 'Die laten helemaal niemand door. De steeg is afgesloten met een vijf meter hoog smeedijzeren hek. Aan de andere kant van de steeg, in Pine Street, staat precies zo'n hek. En aan die kant ook met soldaten.'

'Hoe komen we er dan?'

'Je moet eerst omhoog voordat je omlaag kunt.' Littlemore en Younger liepen de trappen op naar het departement. Hier stonden geen soldaten op wacht; al het goud was uit het gebouw verwijderd en het zou binnenkort gesloopt worden. Maar voor de ingang stond nog een eenzame nachtwaker op zijn post. Littlemore begroette hem bij naam en gaf hem een beker koffie. De bewaker bedankte Littlemore en roffelde op de deur, die even later door een andere nachtwaker werd geopend, aan wie Littlemore zijn tweede beker koffie gaf. Vervolgens voerde Littlemore Younger door de koepelzaal naar een trappenhuis achter in het gebouw.

'Wat zullen die mannen wel niet denken?' vroeg Younger.

'Ik werk hier,' antwoordde Littlemore. 'Ik ben speciaal agent van Financiën, weet je nog. Nou ja, dat was ik tot een paar minuten geleden.'

Nadat ze vierenhalve trap beklommen hadden, kwamen Younger en Littlemore op een plat dak uit. De wind was zo fel dat ze zijwaarts werden geblazen. Ze baanden zich een weg naar een balustrade die op het Assay-kantoor uitkeek, dat op nog geen drie meter voor hen lag. Voor de balustrade vonden ze een paar lange trossen touw die aan de decoratieve stenen kantelen van de balustrade bevestigd waren. Naast het touw lag een complete uitrusting: koevoeten, katrollen, takels met teruglooprem – daar stuk voor stuk de avond tevoren door Littlemore achtergelaten.

Op de begane grond onder hen lag het steegje, ingeklemd tussen het departement en het Assay-kantoor. Aan beide uiteinden van de steeg, in het licht van jupiterlampen, stonden infanteristen op wacht bij het smeedijzeren hek. De soldaten stonden naar de straat gekeerd, met hun rug naar de steeg. Terwijl hij naar de katrollen en takels wees, vroeg Littlemore zachtjes: 'Weet je hoe je met die spullen moet omgaan, doc?'

Younger knikte.

'Vooruit dan,' zei Littlemore.

De mannen knielden neer en wurmden de touwen door de katrollen. Zelfs zonder speciale uitrusting is abseilen niet al te lastig; met takels met teruglooprem, die het de abseiler mogelijk maken het touw naar believen te verlengen en in te korten, is het kinderspel. Younger, die in het leger had leren abseilen, legde een lus in het uiteinde van zijn touw en bevestigde deze om zijn hiel.

Littlemore pakte de koevoeten en volgde zijn voorbeeld.

De beide mannen daalden de wand van het ministerie af, waarbij ze zich in het duister om de paar meter met de voet tegen de muur afzetten. Terwijl de touwen door de twee goedgeoliede katrollen rolden, maakten die bijna geen geluid. Niet dat het veel had uitgemaakt als ze gepiept hadden, het gejank van de wind overstemde hoe dan ook alles.

'Hierheen,' fluisterde Littlemore toen ze op de keien waren aanbeland. Hij leidde Younger naar een groot putdeksel dat hij op de dag van de aanslag voor het eerst had gezien. 'Laten we het met de koevoeten proberen.'

Op het putdeksel stond het bekende beeldmerk van de New Yorkse riolering.

'Gaan we de riolering in?' vroeg Younger.

'Dit is geen riolering,' fluisterde Littlemore. 'Zo hebben ze het goud geloosd, door dit gat. Vandaar dat niemand hier een vrachtwagen heeft gezien.'

In de putdeksel zaten twee inkepingen waarin Younger en Littlemore ieder de gekromde punt van hun koevoet haakten. Ze probeerden hem open te wrikken, maar de ijzeren cirkel weigerde mee te geven.

'Dacht al dat dat niet zou werken,' fluisterde Littlemore. 'Hij is van binnen afgesloten; die krijg je van hieruit niet open.'

'Vandaar het zuur,' antwoordde Younger.

'Vandaar, ja,' zei Littlemore.

Younger haalde drie kleine kistjes tevoorschijn. Het eerste bevatte een glazen beker, een potloodranke glazen buis en een paar laboratoriumhandschoenen. In de andere twee kistjes, gevoerd met blauw fluweel, zaten goed afgesloten medicijnflesjes met een doorzichtige vloeistof erin. Met zijn handschoenen aan opende Younger de flesjes en goot van elk wat in de beker, waarmee hij het zuur samenstelde dat hij aan Littlemore had beschreven. Op het mengproces volgde geen chemische reactie; geen kleurverandering, geen neerslag, geen rook. Younger bevestigde de buret, de dunne maatbuis, aan de tuit van de beker en liet het zuur omzichtig over de buitenrand van het putdeksel druppelen. Op de ijzeren ondergrond vormden zich terstond woeste bubbels, compleet met de bijbehorende bijtende, rossige rook.

'Zorg dat je het niet in je ogen krijgt,' zei Younger.

Tegen de tijd dat hij halverwege de deksel was gevorderd, was hij door de voorraad in de beker heen. Hij moest nog wat van het koningswater bijmengen. Dat dwong hem de beide geopende glazen flesjes aan Littlemore aan te reiken, terwijl hij zelf zijn druppelapparaat uit elkaar haalde. Op datzelfde moment schoot er een bijzonder woeste windvlaag door de steeg.

'Alle donders,' fluisterde Littlemore. Younger keek op. Op de zwarte schoen van de rechercheur schuimden witte bubbels op. Terwijl hij zijn stem op de een of andere manier tot fluistertoon wist te bedwingen, bracht Littlemore hijgend uit: 'Het brandt door mijn schoen heen! Doc, doe iets, het zit al op mijn voet. Het brandt tot op het bot!'

'Dat is mijn zuur niet,' zei Younger.

Aan Littlemores gehijg kwam abrupt een eind.

'Wat was het?' vroeg Younger. 'Zuiveringszout?'

'Ieder ander was er ingestonken,' zei Littlemore ronduit gepikeerd.

Younger staarde Littlemore geruime tijd strak aan. 'Geef die maar aan mij,' zei hij, terwijl hij naar de glazen flesjes in de handen van de rechercheur gebaarde. Al snel bruiste de hele omtrek van de deksel van zuurcorrosie. 'En nu maar wachten.'

Een paar minuten later kwam Younger overeind, pakte een koevoet en gaf die aan Littlemore. Uit alle macht trachtten ze de deksel los te wrikken, maar zonder succes. 'Misschien is het zuur niet sterk genoeg,' zei Littlemore.

De beide mannen stonden over het deksel gebogen. Littlemore stampte er met zijn voet op. Toen hij nog eens wilde uithalen, waarschuwde Younger, te laat: 'Dat is misschien niet zo'n...'

Littlemores schoen trapte het door zuur gecorrodeerde deksel los. Ze konden hem omlaag horen suizen, alsof hij in een vacuüm werd gezogen. Heel even nog lukte het Littlemore boven het open gat te balanceren, met één voet er al in, zijn lichaam spartelend en wankelend, knokkend om zijn evenwicht te bewaren. Toen zei hij 'alle donders', en hij viel in het gat.

Terwijl Littlemore in het gat verdween, graaide een van zijn malende handen naar Youngers enkel. Bijna was het Younger gelukt hun val te stuiten, maar er was niets om zich aan vast te houden, en het volgende moment werd ook hij door de aarde verzwolgen, waarna slechts een koevoet als aandenken aan hun aanwezigheid dwars over de put achterbleef.

Younger voelde hoe hij met razende snelheid in een stortkoker omlaag gleed. Er was geen licht. Geluid echter wel: dat van zijn eigen lichaam dat tegen de gebogen wanden knalde en het geschreeuw van Littlemore voor hem. Ze vlogen door haarspeldbochten, schoten over bobbels en stortten de blinde duisternis in.

※

Mr. Brighton hield ze de hele dag in spanning over zijn plannen met het Radium Fonds. Elke keer wanneer Mrs. Meloney het gesprek naar het onderwerp terugbracht, ontweek hij het – of dit uit gewiekstheid of verstrooidheid was, werd Colette niet duidelijk.

Ze dineerden in restaurant Garret, hoog boven de zuidpunt van Manhattan, met uitzicht op een bloedrode zonsondergang boven de Hudson. In de lift omlaag verklaarde Mrs. Meloney dat ze op was van de zenuwen na op een dergelijke hoogte te hebben gegeten, en ze stond erop naar huis te gaan. Colette zei dat zij ook maar eens op huis aan moest.

'Doe niet zo mal, liefje,' zei Mrs. Meloney. 'Je moet een bezoekje aan Mr. Brightons wijzerplatenfabriek brengen. Hij is er bijzonder trots op, en terecht.'

'Zeg alstublieft dat u met me meekomt,' zei Brighton.

'Is daar nog tijd voor?' vroeg Colette. 'Om halftien staat dr. Younger bij Trinity Church op me te wachten.'

'Bij de kerk te wachten?' vroeg Brighton. 'Hoezo... gaat u... u gaat toch niet trouwen, Miss Rousseau?'

'Trouwen? Vanavond?' lachte Mrs. Meloney. 'Mr. Brighton, jongedames trouwen niet in de avonduren. En als ze het wel deden, dan zouden ze hun trouwdag niet doorbrengen met het bezichtigen van verffabrieken. Nog afgezien van het feit dat Trinity Church op dit uur potdicht zit.'

'O hemeltje,' zei Brighton. 'Er is zoveel wat ik niet weet. Maar ik zit in het kerkbestuur, dus heb ik de sleutels. Zou u Trinity Church vanbinnen willen zien, Miss Rousseau? Hij is erg mooi.'

'Ik weet hoe hij er vanbinnen uitziet, Mr. Brighton,' zei Colette, die er op 16 september een aantal uren had doorgebracht.

'Miss Rousseau wil de kerk niet zien, Mr. Brighton. Ze wil uw fabriek zien.' Mrs. Meloney wendde zich tot Colette. 'Je hebt tijd genoeg, liefje. De fabriek is vlakbij. En de kerk is om de hoek van de fabriek. Stel hem – of mij – nu alsjeblieft niet teleur.'

Mrs. Meloney vertrok in een taxi. 'Wandelt u graag, Miss Rousseau?' vroeg Brighton.

Colette stond plots met haar mond vol tanden. Zolang ze samen met Mrs. Meloney was geweest, was het niet helemaal tot haar doorgedrongen dat ze uitsluitend om zijn geld tijd met Mr. Brighton doorbracht. Nu ze zich dit realiseerde, leek het alles wat ze zei of niet zei met een valse en hypocriete bijsmaak te bezoedelen. 'Ik ben dol op wandelen,' zei ze.

Brighton bood haar zijn arm. Colette deed alsof ze die niet zag, maar Brighton zag niet dat zij hem niet zag en liet zijn arm zo lang in het luchtledige hangen dat Colette zich ten slotte verplicht voelde haar arm in de zijne te haken. Wandelend naast Colette maakte Brighton een wonderlijk lange indruk; hun tred wilde maar niet synchroon lopen. Samuels kwam op eerbiedige afstand achter hen aan.

'We komen precies op tijd,' zei Brighton opgeruimd. 'Mijn tweede ploeg meisjes is bijna klaar. Ik wil zo graag dat u de fabriek in werking ziet. Maar u heeft het vast koud, Miss Rousseau.' Er was een bitterkoude wind opgestoken. Colette was er niet op gekleed. 'Hier... ik heb nog een ander cadeautje voor u. Die zullen u vast warm houden.'

Brighton haalde een schitterend verpakt doosje uit zijn jas. Daarin zat een dubbel gesnoerd diamanten halssnoer van hetzelfde ontwerp als de broche die hij haar eerder had gegeven.

'O, hemeltje,' zei Brighton. 'Het is de halsketting. Ik had u de handschoenen eerst willen geven. Nou ja, niets aan te doen. Als ik zo vrij mag zijn.'

Hij bevestigde het snoer rond Colettes hals. Terwijl ze heimelijk wenste dat hij het geld aan het Radium Fonds had geschonken, stamelde Colette een bedankje, omdat ze tot haar ontsteltenis aanvoelde dat als ze de cadeaus niet aannam hij nooit tot nog een donatie aan het Fonds bereid zou zijn. Het was voor het eerst dat Colette diamanten droeg; ze voelden koud rond haar hals. Misschien dat ze ze later kon verkopen en het geld in zijn naam aan het Fonds kon schenken?

Brighton overhandigde haar nog een doos. Deze bevatte een paar dunne, extreem lange handschoenen in de kleur van verse room en gemaakt van het soepelste leer dat ze ooit had aangeraakt. 'Doe ze eens aan,' zei hij.

'Dit kan echt niet, Mr. Brighton. Ze zijn veel te...'

'Veel te lang om aan te trekken zonder uw jas uit te doen? Maar natuurlijk. Als u mij toestaat.'

Hij hielp haar uit haar dunne overjas. Omdat ze hem niet wilde beledigen trok ze de handschoenen aan, die tot voorbij haar ellebogen reikten. 'Mijn jas, Mr. Brighton,' zei Colette.

'Wat is daarmee?'

'Mag ik hem alstublieft terug? Ik heb het koud.'

'Koud... maar natuurlijk... hoe dom van me,' zei Brighton. 'Hier heeft u hem. Vindt u ze mooi?'

Ze staarde naar haar elegante, in ivoren leer gehulde vingers. 'Ik weet niet wat ik moet zeggen.'

'Het is me een waar genoegen, dat kan ik u verzekeren. En als ik zo openhartig mag zijn, Miss Rousseau: het is mij bekend wat u het meest ter wereld begeert. Mrs. Meloney heeft het me verteld. U wilt dat ik u help het radium voor madame Curie te bemachtigen, is het niet?'

'Inderdaad, mocht u daartoe bereid zijn, Mr. Brighton.'

'Daar ben ik zeer zeker toe bereid!' riep hij uit. 'Ik zal die hele gram uit eigen zak betalen.'

'Echt waar?' zei ze opgewonden.

'Als u bereid bent,' zei hij.

'Bereid tot wat?' vroeg ze, terwijl haar opwinding plaatsmaakte voor ontsteltenis.

'Bereid om met mij te trouwen,' antwoordde Brighton.

Colette wist niet of ze in lachen of in tranen moest uitbarsten.

'Ik weet heus wel dat ik in jullie meisjesogen niet knap ben,' zei Brighton. 'Maar ik ben erg rijk, ik kan u alles geven wat uw hart begeert. Denk erover na. Alles is niet niks.'

'Maar we kennen elkaar helemaal niet, Mr. Brighton.'

'Dat is niet waar. Ik weet perfect wie u bent, want u bent de perfectie in eigen persoon. Ik vraag u niet om van me te houden. Dat doet er totaal niet toe. Laat het aanbidden maar aan mij over. Als u ja zegt, maak ik nu, à la minute, honderdduizend dollar naar de rekening van Mrs. Meloney over.'

Het verbijsterende bedrag gonsde nog even na. 'Maar ook als ik nee zeg, zult u toch zeker een donatie overwegen?' vroeg ze.

'In geen geval,' verklaarde Brighton gedecideerd. 'Ik heb al vijfentwintigduizend dollar geschonken, en dat heb ik enkel en alleen gedaan om bij uw lezing aanwezig te kunnen zijn. Waarom zou ik geld geven aan een of andere Française die ik nog nooit ontmoet heb? Daar heb ik geen enkel belang bij. Maar als u met mij trouwt, mijn lieve Miss Rousseau, dan is uw wens mijn bevel. Ook al wilt u twee gram... tien gram.'

'Tien gram radium?' herhaalde ze, niet in staat haar oren te geloven.

'Uit mijn eigen mijnen. Waarom niet? De marktwaarde mag dan een miljoen dollar zijn, maar mij kost het veel minder.' Toen Colette geen antwoord gaf, voegde Brighton eraan toe: 'O lieve help, was mijn voorstel misschien ongepast? Gedraag ik me immoreel?'

Colette schudde haar hoofd, haar wenkbrauwen geplooid in een strenge frons.

'Goddank. Ik weet nooit precies wat mensen wel of niet als immoreel beschouwen. Ze zeggen dat mensen uit liefde moeten trouwen. Ik heb geen idee wat ze daarmee bedoelen. Ik wil dat u mijn huis met me deelt, Miss Rousseau. Dat u samen met mij in mijn trein reist. Dat ik u aan mijn zijde weet wanneer ik met presidenten soupeer. Is het zo onredelijk van me dat ik het mooiste, intelligentste en onschuldigste schepsel op aarde als mijn echtgenote wil, of dat ik haar alles bied wat tot mijn beschikking staat om haar tot een jawoord te bewegen? Ah, hier is mijn fabriek.' Samuels hield de deur voor hen open. 'Komt u toch binnen. Ah, zie mijn meisjes eens, allemaal over hun werk gebogen. Wat een prachtige aanblik. Maar waar was ik ook weer? O ja, tien gram radium, geheel naar eigen inzicht te gebruiken. Samuels! Maak onmiddellijk een overschrijving gereed naar de rekening van Mrs. William Meloney. Op mijn kantoor staat een telegrafieapparaat. Zeg dat u me trouwt en ik maak onmiddellijk honderdduizend dollar over. Maar u moet weten dat Samuels het me heeft afgeraden. Hij zegt dat het onbesuisd van me is om voor louter een belofte geld neer te leggen. Ik moet zeggen dat Samuels aanvankelijk een geheel verkeerde indruk van u had, Miss Rousseau. U moest eens weten wat hij allemaal van u dacht. Maar ik weet zeker dat als u mij uw woord geeft u dat zult houden. Nee maar, het lijkt wel of u huilt. Louter vreugdetranen, mag ik hopen.'

Colette smeekte Mr. Brighton om wat bedenktijd.

'Natuurlijk, mijn liefste,' zei Brighton. 'Samuels heeft toch een paar minuten nodig om de overschrijving gereed te maken.'

❧❀❧

Vier verdiepingen onder Wall Street, in een spelonkachtige, onverlichte ruimte met onverharde vloer, bedienden twee mannen een immense smeltoven. Hun gezichten waren zwart van het roet; beiden droegen dikke, zware, leren schorten die tot op de grond reikten. De een stouwde de oven vol met grote, zware baren goud. De ander was met een verzameling ijzeren gietvormen in de weer, waarin een stroom gesmolten geel metaal vloeide dat gestaag via een halfopen pijp uit een opening hoog in de oven sijpelde. Wanneer zich een nieuwe goudbaar gevormd had en deze voldoende was afgekoeld, smeet de man hem met een tang op een berg van soortgelijke baren die de ondergrondse ruimte voor de oven vulden. Beide mannen droegen stofbrillen, en in de vonken en het onnatuurlijke licht dat de oven afgaf, glommen hun armen en voorhoofden van het zweet.

Op een kleine vijf meter achter de werklieden was een muur, en in deze muur zat een volmaakt rond gat, en uit dit gat klonk een geluid dat de aandacht van de verbouwereerde mannen trok. Het was een metalig geluid, galmend en ver weg; een ver verwijderd gekletter. Het kabaal werd luider en luider en nog luider tot het tot een gruwelijk geraas aanzwol en er uit het gat een grote ijzeren schijf tevoorschijn vloog. Het was een putdeksel met gekartelde rand die met vervaarlijke snelheid op de onverharde vloer knalde, langs de benen van de verbijsterde smelters schoot, onder hun werktafel verdween en bijna tot aan de top van de goudberg doorrolde, waar hij kantelde, omlaag tolde en ratelend voor de voeten van de werklieden tot stilstand kwam.

De twee smelters zetten hun veiligheidsbrillen af. Ze staarden sprakeloos naar de cirkelvormige indringer en keken elkaar vervolgens aan: uit het gat in de muur klonk een nieuw geluid. Dit keer niet metalig. Het waren eerder tuimelgeluiden doorspekt met menselijk geschreeuw, en ook dit geraas klonk zachtjes, veraf, maar toen steeds dichterbij, luider, om nog dichterbij te komen, tot Jimmy Littlemore met de voeten voorwaarts uit het gat schoot, onmiddellijk gevolgd door Stratham Younger, en de beide mannen in een wirwar van armen en benen hotsend en botsend over de vloer rolden, totdat ook zij voor de voeten van de smelters tot stilstand kwamen.

Littlemore keek naar de beide werkmannen, spuwde de resten van zijn tandenstoker samen met wat vuil van zijn lip uit en zei: 'Jullie staan onder arrest.'

Younger, die plat op zijn buik lag en niet kon zien tot wie de rechercheur deze woorden gericht had, voegde er 'in naam der wet' aan toe.

Littlemore trok zijn pistool uit zijn schouderholster en zei: 'Laat dat ding vallen' – hij doelde op de roodgloeiende tang – 'en handen omhoog.'

De sprakeloze smelters gaven daar prompt gehoor aan.

Littlemore kwam overeind, trok een paar handboeien uit zijn achterzak en gooide die Younger toe, terwijl hij zijn wapen op de twee mannen gericht hield. 'Sla een van die snuiters in de boeien.'

'Welke?' vroeg Younger.

'Maakt niet uit. De grootste.'

De werkman die de oven had gestookt was de grootste van de twee. Younger bond diens polsen op zijn rug. Littlemore draaide de andere man rond zijn as en duwde hem een pas naar voren.

'En nu lopen, jongens,' zei Littlemore, terwijl hij ze rond de oven in de richting van de berg goud leidde. 'Nu eens kijken of deze ruimte uitkomt in waar ik denk dat-ie...' Hij onderbrak zichzelf. 'Hoorde je dat, doc?'

'Wat?'

Littlemore keek naar de berg goud die een kleine vijf meter hoog was. Op de top van het gouden miniatuurgebergte doken plotseling de hoofden van drie mannen op, met naast elk van hen een pistool. Het middelste gezicht had littekens die van de hoeken van zijn mond naar zijn ooghoeken liepen, alsof hij onlangs aan zijn gezicht was geopereerd. 'Vooruit!' riep hij met zwaar Oost-Europese tongval. 'Schiet ze neer!'

'Bukken!' riep Littlemore.

Younger en Littlemore, beiden verscholen achter een smelter, boden de schutters geen vrije schotkans, maar dat maakte hun kennelijk niets uit. Ze vuurden alle drie tegelijk en joegen hun kogels in de lichamen van de twee werklieden, terwijl Younger en Littlemore dekking zochten. Younger smeet de zware houten werktafel omver en ging er met zijn rug naartoe gekeerd achter zitten. Littlemore schoot gehurkt achter de oven weg.

'Een vuurgevecht,' zei Younger, terwijl de kogels zich in zijn tafel boorden en van de smeltoven afketsten. 'Ik ben in een vuurgevecht beland en heb geen wapen bij me.'

Littlemore strekte zijn arm rond de oven en vuurde twee schoten af, wat de schutters op afstand hield, maar verder niets uitrichtte. 'Die kerel,' zei hij. 'Is dat wie ik denk dat-ie is?'

'Ja,' zei Younger. 'Zeg alsjeblieft dat je nog een wapen hebt.'

'Nee,' zei Littlemore. Kogels rukten stukken uit het onderstel van de oven, waardoor die lichtjes uit het lood zakte en een ijzingwekkende stoomschreeuw slaakte. 'Nog goeie ideeën, doc? Iets om het met Drobac op een akkoordje te gooien?'

De gigantische smeltoven rustte op een driepotig voetstuk. Een van deze poten begaf het onder luid gekraak; de oven zeeg in een krankzinnige hoek opzij.

'We kunnen hem een korting op zijn borgsom aanbieden,' stelde Younger voor.

'Goed plan,' antwoordde Littlemore, terwijl hij nog eens op de goudberg schoot.

'Ik geloof niet dat het erg veilig is,' riep Younger, 'ze plempen die oven vol met kogels.'

'Daar heb ik wat aan,' zei Littlemore, die om de oven heen reikend zijn laatste twee kogels afvuurde.

De rechercheur moest zijn pistool herladen. Drobac wist het of voelde het instinctief aan. 'Val oven aan,' schreeuwde hij.

De schutters klauterden gedrieën over de goudheuvel. Op datzelfde moment bezweek de tweede poot van de enorme oven, en onder een snerpend gekrijs van doorbuigend en knappend metaal kieperde de complete ijzeren kolos van Littlemore weg – recht op Younger af.

Littlemore en Younger leken ten dode opgeschreven. Younger lag precies op de plek waar de roodgloeiende en gesmolten goud rondspuwende oven dreigde neer te komen. En Littlemore was nog bezig zijn wapen te herladen, toen de drie schutters over de berg van goud op hem afstormden terwijl de oven, zijn dekking, begon te kantelen.

Younger zag het putdeksel aan zijn voeten liggen. 'Gebruik dit als schild,' riep hij, terwijl hij het putdeksel omhooghees, door de lucht smeet en nog net kon wegduiken voordat een paar ton ijzer op de onverharde vloer neerkwakte, die een dodelijke stroom goud rakelings langs zijn voeten en benen braakte.

In één vloeiende beweging ramde Littlemore de nieuwe patroonhulzen in zijn wapen, ving het deksel op en draaide zich naar de drie schutters terwijl de oven van hem weg kieperde. De drie schutters vuurden herhaaldelijk op Littlemore, maar het putdeksel weerde hun kogels af, en Littlemore, die hun vuur beantwoordde, schoot eerst één man dood, toen nog een, maar niet nummer drie, Drobac, die met zijn schouder op de rechercheur in ramde. Littlemore belandde hard op zijn rug, met het zware putdeksel op zijn borst en Drobac boven op het deksel.

Littlemores armen werden neergedrukt. Drobac hield een knie op het putdeksel, drukte dat uit alle macht op de borst van de rechercheur, terwijl hij zijn pistool tegen Littlemores slaap hield. Glimlachend haalde Drobac de trekker over. Er gebeurde niets, zijn wapen ging niet af; ook hij was kennelijk door zijn kogels heen. Vloekend smeet hij het pistool opzij. 'Geen probleem,' zei hij. 'Ik heb nog een.'

Drobac trok een tweede pistool uit zijn jas.

'Bye bye, agentje.'

'Hé, Drobac,' zei Younger, die naast de omgekieperde oven stond en de halfopen ijzeren pijp losschopte die er aan de bovenkant uitstak.

Afgeleid door Youngers stem draaide Drobac zich om. Het is onwaarschijnlijk dat hij besefte wat hij zag: een halfopen smeetijzeren pijp, druipend van het gesmolten goud, met het ene uiteinde in de oven en het andere dat zijn kant uit slingerde. De pijp raakte hem vol op het voorhoofd. De dreun zou niet meer dan een irritante onderbreking zijn geweest als het gesmolten goud, met een temperatuur van duizend graden, niet over zijn voorhoofd, wangen en hals was gestroomd. Drobac probeerde te gillen, maar het geluid dat hij voortbracht leek in niets op een menselijke schreeuw: de stroom van geel metaal had zich al door het vlees van zijn wangen gebrand en zich een weg naar zijn mond gebaand. Hij bracht zijn handen naar zijn met bubbelend goud bedekte gezicht, probeerde nogmaals te gillen, viel achterover, en terwijl er zwarte rook van zijn hoofd opsteeg, lag hij met schokkende ledematen smeulend op de onverharde vloer.

Littlemore wurmde zich onder het deksel vandaan en kwam moeizaam overeind, terwijl hij naar de stuiptrekkende Drobac staarde. 'Denk je dat ik hem moet arresteren?' vroeg Littlemore.

'Ik denk dat we moeten maken dat we hier wegkomen,' zei Younger, terwijl hij naar het omgevallen ijzeren gevaarte wees. Dat gloeide dieprood op, een rood dat nog voortdurend dieper leek te kleuren. De hitte in de ruimte was ondraaglijk.

'Jezus, hij kan elk moment ontploffen,' zei Littlemore. 'Aan de andere kant van dat goud moet ergens een deur zijn.'

Ze renden rond de heuvel van goudbaren, passeerden een tafel met speelkaarten en whiskyglazen en kwamen aan het andere uiteinde van de ondergrondse ruimte bij een stalen deur uit. Die had geen kruk, klink of knop. Ze duwden tegen de deur, ramden er met hun schouders op in, maar hij gaf niet mee.

De smeltoven bracht inmiddels een lage brom voort, zo sonoor dat hij als een kerkorgel klonk. Toen werd de toon nog lager. Buiten het blikveld van de mannen strekte een liploos, wangloos, smeulend lichaam een hand uit naar een pistool dat vlak bij hem op de grond lag.

'Dat klinkt niet best,' zei Younger, doelend op de diepe orgeltonen die de ruimte vulden. 'Dat klinkt helemaal niet best.'

'Wacht even,' antwoordde Littlemore. Hij sprintte terug naar de kaarttafel, greep een van de stoelen en was even vlug weer terug. 'Het komt allemaal goed. Ik heb tegen Houston gezegd dat hij moest luisteren of hij ons ergens kon horen.'

Hij ramde met de stoel tegen de deur. Nog eens en nog eens. De stoel brak in stukken, maar de deur week niet.

In het karmijnrode flakkerende licht van de oververhitte oven krabbelde de gezichtloze gestalte langzaam overeind. Van Drobacs gelaat waren alleen een paar tanden en een flard kraakbeen zichtbaar.

De sonore, gonzende brom uit de oven bereikte inmiddels zo'n diepe galm dat deze onmogelijk door een instrument van menselijke makelij voortgebracht had kunnen worden. Ook zwol de geluidssterkte steeds verder aan. Littlemore smeet de restanten van de verbrijzelde stoel tegen de deur.

Drobac wankelde naar de rand van de goudberg. Het geloei van de smeltoven was nu zo luid dat de vloer ervan trilde en Littlemore op en neer schokte. Steun zoekend tegen de goudbaren kreeg Drobac Younger aan de overkant bij de deur in het vizier. Met beide handen hief hij zijn wapen, zijn armen weifelend, onvast.

Littlemore, niet langer in staat de diepe dreun te verdragen, drukte zijn handen over zijn oren. De stalen deur bleef potdicht. Hij en Younger keken elkaar aan.

Het pistool in Drobacs trillende hand bewoog niet langer. Hij haalde de trekker over.

Op hetzelfde moment dat de kogel uit het wapen spatte, ontplofte de oven en zwaaide de deur open. Younger en Littlemore werden door de deuropening een gang in geblazen die vol mannen stond, terwijl de kogel ergens over hun hoofden vloog. In de ovenruimte smakte Drobacs lijf tegen de goudbaren en vloog in brand, terwijl ook de houten balken die het plafond stutten vlam begonnen te vatten. De balken bezweken; het plafond stortte in. De kamer was een vlammenzee.

'Doe die verdomde deur dicht,' beval minister Houston luidkeels, terwijl vlammentongen de gang in zwiepten.

De stalen deur werd dichtgegooid en vergrendeld; het oorverdovende vuurgeraas klonk plots gedempt. De gang was stil. Toen Younger en Littlemore overeind kwamen, bemerkten ze dat ze door een vijftal geheim agenten en eenzelfde aantal goed geklede bankiers, onder wie Thomas Lamont, werden aangegaapt.

'Wat is daarbinnen, Littlemore?' vroeg Houston.

Lamont, niet Littlemore, was degene die antwoord gaf. 'Het is enkel een oude, verlaten kelder. Die hebben we lang geleden afgesloten. Er is al tientallen jaren niemand meer geweest. Ik snap niet hoe je zelfs maar van het bestaan af wist.'

'Dat wist ik ook niet; mijn agent Littlemore hier zei waar ik heen moest,' zei Houston. 'En hij raadde me aan wat mannen van de geheime dienst mee te brengen voor het geval jij zou proberen me tegen te houden, Lamont. Wat heb je gevonden, Littlemore?'

'Alleen maar wat goud,' zei Littlemore. 'Voor een miljoen of vier, zou ik denken.'

Onder de welgestelde bankiers ontstond geroezemoes.

'Dat goud is niet van Morgan, dat kan ik je op een briefje geven,' verklaarde Lamont. 'De J.P. Morgan Company heeft hier niets mee te maken.'

'Er ligt voor vier miljoen aan goud in een ruimte naast de kelder van de Morgan Bank,' zei Houston tegen Lamont, 'en jij beweert dat jullie bank daar geen weet van had?'

'Het gaat om een oude kelder onder Wall Street,' antwoordde Lamont. 'Die is niet eens van ons. Wij hebben er niets mee te maken. Iedereen had zich er een weg heen kunnen graven.'

Een van de andere bankiers nam het woord. 'Misschien is het wel uw goud, Houston. Er doen geruchten de ronde over een diefstal uit het ministerie op de zestiende september.'

'Goud van het ministerie?' Houston slaagde erin ongelovig te klinken. 'Dat is belachelijk. Ik kan al het goud tot op de laatste gram verantwoorden. Elke baar, elke munt. Geen onverlaat is ooit tot de kluizen van het ministerie van Financiën doorgedrongen. Jullie twee' – Houston wees naar twee van zijn geheim agenten – 'blijven hier en bewaken deze deur. Onder geen beding laten jullie hier iemand binnen. Als de brand morgen is uitgewoed, zien we wel verder. Mijn vermoeden is dat het om een zoveelste lading van jullie gesmokkelde Russische goud gaat, Lamont.'

'Ik verzeker je dat Morgan er niets mee van doen heeft,' zei Lamont.

⁂

Zodra ze de vorstelijke Morgan Bank uit liepen en buiten in Wall Street belandden, vroeg Houston Littlemore op gedempte en bezorgde toon: 'Draagt het goud ons merkteken... of hebben ze het allemaal omgesmolten?'

'Praktisch alles is omgesmolten,' antwoordde Littlemore.

'Godzijdank,' zei Houston.

'Als u niet wilt dat mensen erachter komen dat het goud daarbeneden van Financiën is, kunt u maar beter het gat in de steeg dichten.'

'Welk gat?' vroeg Houston.

Littlemore wees naar de steeg tussen het subdepartement en het Assay-kantoor aan de overkant van de straat, waar het smeedijzeren hek openstond en een groep soldaten naar het gapende gat stond te kijken, waaruit inmiddels rook opkringelde. Houston wilde er juist met zijn overgebleven geheim agenten op afsnellen, toen hij stopte en een penning uit zijn jaszak haalde. 'Het spijt me dat ik aan je getwijfeld heb. Hier is je penning. Je hebt je oude baan terug.'

'Bedankt, Mr. Houston,' zei Littlemore. 'Maar ik heb voorlopig even genoeg van Financiën. Er ligt nog wat politiewerk op me te wachten.'

Houston spoedde zich weg en liet Younger en Littlemore op de stoep achter. Younger stak een sigaret op. Hun gezichten waren vuil, hun haar smerig en hun kleren gescheurd en zwartgeblakerd.

'Nou ja, het zou politiewerk zijn,' sputterde Littlemore, 'als ik nog bij de politie zat.'

21

In gedachten verzonken dwaalde Colette de fabrieksruimte in, een grote, open zaal met hoog plafond, waar eindeloze rijen jonge vrouwen, gebogen over lange tafels, met de fijne punten van hun penselen fluorescerende verf op de mesdunne wijzerplaten van modieuze horloges aanbrachten. Tussen ieder meisjespaar in bungelde aan een lange draad vanaf het plafond een elektrische lamp die een hard licht over hun minutieuze en moeilijke arbeid verspreidde. Maar hun angstvallige zwijgen had wellicht minder met concentratie van doen dan met de komst van Mr. Brighton, hun werkgever, een paar minuten eerder.

Ook Colette zelf droeg aan de stilte bij. Een jongedame met een diamanten halsketting en elleboog-lange witte handschoenen – die samen met de eigenaar was binnengekomen – was geen alledaagse aanblik voor de fabrieksmeisjes. Ze namen haar behoedzaam op terwijl ze tussen hen door liep.

Colette merkte het niet. Ze was maar van één gedachte vervuld: tien gram radium. Dat zou het leven van madame Curie compleet veranderen. Dat zou talloze mensen voor een wisse dood behoeden. Ingezet voor de wetenschap in plaats van voor horlogewijzerplaten of cosmetica zou het radium ontdekkingen over de aard van atomen en energie kunnen opleveren waarvan men tot dan toe alleen maar had kunnen dromen.

Toegegeven, het was volstrekt absurd dat Mr. Brighton haar ten huwelijk gevraagd had, nadat hij haar in zijn hele leven maar drie keer had ontmoet. Nietwaar? De eerste keer dat ze Younger had gezien, toen hij de oude Franse korporaal van het slagveld had teruggebracht, had ze meteen geweten dat ze met hem wilde trouwen.

Natuurlijk zou ze nooit met Mr. Brighton trouwen. Daar kon niets haar toe verplichten, zelfs madame Curie niet; of misschien toch wel? Ze had alles aan madame te danken: Marie Curie had zich over haar ontfermd, haar een kans aan de Sorbonne gegeven, een baan voor haar geregeld toen ze totaal berooid was. Maar dat kon toch onmogelijk betekenen dat Colette haar geluk, haar leven voor haar moest opofferen – of wel?

Ze had weliswaar geen hekel aan Mr. Brighton. Met zijn vergeetachtigheid en kinderlijke geestdrift was hij zelfs niet geheel van charme gespeend. En hij was onmiskenbaar vrijgevig. Maar als ze hem zou trouwen, zou ze vreselijk ongelukkig worden. Zo ongelukkig dat het haar dood zou betekenen. Nee, niet haar dood. En wat betekende haar geluk nu helemaal in het licht van de levens die gered zouden worden, van de vooruitgang die de wetenschap kon boeken als zij haar jawoord gaf? Welk recht had ze hem af te wijzen, voor haar eigen geluk te kiezen, terwijl miljoenen jongemannen meer dan hun geluk – hun leven – in de oorlog geofferd hadden?

'Niet doen, Miss,' zei een van de meisjes tegen haar.

'Pardon?' vroeg Colette.

'Wilt u daar niet tegen leunen,' zei het meisje. 'Daar wordt de hele fabriek mee verlicht. Er zijn ook mensen die werk hebben, werk dat af moet. Of wilt u soms dat we met z'n allen in het donker zitten?'

Colette keek achter zich. Midden op de muur zat een metalen stang met een rode houten handgreep; kennelijk de hoofdschakelaar voor het licht, die ze bijna per ongeluk uit had gezet. Toen ze zich terugdraaide, werd Colette zich ervan bewust dat alle meisjes haar bepaald niet welwillend aanstaarden. Verschillenden kauwden kauwgom. Een enkeling streek haar haar met besmeurde pols uit haar ogen, om zo beter zicht te krijgen op Colettes lange, ranke armen en haar fraaie, met stralende diamanten omgorde hals. Het meisje dat haar had aangesproken leek het minst in haar geïnteresseerd. Ze ging verder met waar ze mee bezig was en knipte met de gekromde bladen van een schaar een weerbarstige haar uit het penseel. Toen depte het meisje het penseel in een schoteltje groene verf, draaide de haartjes tussen haar lippen rond en haalde die er met een mooie scherpe punt weer uit.

'Niet doen!' riep Colette.

'Wie? Ik?'

'Stop die punt niet in je mond,' zei Colette.

'Zo hebben ze het ons geleerd, liefie,' zei het meisje. 'Met je lippen draai je een punt aan je penseel. Jammer dan als dat niet erg verfijnd staat.' De meisjes, zo zag Colette nu, punten allemaal op dezelfde manier hun penselen: tussen hun lippen. 'Waar zijn jullie handschoenen?' vroeg ze. 'Krijgen jullie geen beschermende handschoenen?'

'Er is er maar eentje hier die handschoenen draagt,' zei het meisje.

Er schalde een luide bel. De meisjes sprongen op van hun krukken. In een uitbarsting van gekwebbel en gelach ruimden ze hun bureaus op en borgen hun verf, penselen en onafgemaakte horlogewijzerplaten weg. Terwijl de meisjes zich naar de kapstokken repten en de uitgang opzochten, bleef een van hen naast Colette staan. Ze keek tersluiks om zich heen en zei: 'Sommigen van ons zijn bang, mevrouw. Een paar van de meiden zijn ziek geworden. De bedrijfsartsen zeiden dat ze de syf hadden opgelopen, maar daar waren ze de meiden niet naar. Van geen kanten.'

'Wat?' zei Colette, die het idioom van het meisje niet kon volgen. Maar ze was al verdwenen. Colette probeerde haar leren handschoenen uit te trekken; die zaten te strak. Ze trachtte haar diamanten halssnoer af te doen, maar kon de sluiting niet vinden. Gefrustreerd gaf ze het op, en terwijl de fabrieksmeisjes het bedrijf uit stroomden, rende ze onder het uitroepen van Brightons naam naar diens kantoor.

'Ja, Miss Rousseau?' vroeg Brighton begerig toen ze op hem afstormde. 'Gaat u me de gelukkigste man op aarde maken?'

'De meisjes stoppen de penselen in hun mond,' riep Colette.

'Natuurlijk doen ze dat. Dat is het geheim van onze techniek.'

'Ze krijgen de verf binnen.'

'Wat een verkwisting,' antwoordde Brighton. 'Weet u nog wie het waren? Dan zal Samuels er een aantekening van maken.'

'Nee... Daardoor worden ze vergiftigd.'

'Door de verf, bedoelt u?' riep Brighton uit. 'Natuurlijk niet. Doe niet zo mal. Hoe zou ik ooit iets aan het grote publiek kunnen slijten wat voor mijn meisjes te gevaarlijk is om mee te werken?'

'Houdt u de stralingsniveaus hier net zo goed in de gaten als in uw verffabriek?'

'Maar mijn liefste, dat is helemaal niet nodig.'

'U kunt niet toestaan dat ze radium in hun mond krijgen. Dan komt het in hun kaken. Dan komt het in hun tanden. Het zou zelfs...' Halverwege haar zin onderbrak ze zichzelf, haar adem abrupt afgesneden, terwijl er een reeks beelden voor haar geestesoog over elkaar buitelde: een kies in een katoenen doekje, van binnenuit weggevreten; een meisje met een gezwel aan haar kaak; een ander meisje in New Haven met een groenachtig aura dat aan haar hals leek te ontspruiten. Er kwam een somberte in Colettes blik die ze uit haar stem trachtte te weren. 'Ach, zo'n vaart zal het niet lopen. Wanneer het om zulke kleine hoeveelheden radium gaat, doet het ze vast meer kwaad dan goed. Ik bedoel meer goed dan kwaad. Is het al zo laat? Mijn vrienden zullen zich afvragen waar ik blijf. Mrs. Meloney zal erg jaloers zijn.'

'Jaloers?' zei Brighton.

'Op al het radium dat de meisjes op hun huid krijgen.'

'O ja,' antwoordde hij lachend. 'Ze ziet groen van—'

'Ze weet het,' zei Samuels, terwijl hij een pistool trok.

Niemand zei iets.

'O jeetje,' zei Brighton. 'Wat weet ze, Samuels?'

'Alles.'

'Weet je het heel zeker?' vroeg Brighton. 'Ze zei dat Mrs. Meloney jaloers op onze meisjes zou zijn.'

'Ze loog,' zei Samuels, zijn wapen op Colette gericht.

Brighton schudde teleurgesteld zijn hoofd. 'Het heeft geen zin te liegen, Miss Rousseau. Dat ziet Samuels altijd onmiddellijk. Hoe hij dat doet is mij een raadsel. Zelf heb ik nooit een flauw vermoeden. Samuels, zou je zo vriendelijk willen zijn je pistool heel dicht bij Miss Rousseau te houden?'

Samuels kwam van achteren op Colette af en drukte zijn pistool in haar onderrug. Brighton liep op haar toe, zijn lichaam wonderlijk groot en onbeholpen. Met de glimmende nagel van zijn pink raakte hij haar kin aan en draaide hij haar gezicht teder weg, zodat hij haar met diamanten bezette hals beter kon bekijken. Colette probeerde er niet op te reageren.

'Kijk aan toch,' zei Brighton appreciërend. 'Zo schoon.'

Hij streelde de onderkant van Colettes kaak, liet zijn vinger omlaag glijden naar haar borstbeen, vouwde zijn handen tot kommetjes en legde ze over haar borsten. Vol afgrijzen bleef Colette roerloos staan.

'Vindt ze het fijn, Samuels?' vroeg Brighton. 'Ik geloof dat ze misschien wat nerveus is. Ik zou willen dat ik beter in gezichtsuitdrukkingen was, Miss Rousseau. Ik heb er de grootst mogelijke moeite mee. Was Lyme maar hier. Hij heeft een kalmeringsmiddel dat meisjes veel ontvankelijker voor me maakt. Ben je ooit gekust, Miss Rousseau? Op de mond?'

Colette verwaardigde zich niet te antwoorden.

'Kun je haar niet dwingen antwoord te geven?' vroeg Brighton aan Samuels.

Samuels porde met zijn pistool in haar rug.

'Ja, ik ben gekust.'

'Maar heb je ooit... heb je ooit...?'

Colette gaf geen antwoord.

'Nee, zeg maar niets,' zei Brighton. 'Je hebt gelijk. De woorden zouden je lippen bezoedelen. En ik weet zeker van niet. Je bent de zuiverheid zelve. En nu, Miss Rousseau, ga ik beginnen. Dat wil ik zo vreselijk graag, en ik verwacht niet dat een huwelijk er nog in zit. Ik hoop dat je het niet erg vindt dat Samuels toekijkt; ban hem gewoon uit je gedachten. En maak alsjeblieft geen onverwachte bewegingen. Samuels zou zomaar kunnen schieten.'

Brighton boog zich, kennelijk met de bedoeling haar te kussen. Colette wachtte, duldde het zo lang mogelijk, zelfs nog toen ze Brightons mond op de hare voelde, voordat ze een elleboog in Samuels' maag plantte, Brighton met al haar kracht van zich af duwde – waardoor hij onbeholpen op de vloer rolde – en ze uit het kantoor stormde. De fabriekshal was inmiddels uitgestorven; ze stoof erdoorheen op weg naar de ingang. Maar de deurkruk wilde niet meegeven; hij zat op slot. Colette keek wanhopig om zich heen en zag iets wat haar op een idee bracht. Als ze had kunnen rennen, had ze er zo bij gekund. Maar een stem deed haar verstijven.

'Verroer je niet, Miss Rousseau,' beval Brighton. 'Dwing Samuels alsjeblieft niet om je neer te schieten.'

Colette draaide zich om. 'Miss McDonald heeft hier gewerkt, nietwaar?' vroeg ze.

'Je bedoelt diegene met dat... dat ding aan haar hals?' zei Brighton. 'Ja, inderdaad. Een beeldschoon meisje. Een tijdje heb ik gedacht dat ze mijn vrouw zou worden, voordat dat gruwelijke geval uit haar begon te groeien.'

Terwijl Brighton en Samuels naderbij kwamen, zette Colette een stap bij ze vandaan, langs de muur, alsof ze bang was. 'Er is radium in haar kaak terechtgekomen,' zei Colette. 'Dat wist u. U heeft het geheim gehouden om uw horloges te verkopen.'

'Nee, mijn liefje,' antwoordde Brighton ernstig. 'Die horloges kunnen me niets schelen. Het ging om het radium zelf. Als het grote publiek erachter komt dat radium ervoor zorgt dat er dat soort dingen uit de hals van een meisje groeien, dan zou niemand meer radiumproducten willen. De waarde van radium zou met negentig procent dalen – terug naar wat het ooit gekost heeft. Voor een mijneigenaar als ik zou dat een substantieel verlies betekenen. Zeer substantieel.'

'En Amelia heeft hier ook gewerkt,' zei Colette terwijl ze nog een stap achteruit deed. 'Haar tanden vielen uit.'

'Ja. Een zeer onappetijtelijk gezicht. Ik was bijzonder boos op haar. Ze had bijna je ondergang bewerkstelligd, moet je weten. Samuels was er zeker van dat Amelia je al onze geheimen had verraden. Daarom moesten we... zekere stappen tegen je ondernemen.'

'U heeft me laten ontvoeren,' zei ze, steeds verder achteruitschuifelend.

'Het was zeldzaam doeltreffend geregeld. We hadden wat buitenlanders op bezoek voor een andere opdracht – Serviërs naar ik meen, nietwaar, Samuels? – die buitengewoon geschikt waren voor de klus.'

'U heeft geprobeerd me te vermoorden, om me vervolgens ten huwelijk te vragen?'

'Dat is een van mijn sterkste punten, Miss Rousseau. Ik geef mijn fouten toe. Ik leer ervan. Het was allemaal een misverstand. Weet je waarom Amelia je in je hotel probeerde op te zoeken? Omdat sommige meisjes je in onze fabriek in Connecticut toevallig hadden horen zeggen dat mijn bedrijf mensen doodt. Maar daarmee bedoelde je niet dat mijn verf schadelijk is. Je wilde alleen maar zeggen dat lichtgevende horloges het medisch gebruik van radium in de weg staan. Welk een idiotie... en dat misverstand heeft je bijna het leven gekost! Ik was het die je te hulp is geschoten. Je hebt je leven aan mij te danken, Miss Rousseau. Nadat ik je in de kerk had gehoord, begreep ik onmiddellijk dat Samuels zich vergist moest hebben. Daarom gaf ik opdracht de aanslagen op je af te blazen.' Hij schudde bedroefd zijn hoofd. 'En moet je nu zien hoe het allemaal gelopen is. Wat eeuwig zonde. Samuels, kunnen we haar niet in de ziekenboeg vasthouden? Als ik haar niet kan trouwen is dat mijn tweede keus.'

'Ze zullen haar hier zoeken,' zei Samuels.

Brighton zuchtte. 'Je hebt gelijk, zoals altijd.' Terwijl Samuels zijn pistool op Colette gericht hield, liep Brighton naar een metalen vat dat op een werktafel stond. Hij draaide het kraantje aan de onderkant open en vulde een maatbeker met groenige verf. 'Aangezien je niet ontvankelijk voor me bent, Miss Rousseau, zou je dan op z'n minst zo vriendelijk willen zijn je mond open te sperren en doodstil te blijven staan? Zeg alsjeblieft dat je meewerkt. Dat maakt het allemaal zoveel makkelijker.'

Colette gaf geen antwoord. Met haar handen op haar rug tastte ze de muur af, op zoek naar iets. Waar zat-ie?

'Mag ik je zwijgen als instemming opvatten?' vroeg Brighton. 'Dan zou ik zeer van je onder de indruk zijn. Meisjes zijn meestal zo onredelijk. De meeste mensen trouwens. Ik weet nog dat ik als jongen soms een volkomen redelijk voorstel deed en mijn ouders dan beweerden dat het "verkeerd" was. Met zo'n rare uitdrukking op hun gezicht. Wat betekent dat nu helemaal: verkeerd? Het leek wel alsof ze opeens in tongen spraken. Volgens mij betekent het woord helemaal niets. Ik heb mensen zo vaak gevraagd het me uit te leggen; niemand is dat ooit gelukt. Ze komen alleen maar met voorbeelden aanzetten. Allemaal gebazel. Soms kijk ik naar mensen, Miss Rousseau, en echt, dan zie ik allemaal vee voor me. Misschien ben ik wel de enige met verstand. Samuels, open de mond van Miss Rousseau.'

'U gaat me toch niet dwingen uw verf te drinken?' vroeg Colette ontzet, terwijl ze verder achteruitschuifelde.

'Maak je alsjeblieft geen zorgen,' zei Brighton. 'We hebben het eerder gedaan; het werkt voortreffelijk. De verf maakt je ziek en dan brengen we je ijlings naar het Sloane-vrouwenhospitaal, waar een specialist, ene Lyme, je zal behandelen. Hij geeft je iets waardoor je niet kunt praten. Je wordt zwakker en er is een goede kans dat je haar uitvalt. Daardoor ga je er uiterst onaantrekkelijk uitzien, maar dat geeft niet – ik kom je toch niet opzoeken. Dan stelt de arts syfilis bij je vast, neem ik zo aan. En dan ga je dood. Het gaat allemaal heel vlotjes, dat beloof ik je. Wil je toch niet alsjeblieft je mond opendoen? Je zou me een grote dienst bewijzen.'

'Mr. Brighton, ik smeek u,' zei ze, terwijl ze hem haar rug toekeerde. 'Schiet me dood. Maak er nu gelijk een einde aan.'

'Maar dat is onmogelijk,' antwoordde Brighton. 'Als wij je doodschieten, Miss Rousseau, dan zal je stoffelijk overschot ofwel moeten verdwijnen, wat tot allerlei lastige vragen leidt, of we moeten het met kogelgaten en al aan de politie overhandigen, wat tot nog meer lastige vragen leidt. Ik verzeker je, de verf werkt veel...'

Brighton zou zijn zin nooit afmaken. Colette, met haar rug naar de beide mannen, had een hand op de roodhouten lichtschakelaar gelegd – de hoofdschakelaar waar het fabrieksmeisje haar eerder voor gewaarschuwd had – en de fabriek in duisternis gedompeld. Onmiddellijk wierp ze zich tegen de grond, terwijl schoten weergalmden en kogels van de metalen balk boven haar spatten.

'Hou op met schieten,' beval Brighton. 'Ze kan nergens heen. Doe het licht aan.'

Colette zag niets, op de glazen maatbeker in Brightons handen na die groengeel opgloeide en zijn neus en kin in een spookachtig licht onderdompelde. Ze sprong op hem af, greep de beker met beide handen vast en smeet de verf in zijn gezicht.

'Haal het van me af!' gilde Brighton. 'Haal het eraf.'

Colette stoof naar de muur aan de andere kant van de hal, die vier grote ramen bevatte. In de fabriekshal keerde een uiterst bleek lichtschijnsel terug. Samuels had de hoofdschakelaar weer aangezet, maar de lampen boven hun hoofden kwamen door hun dikke gloeidraden maar heel geleidelijk weer tot leven. Samuels stond met een zakdoek in zijn hand naast Brighton en probeerde vergeefs de fluorescerende verf van het gezicht van zijn werkgever te vegen.

'Laat maar,' zei Brighton. 'Waar is ze?'

Colette pakte een van de krukken van de meisjes op en kwakte hem door het raam, wat een gapend gat veroorzaakte. Samuels vuurde haar kant uit, maar het duister werkte in haar voordeel. Ze klauterde door het raam, waarbij haar leren handschoenen voorkwamen dat de glasscherven al te diep in haar handen sneden, en liet zich op de straat vallen die zich pal onder haar bevond. Zonder op een koers of richting acht te slaan, sprintte Colette met bonzend hart van de fabriek weg. Ze hoorde geen geluiden van iemand die haar op de hielen zat; toch bleef ze rennen.

Toen ze een hoek om schoot, bevond ze zich plots in een korte, nauwe, onverlichte en uitgestorven straat. Ze kwam bij een parkje uit. Ze stormde erdoorheen, onder de bomen door, totdat ze op een oud, hoog, kolossaal stenen gebouw met houten deuren stuitte. Het was Trinity Church. Ze bevond zich bij een zijingang; de deuren zaten op slot. Naar adem snakkend bonsde ze uit alle macht op de deuren, maar er deed niemand open. Opnieuw rende ze de nacht in.

❦

'Ik moet naar het Grand Central,' zei Littlemore tegen Younger terwijl ze door Wall Street naar het metrostation op de hoek van Broadway liepen, vanwaar ze aan het eind van Wall Street de schimmige torenspitsen van Trinity Church in de avondlucht zagen opdoemen. 'Ga je mee?'

'Ik heb met Colette afgesproken,' zei Younger. 'Hier bij de kerk.'

'Ik hoop maar dat je niet van plan bent haar ergens chic mee uit eten te nemen,' zei Littlemore, die zijn blik over Youngers afgeragde kleding liet glijden.

'Vreemd... waar is ze? Ze had er allang moeten zijn.' Ze waren weliswaar nog een half huizenblok van de kerk verwijderd, maar er stond een lantaarnpaal voor de ingang waar Younger Colette verwacht had.

'Hé, hoe gaat het met de jongedame?' vroeg Littlemore. 'Zou ze vanavond niet een of andere hoge pief ontmoeten?'

'Arnold Brighton.'

'Je meent het. Weet je, ik vraag me af of...'

Littlemore had zijn zin nog niet afgemaakt of Colette kwam vertwijfeld om de hoek van de kerk rennen. Onder de ijzeren lantaarnpaal kwam ze, met schokkend lijf en naar adem happend, tot stilstand. Younger riep haar naam.

'Stratham?' antwoordde ze paniekerig. Waar Colette voor de beide mannen zichtbaar was, waren zij, verscholen in het duister, voor haar onzichtbaar. Ze rende in de richting van Youngers stem. 'Goddank.'

De dubbele deur van Trinity Church vloog open en onthulde een gewelfde poort waardoor een hel licht vanuit de kerk naar buiten spoelde. Onder het gewelf stond Arnold Brighton, zijn gezicht een groengeel opgloeiende bolvorm, waar zijn ogen schril wit bij afstaken. Naast hem stond Samuels.

'Daar is ze!' riep Brighton, wijzend naar de gestalte die door Wall Street rende. 'Schiet haar neer!'

Samuels vuurde. Colette schoot vanonder de ene straatlantaarn vandaan om in het licht van de volgende weer op te duiken. Ze was niet geraakt. Younger sprong naar voren om haar in veiligheid te brengen, en terwijl Samuels nog tweemaal vuurde trachtte hij zijn rug tussen haar en de schoten te manoeuvreren. Colette stortte zich in Youngers armen. Hij tilde haar pijlsnel op en droeg haar naar een donkere nis in een winkelpui.

Littlemore had dekking gezocht achter een brievenbus en klopte op al zijn zakken op zoek naar een pistool; tevergeefs, hij was zijn vuurwapen in de kelder kwijtgeraakt. Terwijl Samuels' kogels over zijn hoofd scheerden, schuifelde Littlemore op handen en voeten naar Younger toe. 'Is ze ongedeerd?' vroeg hij.

'Niets aan de hand,' antwoordde Colette, nog steeds in Youngers armen. Samuels stopte met schieten, duidelijk niet bij machte zijn doelwitten te onderscheiden.

'Jij daar met dat meisje,' zei een andere stem direct achter hen, de stem van een jongen die gebiedend probeerde te klinken. 'Laat haar los.'

Younger draaide zich om. De stem behoorde toe aan een soldaat met een fris gezicht die op het geluid van de pistoolschoten was komen toesnellen. Zenuwachtig hield hij zijn geweer op Younger gericht, de bajonet veel dichter bij Youngers borst dan hem lief was.

'Ben je daar, Miss Rousseau?' riep Brighton vanonder het helverlichte gewelf. 'Samuels, kun je haar zien?'

'Vooruit, hier met dat ding,' gromde Younger tegen de soldaat. In één beweging zette hij Colette neer, greep het geweer van de jongen, zakte op een knie, legde aan, mikte op de deuren van Trinity Church en haalde de trekker over. De kogel raakte Samuels in zijn schoudergewricht en rukte bijna zijn arm af.

'Je hebt hem, doc,' zei Littlemore.

'Dacht je?' Younger mikte deze keer een fractie naar rechts.

Samuels zakte door zijn knieën, bloed gutste uit zijn ondersleutelbeenslagader.

'Wat is er met jou aan de hand?' vroeg Brighton, terwijl hij half verbijsterd, half verontwaardigd op zijn secretaris neerkeek. 'Het is maar één arm, hoor. Schiet met de andere.'

Younger vuurde zijn volgende kogel af.

Brighton sperde zijn ogen open. Midden op zijn groene voorhoofd verscheen een donkerrode cirkel. 'O hemel,' zei Brighton alvorens in elkaar te zakken.

Younger gooide het geweer voor de voeten van de soldaat. 'Hoe snel kun je hier een ambulance krijgen?' vroeg hij aan Littlemore. 'Colette is gewond.'

Er liepen inderdaad diepe sneden over haar benen, en haar lange handschoenen waren op verschillende plekken gescheurd, zodat ze de snijwonden op haar palmen en onderarmen blootlegden.

'Ik ga een auto zoeken,' zei Littlemore, die wegsprintte. Binnen een minuut kwam er een tiental soldaten door Wall Street naar Trinity Church aanrennen, waar de lichamen van Samuels en Brighton bloedend op de grond lagen, en was Littlemore met de Packard van minister Houston teruggekeerd. Younger dwong Colette in te stappen.

'Het zijn enkel wat schrammen,' wierp ze tegen.

'We gaan naar een ziekenhuis,' zei Younger, die naast haar op de achterbank plofte.

Ze keek hem glimlachend aan. 'Vooruit dan maar, als je vindt dat het echt moet.'

'Welk ziekenhuis, doc?' vroeg Littlemore vanachter het stuur.

'Washington Square,' zei Younger. 'Wacht... Ik dacht dat jij vanavond een oorlog zou voorkomen. Is je dat gelukt?'

'Nog niet,' antwoordde Littlemore.

'Nou, waar wacht je op? Ga die oorlog tegenhouden.' De twee mannen keken elkaar aan. 'Er kan best iemand anders rijden. Met haar komt het wel goed. Vooruit, eropaf.'

'Bedankt,' zei Littlemore, die Houstons chauffeur overhaalde de auto te besturen.

Toen ze optrokken legde Colette haar hoofd op Youngers schouder.

Ze zag niet dat zijn gezicht vertrok van pijn. 'Het is eindelijk voorbij, denk je niet?' vroeg ze.

'Ja,' antwoordde hij. 'Ik denk van wel.'

Het duurde nog totdat Younger verzuimde op haar volgende opmerkingen te reageren voordat ze zijn gesloten ogen bemerkte, de achterkant van zijn overhemd aanraakte en het bloed erdoorheen voelde sijpelen. Colette gilde tegen de chauffeur dat hij haast moest maken.

❧

Onder het gewelf van de grote stationshal van het Grand Central trof Littlemore agent Stankiewicz in burger, die samen met Edwin Fischer op hem had staan wachten bij de centrale, ronde informatiekiosk, getooid met een gouden bol met klokken aan vier kanten. Littlemore schudde Stankiewicz de hand en bedankte hem dat hij buiten diensttijd was komen opdraven. 'Nog problemen gehad hier?' vroeg Littlemore.

'Tot nu toe niet.'

'Is iemand je gevolgd?' vroeg Littlemore.

'Moeilijk te zeggen hierboven, chef. Te veel volk.'

Littlemore knikte. Het station gonsde van de gebruikelijke zaterdagavonddrukte met zijn talloze komende en gaande reizigers. Een constant gegalm van luidsprekergekraak vulde de stationshal met berichten over treinnummers, bestemmingen en sporen.

'Mooi, Stanky,' zei Littlemore. 'Jij gaat naar het huis van commissaris Enright. Hij verwacht je al. Hier is het adres. En snel een beetje, er is geen tijd te verliezen. Als je terug bent, ontmoet me dan precies op de plek die ik je heb aangewezen. Fischer, jij gaat met mij mee.'

Littlemore wierp een vluchtige blik door de hal en roffelde toen met zijn knokkels op de informatiebalie. De baliemedewerker, die de rechercheur bij naam begroette, slofte naar de deur en liet Littlemore en Fischer binnen.

'Wat moeten we in een informatiekiosk?' vroeg Fischer. 'Zijn we naar informatie op zoek?'

'We gaan naar de verdieping hieronder. Voor het geval ze bij de trappen mannetjes op de uitkijk hebben staan. Dan zien ze ons niet.'

Midden in de ronde kiosk stond een gouden zuil met een schuifdeur. Littlemore schoof hem open. De rechercheur duwde dozen met oude dienstregelingen opzij, waarachter een smalle wenteltrap zichtbaar werd.

'Een verborgen trap,' zei Fischer. 'Daar had ik geen idee van.'

'Bij deze ene verrassing zal het vanavond niet blijven,' antwoordde Littlemore.

De wenteltrap voerde hen langs een overloop bezaaid met lege drank-flessen. Toen ze beneden aankwamen, troffen ze een andere, kleinere in-formatiebalie aan. Littlemore deed de deur open en voegde zich in de stroom passagiers op de benedenverdieping van het Grand Central. Hij voerde Fischer naar een kruising van twee brede, overvolle galerijen, waar agent Roederheusen, eveneens in burger, op een onopvallende hoek on-der een met tegels gedecoreerd, gewelfd plafond stond te wachten. Aan de andere kant van de galerij was de Oyster Bar.

'Zitten ze er nog?' vroeg Littlemore.

'Ja, chef,' zei Roederheusen. 'Ze zijn nog aan het eten.'

'Heeft iemand je gezien?'

'Nee, chef.'

'Goed werk,' zei Littlemore. 'Fischer, jij en ik blijven hier op de com-missaris wachten. Spanky, jij gaat naar het Washington Square Hospital in Ninth om te zien hoe het met Miss Rousseau gaat. Daar blijf je, be-halve wanneer doc Younger iets nodig heeft, dan ga je dat voor hem ha-len.'

꩜

Twintig minuten later kwam Stankiewicz met commissaris Enright te-rug.

'Ik hoop voor je dat je me hier niet voor niks heen hebt gesleept, Little-more,' zei Enright.

'Dat zit wel snor, commissaris,' antwoordde Littlemore. 'Als u op de-ze plek wilt gaan staan, met uw oor tegen de wand gedrukt. Jij ook, Fi-scher, precies zoals we afgesproken hebben. En beweeg je niet.'

'Met mijn oor tegen de wand?' herhaalde Enright verontwaardigd.

'Ja, commissaris. Met uw oor precies hier.'

De rechercheur liep naar de andere kant van de lager gelegen stations-hal en baande zich een weg door de drommen gehaaste reizigers, van wie menigeen zich op buitengewoon luide toon onderhield, zoals New York-ers graag plegen te doen. Toen hij bij de ingang van de Oyster Bar kwam, draaide hij zich om ter bevestiging dat hij Enright, Roederheusen of Fischer, die zich op zeker dertig meter afstand aan de andere kant van de brede, drukke passage bevonden, niet langer kon zien. Met gebogen hoofd schoot Littlemore het restaurant binnen.

꩜

Aan een tafel bezaaid met restanten van parelmoeren schelpen en week-dieren vond hij ze: senator Fall, Mrs. Cross en William McAdoo, de voormalige minister van Financiën, die nu advocaat was. Er stonden geen flessen op tafel, maar uit de uitbundigheid van de senator kon hij opmaken dat er tijdens de maaltijd aanzienlijke hoeveelheden alcohol waren genuttigd.

'Agent Littlemore!' riep Fall. 'Redder van de natie. Bestrijder van corruptie. Je bent het eten misgelopen. Je bent vele goede tijdingen misgelopen. Je bent... Je ziet er niet uit, kerel. Wat heb je in godsnaam uitgespookt? Grotonderzoek gedaan?'

'Ik moet u spreken, Mr. Fall,' zei Littlemore.

'Steek maar van wal. Volgens mij begin je slappe knieën te krijgen, kerel. Ik zweer het je.'

'Kunnen we onder vier ogen praten?' antwoordde Littlemore, die nog steeds stond.

'Alles wat je mij te zeggen hebt, Littlemore, kun je ook in het bijzijn van mijn vrienden kwijt.'

'Dit niet.'

Fall oogde geïrriteerd, maar kwam overeind. 'Vooruit dan maar, ik kom met je mee. Maar geef me eerst nog zo'n hartversterkertje, Mrs. Cross.'

Mrs. Cross haalde onopvallend een flacon uit haar handtas en goot een scheut in het glas van de senator. Ook Mr. McAdoo schonk ze nog eens bij. 'Een whisky, agent Littlemore?' vroeg ze.

De rechercheur schudde zijn hoofd, en nadat Fall zijn drankje achterover had geslagen, leidde hij de senator het drukke restaurant uit. Hij stopte op een discreet plekje naast een muur in de stationshal, op een meter of wat bij de ingang van de Oyster Bar vandaan. 'Ik weet wie het goud gestolen heeft, Mr. Fall,' zei Littlemore.

'De Mexicanen,' antwoordde Fall. 'Dat had je al uitgedokterd.'

'Niet de Mexicanen.'

'Houston?'

'Het was Lamont,' zei Littlemore, 'van J.P. Morgan and Company.'

'Onmogelijk.'

'Ik heb het goud vanavond met eigen ogen gezien. In de kelder van de Morgan Bank.'

'Niet zo luid,' fluisterde Fall. 'Heb je het tegen iemand gezegd?'

'Ja, Mr. Fall,' zei Littlemore zachtjes.

'Tegen wie?'

'Tegen u.'

'Maar aan wie verder nog, goddomme?' zei Fall.

'Bedoelt u Mr. Houston?'

'Ja. Heb je het tegen Houston gezegd?'

'Ik ben rechtstreeks hierheen gekomen, Mr. Fall.'

'Mooi zo. Laten we het onder de pet houden, Littlemore. We willen geen paniek zaaien. Weet je wat: laat de boel maar aan mij over. Ik zorg er wel voor dat de juiste mensen het te weten komen.'

'Begrepen, Mr. Fall. Onder de pet. Maar iemand kan maar beter als de wiedeweerga met Lamont gaan praten.'

'Maak je daar maar geen zorgen om, kerel. Ik praat wel met hem.'

'Wat gaat u hem zeggen?' wilde Littlemore weten.

'Ik zal hem zeggen dat... eh, ik zeg hem dat...' Fall had moeite zijn zin af te maken. 'Verdomme, jij was degene die zei dat ik met hem moest praten.'

'Ik dacht zo dat u hem wel zou willen waarschuwen,' zei Littlemore. Fall vertrok geen spier. 'Wat zei je daar?'

'Weet u wanneer ik het wist, senator Fall? Op het moment dat u me vertelde dat u en Mr. McAdoo altijd in de Oyster Bar gaan eten. Toen besefte ik dat Ed Fischer in het Grand Central geweest moest zijn toen jullie twee elkaar hier een paar maanden terug, na de Democratische Conventie, ontmoet hadden. Heel wat mensen denken dat Fischer geschift is, maar alles wat ik hem heb horen zeggen, bleek te kloppen.'

'Heb je soms te diep in het glaasje gekeken, Littlemore?'

'Toen zag ik het hele plaatje. Het opsporen van die Mexicaanse documenten ging veel te makkelijk. Dat appartement van Torres... dat was allemaal nep, toch? Allemaal doorgestoken kaart. Daarom moest Mrs. Cross per se met me mee. Om er zeker van te zijn dat ik het gat in de muur zou vinden waarin de documenten verborgen lagen. En ik ben er met open ogen ingetuind. Ja hoor, natuurlijk neemt een Mexicaanse gezant belastende documenten in een koker met zich mee – en verder niets, geen dossiers, geen koffers, nauwelijks kleding – om ze dan gewoon in dat gat in de muur voor me achter te laten nadat ik bij hem had aangeklopt. Torres was in werkelijkheid helemaal geen Mexicaanse gezant. Jullie hebben hem uit je duim gezogen. Daarom ontkende Obregón het bestaan van die vent.'

Fall haalde een sigaar tevoorschijn. 'Je zit er faliekant naast, kerel. Je ziet het allemaal niet meer zo helder.'

'Al vanaf het allereerste begin,' zei Littlemore, 'probeerde Lamont me op het spoor van Mexico te zetten. Elke keer als ik hem sprak, kwam Mexico altijd even ter sprake. Ik zag het alleen niet. Net als bij u, Mr. Fall. U deed alsof u dacht dat de Russen erachter zaten, maar u probeerde me de hele tijd in de richting van Mexico te sturen. Brighton wist er ook van, niet? Dat hele toneelstukje dat jullie in uw kantoor opvoerden, zijn gejeremieer dat de Mexicanen zijn oliebronnen bezetten, dat was uitsluitend en alleen voor mij bedoeld. Dan belt Lamont me nog een keer en laat dan heel toevallig vallen dat de Mexicaanse Onafhankelijkheidsdag ergens half september is. U deed hetzelfde met Flynn, gaf hem wat wenken over Sacco en Vanzetti in de hoop dat hij hun connectie met Mexico zou achterhalen, wat hem nooit gelukt is. Dus moest u mij het idee geven dat ik de bewijzen – de documenten in Torres' muur – gevonden had. Allemaal nep natuurlijk. Allemaal vervalsingen.'

Fall stak doodgemoedereerd een sigaar op. Hij blikte links en rechts om zich heen en zei, nauwelijks hoorbaar: 'De Mexicanen hebben die bom geplaatst, Littlemore. Ze hebben ons afgeslacht. Jij bent degene die daarachter is gekomen. Maar laten we nu eens aannemen dat die documenten vals zijn. Hypothetisch gesproken dan. Als die het beslissende zetje waren om Wilson en zijn minister van Oorlog de ogen te openen en het leger op Mexico af te sturen, dan heeft het gewoon zo moeten zijn.'

'Behalve dat de Mexicanen niet achter de bomaanslag zaten,' zei Littlemore.

'Waar heb je het in godsnaam over?'

'U zat erachter.'

Fall blies een wolk sigarenrook over Littlemores hoofd heen. 'Als jij denkt dat ik die aanslag in Wall Street heb gepleegd – al die mensen heb vermoord – om een habbekrats aan goud uit het ministerie te stelen, dan ben je niet goed bij je hoofd. Er is geen mens die je gelooft.'

'Het goud was de kers,' zei Littlemore. 'Maar de oorlog was de taart. Mexico binnenvallen, Obregón wippen, je eigen mannetje als president installeren en de olievelden veiligstellen. Dat zou je maatje Brighton zomaar een half miljoen dollar waard geweest kunnen zijn. En Lamont een paar honderd miljoen. En god weet hoeveel voor u.'

'Dat is kletspraat, vrind. Die rare praatjes van je en die grote mond kunnen je duur komen te staan.'

'U wilt een oorlog voeren vanwege hun olie.'

'Hún olie?' siste Fall. 'Je hebt het over ónze olie. Die hebben we eerlijk gekocht, er dik voor betaald, en nu probeert een clubje rooien ons die afhandig te maken. En denk je soms dat de Mexicanen het fijn vinden om zich door een stelletje met pistolen zwaaiende, goddeloze bandieten de wet te laten voorschrijven? De Mexicanen zullen ons dankbaar zijn. Ze zullen onze jongens toejuichen wanneer ze Mexico-Stad binnen marcheren.'

'O natuurlijk, vast,' zei Littlemore. 'Ze zijn daar gek op de Verenigde Staten, net als u.'

Op dat moment kwam Mr. McAdoo het restaurant uit, samen met Mrs. Cross, die de overjas van de senator bij zich had.

'Wat is er aan de hand, Fall?' vroeg McAdoo. 'Is er een probleem, Mr. Littlemore?'

'Geen enkel. Senator Fall en ik hadden het er net over hoe jullie beiden de bomaanslag in Wall Street hebben beraamd.'

'Pardon, u zei?' vroeg McAdoo.

'U was degene die van het goud wist,' ging Littlemore tegen McAdoo verder. 'Voordat u voor Brighton ging werken was u in 1917 minister van Financiën. U wist precies hoe en wanneer het goud verhuisd zou worden. U kende Briggs. U heeft hem waarschijnlijk van Washington naar New York laten overplaatsen.'

'Niet op reageren, Mac,' zei Fall. 'Allemaal dom gebeuzel. Meer niet.'

'Op hem reageren?' zei McAdoo. 'Ik zou hem wegens laster voor het gerecht slepen als het niet zulke klinkklare onzin was.'

'Hoeveel hebben ze u beloofd?' vroeg Littlemore aan McAdoo. 'Of wilde u alleen maar wraak nemen op Wilson?'

McAdoo reageerde als een gebeten hond. 'Waarom zou ik in godsnaam "wraak" op mijn eigen schoonvader willen nemen?'

'Misschien wel omdat hij uw kandidaatstelling getorpedeerd heeft,' antwoordde Littlemore. 'U zou de volgende president van Amerika worden. U was er zo dichtbij, u kon het vast al ruiken. Maar Wilson heeft uw kans de nek omgedraaid. Allemaal omdat u met zijn kleine meid getrouwd bent. Dat moet ooit zo'n slimme zet hebben geleken, uw enkeltje naar het Witte Huis, maar die zet bleek als een boemerang terug te slaan. Wilson is u de hele tijd net een stapje voorgebleven, niet?'

'Laat maar praten,' zei Fall tegen McAdoo. 'Hij probeert je alleen maar uit de tent te lukken.'

'Woodrow Wilson,' antwoordde McAdoo, 'zal de geschiedenisboeken in gaan als een president die zo verblind was door zijn rol als vredestichter in Europa dat hij de oorlog niet zag die onze zuiderbuur tegen ons begonnen is – de eerste president sinds 1812 die een aanval op Amerikaanse bodem heeft toegestaan.'

'Zeker, als er ook echt een aanval was geweest,' zei Littlemore. 'Maar dat is niet zo. Daar hebben jullie het alleen maar op laten lijken. Jullie plan was wat mannetjes in te huren om de aanslag te plegen, de schijn te wekken alsof de Mexicanen erachter zaten, jullie eigen kleine oorlogje in elkaar te draaien... en een miljard of wat op te strijken. Lamont bezit de grond tegenover het departement van Financiën. Hij graaft een tunnel naar de enige plek waar het goud tijdens de verhuizing kwetsbaar is: de luchtbrug tussen de twee gebouwen. En op de zestiende september, de Mexicaanse Onafhankelijkheidsdag, halen jullie de trekker over. En het lukte jullie ook nog eens alle sporen uit te wissen. Niemand had enig idee. Maar op één ding hadden jullie niet gerekend. Dat jullie onbedoeld door Ed Fischer werden afgeluisterd.'

Fall barstte in lachen uit. Toen ging de senator op zachtere toon verder: 'Dat is je bewijs? Dat een of andere geestelijk gestoorde idioot ons toevallig gehoord heeft? Het spijt me het je te moeten zeggen, vrind, maar ik praat nooit op plekken waar iemand mee kan luisteren.'

'U heeft hier eerder staan praten. Hier op deze hoek. Net buiten de Oyster Bar.'

'Hoe zou jij dat moeten weten?' antwoordde de senator. 'En wat dan nog? Niemand kan ons hier horen.'

'Ed Fischer wel,' zei Littlemore. Terwijl hij zijn stem tot fluistertoon dempte, zei de rechercheur: 'Laat je maar horen, Fischer. Vertel Mr. Fall of je hem kunt horen.'

'Dat kan ik inderdaad!' schalde Edwin Fischers stem vanaf de andere kant van de drukke galerij. Al snel konden ze hem praktisch door de menigte zien stuiteren. 'Het is net als de vorige keer,' sprak hij monter toen hij zich bij hen had gevoegd. 'Dezelfde stemmen – uit de lucht!'

'Wat moet dat in vredesnaam voorstellen? Wat is dat?'

Fall nam Fischer op alsof hij een exotische vogelsoort was die hoognodig verdelgd moest worden. 'Dacht je soms dat je lollig was, Littlemore?'

'Ik geloof niet dat commissaris Enright het humoristisch vindt,' zei Littlemore, terwijl Enright en Stankiewicz in Fischers kielzog gevolgd waren. 'Commissaris Enright, kon u de senator en Mr. McAdoo zojuist horen praten?'

'Woord voor woord,' zei Enright.

'Stanky, heb jij ze gehoord?'

'Reken maar, chef.'

'Eddie?'

'"Het spijt me het je te moeten zeggen, vrind,"' bauwde Fischer de senator, met nasaal stemgeluid en al, na, '"maar ik praat nooit op plekken waar iemand mee kan luisteren."'

'Allemachtig,' zei Mrs. Cross. 'Ze konden jullie echt horen.'

'Het is een truc,' zei Fall, terwijl hij omhoog naar het plafond en omlaag naar de vloer keek. 'Jullie hebben hier ergens een microfoontje verstopt. Een typische politietruc.'

'Geen microfoontjes, Mr. Fall,' zei Littlemore. 'Maar wel een handig foefje. Wij rechercheurs zijn er een paar jaar terug, nadat het Grand Central geopend werd, toevallig op gestuit. Als je precies staat waar wij nu staan, net buiten de Oyster Bar, kan iemand die exact aan de overkant van de hal staat woord voor woord horen wat je zegt, zelfs als je fluistert, zelfs als er een complete menigte tussenin staat. Eerder vandaag vroeg ik Fischer of dat de plek was waar hij door zijn stemmen bezocht werd.'

'Het was mijn favoriete plek,' verklaarde Fischer. 'Ik hoorde daar van alles en nog wat, allemaal uit de lucht.'

'U en Mr. McAdoo,' ging Littlemore verder, 'hebben hier in juli gedineerd. Big Bill Flynn was er ook bij. Flynn heeft Fischer die avond hier op Grand Central ontmoet. Naderhand ging Fischer naar die plek daar en luisterde. Jullie beiden moeten net het restaurant uit zijn gekomen. Jullie stopten. Jullie fluisterden, overtuigd dat niemand jullie kon horen. Maar jullie hadden het mis.'

'Financiën was me miljoenen schuldig,' protesteerde McAdoo. 'Meer heb ik niet gezegd. Het was allemaal zuiver hypothetisch–'

'Kop dicht, Mac,' viel Fall hem bruusk in de rede. Zijn harde gelaatsuitdrukking werd verzacht tot een brede glimlach. 'Mr. Fischer, ik geloof niet dat ik ooit het genoegen heb mogen smaken. U bent toch de tenniskampioen? Ik heb heel wat goeds over u gehoord. Mijn naam is Albert Fall. Ooit eerder aan me voorgesteld, kerel? Of aan Mr. McAdoo hier?'

'Nooit,' antwoordde Fischer terwijl hij zijn hand uitstak. 'Maar het is me een eer en genoegen kennis met u te maken.'

De senator nam Fischers hand niet aan. 'Dan kun je ook niet zeker weten dat wij het waren die je in juli gehoord hebt en al helemaal niet als de stemmen die je gehoord hebt, fluisterden.'

'Ik heb ook niet gezegd dat ik het zeker wist,' antwoordde Fischer openhartig. 'Maar jullie stemmen lijken er wel heel erg op.'

Fall lachte opnieuw. 'Gefeliciteerd,' zei hij tegen Littlemore. 'Je bewijs bestaat uit een halvegare die ons nooit eerder gezien heeft, maar gelooft dat hij ergens afgelopen zomer misschien stemmen heeft horen fluisteren die eventueel wel eens op de onze zouden kunnen lijken. Met dat bewijs kun je nog geen vlieg aanklagen. Mac, Mrs. Cross, hoogste tijd om op te stappen.'

'Als ik je had willen aanklagen, Fall,' antwoordde Littlemore, 'dan had ik wel gewacht en je ten val gebracht wanneer ik meer bewijs had. Maar in plaats daarvan heb ik net mijn hele zaak tegen je verknald.'

Terwijl Mrs. Cross Falls overjas over diens schouders drapeerde, vroeg de senator: 'En waarom zou je zoiets doen?'

'Omdat ik iets van je wil.'

De senator grinnikte. 'Man, je hebt ze echt niet op een rijtje, hè. Als je in de toekomst ooit nog eens iets van me wilt, raad ik je aan een andere tactiek te volgen.'

'Vind je?' zei Littlemore. 'Ik heb hier twee getuigen, van wie een de commissaris van de New York Police Department is, die kunnen bevestigen dat Fischer jou en McAdoo helemaal vanaf de andere kant van de hal heeft gehoord en dat hij jullie stemmen herkende als die welke hij, drie maanden voordat hij plaatsvond, over de bomaanslag in Wall Street heeft horen praten. Niet genoeg voor een veroordeling, maar meer dan zat voor een krant. Vooral als we ook nog eens je Mexicaanse documenten onder de loep nemen. Het kan even duren voordat bewezen wordt dat het vervalsingen zijn, maar uiteindelijk zal ons dat lukken. Jij ontkent dan natuurlijk dat je wist dat ze nep waren, maar mijn getuigen zullen de kranten vertellen dat ze je hebben horen zeggen dat het je niets uitmaakte of die papieren wel of niet in de haak zijn. Hoe denk je dat de krantenkoppen dan luiden? Senator Fall Stort Land in Oorlog met Papieren Leugens?'

Fall gaf geen antwoord.

'Dat soort verhalen kan een juridische carrière behoorlijk in de wielen rijden, Mr. McAdoo,' zei Littlemore. 'Om van een terugkeer in de politiek maar helemaal te zwijgen.'

'Laten we maar eens horen wat de inspecteur eigenlijk van ons wil,' zei McAdoo.

'Ondertussen,' ging Littlemore verder, 'denk ik zo dat die drie senatoren en Mr. Houston – degenen die volgens jullie vervalste documenten steekpenningen van de Mexicaanse overheid hebben aangenomen – jullie er niet zo makkelijk mee weg zullen laten komen, meneer de senator. Zodra ze erachter komen wat jullie geflikt hebben, zullen ze vast hoorzittingen en zo willen houden. En met al dat gedoe lijkt het me uitgesloten dat president Harding je in zijn kabinet benoemt. Of denkt u soms van wel, Mrs. Cross?'

'Nee, die kans lijkt me klein,' beaamde ze.

Fall nam een lange trek van zijn sigaar. 'Wat wil je precies van me?'

'Dat je de oorlog afblaast.'

'Die beslissing is niet aan mij,' zei Fall korzelig. 'Harding is nog niet eens president.'

'Dan zorg je maar dat het je lukt, meneer de senator,' zei Littlemore. 'Want anders kun je je ministerschap wel op je buik schrijven.'

Een tabakssliertje had zich tussen Falls voortanden vastgezet. Hij zoog het los en spuugde het op de vloer van het Grand Central. Hij keek naar McAdoo, die knikte. 'Er komt geen oorlog,' zei Fall. 'Ik hoop dat je nu tevreden bent, vrind.'

De senator knoopte zijn jas dicht en maakte aanstalten weg te gaan.

'Het enige wat ik nooit begrepen heb,' zei Littlemore, 'is hoe je zoveel van je eigen landgenoten hebt kunnen ombrengen. Je had niet voor het middaguur hoeven kiezen. Je had die bom op elk tijdstip af kunnen laten gaan – zelfs midden in de nacht. Je bent niet alleen een verrader, Fall. Je bent gewoon een monster.'

De senator keek de rechercheur aan. 'Hoe weet je dat de bom om twaalf uur 's middags af had moeten gaan?' vroeg hij. 'In elke oorlog worden fouten gemaakt. Zo is het toch, McAdoo?'

'Dat moet je mij niet vragen,' antwoordde McAdoo. 'Ik was er niet verantwoordelijk voor.'

'Misschien hadden de bommenleggers wel de opdracht gekregen de aanslag een minuut na middernacht te plegen,' zei Fall, 'wanneer de Mexicanen hun miezerige onafhankelijkheidsfeestje vieren. Misschien was het wel de bedoeling dat er niemand zou omkomen. Maar misschien hadden die bommenleggers 12:01 doorgekregen, en misschien betekent 12:01 waar zij vandaan komen niet een minuut na middernacht.'

Littlemore floot. 'Die jongens van jullie hebben de bom twaalf uur te laat laten exploderen. Daarom zat Fischer er met de datum naast. Hij had jullie horen zeggen dat de bom in de nacht van de vijftiende zou afgaan.'

'Onze jongens?' vroeg Fall. 'Waar heb je het over, Littlemore? Ik speculeerde maar wat. Maar laat ik je iets zeggen waar geen woord hypothetisch aan is: jij werpt die rooien de grootste overwinning in de schoot die ze ooit gehad hebben. Olie is moedermelk, vrind. De landen met olie worden groot en sterk. De landen zonder kwijnen weg en sterven af. Weet je hoeveel olie wij Amerikanen gisteren geproduceerd hebben? Een komma twee miljoen vaten. Weet je hoeveel we verbruikt hebben? Een komma zes miljoen vaten. Dat heb je goed gehoord: elke dag komen we vierhonderdduizend vaten tekort. En waar komt die extra olie vandaan? Uit Mexico. We zullen aan onze olie komen, neem dat maar van mij aan. Of het nu linksom moet of rechtsom, die olie krijgen we. Dit land heeft vijanden, Littlemore. Maar daar ben ik er niet een van. Prettige avond nog, commissaris.'

Enright nam afscheid van de senator.

Uit het zicht van de anderen knipoogde Mrs. Cross naar Littlemore. 'Tot ziens, New York,' zei ze. 'Jij bent ook echt van het boekje, hè?'

'Kun je ze echt niet met de bomaanslag in verband brengen?' vroeg commissaris Enright een paar minuten later aan Littlemore.

'We hebben niks om ze op te pakken,' zei Littlemore. 'De enige getuige die Fall aan de bomaanslag kan koppelen is Fischer hier, en geen enkele rechter zal hem in het getuigenbankje accepteren.'

'En het goud dan?' vroeg Enright. 'Kunnen we ze niet voor diefstal vervolgen?'

'Er is geen diefstal als de eigenaar weigert toe te geven dat zijn eigendom gestolen is,' zei Littlemore. 'Minister Houston zal in alle toonaarden ontkennen dat Financiën beroofd is. Dat heb ik hem vanavond al zien doen.'

'Ik weet wat we moeten doen!' kwam Fischer tussenbeide. 'Ik vertel het aan Wilson. Die zal niet te spreken zijn over senator Fall. Ik ben een van de adviseurs van de president, moet je weten.'

'Je hebt goed werk geleverd vanavond, Eddie,' antwoordde Littlemore. 'Bedankt.'

'Bijzonder graag gedaan. Trouwens, de pausen zijn weer bezig om me opgesloten te krijgen.'

'De pausen?' vroeg Enright.

'Ik weet wat hij bedoelt, commissaris,' zei Littlemore. 'Het komt wel goed, Eddie. Ik help je wel.'

'Nou ja, misschien dat dit ooit nog een aardig misdaadverhaal oplevert,' merkte Enright op. 'Misschien dat ik er zelf wel iets mee doe. Wist je dat Mr. Flynn mijn werk uitgeeft?'

'Wie?' zei Littlemore. 'Big Bill Flynn?'

'Zijn dagen als directeur van het BOI zijn geteld nu de Republikeinen aan de macht zijn,' zei Enright. 'Hij begint een literair tijdschrift dat hij *Flynn's* wil noemen. Het is de bedoeling dat ik zijn eerste auteur word. Ik heb al een paar detectiveverhalen voor hem. Ze spelen in New York.'

Littlemore wist even niets te zeggen. Toen antwoordde hij: 'Stop dat maar niet in een van uw verhalen.'

'Wat?' zei Enright.

'Dat de commissaris van politie van New York detectiveverhalen gaat schrijven voor de druiloor van een baas van het Bureau of Investigation, die een literair tijdschrift begint dat hij naar zichzelf vernoemt, nadat hij net een soepzooitje heeft gemaakt van het grootste politieonderzoek dat het land ooit gekend heeft. Geen mens zou het geloven.'

Het Washington Square Hospital was een kleine, gerieflijke privé-instelling van maar twee verdiepingen, die door een brede, centrale, marmeren trap verbonden werden. Littlemore nam de trap met twee treden tegelijk tot hij Colette op het tussenbordes trof, die door een groot raam naar buiten stond te kijken. Ze zag hem in de weerspiegeling van het venster en keerde zich naar hem toe, met het magnifiek flonkerende diamanten collier nog steeds rond haar hals.

'Fijn om te zien dat je ongedeerd bent, Miss,' zei Littlemore, voordat hij haar gelaatsuitdrukking had kunnen peilen. 'Wat scheelt eraan?'

'Niks,' antwoordde ze. 'Het komt goed. Het komt allemaal goed met hem.'

'Met wie?'

Op dat moment kwam een chirurg met trage passen de trap af, terwijl hij zijn handen aan een lange natte doek schoonwreef. Zijn mouwen zaten vol bloed. 'Miss Rousseau?' zei hij. 'Het spijt me heel erg, maar...'

'Ik wil het niet horen,' riep Colette, terwijl ze de trap oprende. 'Het komt allemaal goed met hem.'

De chirurg schudde zijn hoofd, liep verder de trap af en liet Littlemore in zijn eentje op het tussenbordes achter, die verwoede pogingen deed de conclusie die hij al getrokken had niet onder ogen te zien. In de gang boven stierven Colettes voetstappen weg.

'Wacht even,' riep Littlemore een half minuutje later, niet zeker of hij het tegen Colette of tegen de chirurg had, en hij zette een spurt in naar beneden. 'Wacht verdorie nou toch even!'

De chirurg hield halverwege de gang halt. 'Bent u een vriend van dr. Younger?' vroeg hij.

'Zeker weten. Ik ben een vriend,' zei Littlemore. 'Is er iets met hem?'

'Hij is neergeschoten.'

Voor zijn geestesoog zag Littlemore hoe Younger tussen Colette en Samuels' pistoolschoten in stapte. 'In de rug,' zei hij.

'Tot twee keer toe,' beaamde de chirurg. 'Ik kan niets meer voor hem doen. Het spijt me. Heeft hij familie?'

'Wat bedoelt u dat u niets kunt doen? Opereer hem.'

'Ik heb hem geopereerd,' zei de chirurg, terwijl hij zijn voorhoofd afveegde. 'De kogels hebben zijn ribben geraakt en zijn in zijn borstholte blijven steken. Daar durf ik ze niet uit te verwijderen, want ik weet niet waar ze zitten. De kans is groot dat, voordat ik ze gevonden heb, ik zijn hart en longen al heb opengescheurd.'

'Maar kunt u dan geen röntgenfoto maken of zo?'

'In dit geval zijn röntgenfoto's zinloos,' zei de chirurg. 'De kogels zijn nog niet vast gaan zitten. Elke keer als hij ademhaalt, veranderen ze van plaats. Tegen de tijd dat we foto's hebben, zitten de kogels alweer ergens anders. Het duurt nog zeker tweeënzeventig uur voordat ze zich stabiliseren.'

'Dat klinkt toch niet zo slecht,' zei Littlemore, die weigerde zich neer te leggen bij de onverbiddelijke onvermijdelijkheid waarmee de chirurg sprak. 'Roosevelt heeft bijna tien jaar lang met een kogel in zijn borst rondgelopen.'

'De situatie lijkt op die van Roosevelt,' overwoog de chirurg, 'afgezien dan van de infectie. Zijn neutrofiele granulocyten zitten op rond de tachtig procent. Hij heeft koorts. Roosevelts wond genas zonder één enkele ontsteking. Dat maakte het destijds zo opzienbarend.'

'Wat bedoelt u precies, doc? Nu even in gewonemensentaal.'

'Ik bedoel dat uw vriend eerst van de infectie moet herstellen,' antwoordde de chirurg. 'Tegenover dit soort dingen staan we machteloos. Ondanks al onze apparatuur, al onze wetenschap, al onze medicijnen staan we met lege handen. De nacht komt hij waarschijnlijk wel door. Dan testen we zijn bloed morgenochtend opnieuw. Als de neutrofielen afnemen, komt het misschien nog goed.'

⁂

Littlemore klopte op de deur en ging een stille ziekenhuiskamer binnen. Colette stond naast het bed en hield Youngers voorhoofd met een koud kompres vochtig. Younger lag op zijn buik, de ogen gesloten, zonder kussen, zijn wang direct op het bed. Zijn ademhaling was oppervlakkig, zijn gezicht onnatuurlijk grauw en zijn hele lichaam rilde.

'Hoe gaat het met hem?' vroeg Littlemore.

'Goed,' zei Colette. 'Uitstekend. Hij slaapt.'

Beiden waren even stil.

'Wat zijn neutrofielen, Miss? De arts vertelde me—'

'Artsen zijn stommelingen,' verklaarde Colette.

Meer stilte.

'Neutrofielen,' zei Colette, 'zijn de meest voorkomende soort witte bloedcellen. Als er in het lichaam een ontsteking is, worden er extra neutrofielen aangemaakt om die te bestrijden. Normaal gesproken maken ze vijfenzestig procent van de witte bloedcellen uit.'

'Hoe erg is tachtig procent?'

'Dat is niet erg, dat is juist goed,' zei Colette. 'Dat betekent dat hij tegen de ontsteking knokt. Het percentage zal morgen tot ergens achter in de zeventig gedaald zijn. Wacht maar af. En dan nemen de neutrofielen elke dag een beetje af totdat ze weer normaal zijn. Heeft Mr. Brighton het overleefd?'

'Nee. En Samuels evenmin.' Littlemore keek naar Youngers huiverende lijf. 'Hebben ze nog iets over het soort kogels gezegd, Miss?'

'Hoezo?'

'Dat kan heel wat uitmaken. Het ergst zijn dumdumkogels, kogels met een holle punt. Die zetten uit of fragmenteren als ze een lichaam raken. Dat wil je echt niet hebben. Je mag ze in oorlogstijd niet gebruiken. Ze zijn illegaal. De kogel waardoor Roosevelt getroffen werd, had geen holle punt, dus die fragmenteerde niet. Toen wij dienders dat hoorden, wisten we dat het wel goed zou komen met hem.'

Colette zei geruime tijd niets. 'Dat was het woord dat de artsen gebruikten,' zei ze ten slotte. 'Ze zeiden dat de kogels fragmenteerden.'

⁕

Voor het ochtendgloren werden pakketjes met touw samengebonden kranten door de stad verspreid, waarin met grote koppen een verzoening tussen de Verenigde Staten en Mexico werd aangekondigd.

Het Amerikaanse leger was bezig zich van de grens terug te trekken. De Mexicaanse consulair medewerker Robert Pesqueira had in Washington onomwonden verklaard dat Amerikaanse investeringen in zijn land niet genationaliseerd zouden worden. Ook werd er melding gemaakt van Amerikaanse wetsdienaren die een niet nader gespecificeerde samenzwering om generaal Obregón uit het zadel te wippen ontdekt en verijdeld hadden.

⁕

De volgende ochtend vroeg werd er bij Younger bloed afgenomen. Hij was nog steeds bewusteloos, maar de koorts had zich gestabiliseerd, ook al maakte zijn lichaam een verzwakte, afgetakelde indruk. Colette was bij hem, Littlemore was naar huis gegaan, naar zijn gezin.

Een halfuur later kwam de chirurg van de vorige avond binnen. 'Zesentachtig procent,' zei hij.

'Dat moet een vergissing zijn,' antwoordde Colette.

'Het spijt me. Het is geen vergissing.'

'Maakt niet uit,' zei Colette. 'Tegen de avond zal zijn bloedwaarde gedaald zijn. Het gaat beter met hem. Veel beter. Dat zie ik gewoon.'

Tegen zonsopgang waren Littlemore en Betty terug in het ziekenhuis. De vorige dag waren ze bij toerbeurt af en aan de hele dag bij hem geweest. De bezorgdheid stond op Littlemores gezicht te lezen. Bij de ingang liepen ze Colette tegen het lijf.

'Ik ga even sigaretten kopen,' legde Colette glimlachend uit. 'Daar vroeg hij net om.'

'Is hij bij?' zei Betty.

'Klaarwakker,' zei Colette. 'Het gaat veel beter met hem.'

'Ik ga die saffies wel voor hem halen,' antwoordde Littlemore, terwijl er een enorm gewicht van zijn schouders viel. 'Dan kun jij naar hem terug.'

'Nee, het is beter zo. Hij zei dat hij hoopte je nog te spreken.'

'Mij?' vroeg Littlemore.

'Ja.'

'Doc spreekt niet met mij. Doc spreekt met niemand. Zijn zijn neutrofielen gedaald?'

'Die staan heel hoog,' zei Colette. 'Vijfennegentig procent.'

'Vijfennegentig?' herhaalde Littlemore ontdaan. 'Maar ik dacht...'

'Dat toont alleen maar aan hoe hard hij vecht tegen de infectie. Het is een goed teken. Maar misschien... misschien kun je maar beter haast maken, Jimmy.' Colette draaide zich om, verborg haar gezicht voor hen, maar huilde niet. 'Is er ergens een tabakswinkel in de buurt?'

'Ik weet er wel een,' zei Betty, die de hint van het Franse meisje had opgepikt. 'Loop maar even mee.'

Een verpleegster maakte een injectiespuit gereed toen Littlemore de kamer binnenkwam. 'Hierdoor zult u zich veel prettiger voelen,' zei ze tegen Younger.

Younger lag nog op zijn buik, met zijn gezicht naar de deur gekeerd; hij zag Littlemore binnenkomen. Op zijn rug, die vanaf zijn middel naakt was, zaten op twee plaatsen dikke pleisters. Zijn glimmende voorhoofd zag even bleek als zijn witte lakens en hij rilde hevig over zijn hele lichaam. 'Nee,' zei hij. Zij stem klonk krachtig, maar hij bewoog zich niet. 'Geen injectie.'

'Een grote man als u bang voor een spuitje?' vroeg de verpleegster. 'Daar hoeft u zich toch niet druk om te maken? Straks voelt u zich veel beter.'

Younger probeerde zich overeind te hijsen; zijn armen zagen er sterk uit, maar kennelijk deed het te veel pijn. 'Geen injectie,' herhaalde hij tegen Littlemore.

'Zuster,' zei Littlemore, 'hij wil die spuit niet.'

'Die is tegen de pijn,' antwoordde de verpleegster zonder acht op diens woorden te slaan.

Younger schudde zijn hoofd.

'Het spijt me, zuster, maar ik kan het niet toestaan,' zei Littlemore.

'De dokter heeft het opgedragen,' antwoordde ze, alsof deze magische woorden elke discussie overbodig maakten. Ze drukte de spuit heel lichtjes in, dwong een druppel doorzichtig vocht uit de naald en wilde Younger zijn injectie geven, toen Littlemore haar bij haar pols greep en de protesterende verpleegster naar de deur meetroonde.

'Bedankt,' zei Younger.

Littlemore zag lucifers en een pakje sigaretten op een tafel liggen. 'Ik dacht dat je door je peuken heen was.'

'Nog maar eentje over,' zei Younger.

'Wil je 'm?'

'Waarom niet? Laten we dan maar gelijk alle clichés afwerken. Ik weiger de morfine. Jij steekt een sigaret tussen mijn lippen.'

'Wil je 'm nou of niet?'

'Nee,' zei Younger.

'Je was toch niet van plan om ertussenuit te knijpen, hè, doc?'

'Dat hou ik nog in beraad.'

Er volgde een lange stilte. Youngers tanden begonnen te klapperen. Met de nodige inspanning stopte hij het geratel.

'Hoe gaat het op het werk?' vroeg Younger.

'Prima,' zei Littlemore. 'Ik heb wel geen werk, maar daar gaat het prima mee.'

'Je familie?'

'Goed.'

Er klonk een gestaag gedruppel uit de intraveneuze slangen aan de andere kant van het bed. Door het gesloten raam hoorden ze het verkeer.

'Mooi zo,' zei Younger.

'Je wilde me spreken?' vroeg Littlemore.

'Van wie heb je dat?'

'Van Colette.'

'Belachelijk.' Zijn tanden begonnen weer te klapperen.

'Ik steek die sigaret voor je aan,' zei Littlemore. Hij deed het, zijn vingers minder vast dan gebruikelijk. 'Alsjeblieft.'

'Dank je.' Younger inhaleerde; dat bracht zijn ratelende tanden tot rust.

'Besef je wel dat er ook een positieve kant aan zit?'

'O ja, wat dan?'

'Als ik snel genoeg overlijd, ben je morgen op de hoorzitting van alle problemen af. Ze kunnen je niet dwingen iemands borgsom postuum te betalen.'

'Ik heb al met de officier van justitie gesproken,' zei Littlemore. 'Alle aanklachten tegen je zijn komen te vervallen.'

'Ah, fantastisch. Dan is mijn dood dus volstrekt zinloos.'

Er volgde een lange stilte.

'Maar goed dat ik niet geloof,' zei Younger. De rook kringelde in zijn ogen.

Meer stilte.

'Zelfs niet voor mijn eigen familie,' zei Younger.

'Wat zei je?' vroeg Littlemore.

'Niets,' zei Younger. 'As?'

Littlemore pakte de sigaret, tipte hem af in een asbak en stak hem terug in Youngers mond.

'Ik ben niet aardig geweest, Jim,' zei Younger zachtjes.

'Waar heb je het over?'

'Ik ben nooit aardig geweest. Voor niemand. Zelfs niet voor mijn familie.'

'Natuurlijk wel,' zei Littlemore. 'Je hebt voor je moeder gezorgd toen ze ziek werd. Dat weet ik nog.'

'Nee, dat heb ik niet,' zei Younger. 'En mijn vader. Het enige wat hij ooit van me gewild heeft, was een beetje respect. Dat was alles. Ik heb het hem nooit gegeven.' Hij lachte door de rook heen. 'De grap is dat ik wel degelijk respect voor hem had. Ik ben nooit zoals jij geweest. Jij gaat elk weekeinde bij je vader op bezoek. Je hebt hem tot een deel van je leven gemaakt. Je praat met hem over Washington.'

'Mijn pa?' zei Littlemore.

'Ja.'

'Mijn pa?'

Younger keek hem aan.

'Mijn pa is een zuiplap,' zei Littlemore. 'Dat is-ie zijn hele leven al. Hij ging vreemd. En hij was corrupt. Werd het korps uit gemieterd omdat hij steekpenningen aannam. Ze hebben hem zijn politiepenning afgenomen, zijn pistool. Alles wat ik ooit over hem gezegd heb, was een leugen.'

'Dat weet ik.'

'Ik weet dat je het weet,' zei Littlemore. 'Maar je liet me rustig mijn leugens opdissen.'

Geen van beiden zei iets.

'Dat was aardig van je,' voegde Littlemore eraan toe.

Younger vertrok zijn gezicht. Met een ruk schoot zijn hoofd achterover, zijn kaken op elkaar geklemd. De sigaret brak af. Als een miniatuurraket beschreef het brandende uiteinde een kleine boog, stuiterde van het laken naast zijn kin en viel op de vloer. Op hetzelfde moment ging de deur naar de kamer open.

'Laat mij maar,' zei Colette, die de kamer binnensnelde, wat roodgloeiende as van het laken veegde en de vloer schoonmaakte. Zonder iets te zeggen hield ze haar handpalm onder Youngers lippen. Hij liet het onopgerookte eindje sigaret uit zijn mond glijden, dat in haar hand viel. Hij begon weer te beven en hij zweette.

Niemand zei iets.

Ten slotte vroeg Littlemore: 'Heb je veel pijn, doc?'

'Ik heb het nooit begrepen,' zei Younger.

'Wat?' vroeg Littlemore.

'Waarom ik leef. Waarom ieder van ons leeft.'

'Begrijp je het nu?' vroeg Colette.

Younger knikte. 'Niet om geluk. Niet om betekenis. Alleen...'

Hij stopte.

'Wat dan wel?' vroeg Colette.

'Oorlog.'

'Alleen vechten sommige mensen niet,' zei Littlemore, wie iets te binnen schoot wat Younger ooit tegen hem gezegd had.

'Nee. Iedereen vecht. En ik weet waar het om gaat, deze oorlog.' Hij keek naar Colette.

'Wat?' vroeg Colette.

'Te laat,' zei Younger. Hij verloor de beheersing over zijn bovenlijf, dat hevig begon te schokken. Op het verband verscheen vers bloed. Of de uitdrukking op zijn gezicht een zoveelste grimas of een glimlach was, kon Littlemore niet uitmaken.

Colette stond verstijfd te staren. Betty riep om de verpleegster.

⚜

In het holst van de nacht knielde Colette in haar eentje bij Youngers bed neer. Op de tafel brandde een kaars. 'Kun je me horen?' fluisterde ze.

Zijn ogen waren gesloten. Hij lag nog steeds op zijn buik, zijn rug bewoog zo zwakjes op en neer dat ze nauwelijks een ademhaling kon vaststellen. Zijn voorhoofd was doorweekt. Een hol licht gloeide in zijn wangen.

'Als je sterft,' zei ze zachtjes, 'zal ik het je nooit vergeven.'

Hij lag daar.

Plots kwam ze overeind en liet zijn hand los. 'Vooruit, doe het dan, sterf maar als je zo zwak bent,' riep ze uit. 'Ik dacht dat je sterk was. Je bent een zwakkeling. Niets dan een zwakkeling.'

'Niet erg meelevend,' zei hij zachtjes zonder zijn ogen te openen.

Ze sloeg geschrokken haar hand voor haar mond. Opnieuw pakte ze zijn hand en fluisterde in zijn oor. 'Als je blijft leven,' zei ze, 'doe ik alles wat je wilt. Dan ben ik je slaaf.'

'Beloofd?'

'Ik beloof het,' fluisterde ze.

Zijn ogen gingen open – en weer dicht. 'Een stimulans. Dat is mooi. Maar evenzogoed ga ik dood. Je moet gaan.'

'Ik ga helemaal niet.'

'Ja, dat doe je wel,' zei hij, terwijl hij zich tot het uiterste inspande om te spreken. 'Maar eerst moet ik je vertellen wat je doen moet. Ik zal niet lang meer wakker zijn. Ga Littlemore halen. Zeg hem dat hij je naar een winkel voor sportvissers brengt.'

'Wat?'

'Zo nodig breken jullie in. Daar hebben ze maden... als aas. Ik had er eerder aan moeten denken. Zorg dat ze van vleesvliegen zijn. Alle andere eten me levend op. Zeg tegen de chirurg dat hij me opensnijdt waar de kogels me geraakt hebben. Laat hem zo diep snijden als hij maar kan. Breng de maden in de opening in. Hou de incisie open – gebruik operatieklemmen. Er moet ruim voldoende lucht zijn. Draineer de wonden elke paar uur. Na drie dagen verwijder je de maden.'

⁓⁕⁓

Dr. Salvini, de hoofdchirurg van het Washington Square Hospital, peinsde er aanvankelijk niet over levende larven in te brengen vlak naast het hart van zijn patiënt, waar deze zich uitbundig te goed konden doen. Maar hij wist dat Younger stervende was, en Colette liet hem hoe dan ook geen keus.

'Hm, maar wat als ze daarbinnen eitjes leggen?' vroeg Littlemore de volgende ochtend aan Colette, terwijl hij naar de krioelende kluwen in de voederbakken in Youngers rug keek.

'Eerst moeten we hopen dat ze de infectie wegvreten,' antwoordde ze zachtjes.

'Dat weet ik,' zei Littlemore, 'maar wat als de eitjes uitkomen nadat hij weer is dichtgenaaid?'

'Het zijn larven,' zei Colette. 'Die kunnen geen eitjes leggen. Die eten alleen maar.'

'O... dat klinkt geweldig,' zei Littlemore, en hij slikte.

Hoe Younger de volgende achtenveertig uur doorkwam, was iedereen een raadsel. Zijn koorts kroop naar de eenenveertig graden. Hij at niets, dronk nauwelijks. Zijn stuiptrekkingen waren zo hevig dat ze hem aan de reling rond het bed moesten vastbinden.

Op de derde dag begon de koorts te zakken. Toen de vraatzuchtige maden uit de wonden werden gespoeld, trof Salvini tot zijn verbijstering gezond, schoon, roze weefsel aan. Het aangetaste en afstervende celweefsel, het weglekkende vocht, het was allemaal verdwenen.

Ze namen nieuwe röntgenfoto's. Deze keer berekende Colette zelf de diepte en ligging van de kogelsplinters – tot op minder dan een tiende van een centimeter nauwkeurig. De kogels waren inderdaad gefragmenteerd, maar lagen stabiel en waren grotendeels nog intact. Salvini hoefde niet eens nog meer ribben van Younger te breken om erbij te kunnen.

❦

Door het open raam, dat een aangenaam uitzicht op Washington Square Park en zijn herfstbomen bood, stroomden de volgende ochtend frisse lucht en gespikkeld zonlicht Youngers ziekenhuiskamer binnen. Younger was wakker en zat rechtop in de kussens. Hij was sterk vermagerd, maar had weer kleur in zijn gezicht en kon zich weer bewegen.

Colette kwam stralend binnen, met een stokbrood en andere boodschappen in haar armen. 'Ik heb een Franse bakkerij gevonden,' zei ze. 'Ik heb croissantjes voor je meegebracht. Kunnen we hier niet blijven wonen?'

'Hoe kom je aan die diamanten?' vroeg hij, terwijl hij naar haar halsketting keek.

Colette schudde haar hoofd en brak een stuk van het stokbrood af. 'Die afgrijselijke diamanten. Het lukt me niet ze af te doen. Ik ben er zelfs mee in bad geweest.'

'Ze staan je goed,' antwoordde Younger. 'Ik beveel je ze om te houden. Dag en nacht.'

'Maar dat wil ik niet,' zei ze.

'Mooie slavin ben jij, zeg,' antwoordde hij. 'Kom hier.'

Ze boog zich naar hem toe. Younger reikte achter haar en haakte het collier – met woest makende mannelijke behendigheid – los. Ze kuste hem op zijn lippen. Hij gaf haar een telegram dat agent Roederheusen uit het Commodore Hotel had meegebracht.

Colette las het.

26 NOV. 1920

JONGEN GENEZEN STOP HEB KAJUIT VOOR HEM GEBOEKT OP SS SUSQUEHANNA
STOP LUC KOMT OP 23 DECEMBER IN NEW YORK AAN IN GEZELSCHAP VAN JULLIE
VRIEND OKTAVIAN KINSKY STOP LAAT S.V.P. WETEN OF PLAN GELEGEN KOMT
FREUD

22

Op 23 december stonden ze – Younger en Colette, Jimmy en Betty Littlemore – onder een dik wolkendek in de ijzige vroege ochtendlucht in de haven de kou uit hun tenen te stampen en op het stoomschip *Susquehanna* te wachten. De winter had zijn intrede gedaan. Een dun laagje nachtelijke sneeuw verleende New York City een sprookjesachtig vernis, dat gelogenstraft werd door het donkere, dreigende water van de haven, dat wemelde van de schillen en ander afval.

De mannen stonden op de kade. Colette en Betty onderhielden zich bij de havengebouwen, die hen tegen de snijdende wind beschutten. Younger, wiens ribbenkast onder zijn pak strak in verband was gewikkeld, vroeg de rechercheur hoe laat het was.

'Kwart voor acht,' zei Littlemore, terwijl hij zijn handen warm wreef. 'Waar is je horloge?'

'Verkocht.'

'Waarom?'

'Om het ziekenhuis te betalen,' zei Younger. 'En om Freud schadeloos te stellen voor Lucs overtocht.'

'Weet Colette ervan?'

'Ze weet dat ik aan de grond zit,' zei Younger.

'Ik kan het je sterker vertellen. Betty en ik verkassen uit onze woning. We moesten kiezen tussen de huur en eten voor de kinderen. Ik was voor de huur, maar je weet hoe vrouwen zijn. Jij kunt als dokter tenminste nog wat poen verdienen.'

Younger rookte. 'Dan ga je toch weer bij de politie. Je bent inspecteur Moordzaken.'

Littlemore schudde zijn hoofd. 'Wegens bezuinigingen wordt er op het bureau voorlopig niemand aangenomen. Misschien in de lente weer.'

'Misschien moesten we maar een bank beroven,' zei Younger. 'Hoe gaat het met dat meisje... dat meisje dat Brighton gevangenhield?'

'Albina? Alweer beter. Colettes bezoekjes hebben haar zeer goedgedaan. Wil je weten hoe het allemaal begonnen is?'

'Zeker.'

'Er waren drie zussen: Amelia, Albina en Quinta. In 1917 gingen ze alle drie voor Brighton aan de slag. Binnen een paar jaar begonnen meisjes in zijn fabrieken ziek te worden: hun tanden vielen uit, ze hadden moeite met lopen, er was iets mis met hun bloed.'

'Bleekzucht,' zei Younger.

'Brighton wist dat het door het radium kwam, dus bouwde hij een soort ziekenboeg boven in zijn fabriek, waar zijn eigen arts ze onderzocht – alleen was dat geen arts; het was Lyme. Toen dat gezwel in Quinta's hals begon te groeien, maakte Lyme haar wijs dat ze syfilis had. Heel grootmoedig bood Brighton aan haar gratis in zijn ziekenhuisje te behandelen, maar Lyme spoot haar alleen maar plat met verdovende middelen. Amelia was de volgende. Haar tanden vielen uit. Maar ze was een harde. Toen Lyme haar vertelde dat zij ook syfilis had, wist ze dat het een leugen was. Ze ging naar Albina en vertelde haar dat er iets verschrikkelijks speelde. Ze smokkelden Quinta de ziekenboeg uit en maakten dat ze uit de fabriek kwamen. Brighton had overal mannetjes zitten die naar ze op zoek waren. De meisjes wisten het en waren bang. Dus besloten ze onder te duiken. Amelia nam een zooitje scharen uit de fabriek mee en die droegen ze voor de zekerheid bij zich. Toen hoorden ze over Colette. Ze hadden gehoord dat ze mensen had lopen vertellen dat die fabrieken voor radiumverf mensen om zeep hielpen, en ze dachten dat zij hen misschien kon helpen. De rest weet je.'

'Waarom knoopte Albina haar jurk voor Luc open?'

'Nadat ze Colette naar Connecticut was gevolgd? Vanwege haar huid, die gloeide in het donker. Ze wilde dat Colette het zag, maar die was er niet, dus liet ze het maar aan Luc zien. Ze was bang dat Brighton mannen in New Haven had zitten die naar haar op zoek waren. Daarom rende ze weg. Dat had ze goed gezien. Ze kregen haar te pakken en namen haar mee terug naar New York. Alle donders... ik had moeten weten dat er radium in die tand van Amelia zat.'

'Hoezo?' vroeg Younger

'Weet je nog hoe dat stralingsgeval van je begon te knetteren toen je hem voor het hotel op mijn borst richtte?'

Er ging Younger een lichtje op. 'Ik had je die kies gegeven.'

'Hij zat in mijn borstzakje,' zei Littlemore.

De beide mannen stonden een tijdje zwijgend naast elkaar. 'Hoe moet het nu met die senator van je?' vroeg Younger.

'Fall? Met hém gaat het geweldig. Zit straks in de regering-Harding. Niet als minister van Buitenlandse Zaken – ze geven hem een post die wat minder in het oog loopt – maar nog steeds in de regering.'

'En dan maar zeggen dat misdaad niet loont,' merkte Younger op.

'Hij zal zijn straf niet ontlopen. Ik heb Samuels' boeken uitgeplozen. Daarin stond een contante betaling van honderdduizend dollar van Brighton aan Fall; vroeg of laat pak ik hem daarop. Maar momenteel is hij onaantastbaar. Hij heeft Harding in de tang.'

'Hoe bedoel je?'

Littlemore keek om zich heen om zeker te zijn dat ze zich buiten ieders gehoorsafstand bevonden. 'Harding heeft een probleem met de vrouwtjes. De Republikeinse Partij heeft net een of ander grietje vijfentwintigduizend dollar betaald zodat ze haar mond houdt. Nu deelt-ie het bed met een andere meid, en alleen Fall weet ervan.'

'Hoe?'

'Omdat ze voor hem werkt. Mooie meid. Vanaf het moment dat ik er bij Financiën uit geschopt ben, houdt ze me van allerlei Washingtonse geheimen op de hoogte. Ze zegt dat Houston ons iets te vertellen heeft.'

'Ons?'

'Ja. Aan jou en mij.'

De mannen waren weer een tijdje stil.

'Je had gelijk met dat machinegeweer,' zei Littlemore.

'Hoe dat zo?'

'Blijkt dat de bomaanslag in Wall Street twaalf uur te laat is gepleegd. Dus hadden ze een probleempje: het putdeksel was afgesloten. Daar stonden ze in de steeg, met al dat goud en geen plek om het te lozen. Een van die lui rent naar de overkant van de straat en schiet zijn machinegeweer leeg op een muur van de Morgan Bank, in de hoop iemand zover te krijgen dat deksel open te maken. Klaarblijkelijk heeft het gewerkt. Ik heb het aan commissaris Enright verteld, en die heeft Lamont een brief gestuurd en hem gewaarschuwd die kogelgaten niet te repareren. Hij zegt dat Morgan iedereen maar moet vertellen dat het een aandenken is, maar dat als ze de gaten repareren hij de hele bups zal arresteren wegens het vernietigen van bewijs.' Littlemore tuurde de horizon af. 'Waar blijft dat schip?'

'Het is laat.'

'Raar hoor,' zei Littlemore, 'hoe mensen de zestiende september nu al weer vergeten. Toen het gebeurde, leek het alsof niets ooit hetzelfde zou zijn. Het hele land was verstijfd. Het leven zou voor altijd anders worden.'

'We zijn tenminste geen oorlog gaan voeren. Een door list en bedrog ontketende oorlog tegen een land dat niets met de bomaanslag van doen had... God weet wat voor prijs we daarvoor hadden moeten betalen als jij hem niet voorkomen had.'

'Ja... ik zou beroemd moeten zijn,' zei Littlemore. 'Maar in plaats daarvan zit ik aan de grond.'

'We kunnen naar India gaan.'

'Hoezo India?'

'In India is armoede heilig.' Younger plette zijn sigaret onder zijn hak. 'Dus niemand wordt ervoor bestraft. Voor de aanslag.'

'Dat weet ik nog zo net niet. Waar hebben jij en ik Drobac voor het eerst gezien?'

'In het Commodore Hotel, nadat ze Colette ontvoerd hadden,' antwoordde Younger.

'Nee.'

Younger schudde zijn hoofd. 'Waar dan wel?'

'Toen jij, de jongedame en ik op de ochtend van 16 september door Nassau Street liepen, werden we door een paard-en-wagen voorbijgereden. Weet je nog? Op zo'n drie minuten voordat de bom afging. De lading was zo zwaar dat de merrie die maar met moeite achter zich aan kon slepen. Drobac was degene die op de bok van de wagen zat.'

◦⋅≪⋙⋅◦

'Bonjour,' zei Luc, terwijl hij die avond naar zijn zus opkeek.

De *Susquehanna* was twaalf uur te laat binnengevaren. De jongen, schoner en opgedofter dan Younger hem ooit eerder had gezien, was net over de loopplank aan komen wandelen, hand in hand met Oktavian Kinsky, en stapte het heldere elektrische licht van de kade in. Er stonden geen sterren aan de hemel, de maan was onzichtbaar. Het wolkendek was te dik.

Heel even stond Colette als aan de grond genageld. Het was voor het eerst in zes jaar dat ze haar broer hoorde praten. Ze kon de stem niet met

Luc in verband brengen; hij klonk te volwassen, te zelfbewust, alsof een vreemde zich in zijn lichaam had genesteld en door zijn mond sprak. Toen vielen de stem, de borende ogen en het serieuze gezicht op de een of andere manier plots allemaal op hun plek: het was hem. Ze spreidde haar armen breed uit en trok hem naar zich toe.

'Bonjour?' herhaalde ze, terwijl ze hem dicht tegen zich aan drukte. 'Hoe kan het 's avonds laat nou "bonjour" zijn, gekkie? En je haar? Mochten ze dat zomaar van je knippen?'

Luc knikte ernstig.

Oktavian begroette Younger en Colette – het echtpaar Littlemore had het al uren eerder voor gezien gehouden – alsof ze verloren gewaande vrienden waren. 'Ik ben hier om een wagenpark voor huurauto's te beginnen,' verklaarde Oktavian. 'Naar ik begreep wordt daar in Amerika niet op neergekeken.'

'Integendeel,' beaamde Younger. 'En u zult de Amerikaanse dames van u af moeten slaan, graaf, of in elk geval degenen die ik aan u zal voorstellen. Die aanbidden de aristocratie.'

'Maar jullie hebben je adellijke titels al ruim een eeuw geleden afgeschaft,' zei Oktavian.

'Mensen willen altijd wat ze niet kunnen krijgen,' zei Younger.

'Ik niet,' zei Colette.

❦

Die nacht sliepen ze bij Mrs. Meloney, die haar deuren onbaatzuchtig voor ze geopend had. Colette had Mrs. Meloney overgehaald de wijzerplaatschilderessen in de radiumverffabrieken te hulp te komen, en het goede mens had zich met al haar gebruikelijke inzet en slagvaardigheid op haar nieuwe taak gestort.

In Brightons fabriek in Manhattan werden de fabrieksmeisjes op stralingsverschijnselen getest. Ruim de helft van de arbeidsters was radioactief, vooral in hun gebit en kaken; enkelen van hen gloeiden in het donker. Het met de mond punten van penselen was van nu af aan verboden. Beschermende handschoenen werden verplicht gesteld. Er werden stralingsmeters geplaatst. Er was beslag gelegd op Brightons bankrekeningen, en zijn tegoeden werden gereserveerd ten behoeve van de meisjes die door hun werk in de fabriek ziek waren geworden.

Younger en Colette brachten Luc naar bed. 'Ik moet je iets vertellen,' zei de jongen tegen zijn zus.

'Dat weet ik,' antwoordde Colette. 'Dr. Freud heeft het ons verteld.'

'Je weet ervan?'

'Alleen maar dat je ons iets te zeggen hebt. Hij weigerde ons te laten weten wat.'

'Maar nu ik hier ben,' zei Luc, 'wil ik het niet meer zeggen.'

'Ga nu maar slapen,' antwoordde Colette. 'Dan kun je het ons morgen vertellen.'

※

Maar de volgende dag was de jongen nog minder spraakzaam. Oktavian had enkele kamers in een bescheiden maar keurig hotel in Manhattan betrokken en was zijn onderzoek naar de huur en verhuur van luxevoertuigen met chauffeur gestart. Ze namen afscheid van hem en stapten die avond op de trein naar Boston.

Terwijl de trein bedaard noordwaarts boemelde, viel aan de andere kant van het raam een lichte poedersneeuw. 'Luc,' zei Colette, 'dit is het goede moment.'

De jongen schudde zijn hoofd.

'Als je wilt, kun je het in mijn oor fluisteren,' zei Colette.

'Nonsens,' verklaarde Younger. 'Hij fluistert niets. Hij is geen kind meer. Hij heeft een oorlog overleefd. Hij heeft ons het leven gered. Je bent een man, Luc, geen klein meisje. Hou op met die onzin en zeg wat je te zeggen hebt.'

Luc fronste zijn wenkbrauwen. Hij leek van zijn stuk gebracht, besluiteloos.

Younger haalde een brief uit zijn jas. 'Die is van dr. Freud,' zei Younger. 'Je vertrouwt dr. Freud toch?'

Luc knikte.

'Hij waarschuwt ons dat je in Amerika misschien weer stommetje gaat spelen,' ging Younger verder. 'Hij zegt dat je bang bent dat je zus niet wil horen wat je te zeggen hebt.'

Luc staarde Younger met borende ogen aan.

'Hij schrijft dat we je moeten zeggen dat hij dertig jaar van zijn leven bezig is geweest mensen te vertellen wat ze niet wilden horen. Hij schrijft dat het feit dat iemand de waarheid niet wil weten zelden een goede reden is om dan maar te zwijgen. Ook schrijft hij dat je zuster echt wil horen wat je te zeggen hebt.'

Luc wendde zijn starende blik naar Colette. 'Echt?' vroeg hij kalm.

'Echt,' zei Colette.

'Je weet niet wat het is,' zei Luc.

'Wat het ook is, ik wil het horen.'

'Nee, dat wil je niet.'

'Wel waar,' zei Colette.

'Nietes.'

'Welles.'

'Geweldig,' zei Younger. 'Spreekt die knul voor het eerst in zijn leven, gaan jullie een beetje als schoolkinderen zitten kissebissen.'

'Vader was een lafaard.' Lucs woorden waren simpel maar onherroepelijk.

Colette sprong op. Haar handen dichtgeknepen. 'Vader? Een lafaard?'

De jongen keek hoe de sneeuwvlokken op het raam van hun coupé smolten. 'Ik was in het huis toen de Duitsers kwamen,' zei hij.

Er viel een schaduw over het gezicht van zijn zus en ze begon aan een vraag. 'Bedoel je...?'

'Ja,' onderbrak Luc haar.

'Maar we...'

'Waren in de kelder van de timmerman,' maakte hij haar zin af. 'In de nacht ben ik naar buiten geslopen. Je hoorde me niet. Ik ging terug naar het huis. Ik keek door het raam naast de schuur naar binnen.'

Colette had nu ook haar laatste bewegingen gestaakt. Misschien dat ze zelfs met ademhalen gestopt was.

'Vader was binnen met Duitse soldaten. Het waren er drie. Eentje was lang met blond haar. Weet je nog waar moeder en grootmoeder zich schuilhielden?'

'Ja.'

'Vader zei tegen ze: "Schiet me niet dood. Alstublieft, schiet me niet dood." Toen begon hij te huilen.'

'Dat maakt hem nog geen lafaard,' antwoordde ze.

'Vader wees naar de kast. Ik denk dat hij de Duitsers wilde laten zien waar het tafelzilver lag. Ze maakten de kast open, maar ik geloof niet dat het ze om het zilver ging. Ze draaiden zich om en schreeuwden tegen vader. De lange richtte zijn geweer op hem. Vader smeekte ze om hem niet te doden.' De trein ratelde door een bocht. 'Toen wees vader naar het vloerkleed.'

'Je zag hem wijzen?'

'Hij wees ernaar en toen stond hij op en trok het kleed weg zodat de Duitse soldaten het valluik konden zien.'

Colette zei niets.

'Ze maakten het luik open. Ze vonden mama. En omi. Ze sloegen mama in haar gezicht. Toen schoot de lange vader neer. Een ander maakte omi dood.'

'Wat deed jij?' vroeg ze rustig.

'Ik rende het huis in. Mama gilde. Ze hielden haar vast op de vloer en trokken aan haar jurk. Een van de Duitsers sloeg me. Verder kan ik me niets herinneren. De volgende ochtend...'

'Nee, stil maar,' zei Colette, terwijl ze haar armen om haar broer sloeg en haar ogen sloot. 'Ik weet het al.'

'Ik wilde niets zeggen,' zei Luc.

❧

De rest van hun reis zeiden ze weinig. Colette deed haar mond nauwelijks open. In Youngers jaszak zat de brief van Freud, die hij haar niet had laten zien. Om die reden had Colette het kleine, opgevouwen briefje niet gezien dat Freud in de envelop had bijgevoegd, noch had ze de laatste paragraaf van de brief gelezen, waarin stond:

Ook Fräulein Rousseau hield iets voor haar broer verborgen. Ik meen te weten wat het is, maar het is niet aan mij om het te zeggen. Wanneer ze eraan toe is, zal ze het je zelf vertellen. Als ze zover is, geef haar dan het bijgevoegde briefje.

Als altijd,
Freud

Nadat ze in Youngers huis in Boston waren aangekomen en Luc zijn nieuwe slaapkamer hadden laten zien en hem ingestopt hadden, gingen Younger en Colette naar hun eigen slaapkamer. Ze liet zich door hem uitkleden, wat hij graag deed. Toen trok hij zijn eigen hemd uit en toonde haar het dikke witte verband dat vele keren rond zijn borst gewikkeld zat.

'Doet het pijn?' vroeg ze.

'Alleen als ik ademhaal,' zei hij. 'Grapje. Ik voel er niets van.'

'Kun je?' fluisterde ze.

Hij kon. Ze moest zijn hand op haar mond leggen om te voorkomen dat Luc wakker zou worden. Haar nagels groeven in zijn armen. Even dacht hij dat hij haar pijn deed, maar ze smeekte hem niet te stoppen.

Een hele tijd later sprak ze zachtjes in het donker: 'Ook ik wilde niets zeggen.'

'Je wist het?' zei Younger. 'Wat je vader gedaan had?'

Ze knikte.

'Heb jij het ook gezien?' vroeg hij.

'Nee,' zei ze. 'Vader heeft het me zelf verteld. De volgende ochtend.

421

Hij leefde nog toen we hem vonden. Hij heeft me alles opgebiecht. Hij smeekte me hem te vergeven.'

Een klok tikte.

'Dat heb ik niet gedaan,' zei ze. 'Ik kon het niet. Toen was hij dood.'

Tranen biggelden in stilte over haar wangen; Younger voelde ze op zijn borst.

'God sta me bij,' fluisterde ze. 'Ik heb mijn eigen vader niet vergeven.'

'De oudsten dragen de zwaarste last,' zei Younger.

'Nu weet je het,' zei ze tegen hem, terwijl ze haar ogen droogwreef. 'Nu weet je mijn allerlaatste geheim.'

❧

Uren later, toen de zon opkwam en hij bezig was zijn overhemd dicht te knopen, stelde Colette, die nog in bed lag, hem een vraag. 'Heb ik alles verkeerd gedaan?'

'Ik heb iets voor je,' antwoordde hij. 'Van Freud.'

Hij gaf haar het briefje. Ze ging overeind zitten en las het, het beddenlaken over haar borst opgetrokken. Ze staarde lange tijd naar het epistel, waarna ze het aan hem teruggaf.

Mijn beste Fräulein Rousseau,

Als u dit leest betekent dat, aangenomen dat ik gelijk heb, dat u Younger onthuld heeft dat u van het ongelukkige gedrag van uw vader wist voordat uw broer u erover verteld heeft. Wees niet al te streng voor uw vader. Een man behoort niet op zijn daden beoordeeld te worden wanneer hij met de dood wordt bedreigd.

Noch moet u te streng over uzelf oordelen. Zijn aandoening zou weliswaar wellicht eerder verholpen zijn als u uw broer verteld had wat u wist. Maar deze had, pervers genoeg, ook dieper ingesleten kunnen raken. Feit is dat jullie beiden geprobeerd hebben elkaar te behoeden voor een waarheid die de ander al kende. Een ironisch misverstand, geen tragisch.

U zult wellicht hebben bemerkt dat uw broer een wrok tegen u heeft gekoesterd. Dat is niet meer dan natuurlijk. Het is mogelijk dat hij een hekel aan u heeft gehad, of gedacht heeft die te hebben, omdat u niet wist wat hij wist (althans, naar hij geloofde) en u hem daardoor dwong zijn geheim te bewaren. Kinderen verwachten dat volwassenen weten wat zij weten; wanneer we ze daarin teleurstellen, dalen we in hun achting.

Maar zelfs als volwassenen zullen ook wij uiteindelijk degenen minach-
ten die we voor de waarheid hebben behoed, zullen ook wij een wrok koes-
teren jegens hen voor wie we ons de grootste opoffering hebben getroost.
Als u er ook nu nog aan twijfelt of u uw broer moet vertellen dat u zijn
geheim al die tijd al hebt geweten, dan zal het u om voornoemde redenen
duidelijk zijn hoe mijn advies luidt.

Er is nog één ding dat ik u graag wil zeggen. In mijn aanwezigheid
vroeg u zich af waarom u de man die uw ouders vermoord heeft niet kon
doden. Juist uit dit enkele feit kon ik afleiden wat u verborgen hield. De
reden is simpel. U had het gevoel, ook al wist u het niet met zoveel woor-
den, dat u uw vader zou beledigen door dat te doen waarvoor hem de
moed ontbrak. Uw handelingen werden door clementie met uw vader in-
gegeven, niet door clementie met de moordenaar. (Dit noopt mij er ook
toe aan te nemen dat u het gevoel heeft uw vader ergens in het verleden
tekort te hebben gedaan, al is het mij niet gegeven de aard van dit tekort
te ontsluieren.) Gelukkigerwijs bevond u zich op dat moment in gezel-
schap van een man die niet onder uw wroeging gebukt ging. Als u ook
maar half zo verstandig bent als ik geloof dat u bent, dat zult u de lief-
de van deze man geen tweede keer afwijzen.

Freud

Op 25 december 1920 werd er een interlokaal telefoongesprek tot stand
gebracht tussen een privéwoning in Washington D.C. en een in Boston,
Massachusetts. Het was kort voor middernacht.

'Ben jij dat, Jimmy?' vroeg Colette. Zij en Younger hielden beiden een
oor tegen de hoorn gedrukt. Voor hen stond een kerstboom versierd met
speelgoedsoldaatjes en glimmende, handgeschilderde papieren ballen.

'Zeker weten, Miss,' antwoordde Littlemore met krakende stem, 'en
Betty ook. Is doc daar?'

'Ik ben er,' zei Younger. 'Wat is er?'

'Je zou je ogen niet geloven als je dit huis zag. De kerel van wie het is,
is ook eigenaar van *The Washington Post*. Zijn vrouw bezit de Hope-dia-
mant. Het is een gigantisch kerstfeest. Minister Houston heeft ons hier
uitgenodigd. Harding is er. Er zijn hier zoveel senatoren dat je zou denken dat je in het Capitool bent. Lamont is er ook. Die loopt er nogal sneu
bij, als iemand die net een paar miljoen op de renbaan heeft verspeeld.
Maar weet je wat? De boel lijkt weer een beetje aan te trekken. In het
land, bedoel ik. Ze hebben hier dansmeisjes uit New York. Ze spelen een
nieuw soort muziek. Er hangt iets in de lucht. De jaren twintig worden

misschien toch niet zo erg als ik gedacht had.'

'Heb je je baan bij Financiën weer terug?' vroeg Younger.

'Nee. We zijn hier te gast. Maar nu is het Betty die Washington wel ziet zitten. Waarschijnlijk omdat Harding de hele avond met haar heeft lopen flirten.'

'En jij en die Mrs. Cross dan?' antwoordde Betty.

'Geen belangstelling,' zei Jimmy.

'Maar zij wel,' antwoordde zijn vrouw. 'De sloerie.'

'Bel je nog om een bepaalde reden?' vroeg Younger.

'Het is Kerstmis, doc.'

'Gelukkig kerstfeest.'

'Iedereen hier deelt cadeautjes rond,' zei Littlemore.

'Jullie zijn niet de enigen,' antwoordde Younger, en hij keek naar de diamant om Colettes vinger, die ooit van zijn moeder was geweest.

'Weet je wat,' zei Littlemore. 'Jij krijgt ook een cadeautje.'

'Ik?' vroeg Younger. 'Van wie?'

'Van Houston. Hij vroeg me of jij het goud samen met mij gevonden had. Ik zei ja. Toen vroeg hij of je een wetsdienaar bent.'

'Hoezo?'

'Tja, nu ze het eindelijk allemaal hebben opgegraven, zweert Lamont dat het goud niet van Morgan is en Houston houdt voet bij stuk dat het niet van Financiën is, dus officieel is het van niemand. Het wordt door niemand opgeëist. Ze hebben wetten voor dit soort situaties. Ze noemen het vindersrecht. De wet zegt dat niet opgeëist goud naar de vinder gaat, behalve als hij een wetsdienaar is. Ik heb hem gezegd dat jij zeker weten geen wetsdienaar bent. Eerder een wetsovertreder, zei ik nog.'

Er volgde stilte op de lijn.

'Heb je me gehoord, doc?'

'Gaat ál het goud naar de vinder?'

'Behalve als hij een wetsdienaar is,' zei Littlemore.

'Om hoeveel gaat het?'

'Iets meer dan vier miljoen.'

'Dat kan ik niet aannemen,' zei Younger. 'Dat behoort toe aan de Verenigde Staten. Zeg hem maar dat ik het aan Financiën teruggeef.'

'Dat heb ik al gedaan.'

'Dat heb je al gedaan?' vroeg Younger.

'Ik wist dat je het zou weigeren.'

'Ja, maar je had me toch op zijn minst de kans kunnen geven zelf mijn vrijgevigheid te betonen.'

'Er is iets wat je niet weet,' zei Littlemore. 'Afgelopen oktober probeerde Lamont namens Morgan voor twee miljoen dollar aan verboden Russisch goud het land binnen te smokkelen. De douane snapte hem, maar Houston heeft het in het geheim door Financiën in ontvangst laten nemen. Dat was tegen de wet, maar Houston wilde niet dat Morgan met een verlies van twee miljoen werd opgezadeld; hij dacht dat dat wel eens slecht kon uitpakken voor het land. Houston was van plan Financiën opdracht te geven Morgan voor dat goud te betalen, totdat hij ontdekte dat Lamont achter de diefstal van de zestiende september zat.'

'Wat bazel je allemaal, Littlemore?' vroeg Younger.

'Nog even, doc. Ik ben er bijna. Dus Houston betaalt Lamont nu geen rooie cent meer voor zijn goud. Financiën houdt het gewoon. En Lamont kan er niets tegen doen, want het Russische goud was sowieso illegaal. Nu heeft Houston dus nog maar twee miljoen nodig om de boeken op orde te brengen.'

'Ik geloof dat ik het begin te snappen,' zei Younger. 'Financiën komt nog maar twee miljoen aan goud tekort. Maar wat wil je daarmee zeggen?'

'Wat ik wil zeggen is dat toen ik Houston vertelde dat jij al dat goud dat we gevonden hebben nooit zou accepteren, hij iets zei als: "Hé, Financiën komt nu nog maar twee miljoen tekort, dus waarom passen we het Europese vindersrecht niet toe?"'

'En dat luidt?'

'Dat de vinder de ene helft krijgt en de overheid de andere.'

Opnieuw was het stil.

'Ik kan echt niet iets aannemen wat jij niet ook krijgt,' zei Younger. 'En trouwens, jij was helemaal geen wetsdienaar toen we het goud vonden. Houston had je net ontslagen.'

'Dat heb ik hem ook gezegd.'

'Wat was zijn antwoord?'

'Dat jij en ik voor twee miljoen dollar aan goud gaan delen. Vrolijk kerstfeest.'

OPMERKINGEN VAN DE AUTEUR

De bomaanslag in Wall Street op 16 september 1920 zou tot de aanslag in Oklahoma in 1995 de meest verwoestende terroristische daad op Amerikaanse bodem blijven. Anders dan de aanslag in Oklahoma en die op 11 september 2001 zou de aanslag in Wall Street nooit worden opgelost. De daders zijn nooit gepakt. Er is nooit iemand voor aangeklaagd. In 1944 kwam het Federal Bureau of Investigation tot de conclusie dat de ontploffing 'naar het schijnt het werk van Italiaanse anarchisten of Italiaanse terroristen' is geweest, maar dit was niet meer dan een gissing, en de identiteit van de verantwoordelijken blijft tot op de dag van vandaag onbekend.

Laat ik hier benadrukken dat mijn 'oplossing' voor dit mysterie gefingeerd is. Er bestaat geen enkel historisch bewijs voor het idee dat senator Albert Bacon Fall, Thomas W. Lamont van J.P. Morgan Co. of de voormalige minister van Financiën William G. McAdoo het ware brein achter de aanslag heeft gevormd. Deze mannen zijn bestaande historische figuren: de twee laatstgenoemden hebben veel lof geoogst voor hun publieke verdiensten en prestaties. De achtergrondinformatie die ik over hen heb gegeven is echter waar. Maar mijn verhaal over hun verantwoordelijkheid voor de aanslag in Wall Street is niet meer dan dat: een verhaal.

Waar loopt in *Doodsinstinct* dan precies de scheidslijn tussen fictie en non-fictie, tussen waar en niet waar? Het principe dat ik getracht heb te volgen was simpel: alle actie in het boek – alle gevaren waarin de hoofdpersonen verzeild raken, alle kwalijke praktijken die ze aan het licht brengen – is fictief. De wereld waarin deze actie plaatsvindt, is waar.

De achtergrond waartegen de gebeurtenissen in *Doodsinstinct* zich ontrollen, is dus waar. Op het precieze moment van de ontploffing in Wall Street, en daar recht tegenover, werd via een houten luchtbrug daadwerkelijk voor een klein miljard dollar aan goud van het oude subdepartement van Financiën naar het naastgelegen Assay-kantoor verhuisd. Een paar kilometer verderop zaten zo'n honderd vrouwen daadwerkelijk fluorescerende horlogewijzerplaten te beschilderen en ze gebruikten hun lippen om scherpe punten aan hun giftige penselen te draaien. In Washington D.C. was senator Fall daadwerkelijk bezig een oorlog tegen Mexico te beramen, die hem en zijn machtige vrienden binnen de olie-industrie veel geld zou hebben opgeleverd. In het door oorlog ontwrichte Europa was Sigmund Freud ondertussen daadwerkelijk tot een nieuw inzicht omtrent de menselijke ziel gekomen: namelijk dat ieder mens met twee fundamentele oerdriften wordt geboren: de ene gericht op het leven en de liefde, de andere op de dood.

Anderzijds is de diefstal uit het ministerie van Financiën, zoals in *Doodsinstinct* beschreven staat, een bedenksel. Het ministerie heeft altijd ontkend dat er goud vermist is geraakt. De geaccepteerde versie is dat de gelijktijdigheid van de aanslag en de verhuizing op louter toeval berust en dat de werklieden die het goud verhuisden net voor de ontploffing waren gaan schaften en de zware deuren aan weerszijden van de brug gesloten hadden.

Van de grote gebeurtenissen, van de bomaanslag tot aan de *petite Curie*, de met röntgenapparatuur volgestouwde vrachtwagen die door Colette bestuurd werd, is de wereld zoals deze in *Doodsinstinct* beschreven is zo echt mogelijk en elk detail is op historische bronnen gebaseerd. De lezer die in dit boek verneemt dat er op 11 november 1918 duizenden soldaten nodeloos zijn afgeslacht – nadat hun commandanten al van de wapenstilstand op de hoogte waren gesteld – kan erop vertrouwen dat dat feit door talloze betrouwbare bronnen wordt gestaafd. Als ik een krantenartikel aanhaal, dan is het citaat ofwel woordelijk overgenomen of zijn de veranderingen uiterst gering en alleen omwille van stijl doorgevoerd zonder de inhoud aan te tasten. Als ik bepaalde beelden van de explosie van 16 september schets, dan is elk van deze beschrijvingen op bronnen uit die tijd gebaseerd: er vloog daadwerkelijk een taxi door de lucht; het hoofd van een vrouw werd daadwerkelijk van haar romp gescheiden; de schietgaten in de muren van de Morgan Bank zijn ook nu nog zichtbaar.

Zelfs de schandalige vervalsingen, bedoeld om de schijn te wekken dat de Mexicaanse overheid drie anti-interventionistische Amerikaanse senatoren had omgekocht, zijn een historisch feit, zij het dat deze vervalsingen pas een paar jaar later, tijdens een andere mislukte poging Amerika tot een invasie in Mexico aan te zetten, in omloop zijn gebracht.

Het spreekt voor zich dat ik niet volledig kan instaan voor het waarheidsgehalte van het historische materiaal waarop ik mij baseer. Wanneer ik Toynbees beschrijvingen van de Duitse wreedheden in Frankrijk in 1914 aanhaal, dan kan de lezer ervan uitgaan dat ik hem nauwgezet citeer – maar of Toynbees lezing op zich correct is, dat is iets waar u of ik nooit zeker van kan zijn. De uiteindelijke validiteit van historische bronnen is een zaak van historici.

Niettemin staat het waarheidsgehalte van enkele van de meest ongeloofwaardige gebeurtenissen in *Doodsinstinct* buiten kijf. Het opzienbarende verhaal bijvoorbeeld van Edwin Fischer is een bewezen feit. Voor zijn vooraf tegen verschillende mensen geuite waarschuwingen dat er in Wall Street na sluitingstijd van de beurs op de vijftiende september, of op de zestiende, een aanslag zou plaatsvinden, bestaat nog steeds geen verklaring. (Alle bizarre details die ik over hem vermeld heb – zijn vier tennistitels op het U.S. Open, de verschillende pakken die hij over elkaar droeg, zijn verklaring dat zijn kennis over de aanslag 'uit de lucht' tot hem was gekomen, zijn daaropvolgende opname in een inrichting, enzovoort – zijn stuk voor stuk op feiten gebaseerd.) Als Fischer vooraf over de aanslag geweten heeft, iets wat historici onaannemelijk achten, zou dat erop wijzen dat er personen achter de aanslag hebben gezeten die uit heel andere kringen afkomstig waren dan de armlastige Italiaanse anarchisten die men er gewoonlijk voor verantwoordelijk houdt.

Hoewel het geen algemeen bekend feit is, heeft Fischer enkele jaren voor de aanslag, zoals ik in mijn boek beschrijf, wel degelijk in contact gestaan met agenten van de federale overheid. Maar mijn relaas van zijn verdere betrokkenheid bij het Bureau of Investigation, evenals het verhaal aan het eind van *Doodsinstinct* waarin Littlemore uitdoktert dat de stemmen die Fischer 'uit de lucht' had opgepikt afkomstig waren van een plek net buiten de Oyster Bar in het Grand Central, is geheel verzonnen. Het is echter wel een feit dat gefluisterde gesprekken op de plek die ik beschreven heb aan de andere kant van de stationshal gehoord kunnen worden.

Het Marie Curie Radium Fonds, geleid door de onstuitbare Mrs. B. Meloney, slaagde er uiteindelijk in een gram radium te bemachtigen voor madame Curie, die in 1921 naar Amerika reisde om het geschenk van president Harding in ontvangst te nemen. Behalve dat ze de eerste vrouwelijke professor aan de Sorbonne is geweest en de eerste winnaar van twee Nobelprijzen – de ene in 1903 voor natuurkunde, de andere in 1911 voor scheikunde – is madame Curie tot op de dag van vandaag de enige vrouw die een dubbele Nobelprijs in de wacht heeft gesleept en de enige persoon die Nobelprijzen in twee verschillende wetenschappelijke disciplines heeft gewonnen. Blootstelling aan hoge stralingsdoses was in 1920 zeer waarschijnlijk de oorzaak van haar staar en vrijwel zeker de reden dat ze in 1934 aan aplastische anemie (of wellicht leukemie) is overleden.

Waar mijn hoofdpersonen – Younger, Littlemore, Colette en Luc – fictief zijn, zijn vele personages met wie ze in contact staan dat niet, zoals commissaris van politie Enright, minister van Financiën Houston, de New Yorkse burgemeester Hylan, 'Big Bill' Flynn en dr. Walter Prince (van het Amerikaanse Genootschap voor Parapsychologisch Onderzoek). Ook heeft er echt een Mrs. Grace Cross bestaan, die naar verluidt een verhouding met Warren Harding had, maar het personage met haar naam is verder niet op deze historische persoon gebaseerd.

Arnold Brighton is een fictief personage. Edward Doheny was de echte oliebaron die de pogingen van Fall steunde om een oorlog tegen Mexico te beginnen en hem daarvoor minstens honderdduizend dollar aan smeergeld heeft betaald, waardoor Fall later het eerste kabinetslid zou worden dat een gevangenisstraf kreeg voor een misdrijf dat hij gepleegd had terwijl hij zitting had in de regering. In 1920 was de echte directeur van de U.S. Radium Corporation Arthur Roeder, in wiens fabriek in New Jersey Quinta Maggia McDonald en haar zussen hebben gewerkt. Er is geen enkele reden om aan te nemen dat Doheny en Roeder ook maar iets met de aanslag in Wall Street te maken hebben gehad.

De tragische vergiftiging van de radiumschilderessen is daarentegen een goed gedocumenteerd feit. In een aantal opzichten zijn de ware feiten nog schrijnender dan mijn beschrijving. Het is goed mogelijk dat tot wel honderdtwaalf wijzerplaatschilderessen aan het met hun lippen 'punten' van hun penselen zijn gestorven – een gebruik dat pas in 1925 werd afgeschaft. En nog veel meer fabrieksmeisjes hielden er akelige en slopende ziektes aan over.

De gezusters Maggia – Quinta, Amelia en Albina – behoorden tot de slachtoffers. (Hoewel ik in mijn boek de namen van deze drie vrouwen gebruik, bestaat er geen enkele overeenkomst tussen mijn personages en de vrouwen die daadwerkelijk hebben geleefd. Het verhaal dat ik vertel over hun ontsnapping, de jacht die op ze gemaakt werd en hun pogingen met Colette in contact te komen, is geheel fictief.) Amelia stierf in

1922, de eerste van de wijzerplaatschilderessen van wie bekend is dat ze aan radiumvergiftiging is bezweken. Toen haar lichaam in 1927 werd opgegraven, was het nog steeds radioactief. Midden jaren twintig daagde een handjevol vrouwen, onder wie Quinta en Albina, U.S. Radium voor het gerecht, maar de rechterlijke macht was ze niet goed gezind. In 1928 ontving Quinta, inmiddels dodelijk ziek, een bescheiden uitkering in contanten en 'levenslang' een extravagante toelage van zeshonderd dollar per jaar; een kleine twee jaar later zou ze overlijden. Albina leefde tot 1946.

Het bedrijf was er klaarblijkelijk in geslaagd een rapport achter te houden of zelfs te vervalsen dat aantoonde dat de directie van de gevaren van radium voor de wijzerplaatschilderessen op de hoogte was geweest. Op zeker moment verklaarde een medisch specialist zich bereid de klagende vrouwen vrijwillig aan een onafhankelijk onderzoek te onderwerpen, en hij kwam tot de conclusie dat ze ofwel in blakende gezondheid verkeerden of dat hun symptomen het gevolg waren van syfilis of van andere ziektes die geen verband hielden met hun werk. Die specialist, Frederick Flynn, vergat echter te vermelden dat hij in werkelijkheid geen arts was en dat hij door U.S. Radium betaald werd. Mijn personage Frederick Lyme maakt zich aan soortgelijke praktijken schuldig, maar zijn verdere snode gedrag is geheel aan mijn verbeelding ontsproten.

Sigmund Freud formuleerde zijn theorie over de doodsdrift voor het eerst in een kort werk met de titel *Jenseits des Lustprinzips*, uitgegeven in 1920. Opgevat als een zuiver agressieve drift, als een soort diepgeworteld verlangen naar dood en destructie, plaatst het idee van de doodsdrift weliswaar vraagtekens bij de goedheid van de menselijke natuur, maar is het verder niet al te lastig te bevatten. Freud benadrukte echter dat de doodsdrift fundamenteel en in haar oorsprong gericht is op de destructie van het eigen zelf. En daarmee wordt de doodsdrift een veel lastiger en controversiëler concept – hoewel de drift tot zelfdestructie als fenomeen toch zeker bijna even vertrouwd is als agressie.

Over het algemeen genomen was de psychoanalytische wereld na Freuds dood maar al te zeer bereid de doodsdrift te vergeten of die op zijn minst minder te benadrukken. Melanie Klein was een belangrijke uitzondering, evenals Jacques Lacan, die de doodsdrift als een centraal element binnen de psychoanalyse beschouwde, al trachtte hij de drift te ontdoen van de biologische grondslag die Freud haar had meegegeven. Een andere uitzondering is André Green, eveneens een Franse psychoanalyticus, die Freuds theorie in zijn recente, voortreffelijke boek over de doodsdrift, *Pourquoi les pulsions de destruction ou de mort?* (Editions du Panama, 2007), juist expliciet koppelde aan de apoptose, het biologische proces van 'geprogrammeerde' celdood of 'celzelfmoord'. Ik laat Freud tijdens een gesprek met Colette eenzelfde vergelijking maken. Dit was wellicht een anachronisme, want hoewel het verschijnsel apoptose onder wetenschappers al aan het eind van de negentiende eeuw bekend was (toentertijd 'chromatolyse' genaamd), werd het verband met kanker pas laat in de twintigste eeuw vastgesteld.

Lezers die bekend zijn met Freuds werk zullen het beroemde 'fort-daspel' herkend hebben dat in *Jenseits des Lustprinzips* zo'n prominente rol vervult. Uit onderzoek naar de identiteit van de anonieme jongen die het spel in Freuds essay speelt, blijkt dat het om Freuds kleinzoon, Ernst, handelde; zijn moeder was de Sophie wier dood Freud in 1920 zo hevig beweende. Ook op nog een andere plek in mijn boek vervult Luc de rol van een van Freuds kleinzoons. De anekdote die ik over Freud, Luc en de gesimuleerde epileptische aanval van een bedelaar vertel, hoorde ik van Sir Clement Freud, broer van de schilder Lucien Freud, en staat tevens te lezen in de autobiografie van de onlangs overleden Clement, *Freud Ego*.

De verbijsterende geschiedenis die Freud aan Colette en Younger verhaalt om de accuratesse van een van zijn droominterpretaties aan te tonen – waarin Freud correct afleidt dat een patiënte getuige was geweest van een seksuele verhouding tussen haar kindermeisje en de stalknecht toen ze zo'n vier jaar oud was – is geheel waar, of wordt in elk geval geschraagd door de patiënte zelf, prinses Marie Bonaparte. Prinses Maries consulten hadden echter pas vanaf 1925 plaats, dus heeft er in mijn boek wat betreft deze geschiedenis een tijdsverschuiving plaatsgevonden. Net als in *Moordduiding* zijn veel van Freuds uitspraken rechtstreeks uit diens geschriften afkomstig. Hoewel het tegenwoordig gebruikelijk is voor Freuds doodsdrift het begrip *thanatos* (naar de Griekse god van de dood) te hanteren, gebruikte Freud deze term zelf in zijn geschriften nooit en komt het woord in mijn boek dus ook niet voor. Wel verwijst hij naar de schikgodin Atropos in 'Das Motiv der Kästchenwahl', een essay uit 1913 dat de sleutel vormt tot de symboliek die in *Doodsinstinct* verwerkt is. Tot 1938 woonde Freud in Wenen, waar hij ternauwernood aan vervolging door de nazi's ontkwam. Hij stierf in 1939 in Engeland.

WOORD VAN DANK

Met de totstandkoming van dit boek sta ik bij zoveel mensen zo diep in het krijt dat ik ze onmogelijk allemaal kan noemen. Bovenal mijn prachtige vrouw Amy, aan wie ik toch al bijna al het goede in mijn leven te danken heb, die talloze kleine en grote verbeteringen in het manuscript heeft aangebracht. Mijn dochters Sophia en Louisa hebben me, met een wijsheid die in tegenspraak is met hun leeftijd, voor talrijke blunders behoed. Sarah Bilston, James Bundy, Alexis Contant, Anne Daily, Susan Birke Fiedler, Paul Fiedler, Dan Knudsen, Daniel Markovits, Katherine Oberembt, Sylvia Smoller, Walter Austerer en Lina Tetelbaum waren ongelooflijk genereuze, ingenieuze en opmerkzame lezers. Ook ben ik dank verschuldigd aan mijn weergaloze agente Suzanne Gluck, mijn uitgever bij Riverhead, Geoff Kloske, en de consciëntieuze redacteuren Mary-Anne Harrington en Jake Morrissey. Daarnaast nog mijn dank aan Jennifer Barth, Diana en Leon Chua, Kathleen Brown-Dorato, Nancy Greenberg, Tony Kronman, Marina Santilli, Jordan Smoller, Anne Tofflemire en Lucy Wang, die allemaal meer aan dit boek hebben bijgedragen dan ze ooit zullen weten.